# 離散與回歸
在滿洲的臺灣人｜1905-1948 下冊

許雪姬——著

# 目次

## 上　冊

**自序：來去滿洲** ……………………………………………………………………… 006

**第一章　概論** …………………………………………………………………………… 011
　一、離散之文獻回顧與分析 …………………………………………………………… 014
　　（一）Diaspora 的猶太傳統原型　（二）Diaspora 的運用
　　（三）離散、認同與家鄉　（四）臺灣史學界的引進與運用
　二、日治時期臺灣人海外活動之研究回顧 …………………………………………… 019
　　（一）在不同地區的海外籍民　（二）日本帝國擴張下的醫學生及醫師
　　（三）進入1930年代的戰爭動員期：軍夫、臺籍日本兵、高砂義勇隊
　三、滿洲國研究文獻回顧 ……………………………………………………………… 029
　　（一）滿洲國研究概論　（二）臺灣的滿洲國研究
　　（三）滿洲國境內的多族群移民　（四）戰後「回歸」
　四、在滿洲國之臺灣人的相關研究材料 ……………………………………………… 039
　五、本書的章節架構 …………………………………………………………………… 045

**第二章　臺灣人「滿洲經驗」的形成** ………………………………………………… 049
　一、清代臺人對遼東、遼西的認識 …………………………………………………… 051
　二、「滿洲國」的建立 ………………………………………………………………… 052
　　（一）關東州租借地的取得　（二）張作霖之死　（三）九一八事件前的東北
　三、臺灣人跨境的原因 ………………………………………………………………… 059
　四、前往滿洲的分期與分布 …………………………………………………………… 063
　　（一）三個分期與申請渡華旅券　（二）臺灣總督府的管理與保護
　五、到滿洲的交通與人數 ……………………………………………………………… 078
　　（一）交通　（二）航行的經驗　（三）人數
　六、由旅券中看臺灣人的「旅行目的」 ……………………………………………… 086
　　（一）就職　（二）學事關係　（三）各項商、產、工、農、醫等參觀與考察
　　（四）參加博覽會　（五）慰勞皇軍、農業義勇團　（六）臺灣女性的依親與觀光
　小結 ……………………………………………………………………………………… 102

**第三章　赴滿洲國求學的臺人** ………………………………………………………… 105
　一、滿洲國高等以上學校 ……………………………………………………………… 108
　　（一）高等教育機關　（二）就讀中等學校的臺灣人
　二、醫學校的畢業生 …………………………………………………………………… 113
　　（一）滿洲醫科大學　（二）新京醫科大學　（三）哈爾濱醫科大學
　　（四）滿洲開拓醫學院　（五）滿洲國立陸軍軍醫學校

（六）旅順醫學專門學校　（七）奉天齒科大學　（八）奉天護士養成所
　三、工業／科大學的畢業生　145
　　　（一）新京工業大學　（二）奉天工業大學　（三）旅順工科大學
　四、法律科畢業生　154
　五、商業學校畢業生　155
　六、全滿最高學府──建國大學　156
　小結　162

第四章　滿洲國官僚體系的建立與臺籍官員　163
　一、滿洲國官僚體系的建立與日系官員　165
　　　（一）中央官制　（二）地方官制　（三）「滿洲國」官吏中的日系官吏
　二、滿洲高等官吏的搖籃──大同學院　172
　　　（一）建立與分期　（二）滿洲國高等文官考試與大同學院
　　　（三）高等官的官等與其薪資　（四）畢業於大同學院的臺灣人
　三、任職於中央部會的臺人　195
　　　（一）在宮內府、參議府　（二）在立法院　（三）在國務院部門
　四、在地方任公職的臺灣人　261
　五、滿洲國軍隊中的臺人　266
　　　（一）滿洲國第二軍（吉林）　（二）滿洲國第四軍（哈爾濱）
　　　（三）在關東軍中的臺人
　小結　273

第五章　非公職的臺人及臺人在滿洲的生活　293
　一、在國營會社任職的臺人　295
　　　（一）國營會社　（二）在南滿洲鐵道株式會社的臺灣人
　二、在特殊會社或準特殊會社任職者　301
　　　（一）滿洲中央銀行　（二）滿洲電信電話株式會社
　　　（三）滿洲炭礦株式會社　（四）滿洲興業銀行　（五）株式會社滿洲映畫協會
　　　（六）株式會社昭和製鋼所　（七）滿洲電業株式會社
　　　（八）滿洲電氣化學工業株式會社　（九）滿洲特殊鑛會社
　　　（十）滿洲國鏡泊湖水力電氣建設所
　三、在其他相關單位服務者　321
　　　（一）在會社工作者　（二）任職教師　（三）交通事業　（四）與當地人合組公司
　　　（五）在娛樂界、音樂界任職　（六）在協和會任職　（七）經營商工業　（八）其他
　四、臺人在滿洲的生活　342
　　　（一）滿洲的氣候與臺人的適應　（二）食衣住行娛樂
　小結　366

# 目次

## 下　冊

### 第六章　在滿洲的臺灣醫師　　375
#### 一、滿洲醫師資格的取得及滿洲的衛生環境　　379
（一）臺灣醫師的資格問題　（二）滿洲醫師的資格
（三）臺灣醫師在滿洲開業的原因　（四）滿洲地區的衛生保健
#### 二、早期到滿洲的臺灣醫師　　386
（一）最早到滿洲的謝唐山　（二）豐原謝氏兩兄弟往大連、奉天
（三）來自臺東的名醫孟天成與他的班底
（四）臺南新化人梁宰醫師的天生醫院
（五）陳章哲的仁濟醫院　（六）方瑞壁、張忠、李晏與侯全成
（七）仁和醫院的創始人簡仁南　（八）民生醫院院長楊燧人
（九）溥儀的私人醫師──黃子正
#### 三、後期在滿洲的臺灣醫師　　416
（一）在大連行醫者　（二）在奉天及附近行醫者　（三）在四平開業的臺灣醫師
（四）在新京開業的臺灣醫師　（五）在牡丹江市開業的鄭順發
（六）在滿鐵醫院服務的石林玉燦、游紹陳
#### 四、從事研究教學與進入醫療行政體系的臺灣醫師　　433
（一）以教學、研究及醫療行政為主者
（二）滿洲醫師的研究著作：以在《臺灣醫學會雜誌》為例
（三）得科學盛京賞的臺灣人
#### 五、醫師社群　　444
#### 小結　　453

### 第七章　臺灣人在滿洲的戰爭經驗　　459
#### 一、蘇軍的占領與國共內戰　　462
（一）二戰後期的滿洲國　（二）蘇聯進軍東北、滿洲國滅亡
（三）蘇軍撤退與國共內戰
#### 二、面對變局臺人的因應　　467
（一）蘇聯兵進入滿洲與臺人的避難　（二）解除「玉碎」的困境
#### 三、臺人面對的蘇聯兵暴行　　483
（一）臺人所遭遇與所見的蘇聯兵暴行　（二）蘇聯兵拆解重工業機械運回蘇聯
（三）臺人被帶往西伯利亞
#### 四、臺灣人、日本人、朝鮮人戰後的境遇　　495
（一）滿洲人報復性地追殺日本人
（二）朝鮮人的遭遇　（三）在國共內戰中的臺灣人

五、千里迢迢回臺路 505
　　（一）積極籌設臺灣同鄉會　（二）回臺前的生活因應
　　（三）回臺前的喪亡與被捕　（四）回臺的經過
　小結 534

## 第八章　滿洲經驗者往後的遭遇與再離散　537
　一、考試、就學與任教 539
　　（一）國家考試上的設限與就業不計年資　（二）繼續學業者
　　（三）在各大學、高中、高職任教　（四）進入各級政府部門工作者
　二、在政治事件中的受難者 576
　　（一）二二八事件中的滿洲經驗者　（二）白色恐怖事件下滿洲經驗者的遭遇
　三、再度離散 603
　　（一）戰後滿洲經驗的日臺人間的聯繫
　　（二）「東北會」的設立　（三）回歸後的再離散
　四、留在東北者的遭遇 618
　小結 627

## 第九章　結論　629

## 參考書目　649

## 索引　681

# 第六章
## 在滿洲的臺灣醫師

一、滿洲醫師資格的取得及滿洲的衛生環境
二、早期到滿洲的臺灣醫師
三、後期在滿洲的臺灣醫師
四、從事研究教學與進入醫療行政體系的臺灣醫師
五、醫師社群
小結

近20年來研究日治時期臺灣人的海外活動漸多，[1]臺灣醫師的海外發展也漸被重視。范燕秋在〈從臺灣總督府檔案看日治時期的公共衛生〉一文中探討臺灣總督府醫學校畢業生赴海外所碰到的「開業資格」問題及克服之道；[2]中村孝志在〈大正南進期與臺灣〉一文中則指出截至1923年8月為止，臺灣總督府醫學校畢業的醫師共634人，其中到華南開業的有17人，奉職[3]的有6人；在南洋開業的2人，奉職的5名。[4]我個人在〈日治時期赴華南發展的高雄人〉一文中，在有效採集名單104人中，醫師占了28人，高於經商者及學生；又在〈日治時期臺灣人的海外活動：在「滿洲」的臺灣醫生〉一文中，指出在滿洲的臺灣醫生有200多人。[5]陳妊涊在〈放眼帝國、伺機而動：在朝鮮學醫的臺灣人〉一文中，論及在朝鮮讀醫學校的臺灣人；[6]而陳力航的碩士論文則研究到中國的臺灣醫師，包括到滿洲國的，[7]鍾淑敏在〈戰前臺灣人英屬北婆羅洲移民史〉一文也提到在英屬婆羅洲開業的醫師，如李天來、游溪連、王子敬等在斗湖行醫，據其統計，在南洋的臺籍醫師約有200人。[8]上述有關的研究大半只提到醫師的姓名或學歷、開設醫院，較少提及醫師的生平，仍不足以說明海外臺灣醫師的全貌。

　　我之所以對前往滿洲的臺灣醫師產生興趣，主要在於作者執行國科會（今科技部）「日治時期赴滿洲國的臺灣菁英」主題計畫時，採訪了一些有滿洲經驗者，據翁通逢醫師說滿洲人認為臺灣醫師是「大仙」，還盛傳說中國南部有個醫生島就是臺灣，[9]我聽了頗感好奇，乃就所製作的〈日治時期赴滿洲國臺灣人表〉中加以觀

---

1　如林滿紅，〈日本政府與臺灣籍民的東南亞投資（1895-1995）〉，《中央研究院近代史研究所集刊》32（1999.12），頁5-56；林滿紅，〈「大中華經濟圈」概念之一省思：日治時期臺商之島外經貿經驗〉，《中央研究院近代史研究所集刊》29（1997.12），頁51-101；河林原直人，〈臺灣茶の對東南アジア向け輸出と商人活動—1920年代を中心に〉，《アジア研究》44：2（1998.6），頁1-30。

2　范燕秋，〈從臺灣總督府檔案看日治時期的公共衛生〉，收入國史館編著，《臺灣史料的蒐集與運用研討會論文集》（新店：國史館，2000），頁151-197。

3　奉職，廣義地說是指在各大醫院任職，或進入醫療部門服務者。

4　中村孝志著，李玉珍、卞鳳奎譯，〈大正南進期與臺灣〉，《臺北文獻》直字132（2000.6），頁210。

5　許雪姬，〈日治時期赴華南發展的高雄人〉，收入高雄市社區大學促進會，《2001年高雄研究學報》（高雄：高雄市社區大學促進會，2001），頁378；許雪姬，〈日治時期臺灣人的海外活動：在「滿洲」的臺灣醫生〉，《臺灣史研究》11：2（2004.12），頁14-15。

6　陳妊涊，〈放眼帝國、伺機而動：在朝鮮學醫的臺灣人〉，《臺灣史研究》19：1（2012.3），頁87-140。

7　陳力航，〈日治時期在中國的臺灣醫師（1895-1945）〉（臺北：國立政治大學臺灣史研究所碩士論文，2012）。

8　鍾淑敏，〈戰前臺灣人英屬北婆羅洲移民史〉，《臺灣史研究》22：1（2015.3），頁58-63；鍾淑敏，〈二戰時期臺灣人印度集中營拘留記〉，《臺灣史研究》24：3（2017.9），頁104-113。

9　許雪姬訪問、鄭鳳凰紀錄，〈翁通逢先生訪問紀錄〉，《日治時期在「滿洲」的臺灣人》，頁121。

察。發現在我所建立的一千多人的名單中,醫師約有二百多人,幾乎占了五分之一,比例相當高;其次任滿洲國皇帝溥儀的私人醫師(滿洲國宮內府醫生)黃子正也是臺灣人,戰後他和溥儀一起被蘇聯送到赤塔、伯力,而後被送回撫順戰犯管理所,以非戰犯而度過12年牢獄生活,他的經歷也引起我相當的興趣。謝春木在1930年去滿洲實際走訪時,指出到滿洲的臺灣人以醫師占多數;而成功者也大抵是醫師,他們有些要到滿鐵醫院或孟天成的博愛醫院實習或學習語言之後才出來開業,並指出到滿洲等於是在日人與華人之夾縫間,令人為難;而在滿洲的臺灣人有十之八九不願意被知道自己是臺灣籍民,是否為實情。[10] 因此要研究在滿洲的臺灣人,關鍵就在臺灣醫師。郭瑋在〈大連地區建國前的臺灣人及其組織狀況〉一文中,也證實了在大連的臺人中從事醫務工作的占很大的比例。[11]

據目前所得的資料,最早到滿洲的醫師如前所述是1908年申請要到滿洲開業的鄭邦吉(無法證實曾經在滿洲開業),和應關東州招聘到營口的謝唐山醫師。而隨著滿洲國的建立,臺人到滿洲謀職的更多,這之中包括不少醫師。有關此一現象,中國的文史資料亦有相關文章敘述,如王柏懷,〈孟天成與博愛醫院〉,介紹臺灣醫師孟天成是大連最出名的醫師;[12] 王勝利等主編的《大連近百年史人物》,也將孟天成列入。[13] 郭瑋也撰寫〈大連地區建國前的臺灣人及其組織狀況〉,[14] 指出在大連的臺人當醫師的不少。

本章主要在探討日治時期臺灣醫師何以遠赴滿洲行醫?滿洲當地的醫療情形如何?在滿洲執業的有哪些名醫?先後進入滿洲國醫院工作的又有哪些醫師?自行開業的醫師選擇的地點為何?最後介紹到滿洲的幾個重要醫師家族。也要證實目前相關日治時期到滿洲的臺灣人中,醫師確實占的比例不小,這也是必須闢專章介紹在滿洲的臺灣醫師之故。

---

10　《臺灣民報》,第294號,昭和5(1930)年1月1日,第23版,〈馬賊と大豆粕及び張作霖で有名な滿洲〉(上)。
11　郭瑋,〈大連地區建國前的臺灣人及其組織狀況〉,《大連文史資料》6(1989.12),頁67-68。
12　王柏懷,〈孟天成與博愛醫院〉,《大連文史資料》7(1990.12),頁46-48。
13　王勝利等編,《大連近百年史人物》(瀋陽:遼寧人民出版社,1999),頁185-187。
14　郭瑋,〈大連地區建國前的臺灣人及其組織狀況〉,頁67-74。

# 一、滿洲醫師資格的取得及滿洲的衛生環境

## （一）臺灣醫師的資格問題

　　日本在日俄戰爭後取得關東州，此後關東州及滿鐵的附屬地成為日本的勢力範圍。對當時是日本籍的臺人而言，是一個可以考慮的發展之地。關東州先是以日本於 1901 年 1 月頒布的「醫師取締（管理）規則」為準，帝制後的滿洲國在 1936 年 11 月公布「醫師法」，凡取得日本關東州廳長官或內務大臣頒發的執照，並經醫師公會承認者，則可在關東州地區開業。[15] 但要取得上述執照，必得是日本醫學院畢業或醫師考試及格者。

　　臺灣總督府醫學校成立於 1898 年，學制五年，即公學校畢業後再讀預科一年、本科四年，理論上其醫學課程訓練僅約略等於中學程度。故臺灣醫學校畢業的醫師若畢業後到府立醫院任職時，其醫師資格稱為「臺灣醫學得業士」，僅能當囑託或雇員，不能到日本內地執業，除非再通過日本本國的醫師考試以獲得日本內務大臣核發的開業許可不可，因此醫學校畢業生往往選擇回到地方開業。1918 年總督府在醫學校內另附設醫學專門部供日本子弟接受醫學教育之用，1919 年臺灣總督府醫學校改制為日臺共學的醫學專門學校，爾後的畢業生才能稱為「臺灣醫學士」。至於臺北醫學校的畢業生，要在臺灣取得專門學校的資格，則可補修課程、提出論文或再到日本醫專、大學進修。[16] 1936 年臺北帝大醫學部設立，其畢業生取得「醫學士」學位，要在日本統治範圍內開業就不再受到限制。[17] 值得一提的是，臺灣總督府醫學校在 1915 年起設有特設科，招收中國人子弟就學，三年制，到 1922 年停辦共有 34 人畢業，其中 18 人來自「支那」，[18] 據說這段期間每年都培養出幾個外國學生，大半是福州人，而且初等教育畢業於臺灣籍民學校中的旭瀛書院（廈門）或東瀛學校（汕頭）。這些人畢業後往往回到中國服務。[19] 不過最令人驚奇的是其中有 16 人來自臺北、臺南、高雄，這其中有呂耀唐（第 2 回，1919 年畢業）、林伯輝（第 3 回，1920 年畢業）、黃丙丁（第 3 回，1920 年畢業）、蘇永隆（第 4 回，1921 年畢業），都再考入滿洲醫科大學就讀，而第 4 回的黃子正則直接到公立福州博愛會醫院任職。[20]

---

15　中溝新一編輯，《滿洲年鑑》（四）（東京：日本圖書センター，1999），頁 404，〈醫師の取締〉。
16　蔡錦堂，〈街長梁道與新化街的發展，1920-1936〉，收入林玉茹、植野弘子、陳恒安主編，《南瀛歷史、社會與文化：社會與生活》（臺南：臺南市政府文化局，2016），頁 35-64。
17　范燕秋，〈從臺灣總督府檔案看日治時期的公共衛生〉，頁 151-197。
18　臺灣總督府醫學專門學校，《臺灣總督府醫學校一覽》（臺北：該校，1924），頁 146-147。
19　中村孝志著，李玉珍、卞鳳奎譯，〈大正南進期與臺灣〉，《中村孝志教授論文集：日本南進政策與臺灣》，頁 210。
20　臺灣總督府醫學專門學校，《臺灣總督府醫學校一覽》，頁 146。林伯輝依本書記載是「支那人」，

當日本的勢力逐漸向海外發展時，臺人亦隨其腳步而前往華南、南洋、關東州一帶發展，這些醫師遂應當地華人甚至日人對醫師的需求而漸向海外發展。如上所述，臺灣醫師原本不具海外開業資格，尤其南洋是西方列強的殖民地，自有一套醫療制度，並不承認臺灣醫師的資格，因此早期到海外的臺灣醫師都是當地日本政府或團體所招聘，而經總督府許可者，若非經此程序獨自前往，醫師資格即發生問題。如果要臺灣醫師參加當地的醫師考試有其困難性，若未能考取，不僅大傷自尊，也使國譽受損。有鑑於此困境，臺灣醫學校校長高木友枝乃向臺灣總督府提出建議，他說明臺灣醫學校在醫學科目及程度與日本內地醫學專校學科相同，只在普通預備教育的程度難免較低，但若與日本文部省醫術開業考試科目及程度比較，不僅不遜色，而且在基礎醫學科及臨床醫學科實習較為優良。醫學校畢業生的優點還不只此，臺人具有多語言的天分，一般開業醫也受日、臺人的信賴與尊敬，在擔任公醫時不僅稱職且功績顯著，因此應向馬來聯邦政府、英領新加坡政府交涉，使承認臺灣醫師學籍，能擔任日本橡膠園所屬醫師或醫師助手，對同屬日本的關東州則應承認臺灣醫師與內務省許可醫師有同樣的資格。[21]

　　臺灣總督府乃於1912年10月同時向拓殖局總裁及關東都督民政長官白仁武（1908.5.15-1917.7.30），行文照會臺灣總督府醫學校畢業醫師資格。白仁武基本上不同意臺灣醫師在關東州與內務省許可醫師一樣取得執業資格，但並不反對臺灣醫師到關東州行醫。白仁武主要的理由是關東州中、外人士雜居，未來對醫師的資格更難取捨，臺灣醫師的資格只能比照在大連民政署轄區內開業的謝秋涫，以限定執業、區域為限，但一經申請可再核發許可，以類似限地醫[22]的方式辦理。至於日本與荷蘭，雙方以互相承認彼此的醫師資格為條件，臺灣醫師可在蘭領東印度、荷人可在臺灣開業收場。[23]但也有臺灣醫師在南洋應考而取得醫師資格者，如臺南人張海藤，畢業於臺灣總督府臺北醫學專門學校，畢業後在馬偕醫院、廈門博愛醫院任職，1931年他通過在菲律賓的醫師考試（美國政府嚴格的英語考試及格），和妻黃鶯在馬尼

---

但在滿洲醫科大學學籍中寫福建閩縣人，但保證人林慶春卻住在臺北撫臺街；黃丙丁在本書寫的是臺南，但滿洲醫科大學的學籍是福建泉州，保證人之一是黃啟煩，也住在泉州城，但不同地址。合理的推斷是林伯輝是臺人，黃丙丁也可能是住在福建和臺灣關係匪淺的人。

21　《臺灣總督府公文類纂》，文件號：5450-17，十五年保存，三卷三門十類，1912年，〈醫學校醫師資格具申〉。

22　所謂限地醫係指非正式醫學校畢業的醫師，因特殊情形另訂於山間僻遠地方，尚無本則所定資格，亦得審查其技術，限以地域、期間而暫准執行醫務，稱為限地醫。見李騰嶽，《臺灣省通志稿‧政事志衛生篇（一）》（臺北：臺灣省文獻會，1952-1962），頁64-66。此處類比的內容是「限定地域」而已。

23　《臺灣總督府公文類纂》，文件號：5450-17，十五年保存，三卷三門十類，1912年，〈醫學校醫師資格ノ義ニ付照會〉。

拉開業。[24]

## （二）滿洲醫師的資格

滿洲國成立後，並未立刻頒布「醫師法」，一直到1936年11月26日才公布，於翌年3月1日開始實施。「醫師法」共十六條，第一條規定醫師的資格有三：一、在官公立醫學校或文教部大臣或蒙政部大臣所指定之私立醫學校畢業者；二、醫師考試及格者；三、在外國醫學校畢業或在外國受醫師之認可於命令之規定者。[25] 由於醫師的人數仍不足，因此「主管部大臣不拘第一條之規定得暫時限地域或期間與以醫師之認許」，而且在1937年3月1日「醫師法」實施前已得到官方認可的西醫術診療者「視為依本法已受醫師之認許者。」[26]

依「醫師法施行規則」第一條規定，欲申請醫師認許者，須填具其籍貫、住所、姓名、男女別、生年月日之申請書，向民政部大臣或蒙政部大臣提出，經認可後即登錄在醫師名簿上。登錄的內容有：1.登錄號數及登錄年月日；2.籍貫（外國人則包括國籍、姓名、男女別及生年月日）；3.據「醫師法」第一條之規定而認許者，其適合該條各款之一之資格及其資格取得之年月日；4.據「醫師法附則」第二項之規定而認許者，其適合該條各款之一之資格及其資格取得的年月日；5.據「醫師法附則」第三項之規定而取得醫師資格者，其事由並從前之認許官署；6.認許之取消及醫業之停止並其事由期間及年月日；7.認許證之補發並事由及年月日；8.撤消之事由及年月日。[27]

除了「醫師法」外，也發布「漢醫法」，對漢醫做有效的規範，[28] 1937年發布「齒科醫師法及其施行細則」（5月5日）、[29]「藥劑師法」（7月15日）及其施行規則（9月13日）。[30]

至於依「醫師法」第一條第二款的醫師考試之「醫師考試令」則發布於1937

---

24　《臺灣日日新報》，1933年12月30日，7版，〈比律賓の醫師試驗に合格〉。

25　國務院總務廳編，《滿洲國政府公報》，第805號，康德3（1936）年11月26日，頁321-322。醫師法施行規則頒布於康德4（1937）年1月7日。見國務院總務廳編，《滿洲國政府公報》，第836號，康德4（1937）年1月7日，頁83-87。

26　國務院總務廳編，《滿洲國政府公報》，第805號，康德3（1936）年11月26日，頁323，〈敕令第168號：漢醫法〉。

27　國務院總務廳編，《滿洲國政府公報》，第836號，康德5（1938）年1月7日，頁83-85。

28　國務院總務廳編，《滿洲國政府公報》，第805號，康德3（1936）年10、11月，頁323-324；康德4（1937）年1月7日，頁87-89。

29　國務院總務廳編，《滿洲國政府公報》，康德4（1937）年4月15日，頁263-265；康德4（1937）年5月5日，頁59-62。

30　國務院總務廳編，《滿洲國政府公報》，康德4（1937）年7月15日，頁344-346。

年 3 月 13 日。此項業務為民政部大臣所掌管,考試時由考試委員會舉行,並由民政部高等官任之,每年舉辦考試一次。考試分三部舉行,第一部考解剖學、生理學、病理學、藥物學;第二部考內科學、防疫學(含消毒法)、外科學、產婦人科學;第三部考內科學(內含調劑法)、外科學(內含花柳病)、產婦人科學、眼科學。以上第一、二部為筆試,第三部為臨場考試,三部依序進行,「非經第一部考試合格者不得受第二部試,非經二部合格者不得受第三部考試。」[31]

## (三)臺灣醫師在滿洲開業的原因

　　滿洲國是日人炮製的傀儡政權,日本人赴滿洲者不少,臺人鑑於滿洲地大物博、充滿生機、工作機會多,因此在滿洲國成立前後前往者更多。臺灣醫師何以遠到滿洲去行醫?有以下五個原因:

　　**1. 在滿洲接受醫學教育而留在當地執業**:臺灣民間俗語說賺錢的行業,第一賣冰,第二做醫生。在日治時期醫師指的是西醫,醫生指的是漢醫,但一般民間通稱醫護人員為醫生。醫師在殖民時代是個較少受政府束縛又能累積財富的行業,但臺灣只有一所醫學校,實在不敷所需,於是日本本國及日本在其勢力範圍下設置的醫學校、醫學專門學校、醫科大學,就吸引住臺人的目光。滿洲醫科大學是滿洲境內最好的醫學校,而國立的新京、哈爾濱醫科大學,甚至開拓醫學院,因政策所需加強培養醫學生,修業期限相對短,使臺人趨之若鶩。據估計約有一百二十多位畢業於滿洲的醫學校,有些因申請學資金,畢業後必須在當地服務數年,亦有留在附屬醫院琢磨醫技及做研究工作者,另有些人則選擇回臺或在滿洲開業。

　　**2. 受日本長官師友的引薦**:臺灣和滿洲國間的官僚互有交替,最值得一提的是後藤新平臺灣總督府民政局長/長官(1898.3.2-1898.6.19、1898.6.20-1906.11.12),後於 1906 年任第一代滿鐵總裁,迄 1908 年 6 月。[32] 太田政弘,在任臺灣總督前為關東都督府民政長官,[33] 石塚英藏總督也曾在 1906 年 9 月到 1907 年 4 月擔任過關東都督府民政長官。[34] 而臺灣軍司令菱刈隆則在任滿後調往滿洲當關東軍司令官,到 1933 年接替武藤信義為關東州長官。[35] 不只官員,師生、同學間的推薦也不少,故

---

31　國務院總務廳編,《滿洲國政府公報》,第 884 號,康德 4(1937)年 3 月 13 日,頁 257-258。
32　日本近現代史辞典編輯委員会,《日本近現代史辞典》(東京:東洋經濟新報社,1990,第 6 刷),頁 424。
33　日本近現代史辞典編輯委員会,《日本近現代史辞典》,頁 877-878,附錄 21,〈植民地長官、軍司令官一覽〉。
34　日本近現代史辞典編輯委員会,《日本近現代史辞典》,頁 878,〈關東都督府民政長官,事務總長〉。
35　日本近現代史辞典編輯委員会,《日本近現代史辞典》,頁 877-878,〈臺灣軍司令官〉、〈關東總督、都督、長官および特命全權大使〉。

臺人到滿洲不覺唐突。例如，石林玉燦醫師，岡山人，日本大學專門部醫學系畢業，就是在日本同學土岐的介紹下進入哈爾濱的滿鐵醫院工作。[36] 又如孟天成受滿鐵大連醫院院長尾見薰推薦，才到大連醫院就職。[37]

　　3. **家族成員或親戚在滿洲居住或就職者**：以新京醫科大學畢業的余錫乾為例，其父余逢時，1938 年入產業部鑛工司任事務官。[38] 父親既然在滿洲任職，余錫乾乃到新京醫科大學就讀，畢業後到滿洲電信電話病院擔任內科醫師。[39] 余的表哥林元晃也在 1937 年畢業於滿洲醫科大學專門部，[40] 兩人均在滿洲當醫師。

　　4. **對日本統治抱不滿或對祖國有憧憬者**：以簡仁南醫師為例，他畢業於臺北醫學校，曾是臺灣文化協會的重要（有力）會員，也是「新臺灣聯盟」的普通會員，同時也是被禁止的「臺灣議會期成同盟會」理事，[41] 即對日本在臺統治不滿。

　　5. **因日本時局危險前往滿洲躲避**：畢業於東洋醫學院的翁通逢醫師，在日本必須面對美機轟炸的危險，想回臺灣，卻因海上船隻不斷被擊沉，在進退失據之際，才在 1944 年前往滿洲；[42] 許長卿在日本面對轟炸、有被召為「志願兵」的可能，乃在已先到滿洲的朋友幫助下，前往滿洲，那時已是 1945 年。[43] 林錦文、林黃素華這對夫妻，一個是醫師，一個是藥劑師，因為東京危險，乃參加開拓團前往滿洲以避禍，這時已是 1945 年的 6、7 月間。[44]

## （四）滿洲地區的衛生保健

　　滿洲當地和中國其他地區一樣，在二十世紀初期一般衛生狀況並不良好，公共衛生的觀念也不普及，時有傳染病發生。1922 年國際聯盟衛生委員日本籍委員宮

---

36　許雪姬訪問、王美雪紀錄，〈侯金魚女士訪問紀錄〉，《日治時期在「滿洲」的臺灣人》，頁 87。

37　杜聰明，《回憶錄》（臺北：杜聰明博士基金會，1982 年再版），頁 77；林吉崇，《臺大醫學院百年史》（上）（臺北：國立臺灣大學醫學院，1997），頁 168。

38　高橋勇八，《滿洲商工名鑑：附諸官廳錄》（上冊）（大連：大陸出版協會，1938），頁 41。

39　大田豊正，《新京醫科大學圭泉會名簿》（大阪：新京醫科大學圭泉會本部，1991），頁 61；〈居住長春台灣省民名簿〉（1946 年 1 月 28 日），中國第二歷史檔案館藏；《滿洲醫科大學檔案》，JD24,51,〈滿洲醫科大學專門部昭和十二年學籍〉，（瀋陽：中國遼寧省檔案館藏）。

40　滿洲醫科大學，《滿洲醫科大學一覽》（奉天：滿洲醫科大學，1941），頁 170。

41　王詩琅譯，《臺灣社會運動史：文化活動》（臺北：稻鄉出版社，1988），頁 285，〈文化協會會員與各種結社的關係〉；臺灣總督府警務局編，《臺灣總督府警察沿革誌III》（東京：綠蔭書房，1986 年復刻版），頁 161、3580。

42　許雪姬訪問、鄭鳳凰紀錄，〈翁通逢先生訪問紀錄〉，頁 101。

43　許雪姬訪問、鄭鳳凰紀錄，〈許長卿先生訪問紀錄〉，《日治時期在「滿洲」的臺灣人》，頁 588。

44　許雪姬訪問、王美雪紀錄，〈林黃淑麗女士訪問紀錄〉，《日治時期在「滿洲」的臺灣人》，頁 140-142。林黃淑麗本名林黃素華。

嶋幹之助（1872-1944）[45] 以中國東北地方時常發生肺瘟、鼠疫，危害甚烈，難以防止，故建議國聯衛生組織介入此事，得到該委員會核准，決定先由調查著手。派到東北的調查人員為英籍之國聯秘書處衛生股副股長懷愛德（F. Norman White），他在 1923 年 3 月 25 日到 4 月 5 日起到哈爾濱、瀋陽、大連、牛莊調查，並提出調查報告。建議在遠東地區設國際傳染病情報局，後來在新加坡設立，開始留意遠東地區的衛生問題。[46]

日本在滿洲製造滿洲國後，為了要改善當地的衛生狀況，以預防傳染病、普及醫療、斷絕鴉片為三大衛生政策。[47] 要達到上述目標，必須建立衛生行政體系及培養醫療人員。

滿洲國未設立前，關東州及鐵道沿線附屬地之衛生保健工作，由關東州都督府及滿鐵擔任。滿洲國成立後為了改善其衛生狀況，以普及醫療機構、預防傳染病、充實地方衛生行政機關為目標，中央設民生衛生司，翌年改為民生保健司，下分醫務、防疫、保健體育三科，統一醫療行政體系。在傳染病預防設施方面，就是充實預防材料，故在新京設立衛生技術廠，製作各種疫苗及家庭用藥；[48] 為了充實地方衛生機關，在全滿洲 16 省（最後增至 19 省）中有 12 省在四年內進行醫師、藥劑師、獸醫的配置，並使該地能做簡單的消化器、傳染病源及簡易的化學實驗；其次是整備衛生法規、頒布「醫師法」等已如上述。再者將戒鴉片作為重要目標，故設戒煙所，採逐步停食鴉片的措施。在整備地方衛生機關上尚有一重要工作，即在各縣設一個公醫，設置醫學生養成學校，展開牛痘五年計畫，設置研究風土病的機關。

滿洲國的風土病有三：一是甲狀腺腫，二是大骨節病（Kashin-Beck disease、カシン・ベック氏病）。先是，大骨節病在 1849 年於黑龍江上流的外貝加爾（Transbaikal）地區發現，而後在滿洲醫大的高森時雄教授的調查下，了解此病都分布在東半部，其症狀主要是四肢各關節腫脹畸形，在五歲前後發病，先是發熱，但沒有局部炎症化，慢慢地關節畸形，終生難以回復，指頭會變短，並彎曲，而且身體發育停止，而被稱為侏儒的不少。一般發生在山岳尚未開發的地區，致病的原因可能和地方性的飲水及營養有關。[49] 三是克山病，1935 年 11 月到 12 月間，在龍江省克山張雲屯這

---

45　日本山形縣人，是跨明治到昭和前期的動物學者。1895 年入帝國大學理科大學動物學科，1898 年畢業，翌年任母校講師，1900 年入大學院。1905 年任傳染病研究所技師。1914 年轉往北里研究所，1924 年當選第十五屆眾議院議員。著有《蛙の目玉》、《蝸牛の角》。見臼井勝美等，《日本近現代人名辭典》，頁 1031。

46　張力，《國際合作在中國》（臺北：中央研究院近代史研究所，1999），頁 70-72。

47　滿洲國史編纂刊行會，《滿洲國史 各論》（東京：財團法人滿蒙同胞援護會，1971），頁 1180。

48　沈佳姍，〈日本在滿洲建立的免疫技術研究機構及其防疫〉，《國史館館刊》45（2015.9），頁 103-105、107-152。

49　滿洲國史編纂刊行會，《滿洲國史 各論》，頁 1200。

個部落連續有幾個女子突然死去,最初懷疑是得了鼠疫,以後判明並非如此。1936年民政部在龍江省設調查委員會,有臨床、病理、衛生三班,共同調查的結果乃知是一種心筋病患,其原因是由炕洩出的一氧化碳所導致慢性中毒,而後經家屋改善後才減少了病患。[50]

除了風土病外,鼠疫、霍亂、回歸熱、波狀熱、阿米巴痢疾等病也常在滿洲國政府衛生部門的警戒之中。[51]

在醫療人員的培育方面,鑒於東北地區以漢醫占絕大比例,西醫及新式的醫院少,而且都偏設在都市,鄉下地區缺少醫療資源,為彌補這些缺憾,做了以下措施:

**1. 醫育機關的設置**:在滿洲最先設立西醫醫院的,為英國蘇格蘭合同長老教會(United Presbeterian,ユナイテット・ブレスビテリアン)的傳道醫師施督閣(Dugald Christie,デカルト・クリスティ,1855-1936)。他1882年由牛莊(營口,依中英天津條約列為通商口岸)上岸後,開始傳教並從事醫療工作,1883年遷到奉天,創設盛京施醫院,作為新教的佈教醫療地。1892年在施醫院開辦西醫學堂,稱盛京醫學堂,培養中國西醫人材。1912年在東三省總督徐世昌的督促和支持下,正式成立奉天醫科大學。[52]

緊接著是1911年南滿洲鐵道株式會社在奉天設南滿醫學堂,1922年升格為滿洲醫科大學。[53]除了滿洲醫科大學外,1938年5月設立新京醫科大學、[54]哈爾濱醫科大學,[55] 1940年設立了佳木斯醫科大學,這三所學校畢業生,一畢業就取得日本醫師執照。此外在開拓醫學院系統方面,1940年6月在哈爾濱、齊齊哈爾、龍井三地設開拓醫學院,以後哈爾濱開拓醫院移往北安,改稱北安開拓醫院,主要是培養限地醫,每年培養50名,只施以二年間的臨床醫學,已如第三章所述。除訓練公醫的開拓醫院外,也有特別為蒙古地方醫學人材培育而設的興安醫院,1942年設於興安南省的王爺廟,以後在東安省、錦州省也設養成限地醫的省立醫學院。[56]

---

50　中溝新一編輯,《滿洲年鑑》(四),頁401-404。

51　滿洲國史編纂刊行會,《滿洲國史 各論》,頁1200。

52　遼寧省衛生志編纂委員會編,《遼寧省衛生志》(瀋陽:遼寧古籍出版社,1997),頁477;又見クリスティー著、矢内原忠雄譯,《奉天三十年》(東京:岩波書局,1938年第1刷,1982年特裝版),頁367-376。作者為施督閣醫師之妻。亦有中文節譯本,張士尊譯,《東北西醫的傳播者:杜格爾德‧克里斯蒂》(瀋陽:遼海出版社,2005),共355頁。

53　遼寧省衛生志編纂委員會編,《遼寧省衛生志》,頁480;滿洲醫科大學輔仁會,《會員名簿》(東京:滿洲醫科大學輔仁會,1978),不著頁數,〈滿洲醫科大學‧專門部附屬藥學專門部‧附屬看護婦養成所沿革略〉。

54　此大學原為吉林國立醫院附屬醫學校,1937年4月遷往新京,至是升格,由山口清治任校長。見遼寧省衛生志編纂委員會編,《遼寧省衛生志》,頁1194。

55　原為伍連德於1926年9月設立的哈爾濱醫科專門學校,1939年升格為醫科大學(另一說為1940年),由植村秀一任校長。見遼寧省衛生志編纂委員會編,《遼寧省衛生志》,頁1194;曹景文、馬宏坤編輯,《哈爾濱醫科大學》(哈爾濱:哈爾濱醫科大學,2001),頁5。

56　豐田要三編纂,《滿洲帝國概覽》(新京:滿洲事情案內所,1942),頁271-272。

牙醫方面,在 1932 年以前有哈爾濱第一、第二齒科醫學校,這是俄人所設的私立學校。1938 年第一齒科醫學校廢校,第二齒科醫學校就吸收第一齒科醫學校,改名為哈爾濱齒科學院,修業年限三年,1939 年為財團法人哈爾濱醫科大學所接收,成為附設的齒科學院,1940 年 1 月該校改為國立哈爾濱醫科大學,齒科醫學院改為齒科部。[57]

　　**2. 醫療機關**:滿洲的醫療體系可分為五:一是福民診療所,是自 1933 年起以發行福民券所得加以建設的醫院,設有公醫,全滿洲約有 130 所;二是國立醫院,1934 年設有吉林、哈爾濱、承德醫院,1937 年設延吉醫院,1939 年在鐵嶺縣松山設有癩療養所;三是公立醫院,有哈爾濱市立醫院、新京特別市立醫院,1937 年 12 月滿鐵附屬地的行政權移給滿洲國,連帶滿鐵將部分醫院交由政府經營:新京、奉天、撫順三個傳染病院,新京、撫順、鞍山三婦人醫院,關東局也將新京保健所移給政府,於 1940 年底以後國立醫院改為公立醫院,由民生部掌管,到 1944 年公立醫院數約有 149 所;四為滿鐵醫院,是滿鐵所經營的,到 1944 年共有 45 座醫院;五為滿洲國赤十字醫療設施:赤十字會在 1938 年 5 月設立,接著設立 11 個滿洲赤十字醫療病院。

　　除上述外,也有不少開業醫院,至於無醫地區則派遣巡回診療班,予以治療或免費送給家庭常備藥。[58] 舉例而言,滿洲醫科大學往往利用暑假組織巡回診療班到滿洲、內蒙古的偏僻地方施療(自 1923 年起到 1931 年止)。

　　**3. 醫師數**:1935 年滿洲國曾調查全滿洲的西醫及漢醫數,西醫一共有 2,497 人,漢醫有 10,317 人,共 12,814 人,每一萬人有西醫 0.8 人,漢醫 3.3 人,[59] 可見滿洲醫師(尤其西醫)嚴重不足,到 1937 年漢人醫師 2,130 人,限地開業醫 830 人,漢醫則有 17,375 名,牙醫 382 名,藥劑師 678 名,[60] 雖有所改善,仍然不足。由於在滿洲本地培養的醫師數不足,就給了臺灣醫師很大的空間。

## 二、早期到滿洲的臺灣醫師

　　到滿洲的臺灣醫師前後有多少人?如表 6-4 所示有 221 人,如果加上牙醫 11 人,則共有 232 人,占已知去滿洲者名單中的三分之一強,其比例不低。

---

57　滿洲國史編纂刊行會,《滿洲國史各論》,頁 1193-1194。
58　滿洲國史編纂刊行會,《滿洲國史 各論》,頁 1190、1193-1194。
59　滿洲國史編纂刊行會,《滿洲國史 各論》,頁 1190。
60　本數據參考 1942 年出版的《滿洲帝國概覽》,但書中是 1937 年的數據。見豐田要三編纂,《滿洲帝國概覽》,頁 130。

所謂早期指 1932 年 3 月 1 日滿洲國成立之前，由於之前東北地區並非全為日本人的勢力範圍，因此比起滿洲國成立後到的醫師少。儘管如此，早期到的醫師及其發展仍值得介紹。

## （一）最早到滿洲的謝唐山

在紀錄上，鄭邦吉也在 1908 年到吉林省欲開業，[61] 但並未有後續開業的紀錄。謝唐山，1882-1942，臺東人，臺灣總督府臺北醫學校第三屆畢業生。[62] 1904 年畢業後入臺北醫院當醫務助手。1908 年應關東州等地日本官衙及團體的招聘，並經臺灣總督府許可而前往大隈重信經營的營口同仁醫院服務。當時的醫師執照採申請許可制，屆期仍需重新提出申請。謝在營口一年九個月即辭職回臺，入林本源博愛醫院。[63] 1912 年在臺北開設順天醫院，以迄過世。[64] 任職於《臺灣日日新報社》的謝汝銓，對同宗謝唐山自滿洲歸來有一詩敘之，題為「謝唐山宗親」：

南滿歸來稔世情，醫科盧扁有賢聲，德門後起看多秀，男女雙胎各學生。[65]

謝唐山家還有「四代景福」的美譽。[66] 其妻為李春生孫女李如玉。

## （二）豐原謝氏兩兄弟往大連、奉天

謝氏兄弟即謝秋涫與謝秋濤，父謝道隆。乙未之役丘逢甲奉臺灣巡撫唐景崧之命招募誠信十營義軍，計 5,000 人，謝道隆為丘之表弟，遂為誠字正中營之長，因之帶兵北上。日軍登陸後，義軍瓦解，乃與丘逢甲回廣東。[67] 後見時勢已定，謝乃回潭子開中藥鋪，兼任豐原公學校學務委員。有子六，長謝春池，次為秋涫，

---

61　〈1908 年 4 月外國旅券下付表〉，識別號：T1011_03_004，中央研究院臺灣史研究所檔案館「臺灣史檔案資源系統」，http://tais.ith.sinica.edu.tw/sinicafrsFront/index.jsp。其目的為「醫業ノ為メ」。

62　景福基金會，《國立台灣大學景福校友通訊錄》（臺北：景福基金會，1992），頁 1。

63　臺灣新民報社，《臺灣人士鑑》（臺北：臺灣新民報社，1934），頁 86。另據《日本醫籍錄》則載 1907 年在營口同仁醫院內科。到 1909 年入林本源博愛醫院。見本田六介編著，《日本醫籍錄》（東京：醫事時論社，1940 年 15 版），頁 15。

64　杜聰明，〈240. 謝唐山先生告別式ニ於ケル遺族挨拶〉，《杜聰明言論集》（第 1 輯）（臺北：財團法人杜聰明博士獎學基金會，2011 年再版），頁 355。

65　謝汝銓，《雪漁詩集》，臺灣先賢詩文集彙刊第 2 輯，（臺北：龍文出版社，1992），頁 76。

66　莊永明，《臺灣醫療史》（臺北：遠流出版事業股份有限公司，1998），頁 291。所謂四代景福，指其次子伯潯、三子伯澤兩雙胞胎及五子伯淵都是臺大醫學院博士。次子伯潯之子豐舟為臺大醫學院婦產科教授，豐舟之甥女蔡宜蓉亦畢業於臺大醫學院，四代人均有人畢業於臺大醫學院，故稱之。見王河盛等纂修，《臺東縣史‧人物篇》（臺東：臺東縣政府，2001），頁 82。

67　張麗俊，〈張氏族譜〉，未刊本，張德懋先生提供，謹致謝意。張麗俊自 1890 年起即拜謝道隆為師，張、謝兩家交情甚密。

四為秋濤，末子為秋汀，[68] 四子均有滿洲經驗。謝秋洎為臺北醫學校第七屆畢業（1908），[69] 而謝秋濤畢業於同校第 11 屆。[70] 謝秋洎畢業後於翌年（1909）到大連醫院就職，[71] 他在大連醫院一直未與家中聯繫，[72] 據謝東漢言，由於謝秋洎在妻之外又與同院日人護士西山鈴有婚外情，乃不得不雙雙去職，遂離開大連。[73] 之後到奉天省衛生官醫院任醫官，精於外科手術，「尤能立辨症候著手奏功，百治無一失者」，但因醫院裁員而辭職，乃在奉天大南門設立醫院，以己號「百川」名之。[74]

在奉天的經營可能不順，謝秋洎乃在 1919 年前後抵達滿洲北邊的齊齊哈爾，任東北邊防軍陸軍醫院醫官，後因黑龍江督軍換人，工作乃被撤換，而於 1921 年 10 月 1 日開設百川醫院。[75] 此醫院位在黑龍江省城南門外戲園胡同，開業後頗為順利，《盛京時報》不時報導其仁心仁術的片段，如患肺腹之症的高某，經西醫調治無效，謝投以新發明的藥，不日痊癒。[76] 又有人久患氣息之症，屢醫無效，到百川醫院，謝以藥針針灸三次即痊癒。[77] 有高鳴河因嬉戲之際，右眼誤撞香火，瞳人翳膜突起，淚欷欷莫能仰視，經手術將翳膜拿下乃平復如初。[78] 由於醫術精明而患者不少，於是在 1922 年禮聘胡季麟當助手。[79] 然而好景不常，開業六年的百川醫院因營業不佳擬往別處開業，遂將此醫院賣給胡季麟。[80] 1925 年以後謝秋洎到長春頭道溝開設百川醫院，由於經營得法，聲名日盛，收入也漸豐，這時他向長春縣衙門申請恢復中華民國國籍。[81]

---

68　三為春停，三歲歿；五為春源。見謝氏大族譜編輯委員會，《謝氏大族譜》（臺中：謝氏大族譜編輯委員會，1991 年重修版），系 103。
69　景福基金會，《國立台灣大學景福校友通訊錄》，頁 2。據其侄謝東漢說，他在 13 歲時才入公學校就讀，19 歲畢業，考臺灣總督府醫學校已 19 歲，到第三次才考上。見謝東漢等著，《徘徊在兩個祖國》（上）（臺北：自刊本，2016），頁 173。
70　景福基金會，《國立台灣大學景福校友通訊錄》，頁 4。
71　張麗俊著，許雪姬、洪秋芬、李毓嵐編纂・解讀，《水竹居主人日記（二）一九〇八至一九一〇》（臺北：中央研究院近代史研究所，2000），頁 299，1909 年 12 月 6 日：「一時全校長三田愛藏君共鳴周……到汽車站送謝秋洎北上，因他欲往滿洲大連灣醫院也。」據謝東漢言，他先到日本醫科大學補修學分，取得醫學士學位。見謝東漢等著，《徘徊在兩個祖國》（上），頁 174。
72　張麗俊著，許雪姬、洪秋芬、李毓嵐編纂・解讀，《水竹居主人日記（三）一九一一至一九一四》（臺北：中央研究院近代史研究所，2001），頁 11-12，1911 年 2 月 10 日。
73　謝東漢等著，《徘徊在兩個祖國》（上），頁 174。
74　《盛京時報》，第 2707 號，民國 4（1915）年 11 月 10 日，第 5 版。
75　《盛京時報》，第 4466 號，民國 10（1921）年 9 月 30 日，第 4 版，〈新醫院開幕有期〉；謝東漢等著，《徘徊在兩個祖國》（上），頁 174。
76　《盛京時報》，第 4676 號，民國 11（1922）年 6 月 18 日，第 5 版，〈新藥濟世〉。
77　《盛京時報》，第 4758 號，民國 11（1922）年 9 月 22 日，第 5 版，〈是乃名醫〉。
78　《盛京時報》，第 5449 號，民國 13（1924）年 12 月 2 日，第 5 版，〈是乃良醫〉。
79　《盛京時報》，第 4822 號，民國 11（1922）年 12 月 9 日，第 4 版，〈謝院長購到藥品〉。
80　《盛京時報》，第 5712 號，民國 14（1925）年 9 月 8 日，第 5 版，〈醫院出兌〉。
81　謝東漢等著，《徘徊在兩個祖國》（上），頁 178。

謝秋涫娶兩位太太，一為臺人傅謙，是謝家的童養媳，長秋涫三歲，生文燦、文炫、青蓮；另一為日人西山鈴，生文煥、久子、文火。[82] 謝文燦畢業於滿洲醫科大學，經營其父設於三道街的另一家百川醫院；1937 年次子謝文炫滿洲醫科大學畢業後，也到三道街的百川醫院；1938 年謝文燦在東三馬路再開另一百川醫院。三子謝文煥滿洲醫科大學畢業後，在五馬路口再設百川醫院。次女謝久子滿洲醫科大學專門部畢業後與丈夫劉建止則在另一家設於五馬路的百川醫院行醫。[83] 謝秋涫在戰後轉赴北京，沒有回臺，1950 年過世。[84]

當 1911 年謝秋涫要回大連醫院時，其醫學校的前輩、櫟社詩人、葫蘆墩人黃炎盛（黃旭東）[85] 也同往大連醫院就職，櫟社社友張麗俊為之賦詩，詩名曰：「贈謝秋涫、黃旭東之大連醫院」七律一首：

乘風破浪去高懸，二子聞雞著祖鞭，北土風光長領略，東都人士暫流連，

神仙有術窮三島，造化生材入九天，他日行旌遼海遠，金宵且共醉籬筵。[86]

按黃旭東能詩，1906 年加入櫟社。[87] 黃旭東到大連醫院多久無法得知詳情，但短期停留則屬顯然。1913 年 3 月 29 日櫟社社友林獻堂欲和黃旭東往遊中國大陸時，櫟社同人在詹厝園林痴仙之無悶草堂為祖餞之雅集，[88] 5 月 4 日又宴林獻堂於新盛閣，[89] 但回程黃旭東卻於同年 11 月 14 日死於東京。[90]

謝秋濤於 1912 年畢業後，先赴日本醫科大學補修學分，注重傳染病學、防疫學、衛生行政、小兒科與肺結核，於 11 月 8 日入東京傳染病研究所。歷任奉天省警官補習所日語及衛生學教官、奉天紅十字會醫學校教員、1915 年任奉軍邊防軍二十九師二等軍醫醫院院長（內科主任醫官）兼洮南衛戍醫院院長、東省鐵路護路軍哈滿司令部諮議、黑龍江省官醫院總醫官、吉林省陸軍軍醫院院長兼吉林防疫所所長、吉林陸軍醫務傳習所所長、江蘇省督辦公署軍醫課長、奉軍兵站總督部上校醫

---

82　謝氏大族譜編輯委員會，《謝氏大族譜》，系 103。
83　許雪姬訪問、藍瑩如紀錄，〈謝久子女士訪問紀錄〉，《日治時期臺灣人在滿洲的生活經驗》（臺北：中央研究院臺灣史研究所，2015 年 2 刷），頁 338。
84　謝氏大族譜編輯委員會，《謝氏大族譜》，系 169；許雪姬訪問、藍瑩如紀錄，〈謝久子女士訪問紀錄〉，頁 341。謝東漢記載其叔謝秋涫死於 1950 年，在北京北灝子散步時突然倒下，被送回診所，不久，因心臟病過世。見謝東漢等著，《徘徊在兩個祖國》（上），頁 174；〈謝久子女士訪問紀錄〉言死於 1949 年；謝之夫劉建止的訪問紀錄，則為 1951 年左右。
85　景福基金會，《國立台灣大學景福校友通訊錄》，頁 1。
86　張麗俊著，許雪姬、洪秋芬、李毓嵐編纂・解讀，《水竹居主人日記（三）一九一一至一九一四》，頁 95、98，1911 年 8 月 14 日；19 張麗俊為作一詩。
87　傅錫祺，《櫟社四十年沿革志略》（臺北：莊垂勝發行，1943），頁 1。
88　傅錫祺，《櫟社四十年沿革志略》，頁 9。
89　張麗俊著，許雪姬、洪秋芬、李毓嵐編纂・解讀，《水竹居主人日記（三）一九一一至一九一四》，頁 452，1913 年 12 月 29 日；〈林朝崧日記〉，同日，未刊稿，林家後人提供，謹致謝意。
90　傅錫祺，《櫟社四十年沿革志略》，頁 5。

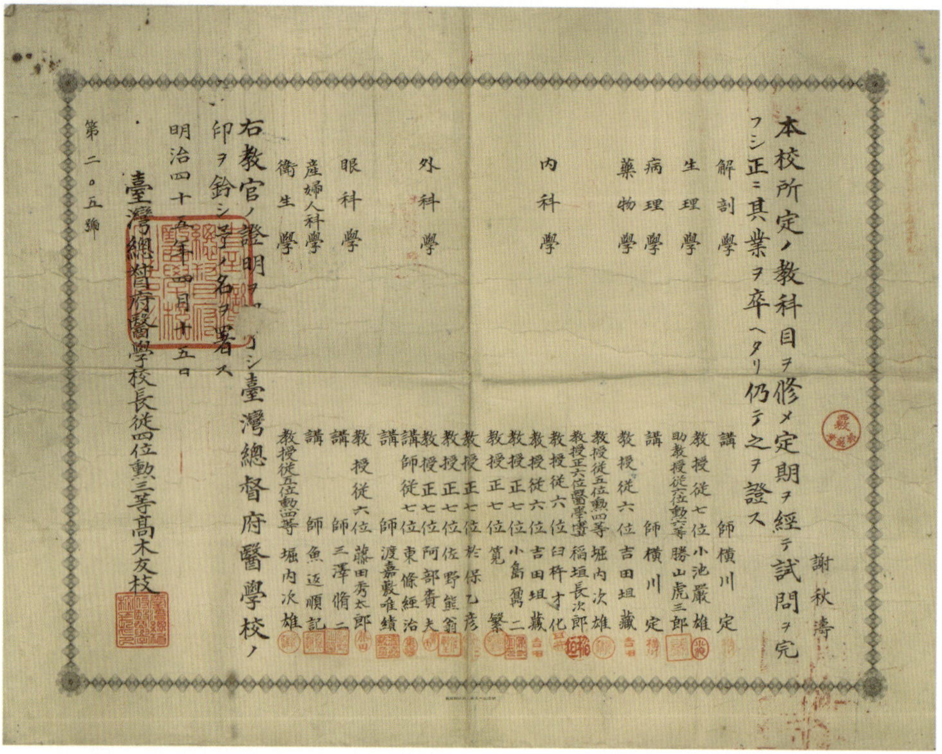

謝秋濤

本校所定ノ教科目ヲ修メ定期ヲ經テ試問ヲ完
フシ正ニ其業ヲ卒ヘタリ仍テ之ヲ證ス

解剖學　講師　横川定
生理學　教授從七位　小池嚴雄
助教授從七位勳六等　勝山虎三郎
病理學　講師　横川定
藥物學　教授從六位　吉田坦藏
內科學　教授從五位勳四等　堀內次雄
教授正六位醫學博士　稻垣長次郎
教授從六位　臼杵才化
教授從六位　吉田坦藏
教授正七位　小島鼐二
教授正七位　筧　繁
外科學　教授正七位　於保乙彥
教授正七位　佐野熊翁
教授正七位　阿部貴夫
講師從七位　東條經治
講師　渡嘉敷唯績
眼科學　教授從六位　藤田秀太郎
產婦人科學　講師　三澤脩二
衛生學　講師　魚返順記
教授從五位勳四等　堀內次雄

右教官ノ證明ニ由リ臺灣總督府醫學校ノ
印ヲ鈐シ學校長名ヲ署ス
明治四十五年四月十五日
臺灣總督府醫學校長從四位勳三等高木友枝
第二〇五號

圖 6-1　謝秋濤 1912 年 4 月臺灣總督府醫學校的畢業證書（謝大墉先生提供）

圖 6-2　謝秋濤與妻劉阿純合影於滿洲
（謝大墉先生提供）

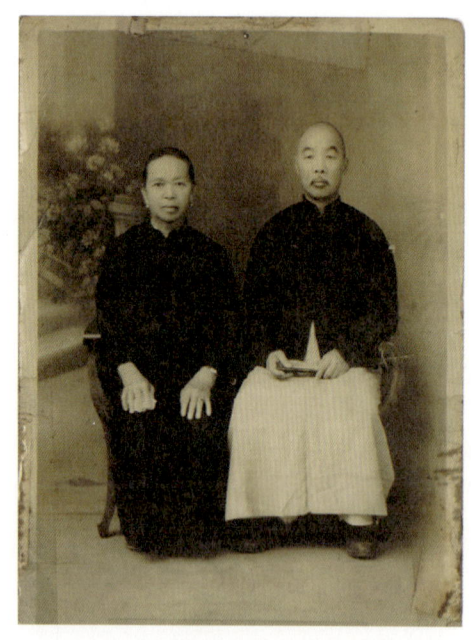

官、鎮威上將軍公署諮議、東省兵工廠醫院院長、山海關鐵路醫院院長,滿洲國成立後在是年5月任奉天省公署警務廳衛生科長。[91]之後在滿洲的經歷已如前敘。

1945年滿洲國壽命即將告終的4月1日,他任國立醫科大學教授敘簡任二等,給五級俸,派充奉天醫科大學附屬醫院長。[92]謝秋濤曾得到「盛京時報獎」(後敘)。戰後回到臺灣,定居於汐止後,約在1953年取得內政部發給的「醫師證書」,遂開設懷安醫院,1977年過世。[93]

## (三)來自臺東的名醫孟天成與他的班底

孟天成,臺東卑南人,臺灣總督府醫學校第三屆畢業(1904),[94]畢業後進入解剖學教室,1907年受聘為解剖學講師,成為臺灣總督府醫學校中第一位臺灣人教師。1910年他改而從事臨床醫學,擔任皮膚科、齒科醫師,1914年受滿鐵大連醫院院長尾見薰提拔,乃辭職前往大連醫院就職。其妻為臺南陳介臣[95]之妹。[96]結束在大連醫院的服務後,他轉往小岡子私立宏濟醫院任院長,在1917年左右辭職,[97]旋在當地(西崗永樂街37號)開博愛醫院,專治嗎啡、鴉片、花柳各種症。[98]由於其醫術高明,因此在尚未正式開幕,就診者已絡繹於門。[99]

孟天成的醫術也為報紙所揄揚,均稱其就診者絡繹,醫師和藹可親,以濟世活

---

91 《盛京時報》(晚刊),第10616號,康德6(1939)年10月31日,第2版,〈受賞者為謝秋濤氏醫學功績顯著〉;《臺灣民報》,第296號,昭和5(1930)年1月18日,第10版,〈馬賊と大豆粕及び張作霖で有名な滿洲〉(下)。據內尾直昌編,《滿洲國名士錄:康德元年版》,頁89所載,滿洲國成立後先任奉天省公署事務官,接任省公署技正,再任警務廳衛生科長。另高橋勇八,《滿洲商工名鑑:附諸官廳錄》(上冊),頁101。據杜聰明,《回憶錄》一書中稱,滿洲國成立,原要聘他為新京滿洲國衛生廳長,他不赴任。在任中樸實生活,讀四書五經,實踐舊道德作社會事業。見杜聰明,《回憶錄》,頁76。

92 國務院總務廳編,《滿洲國政府公報》,第3234號,康德12(1945)年4月2日,頁18;國務院總務廳編,《滿洲國政府公報》,第3234號,康德12(1945)年4月2日,頁18-19;國務院總務廳編,《滿洲國政府公報》,第3278號,康德12(1945)年5月25日,頁361。

93 許雪姬訪問、藍瑩如紀錄,〈謝大塭先生訪問紀錄〉,《日治時期臺灣人在滿洲的生活經驗》(臺北:中央研究院臺灣史研究所,2015年初版2刷),頁372、375;陳國柱,《臺灣省醫師名鑑》(臺北:國際文化服務社,1958),頁74。謝大塭為其孫,2015年過世。

94 景福基金會,《國立台灣大學景福校友通訊錄》,頁1。

95 陳介臣,1885年生,臺南人,1907年畢業於臺灣總督府醫學校,和孟天成是同班同學,1931年畢業於臺北醫專,自是年起在臺南醫院服務。而早在1910年起到1931年則開業介臣醫院。見本田六介編著,《日本醫籍錄》,頁60。

96 《臺灣民報》,第294號,昭和5(1930)年1月1日,第23版,〈馬賊と大豆粕及び張作霖で有名な滿洲〉(上)。

97 《盛京時報》,第3284號,民國6(1917)年10月14日,第4版,〈宏濟醫院院長易人〉。宏濟善堂病院院長由陳章哲繼任。

98 《盛京時報》,第3276號,民國6(1917)年10月4日,第5版,〈博愛醫院之成績〉。

99 《盛京時報》,第3288號,民國6(1917)年10月19日,第5版,〈博愛醫院之發達〉。

人為職志,藥到病除。如暗娼孫喬因與夫口角,憤而吞下洋火頭及洋油希圖自盡,被送到博愛醫院而救活一命,[100] 柳樹屯王姓一家八口同患梅毒,孟天成在收費廉價的醫藥下,為其一家治癒。[101]

小岡子博愛醫院於1919年在原地改建,其規模在大連地區僅次於滿鐵辦的醫院,[102] 於10月10日舉行落成禮,這可說是孟天成在滿洲地區成功的第一步。到1923年,即建新醫院,四年後因就診者日多,為便利病患,乃在寺兒溝創設新院,派其妻舅陳英[103]主持,再由臺灣聘到郭進木[104]醫師加入醫療陣容。[105] 1932年博愛醫院規模更大,由其在《盛京時報》所做的廣告可知,當時以日人日冲飛郎為副院長(即其日籍第二夫人日冲飛娜),其診療服務項目為:健康相談(諮詢)、骨折脫臼、各種肛門病、驗血檢菌、鴉片嗎啡癮治療、(愛克斯)光科、電氣治療、齒科技工、普通分娩、異常分娩。[106] 可見博愛醫院已是一家綜合醫院。以後分院亦設院長,由葉英生(孟夫人陳氏之外甥)[107]擔任,副院長則為葉蔡治。[108] 此醫院以後除奧町分院如上所述外,還在甘井子設分院,又在大華、聖德街設有門診所,據稱此醫院鼎盛時期,每日門診量到達二、三千人之多。[109] 曾到過博愛醫院的盧昆山,他未就讀哈爾濱醫科大學前曾在博愛醫院實習。他說博愛醫院有三位女醫,分別看內科、兒科、耳鼻科,也有一位名洪蘭(1933年到滿洲國),專做脾病培養,還有檢驗員。孟夫人陳氏每日親自坐車到醫院管帳。[110]

孟天成不僅醫術高明頗有口碑,也致力於養成產婆,在博愛醫院設博愛產科女學堂,其主要目的不僅在解決接生的問題,也是為普及衛生思想起見,凡報名入此女學堂者必須身家清白,具有妥實保人,則予免試,膳宿費均免納。其所培養的助產士,在每次關東州助產士考試中均名列前茅,贏得好評,因此博愛醫院附設的助產士學校乃取得官方承諾准予備案,爾後自該校畢業者即有在日本領地行使助產專

---

100 《盛京時報》,第3291號,民國6(1917)年10月23日,第5版,〈自盡未遂〉。
101 《盛京時報》,第3321號,民國6(1917)年11月28日,第5版,〈孟天成妙手回春〉。
102 《臺灣民報》,第294號,昭和5(1930)年1月1日,第23版,〈馬賊と大豆粕及び張作霖で有名な滿洲〉(上)。
103 陳英,臺灣總督府醫學校第21屆畢業生(1922)。見景福基金會,《國立台灣大學景福校友通訊錄》,頁13。
104 郭進木,臺灣總督府醫學校第九屆畢業生(1910)。見景福基金會,《國立台灣大學景福校友通訊錄》,頁3。
105 《盛京時報》,第5129號,民國12(1923)年12月19日,第5版,〈組設分院〉。
106 《盛京時報》,第8156號,大同元(1932)年10月8日,第3版,〈博愛醫院〉。
107 盧昆山,《七十回憶》(臺南:豐生出版社,1979),頁20。
108 《盛京時報》,第8586號,大同3(1934)年1月1日,其九,第1版。
109 王柏懷,〈孟天成與博愛醫院〉,頁46;顧明義等,《日本侵占旅大四十年史》(瀋陽:遼寧人民出版社,1991),頁457。
110 盧昆山,《七十回憶》,頁19-20。

圖 6-3　在大連開設博愛醫院的孟天成
資料來源：王河盛等纂修，《臺東縣史・人物篇》，頁 75

圖 6-4　孟天成（左八）開設於大連的博愛醫院
（郭双富先生提供）

第六章　在滿洲的臺灣醫師

業的資格。孟天成的助產士班先後為大連、滿洲、山東、上海等地培養數百名助產士。[111] 臺灣私人醫院設產婆講習所的有臺人張文伴於 1925 年 4 月設立蓬萊產婆講習所，蔡阿信於 1927 年辦理的「臺中清信醫院（產婆講習所）」，[112] 可謂相互輝映。另吳泗輝、蔡綾娟夫婦也在 1936 年成立「臺中產婆講習所」。[113]

他對遼東地區的黑熱病也進行調查，1922 年 8 月他由末梢血液與腫大脾臟的鼠蹊淋巴腺發現黑熱病小體口（杜氏利什曼），用脾臟穿刺術於 1934 年發現 12 個病例。為了進一步了解遼南黑熱病流行的情況，深入蓋平、熊岳、復縣、周子水等地，步行訪查 81 個偏遠村落，發現 101 名孩子為黑熱病患者，就其病理解剖、治療都進行研究，指出狗為黑熱病的中間宿主，陸續於 1934 至 1936 年間在《滿洲醫學雜誌》21、22、24 卷發表論文，使黑熱病的防治能更進一步。[114] 1936 年 4 月 30 日他獲得滿洲醫科大學學位。[115] 據云也因上述論文的貢獻，而在 1937 年 4 月 30 日取得日本醫學博士學位，是臺東有史以來第一位醫學博士。[116] 另對疫病的治療也特別重視，1932 年時霍亂流行，某旅店慶源號的客人蔡某之親屬，就診於博愛醫院，未待細檢即搭車離去，孟聞知病人已遠遁，遂驅車尾追，而人已死於車中。孟天成馳到，即施行取便檢驗，斷定為霍亂，立即向派出所報告，進行消毒工作，以免時疫蔓延。[117]

孟天成在滿洲經營的綜合醫院相當成功，在 1930 年代即賺得三十萬圓左右，唯因信託事件而起危機，幸經由臺灣同鄉的奔走，由危機中復甦。[118] 該院「有九臺汽車，一日所走的里程等，有臺灣一週之距離」，而他在大連市繳納的所得稅為全市日本人中第二名。[119] 1943 年 7 月 17 日孟天成當選為創會的「大連臺灣協會」會長。[120]

---

111　王柏懷，〈孟天成與博愛醫院〉，頁 47。
112　《臺灣人士鑑》（1943），頁 253；臺中州役所，《臺中州管內概況及事務概要》（五）（臺北：成文出版社，1985；據昭和七（1932）年版影印），頁 326-327。
113　游鑑明，〈日據時期臺灣的產婆〉，《近代中國婦女史研究》1（1993.6），頁 64-65。
114　顧明義，《日本侵占旅大四十年》，頁 457。
115　黑田源次編，《滿洲醫科大學二十五年史》（奉天：滿洲醫科大學，1936），頁 212、463、481-482、494。莊永明稱其以研究內臟萊什曼病享名學界。見莊永明，《臺灣醫療史》，頁 274。
116　王河盛等纂修，《臺東縣史‧人物篇》，頁 75。
117　《盛京時報》，第 8082 號，大同元（1932）年 7 月 24 日，第 6 版，〈博愛孟院長熱心檢疫〉。
118　《臺灣民報》，第 294 號，昭和 5（1930）年 1 月 1 日，第 23 版，〈馬賊と大豆粕及び張作霖で有名な滿洲〉（上）。
119　杜聰明，《回憶錄》，頁 62、65、78；另一說為 13 名。見王柏懷，〈孟天成與博愛醫院〉，頁 48。
120　《盛京時報》，第 11934 號，康德 10（1943）年 7 月 22 日，第 4 版，〈大連台灣協會誕生 蹶起邁進赤誠奉公〉。

徐銀格，1940年生，桃園人，臺北醫學專門學校第12屆畢業（1933），[121] 先任臺北赤十字社病院內科醫員二年，再到大連孟天成的醫院擔任內科醫長，1937年回臺，在桃園開業，並任郡醫師幹事、桃園第二公學校校醫。[122]

　　陳英為孟天成妻弟，其兄陳介臣亦為醫師，曾在1917年12月到大連訪問姊夫孟天成。[123] 臺灣總督府醫學校第21屆畢業（1922），畢業後即到姊夫孟天成在滿洲的博愛醫院任職。[124] 1923年孟天成在寺兒溝組織分院，陳英乃轉至該分院任職。[125] 以後自行在大連開設普愛醫院，1926年時因醫院狹小，病床有限，乃遷醫院到浪速町原龍口銀行舊址，設備有內、外、花柳、產婦各科診療室，還備有實驗室、研究室、驗光室、浴室，病房有頭、二、三等，是四層樓建築，是年5月2日遷移；5月3日開始在新醫院展開診療工作。[126]

　　《盛京時報》在報導大連的醫院時稱，滿鐵醫院在大連大廣場南高地，規模宏大過於北京之協和醫院，還有設於沙河口的分院同壽醫院，此外中國人所建的西醫院則有奧町之普愛醫院、西崗之博愛醫院、仁濟醫院、沙河口的靜波醫院，主持的漢醫亦多名手，[127] 普愛醫院的名聲不差。

　　林龍生，苗栗通霄人，1933年臺北醫學專門學校第12屆（1933）畢業，後到日本赤十字醫院臺灣支部醫院內科服務，1935年5、6月到孟天成的博愛醫院服務，1939年回臺在通霄開懷仁醫院。[128]

　　曾在博愛醫院的孟夫人外甥葉英生及葉蔡治，因無資料無法做進一步的敘述。

## （四）臺南新化人梁宰醫師的天生醫院

　　梁宰，臺南新化人，為梁道醫師之弟。梁道畢業於臺灣總督府醫學校第三屆（1910）與前所述郭進木同屆。梁宰則畢業於第四屆（1912）與前述謝秋濤同窗。[129]

---

121　景福基金會，《國立台灣大學景福校友通訊錄》，頁41。
122　吳銅，《臺灣醫師名鑑》（臺中：臺灣醫藥新聞社，1954），頁45；本田六介編著，《日本醫籍錄》，頁32。
123　〈1917年10-12月外國旅券下付表〉，識別號：T1011_03_075。
124　《臺灣民報》，第295號，昭和5（1930）年1月11日，第11版，〈馬賊と大豆粕及び張作霖で有名な滿洲〉（中）。
125　《盛京時報》，第5129號，民國12（1923）年12月19日，第5版，〈組設分院〉。
126　《盛京時報》，第6023號，民國15（1926）年8月5日，第4版，〈普愛醫院遷移廣告〉。據《臺灣民報》，第295號所載，此建築為4樓。
127　《盛京時報》，第6309號，民國16（1927）年6月9日，附錄（一），〈大連生活指南〉。
128　本田六介編著，《日本醫籍錄》，頁32；在《臺灣醫師名鑑》的傳中寫成「民國二十二年自設醫院，至三十七年任通霄鎮衛生所主任」。見吳銅，《臺灣醫師名鑑》，頁72。
129　景福基金會，《國立台灣大學景福校友通訊錄》，頁3-4。

圖 6-5　1931 年，梁宰（前五）與撫順天生醫院員工合影於院前，前排右一、二女兒梁金蘭、梁園，右三如夫人日冲飛娜，右四子梁育明，餘為醫師、護士。
（梁金蘭女士提供）

圖 6-6　梁宰（右坐者）與醫師、護士們攝於天生醫院診療室
（梁金蘭女士提供）

由於其兄梁道已在故鄉開業,梁宰乃在 1914 年到滿洲發展事業。[130] 和孟天成同年到滿洲,梁宰先到滿鐵醫院磨練,以精通地方事情,得到地方人士信任,而後在撫順開設天生醫院。臺灣民眾黨員謝春木的〈新興中國見聞記〉中特別報導梁宰在撫順的情形如下:

梁宰個子不高,圓臉,什麼時候臉上都堆著笑容,不太注重服飾,第一次見到的,會將他看做是鄉村的村長或公學校的校長,但他的頭腦與兄長一樣好。他聽說是個基督徒,和護士及雇用人一起吃飯,喜說笑,被雇用的人也未覺得自己是受雇之人,其司機是朝鮮人,在滿洲朝鮮人都在日本官憲嚴重的監視下。

一般供職於滿鐵撫順炭礦的工人,都不去滿鐵醫院就診,而轉到天生醫院來,因為滿鐵醫院只對高級社員親切,對勞動者並未十分照顧,而且帶著官僚氣,言語又不通。相對地,梁宰得到工人的信任,當梁宰帶謝春木去參觀滿鐵工人的宿舍時,看見社員都住文化住宅,而工人的住宅,一間四疊大,上面舖著板子,板上蓋著一張蓆子,這間髒房子卻住著八到十人。當工人朋友看到梁宰時都站起來打招呼說:「先生來了!」梁宰笑瞇瞇的,工人也報以笑容。這些工人都是梁宰在照顧他們,工人一天的工錢號稱 45 錢,實則還要扣掉一堆費用,滿鐵自誇的衛生麵包價 12 錢 5 厘,因此一天賺到的只有 32 錢到 35 錢左右,剩下的日用品又由滿鐵附屬的酒保(雜貨店)供應,結果所賺的錢 99% 又回到滿鐵手中。

梁宰自陳其開業秘訣是榨富濟貧。某次有個工人之妻難產,在夜裡來叫醫師,當醫師用機器分娩法讓產婦順利產下後,工人一面流著高興的眼淚說,先生要收多少醫藥費我不知道,但我只有二圓五十錢,全部給你,不夠的以後再補,並發誓一定會還清。梁宰考慮一下認為他自己有沒有這二圓五十錢明日的生活不會改變,如果拿了這錢,工人一家明日就麻煩了,乃對工人說,這錢拿去為產婦買點東西,不收任何一文謝禮,可以放心。但若是富人請去,又住了一晚,則向富人要三、四百圓的費用。

梁宰在滿洲也曾遇到馬賊,有天晚上到鄉下出診,回程時被幾個馬賊包圍,梁宰泰然自若地問他們說,你們要什麼?馬賊說你帶的所有東西都要,梁宰答了一聲好後,從手錶開始,錢包、上衣、褲子、襯衫都脫下,馬賊也有點落膽,說滿可憐的,褲子和猿股[131]可以留下來。梁宰在離開約五十步的距離後,馬賊又回來,似乎要他項上的頭,實在有點擔心。馬賊問梁:你實在是有點怪的客人,你到底是誰呢?梁說我是天生醫院的梁宰,你要什麼到撫順來才給。馬賊都跪了下來,說:「先生對不起,不知道是你很失禮,原諒我們,我們不是一開始就當馬賊的,原來是滿

---

130 許雪姬訪問、蔡說麗紀錄,〈梁金蘭、梁育明姊弟訪問紀錄〉,《口述歷史》5(1994.6),頁 307。

131 猿股,さるまた,褲叉。

鐵的礦工,那時常給先生帶來麻煩,以後我們被趕出工場,才做這種丟臉的買賣,請原諒我們!」將所有的東西都還不講,怕深夜中還有危險,乃護送梁宰回到撫順市。

最後梁宰告訴謝春木,請他傳話,若有人願意到滿洲來發展,可以介紹前來,將給予照顧一直到會說當地話,並設法安排開業地點,但非有很認真工作的決心不可。梁宰表示,各地有不少親友,在中國大官員中也有不少朋友,將會給予辦事上的方便。[132]

由謝春木的報導,梁宰的形像躍然紙上,他關切工人、較有平等觀念且是榨富濟貧者,在滿洲當地臺灣人間有一定的聲望。在《盛京時報》上偶有鳴謝梁宰醫術精良的報導,如住在千金寮寨的關恩連之父染痢疾,病勢頗重,延醫亦未能奏效,經人介紹到天生醫院,初診即斷言十天必能痊癒,隨之注射、服藥,兩日內已見功效,六天已好。[133] 又有人得花柳病,歷經中外醫士調治四個月而情形更壞,後經梁宰為之注射藥針兼施手術,乃告霍然。[134] 亦有婦人腹病,延醫無效,經梁投藥數劑即告痊癒。[135] 亦有人腦後生一惡疽,疼痛異常,十分危險,經百方調治,未見少瘥,在接受梁宰治療後十餘天已告痊癒。[136] 撫順縣署龐濯清因感冒,卻引發頭部腫如麥斗,目封鼻塞,即俗所謂大頭瘟,遍請中醫環治無效,在梁宰診治下告瘥。[137]

梁宰的醫院原開在撫順大南門千金寨地區,但在1924年日本人規劃撫順新市區,梁宰乃在新市區蓋二層樓的醫院,約在1928至29年間蓋好,但因新市區移入者尚少,仍在原址看病,到1930至1931年左右才遷到新址:東三番町。[138] 天生醫院也是一家綜合醫院,有內科、外科、小兒科、眼科、皮膚科、花柳科、耳鼻咽喉科及解煙癖等症,還有女醫專門看婦產科。[139] 其醫院內的醫師以其親戚為多,梁宰慷慨解囊資助年輕人讀醫科大學,如其女婿林昌德及原先雇的五、六位助手都是。[140]

梁宰在1933年入滿洲醫科大學研究,到1938年得到博士學位,這五年間每日

---

132 謝春木,《臺湾人は斯く観る》(東京:龍溪書舍,1974),頁163-168,第二編新興中國見聞記。
133 《盛京時報》,第4170號,民國9(1920)年9月26日,第1版,〈感謝撫順天生醫院院長 梁大醫士之德政〉。
134 《盛京時報》,第4148號,民國9(1920)年9月2日,第1版,〈感謝良醫〉。
135 《盛京時報》,第4492號,民國10(1921)年11月2日,第5版,〈不愧良醫〉。
136 《盛京時報》,第4556號,民國11(1922)年1月21日,第5版,〈醫術精良〉。
137 《盛京時報》,第4970號,民國12(1923)年6月10日,第1版,〈感謝良醫〉。
138 許雪姬訪問、蔡說麗紀錄,〈梁金蘭、梁育明姊弟訪問紀錄〉,頁308-309。
139 《盛京時報》,第3842號,民國7(1918)年6月16日,第1版,廣告。
140 許雪姬訪問、蔡說麗紀錄,〈梁金蘭、梁育明姊弟訪問紀錄〉,頁309。

圖 6-7　1942 年，梁金蘭（前左）與梁宰如夫人（前右，抱金蘭長子）、夫林昌德醫師（後左）、妹梁園（後中）及弟梁育明攝於撫順。
（梁金蘭女士提供）

下午由撫順坐頭等車到瀋陽的滿洲醫科大學學習、研究，其恆心、毅力可以想見。他研究的主題是如何防治條蟲。由於撫順一帶寄生蟲病患非常多，而條蟲又最難治。條蟲一是有鉤條蟲，寄生在豬中；一是無鉤，寄生在牛，另一寄生在鮭魚。但散布於全身的蟲卵不易根治，常常過了幾年還會生長。梁宰在《本草綱目》中發現產自四川的雷丸，其酵素用來破壞條蟲本體，根絕其再生能力，而雷丸沒有副作用。除條蟲論文外，[141]也針對十二指腸鉤蟲病防治做出研究，[142]另發表有關滿洲風土病「カシン・ベック」的臨床觀察一文。[143]

　　梁宰後於1946年3月22日病故，享年52歲，其天生醫院暫由其侄梁松文接管。[144]

　　撫順天生醫院可以說是臺灣醫師最多的地方；梁宰的侄媳梁許春菊曾言這家醫院的特色是執業的醫師都是臺灣人。[145]不只如此，天生醫院醫師還大半是梁家親戚。梁成是梁宰之侄，先赴南滿中學堂就讀，升入滿洲醫科大學豫科一年時，轉讀專門部，1934年畢業，[146]1937年登錄為滿洲國醫師，[147]他專攻皮膚科與泌尿科，也研究圓形禿髮症。[148]畢業後先任職奉天日本赤十字醫院皮膚科，[149]再到梁宰天生醫院主持皮膚科，可惜因病早逝，天生醫院乃代之以羅福嶽。[150]

　　羅福嶽，嘉義人，臺北醫學專門學校第13屆畢業（1934），[151]後取得臺北帝大醫學院研究科醫學博士。[152]曾任日本赤十字社醫員，臺北帝大醫學部研究科研究員、助手。他娶梁道的女兒梁金菊為妻，後赴滿洲，入撫順天生醫院接替梁成皮膚

---

141　黑田源次編，《滿洲醫科大學二十五年史》，頁495。梁宰，〈一新條蟲驅除藥「雷丸」ニ就テ〉，《滿洲醫誌》20：1（1936），頁239。
142　許雪姬訪問、蔡說麗紀錄，〈梁金蘭、梁育明姊弟訪問紀錄〉，頁310-311。
143　黑田源次編，《滿洲醫科大學二十五年史》，頁495。梁宰，〈撫順ニ見ラレタル「カシン・ベック」氏病ノ臨床的觀察〉，《滿洲醫誌》24：5（1936），頁997。
144　許雪姬訪問、蔡說麗紀錄，〈梁金蘭、梁育明姊弟訪問紀錄〉，頁314。
145　許雪姬訪問、蔡說麗紀錄，〈梁許春菊女士訪問紀錄〉，《口述歷史》5（1994.6），頁300。
146　《滿洲醫科大學檔案》，JD24,54，〈滿洲醫科大學專門部昭和四年至十年學籍簿〉。
147　國務院總務廳編，《滿洲國政府公報》，第1369號，康德5（1938）年10月29日，頁586。
148　黑田源次編，《滿洲醫科大學二十五年史》，頁518、520-521。
149　他雖專攻皮膚科，在滿洲醫科大學時也專修解剖學。見滿洲醫科大學，《滿洲醫科大學一覽》，頁169、176。
150　許雪姬訪問、蔡說麗紀錄，〈梁金蘭、梁育明姊弟訪問紀錄〉，頁310。
151　景福基金會，《國立台灣大學景福校友通訊錄》，頁43。
152　吳巍主編，《南臺灣人物誌》（臺中：東南文化出版社，1956），頁100-101。

科的工作。¹⁵³ 以後離開天生，自創回生醫院，任院長。¹⁵⁴ 戰後回臺，在高雄中正路開羅福嶽皮膚科，為南部極負盛名的醫師。

梁松文（1910-1987），父梁生，梁宰之姪。中學在臺灣就讀，再轉到南滿中學校續讀。¹⁵⁵ 1934 年申請旅券前往滿洲醫科大學就讀，¹⁵⁶ 1937 年回臺與楊從貞結婚，並於 8 月前往滿洲國繼續求學，¹⁵⁷ 1939 年畢業，進入母校平山外科教室研究，¹⁵⁸ 1940 年 12 月登錄為滿洲國醫師，當時改姓名為梁川清。¹⁵⁹ 之後一面到叔父梁宰在撫順的天生醫院擔任外科主任，另方面在滿洲醫科大學修博士學位（於 1946 年 4 月取得博士學位）。¹⁶⁰ 戰後由於叔父梁宰於 1946 年 3 月過世，乃繼任院長，¹⁶¹ 直到 1948 年回臺。¹⁶² 回臺後任高雄雄鐵路醫院外科主任，數年後擔任院長，前後 25 年。¹⁶³

梁炳元，為梁道長子，他在取得滿洲醫大博士學位後就進入叔父梁宰的天生醫院，主治內科兼看婦產科，接生的技術非常好，後因過度勞累而得肺病，遂離開天生醫院，自己開辦新生醫院以便有時間調養。¹⁶⁴ 戰後回臺繼父業在新化開業，直到過世。

林昌德，新化人，由於其父林允與梁宰公學校同窗，故自中學起即到滿洲讀中學，而後在梁宰資助之下，1941 年 3 月畢業於滿洲醫科大學，¹⁶⁵ 即入天生醫院工作，¹⁶⁶ 娶梁宰女梁金蘭。在滿洲時因過分勞累，得肺病，戰後不久回臺，旋過世。¹⁶⁷

吳連芳，嘉義縣人，日本東洋醫學院畢業，後到天生醫院服務，戰後回嘉義竹

---

153 在 1942 年依法登錄為滿洲國醫師，見國務院總務廳編，《滿洲國政府公報》，第 2665 號，康德 10（1943）年 4 月 17 日，頁 406；許雪姬訪問、蔡說麗紀錄，〈梁金蘭、梁育明姊弟訪問紀錄〉，頁 310。
154 吳巍主編，《南臺灣人物誌》，頁 100-101。
155 林德政採訪、撰稿，〈懷念在滿洲國的十二年：楊從貞女士口述歷史〉，收入《口述歷史採訪的理論與實踐：新舊臺灣人的滄桑史》，頁 292-293。
156 〈1934 年 7-9 月外國旅券下付表〉，識別號：T1011_03_142。
157 〈1937 年 7-9 月外國旅券下付表〉，識別號：T1011_03_154。由於兩人的旅券沒有一起辦，也沒合照，因此被海關官員認為是要逃往他鄉。林德政採訪、撰稿，〈懷念在滿洲國的十二年：楊從貞女士口述歷史〉，頁 294-295。
158 吳銅，《臺灣醫師名鑑》，頁 253。
159 《滿洲國政府公報》，第 2630 號，康德 10（1943）年 3 月 13 日，頁 376。
160 林德政採訪、撰稿，〈懷念在滿洲國的十二年：楊從貞女士口述歷史〉，頁 294。
161 許雪姬訪問、蔡說麗紀錄，〈梁金蘭、梁育明姊弟訪問紀錄〉，《口述歷史》（五）（1994 年 6 月），頁 314。原文誤為梁「清」文。
162 林德政採訪、撰稿，〈懷念在滿洲國的十二年：楊從貞女士口述歷史〉，頁 303。
163 吳巍主編，《南臺灣人物誌》，頁 100。
164 許雪姬訪問、蔡說麗紀錄，〈梁許春菊女士訪問紀錄〉，頁 301-302，許春菊為梁炳元之妻。
165 國務院總務廳編，《滿洲國政府公報》，第 2665 號，康德 10（1943）年 10 月 17 日，頁 407。
166 許雪姬訪問、蔡說麗紀錄，〈梁金蘭、梁育明姊弟訪問紀錄〉，頁 309、314。
167 許雪姬訪問、蔡說麗紀錄，〈梁許春菊女士訪問紀錄〉，頁 300。

崎開設同名的天生醫院。[168]

　　高進紀，滿洲醫科大學 1941 年畢業，後入同校專修微生物學，同年登錄為滿洲醫師。[169] 由於在學時受天生醫院梁宰醫師的資助，故進入天生醫院服務，回臺後在臺北開天生醫院。[170]

　　楊藏鋕，新化人，1937 年畢業於滿洲醫科大學專門部，畢業後即登記為滿洲國醫師。[171] 先在奉天赤十字社醫院，後來到天生醫院擔任外科醫師。由於楊藏鋕的大嫂與梁家有親戚關係，亦為入天生醫院的動機之一。在天生醫院行醫期間，某日腹痛，被送往滿洲醫科大學附屬醫院醫治，但已回天乏術，1940 年因腹膜炎過世，骨灰送回臺灣安葬。[172]

　　劉漢，彰化縣人，東京興亞醫學館畢業，曾任撫順天生醫院醫師。回臺後在彰化縣社頭鄉橋頭村媽祖廟巷開保生醫院。[173]

　　王火炎，臺南新化人，畢業於滿洲醫科大學專門部，[174] 1940 年 2 月到 1941 年 7 月在天生醫院服務。1941 年底到鞍山開同安醫院，一直到 1947 年秋天才回臺灣。回臺後在臺南安定鄉開同安醫院。[175]

## （五）陳章哲的仁濟醫院

　　陳章哲，彰化人，臺灣總督府醫學校第八屆畢業（1909），[176] 據說在畢業後即赴滿洲，[177] 1917 年接替先輩孟天成任職宏濟善堂病院，該善堂總理為郭精義。[178] 陳氏專攻內科，「故凡患病之人一經陳氏診治，無不手到病除，謂之良醫誰曰不宜。」[179] 以後離開宏濟善堂病院轉而開設仁濟醫院，和孟天成的博愛醫院一樣都

---

168　吳銅，《臺灣醫師名鑑》，頁 201。
169　國務院總務廳編，《滿洲國政府公報》，第 2665 號，康德 10（1943）年 4 月 7 日，頁 403。
170　許雪姬訪問、蔡說麗紀錄，〈梁金蘭、梁育明姊弟訪問紀錄〉，頁 318。
171　國務院總務廳編，《滿洲國政府公報》，第 1369 號，康德 5（1938）年 10 月 29 日，頁 586。
172　許雪姬訪問、鄭鳳凰紀錄，〈楊藏嶽先生訪問紀錄〉，《日治時期在「滿洲」的臺灣人》，頁 439-440。楊藏鋕為其五哥。
173　吳銅，《臺灣醫師名鑑》，頁 140。
174　《滿洲醫科大學檔案》，JD24,57，〈滿洲醫科大學專門部昭和十二年學籍簿〉。
175　吳銅，《臺灣醫師名鑑》，頁 246；林雙不，〈生活描寫王博文〉，收入氏所著，《安安靜靜臺灣人》（臺中：晨星出版有限公司，2000），頁 149、159-160。王博文為王火炎子。
176　景福基金會，《國立台灣大學景福校友通訊錄》，頁 3。
177　許雪姬訪問、蔡說麗紀錄，〈盧昆山、李謹慎夫婦訪問紀錄〉，《口述歷史》5（1994.6），頁 289。
178　《盛京時報》，第 3284 號，民國 6（1917）年 10 月 14 日，第 4 版，〈宏濟醫院長易人〉。
179　《盛京時報》，第 3301 號，民國 6（1917）年 11 月 4 日，第 5 版，〈濟世良醫〉。

圖 6-8　1939 年，王大樹、陳瓊珠夫妻與兩個女兒合影於錦州的錦生醫院。
（王愛惠女士提供）

在西崗，也是大連規模頗大的醫院。[180] 當時在滿洲行醫，最大的挑戰是防疫工作，1926 年疫病流行有侵入大連市區之虞，中華青年會及各學校為防範未然，特請陳章哲與他過去服務的宏濟善堂病院醫師到校注射防疫針以免遭到傳染。[181] 其醫院中有來自臺灣苗栗的醫師徐榮，1912 年畢業於臺北醫學校，是第 11 屆。[182] 陳章哲大約在 1930 年左右因身體衰弱，將醫院讓與徐榮經營；自己在老虎灘買地經營果園，據云已累積 20 萬以上資產，而且有不少不動產，可以安心養老，亦有改隸滿洲國國籍的想法。[183] 1943 年 7 月 17 日大連臺灣協會成立時，被聘為顧問。[184]

陳章哲的果園名叫仁濟農園，在大連老虎灘，有 17 甲蘋果園，每年產 100 萬個左右，批給大盤商；在錦州的七百甲サントニン（蛔蟲驅逐藥）藥草園，擁有三分之一的所有權。梁宰與之有私交，曾在其果園所處的小山上蓋了一間別墅，[185] 杜聰明到大連時，由盧昆山安排參觀活動，也到過陳章哲的別墅。陳章哲還有家屋 51 間，富於資產。[186] 陳章哲的女婿王大樹也到滿洲。王大樹，臺南歸仁人，在錦州開錦生醫院，[187] 規模很大，[188] 曾任錦州醫師會會長，[189] 也擔任過錦州臺灣同鄉會會長。[190] 是臺灣同鄉到錦州不能不拜訪的醫院。李水清戰後回臺前，自承德到錦州後，「到錦州已經半夜了，接不上往北班車，又想若到南方前線，生死未卜，也許入錦州市內臺灣同鄉經營的錦生醫院借住一宿，也可以留下一個消息，就算死在南洋，某日半夜來過錦州的消息，總有一天會傳到家鄉。我們兩人（另一人為黃山水）背著行李走入市內去叫錦生醫院的門，也告訴他們此次受徵召赴南方，將來生死難料，若不再生還，則今天半夜到此的事實，請轉告臺灣同鄉。」[191]

---

180 《盛京時報》，第 6309 號，民國 16（1927）年 6 月 9 日，附錄（一），〈大連生活指南〉。
181 《盛京時報》，第 6054 號，民國 15（1926）年 9 月 5 日，第 5 版，〈學校防疫〉。
182 景福基金會，《國立台灣大學景福校友通訊錄》，頁 4。
183 《臺灣民報》，第 295 號，昭和 5（1930）年 1 月 11 日，第 11 版，〈馬賊と大豆粕及び張作霖で有名な滿洲〉（中）。
184 《盛京時報》，第 11934 號，康德 10（1943）年 7 月 22 日，第 4 版，〈大連台灣協會誕生 蹶起邁進赤誠奉公〉。
185 許雪姬訪問、蔡說麗紀錄，〈盧昆山、李謹慎夫婦訪問紀錄〉，頁 272；許雪姬訪問、蔡說麗紀錄，〈梁金蘭、梁育明姊弟訪問紀錄〉，頁 310。
186 杜聰明，《回憶錄》，頁 77。
187 不著撰人，《臺南市私立長榮中學校友芳名錄》（臺南：臺南市私立長榮中學校友會，不著編年），頁 29。
188 許雪姬訪問、鄭鳳凰紀錄，〈翁通逢先生訪問紀錄〉，《日治時期在「滿洲」的臺灣人》，頁 121。
189 滿洲醫科大學輔仁會，《會員名簿》，頁 20。
190 許雪姬訪問、紀錄，〈洪智默先生訪問紀錄〉，2000 年 6 月 18 日訪問，未刊稿。
191 李水清，〈附錄：東北八年回憶錄（1938 年 4 月-1946 年 4 月）〉，《日治時期臺灣人在滿洲的生活經驗》（臺北：中央研究院臺灣史研究所，2015 年 2 刷），頁 78-79。

圖 6-9　錦生醫院王大樹院長（1905-1973）
（王愛惠女士提供）

圖 6-10　1941年，陳章哲（前排左五）與其妻子（前排左三）、王大樹次女王愛惠等人在錦生醫院合照。

前排左起：藥劑師女兒、王大樹長女王愛真、陳章哲夫人李賽珍、王大樹三女、陳章哲、陳章哲的醫師朋友夫妻（兩人）、王大樹次女王愛惠。

後排左起：藥劑師及其子、醫生、護士、護士、護士、王大樹夫人陳瓊珠、護士、王大樹、護士、醫生、護士、護士、藥劑師。

（王愛惠女士提供）

第六章　在滿洲的臺灣醫師　　405

圖6-11 1944年，錦州王大樹醫師（前排坐者左五）與妻子陳瓊珠（前排坐者右四）、次女王愛惠（後排站立者右五）等人在錦生醫院合影。

錦生醫院為滿洲國政府、滿鐵共濟指定醫院。王大樹為該院院長。（王愛惠女士提供）

第一排左起依序為：藥劑師（臺）、藥劑師（臺）、醫師（臺）、醫師（臺）、王大樹院長、王大樹三女、王大樹妻子陳瓊珠與王大樹長男、醫師夫人與其子、醫師夫人與其子、女孩、夫人及其子。

第二排左起：工作員（日）、工作員（日）、工作員（日）、工作員（日）、護士（臺）、護士（臺）、護士（臺）、護士、王大樹長女王愛真、護士、王大樹次女王愛惠、陳先生（臺）、廚師（中）。

第三排左起：護士（日）、護士（日）、護士（臺）、護士（臺）、護士、管家（中）、管家（中）、長工（中）、長工（中）。

（王愛惠女士提供、解讀）

戰後陳章哲喪失在滿洲所有的財產，先到錦生醫院待機，而後毅然決定回臺。回臺後擔任彰化縣社頭鄉衛生所主任，[192] 並在主任任上退休，過世時九十多歲，有《養生之道》一小冊問世。[193] 王大樹回臺後在臺南市建國路開設錦生醫院，69歲過世。[194]

## （六）方瑞璧、張忠、李晏與侯全成

四人都在大正年間到達滿洲，故一併介紹。

方瑞璧，雲林虎尾人，臺灣總督府醫學校第11屆（1912）畢業。[195] 畢業後任臺北病院婦人科醫務囑託及產婆講師，1917年到1919年到關東廳衛生課任醫務囑託，駐大連市，而於1922年回虎尾開業。1926年任臺南州醫師會理事，亦曾任公醫、虎尾信用組合長、街協議會員。[196] 張忠，新竹人，臺灣總督府醫學校第七屆（1908）畢業，1909年之後在新竹醫院內科任職，後開設心心醫院，[197] 一度於1921年前往大連，與方瑞璧共同開業。[198]

李晏，彰化人，1896年生，[199] 臺灣總督府醫學校第18屆畢業（1919）。畢業後到東京北里研究所細菌科為學員兼秦佐八郎教授的助手。以後以臨時防疫醫的身分與北里柴三郎博士等一行到東三省防疫處從事防疫工作，再回東京辦《東亞醫學雜誌》，不久又到哈爾濱防疫研究所任細菌部長，旋被拔擢為滿洲里醫院院長，該院有5、60個職員，這時他還未滿30歲。[200] 1927年被派赴巴黎大學熱帶病專修科任學員，1928年到1931年在巴黎巴斯德醫學研究所研究，[201] 前後跟隨Brupt和Le Yaditi兩教授研究。據云能到巴黎留學，是當時的張作霖派遣前往，後因張作霖亡

---

192 吳銅，《臺灣醫師名鑑》，頁119。
193 本小冊子盧昆山稱為〈回憶〉。見盧昆山，《七十回憶》，頁11，〈作者序〉。〈回憶〉一文實為陳章哲，《養生之道》（八十多年來經驗談）（自刊本，出版年不詳）。
194 有關王大樹的出生時間，《滿洲醫科大學檔案》，JD24,24,〈滿洲醫科大學昭和七年學籍簿〉寫出生於1905年3月9日；另一說法是1904年3月9日。見滿洲醫科大學輔仁會，《會員名簿》，頁20。
195 景福基金會，《國立台灣大學景福校友通訊錄》，頁4。
196 興南新聞社，《臺灣人士鑑》（臺北：興南新聞社，1943），頁380，其日本姓名為三田晃（みたあきら）。
197 本田六介編著，《日本醫籍錄》，頁29。
198 黃旺成著，許雪姬主編，《黃旺成先生日記（八）一九二一年》（臺北：中央研究院臺灣史研究所，2012），頁142，1921年4月18日。
199 戶主李奧戶籍謄本，李奧為李晏兄。俌李定山先生提供，謹致謝意。
200 不著撰人，〈卒業生的活躍狀況を語る座談會〉，收入中袴田熊吉編輯，《あきら第52號彰化第一公學校創立四十周年記念》（彰化：彰化第一公學校，1938），頁78-79。
201 李元白即李晏，〈參加革命前後主要經歷（包括學習）〉，1958年9月11日填。李定山先生提供。

圖 6-12 曾任哈爾濱防疫研究所細菌部長、滿洲里醫院院長李晏
（李定山先生提供）

圖 6-13 李晏與妻費頓百德
（李定山先生提供）

故，獎學金無著，幸得 Le Yaditi 的協助才能完成學業。在學中被任命為國際聯盟醫學部的視察員，因得以遊學歐洲各國的研究機關。留學中主要的研究主題是〈細菌保養論〉。[202] 李晏自巴黎回後，即到南京衛生署任技正，接著到上海雷斯德醫學研究所任血清股主任。1934 年 2 月 8 日以〈回歸熱スピヘロータ（spirochaeta）の一新培養法〉為主論文，得到日本慶應義塾大學的博士學位。[203] 當時他已改為中華民國籍。戰後並未回臺，1967 年逝世於上海。[204]

侯全成，臺南人，臺灣總督府醫學校第 22 屆畢業（1923），專攻外科。畢業後到臺北赤十字社醫院任產婦人科醫師，1924 年到大連任滿鐵醫院外科主任，並從日籍著名胸部外科專長尾見薰博士學習外科技術。其後向滿鐵建議在沙河口設同壽醫院為分院，專為滿洲人服務，並曾任該院院長一年，翌年受當時黑龍江省主席吳俊陞之聘，任黑龍江陸軍醫院上校院長，而得晤抗日名將馬占山。侯全成在滿洲前後七年，後因在北京朝陽大學法科讀書的四弟患肋膜炎死亡，經其父催促，遂束裝返臺。回臺後與姊夫高再得合開再生堂醫院。[205]

侯全成赴滿洲可能與其岳父邱明山有關，邱於 1922 年在鈴木商店的派遣下於 9 月轉任到大連支店有關。邱擔任輸入部兼華商外交部主任，是當時奉天政權的御用商人，並向北滿、華北一帶大量輸出貨品，一直到 1925 年因經濟大恐慌，鈴木商店不得不緊縮業務，而在 1928 年離該店回臺。[206] 邱明山赴滿洲，與其次女瓊雲、四女寶雲戰後到東北可能有些關係。[207]

## （七）仁和醫院的創始人簡仁南

簡仁南，臺南人，臺灣總督府醫學校第 20 屆畢業（1921），畢業後入日本醫大進修，並在日本鎌倉結婚。[208] 婚後先到大連博愛醫院孟天成處服務數個月，以後

---

202　不著撰人，〈卒業生の活躍狀況を語る座談會〉，頁 78-79。
203　日本慶應義塾大學醫學部相關資料，李定山先生提供。Spirochaeta 為螺旋形絲狀的微生物群的總稱，是梅毒、回歸熱的病原體。
204　李定山，〈李定山先生談家叔李晏〉，《日治時期在「滿洲」的臺灣人》，頁 63。
205　林藜，《臺灣名人傳》（臺北：新亞出版社，1976），頁 78-79。
206　臺灣新民報社，《臺灣人士鑑》（臺北：臺灣新民報社，1937），頁 74。邱明山，字克俊，臺南人。
207　邱寶雲，日本東京女子醫學專門學校畢業，曾任副教授、遼寧省臺灣同胞聯誼會會長、六屆全（中）國人大代表（六屆省人大代表），在遼寧省中醫院服務。見遼寧省衛生志編纂委員會編，《遼寧省衛生志》，頁 768、804。邱瓊雲（1909-1991）1931 年考入金陵大學，1938 年在成都中央大學醫學院藥理系任助教，1945 年赴英國劍橋大學生物化學研究所就讀，1949 年中共建政前回中國，歷任大連醫學院生化系、藥理系副教授、哈爾濱醫科大學生化教研組主任兼教授，為中國生物化學領域的科學技術和理論的發展做出貢獻。見台灣同胞在大陸畫冊編委會編，《台灣同胞在大陸》（福州：海風出版社，1993），頁 58。
208　據簡仁南之朋友韓石泉言，婚禮由簡仁南導演一幕愛情試探驚險活劇，逼使盧淑賢女士屈就，

圖 6-14 臺南黃家兄妹都曾在簡仁南在大連的仁和醫院工作
左起黃再傳醫師、黃文生；左三盧主恩（曾就讀旅順醫學專門學校）；左四黃玉霞（助產士）
（黃文生先生提供）

圖 6-15 1938 年大連仁和醫院落成紀念攝影
前排坐者左四盧清池（牙醫）、左六簡仁南（院長）、左八盧淑賢（院長妻）
（黃文生先生提供）

入滿鐵大連醫院第一外科,是時侯全成在第二外科。1938 年後自行在大連市監部通開設仁和醫院,原本醫院是二樓,病房在對面,後將二樓改為三樓,中有門診室、手術室、處置室、X 光照相室、治療室、暗室、藥局、待合室(候診室)、浴室、地下室(燒鍋爐裝置),二樓病房,三樓住家,應診的人不少。[209] 由於營業良好,一年後即在大山通設立分院,據云一年可以有二萬元的收入,故也購置汽車。[210]

其醫術高明,以治中國銀行張鴻宇子之病而膾炙人口。張之子年 19 歲,自幼患沙淋症,症狀隨年歲而日增,雖在北平延中外名醫診治,只見微效。到 1932 年春天病勢更劇,家人乃帶來仁和醫院,經簡氏診察開刀去除,手術後住院月餘乃告痊癒,張鴻宇乃送「妙手回春」匾以謝簡之醫術高明。[211]

簡一面行醫一面研究,在下午看完門診後即赴滿鐵大連醫院研究室繼續研究,[212] 遂取得滿洲醫科大學學位。[213] 當 1927 年滿鐵大連醫院新築落成,因而召開的新築落成紀念醫學會及第十五回滿洲醫學會總會(5 月 21、22 日)時,簡仁南也應邀演講,題目是〈對於肺結核與人:氣胸術治療成績〉。[214] 1940 年以〈動脈硬化症的實驗研究〉為主要論文,取得醫學博士學位。[215]

簡仁南妻為盧淑賢(原名「招治」),原赴日本神戶就讀平安高校,因母親過世而回臺南,編入臺南二高女就讀[216](校址即今中山國中)。盧清池為簡仁南小舅子,九州齒科醫專畢,娶簡仁南之妹簡美智,(即臺灣民間所謂的姑嫂換)婚後亦到大連開盧牙科診所,其妻為助產士,也參加接生的工作。盧淑賢的三弟盧昆山,先到仁和醫院 X 光室工作三年,後考上哈爾濱醫科大學。[217] 盧淑賢的大外甥黃再傳,亦到仁和醫院當助手,外甥女黃玉霞有助產士資格,也在仁和醫院工作。另一個最小外甥黃文生也曾在醫院任助手。[218]

---

馳赴日本。見韓石泉,《六十回憶》(臺南:韓石泉先生逝世三週年紀念會專輯編印委員會,1966),頁 41。
209　盧昆山,《七十回憶》,頁 18-21。
210　《臺灣民報》,第 295 號,昭和 5(1930)年 1 月 11 日,第 11 版。
211　《盛京時報》,第 8132 號,大同元(1932)年 9 月 13 日,第 4 版,〈仁和醫院簡院長妙手回春〉。
212　盧昆山,《七十回憶》,頁 19。
213　滿洲醫科大學,《滿洲醫科大學一覽》,頁 197。
214　《盛京時報》,第 6296 號,民國 16(1927)年 5 月 26 日,附錄(四),〈大連醫院新築落成紀念醫學會〉。
215　郭瑋,〈大連地區建國前的臺灣人及其組織狀況〉,頁 71。
216　盧昆山,《七十回憶》,頁 10。
217　盧昆山,《七十回憶》,頁 14、21。簡仁南的妹妹簡美智畢業於臺南二高女,以後入省立臺南醫院助產科講習所,二年後考取助產士資格。
218　許雪姬訪問、藍瑩如紀錄,〈黃文生先生訪問紀錄〉,《日治時期臺灣人在滿洲的生活經驗》(臺北:中央研究院臺灣史研究所,2015 年 2 刷),頁 384。

## （八）民生醫院院長楊燧人

楊燧人，臺南人，父親楊鵬搏為前清秀才，1897 年獲頒紳章。[219] 楊燧人於 1923 年畢業於臺北醫學專門學校，旋赴日本醫學專門學校深造，畢業後先在大連孟天成的博愛醫院任職，後娶華人巨商千金，而到哈爾濱開中華醫院。[220] 他認為大連是最容易發展的地方，故除了鼓勵弟妹前往外，也移居大連浪花町，開民生醫院，非常成功，到戰前為止擁有八、九棟別墅。[221]

## （九）溥儀的私人醫師——黃子正

黃子正，臺北人。其父黃烟篆，畢業於臺灣總督府醫學校第四屆（1904），先入臺南醫院做臨床學研究，後在臺南廳北門庄任公醫、警察醫，1926 年到孫傳芳之下當二等軍醫，以後回到瑞芳開業，並任該庄公醫、交通局鐵道部囑託醫、基隆輕鐵會社囑託醫、庄協議會員、方面委員。[222] 黃子正為黃烟篆長子，1920 年（第三屆）畢業於臺北醫專特設科。[223] 黃子正原先和堂弟黃樹奎在上海開業，分別負責內、外科，1931 年上海事件後逃往法租界，醫院則已毀於炮火。[224] 由於黃烟篆與謝介石私交甚篤，謝乃介紹黃子正往滿洲發展。[225] 1932 年底，與其妻洪瓊音，以及受雇到醫院任職的黃郭氏鳳交一起申請赴滿洲的旅券。[226] 黃子正到新京開設大同醫院，[227] 規模不大。1932 年 3 月 1 日滿洲國建立，謝介石被任命為外交部總長，於是大同醫院成為外交部囑託醫院，而黃子正也任滿洲國宮內府醫務囑託，成為溥儀的醫療顧問。[228]

---

219　鷹取田一郎，《臺灣列紳傳》（臺北：臺灣總督府，1916），頁 293-294。
220　《臺灣民報》，第 295 號，昭和 5（1930）年 1 月 11 日，第 11 版，〈馬賊と大豆粕及び張作霖で有名な滿洲〉（中）。
221　許雪姬訪問、蔡說麗紀錄，〈許文華先生訪問紀錄〉，《日治時期臺灣人在滿洲的生活經驗》（臺北：中央研究院臺灣史研究所，2015 年 2 刷），頁 412-413。
222　臺灣新民報社，《臺灣人士鑑》（1937），頁 121。
223　《臺灣總督府醫學校一覽》（臺北：臺灣總督府醫學校，1914），頁 146。
224　不著撰人，〈卒業生の活躍狀況を語る座談會〉，頁 81。
225　許雪姬訪問、蔡說麗紀錄，〈黃洪瓊音女士訪問紀錄〉，《口述歷史》5（1994.6），頁 234。
226　〈1932 年 10-12 月外國旅券下付表〉，識別號：T1011_03_135。
227　毓嵒，《末代皇帝的二十年：愛新覺羅毓嵒回憶錄》（北京：中國社會科學出版社，2000），頁 129。據毓嵒說，黃子正因小醫院收入少，本打算回臺，正巧溥儀大腿內側起了一條紅線，找黃子正來治，治好之後，溥儀賞黃子正五千元，叫他繼續開醫院，從此黃子正實際上就成了溥儀的專用西醫，每天傍晚到宮內府內廷來候診。愛新覺羅．毓嵒，《我跟隨溥儀二十年：末代皇子回憶錄》（北京：紅旗出版社，1993），頁 50。
228　本田六介，《日本醫籍錄》，頁 19，〈黃畑篆〉。

圖 6-16　黃子正到陳文山家拜訪,與貓合影。
（陳復民先生提供）

溥儀曾經要黃子正急救他找來當殿上勤務班、卻因逃跑被嚴厲責罰的孫博元，但因傷重未能救活。[229] 在溥儀的妃子譚玉齡得病，中醫醫治無效後，黃子正受溥儀之命前往新京市立醫院請小野寺醫師往診，但譚玉齡已回生乏術。[230]

　　溥儀並不太相信西醫，而且他對中藥素有研究，皇宮內有中藥房，不但會開藥方也能配藥。黃子正起先一面在外開業，一面替溥儀診療，宮中人認為萬一御醫因在外看診，而將病人的細菌帶到皇宮內就糟了，故醫院在未停止對外營業時，黃子正都要消毒後才進宮；加上到皇宮看病費時，猶如上下班，還不僅為皇帝一人治病，因此在當了溥儀私人醫師後不久即不再對外行醫。

　　新京黃家，因黃家夫婦的友善好客，成為在新京臺灣人常去的地方，尤其是戰後，黃家收留了三個建國大學學生一起吃住，直到回臺，建大學生也會利用假日到黃家親睦。[231]

　　1945 年 8 月 9 日蘇軍進攻滿、蘇邊境，由於關東軍主力早已調往南方的戰場，面對蘇聯軍的四路進攻，關東軍司令部決定將主力撤守南滿，固守東邊道防線，放棄新京（長春），將國都遷往通化，皇帝及皇室人員、滿洲國大臣隨之遷往通化。[232] 8 月 13 日溥儀一行坐火車往通化大栗子，15 日昭和天皇宣布日本無條件投降，翌日溥儀在大栗子召開御前會議，決定滿洲國解體，皇帝退位，皇帝等一行在日人的安排下前往日本避難。當時溥儀挑選了九個人為第一梯次前往的成員，此即溥儀的親戚溥傑（弟）、萬嘉熙（五妹夫）、潤麒（三妹夫）、毓嶦、毓嶂、毓嵒（以上三位為侄）、趙蔭茂（隨侍）、李國雄（隨侍）、黃子正（私人醫師）。黃子正何以隨溥儀前往大栗子、又何以同往瀋陽？究竟是主動抑被動？如果以合理情況推估，他並非被迫前往。[233] 據《貴妃到底被誰毒殺：皇帝溥儀與關東軍參謀吉岡之謎》的作者入江曜子指出，她在 1997 年尾到北京去訪問撫順戰犯管理所所長金源，金源指出黃子正不是戰犯，卻在獄中被關了 12 年，平時的言語、行為中並未顯出仇恨的樣子，對溥儀也常說，在這樣長的時間中能服務皇帝陛下是光榮的。潤麒也說黃子正是個木訥的人，腳不

---

229　中央檔案館編，《偽滿洲國的統治與內幕：偽滿官員供述》（北京：中央檔案局，2000），頁 25，〈愛新覺羅‧溥儀筆供〉（1954 年 6 月 1 日）；毓嶦，《末代皇帝的二十年：愛新覺羅毓嶦回憶錄》，頁 109。

230　毓嶦，《末代皇帝的二十年：愛新覺羅毓嶦回憶錄》，頁 29；據溥儀弟妹嵯峨浩稱，當時漢醫斷定得了腸傷寒，但經宮內府御用掛吉岡安直大佐叫來軍醫斷定為粟粒結核（結核菌布滿全身內臟，發生粟粒大結節的症狀）併發腦膜炎，給予注射、投藥，但仍不幸於翌日過世。見愛新覺羅浩，《流轉の王妃の昭和史》（東京：株式會社新潮社，1997），頁 102。

231　許雪姬訪問、蔡說麗紀錄，〈黃洪瓊音女士訪問紀錄〉，頁 242。

232　戴朋久，《皇帝出獄：末代皇帝溥儀獲釋前後》（北京：解放軍出版社，1999），頁 8。

233　黃子正雖被溥儀挑上，但仍有拒絕的空間，當時趙蔭茂被選上，但以肚子疼為由而未隨行，因此躲過一厄。見李國雄口述、王慶祥撰寫，《隨侍溥儀紀實》（北京：東方出版社，1999），頁 226。

好,一直坐著工作,同獄 12 年未曾和黃子正講過話。[234]

且說這九人加上吉岡安直(溥儀御用掛)、參議府副議長橋本虎之助及宮內府次長荒井靜雄[235]一行 12 人,於 19 日由通化分三梯次搭機前往瀋陽以待搭機赴日,不料甫抵機場即遭蘇軍逮捕。翌日被送到蘇聯赤塔郊外的莫洛科夫卡,11 月 16 日再遷到伯力郊外的紅河子[236](Красная Речка,意即 "Red River")。1946 年 7 月 3 日遷至伯力市內第四十五收容所。1950 年 7 月 28 日蘇聯將溥儀、滿洲國大臣、汪政權領事等戰犯交還中國。本日由伯力出發,8 月 1 日中、蘇在綏芬河正式移交。8 月 3 日一行人被囚於撫順戰犯管理所。是年因韓戰爆發,撫順接近中韓邊界,乃將戰犯遷到哈爾濱,住進鐵籠子的囚室中,一直到 1954 年 3 月 17 日才被送回撫順。1957 年 1 月 27 日黃子正與李國雄、毓嶦、毓嶒、毓喦一起獲釋。毓嶦、毓喦、李國雄到北京,毓嶒到吉林,黃子正則因家屬早已回臺灣,而兩岸又不通音訊,可以說是無家可歸,那麼他去了哪裡?[237]毓喦說他大約是去長春,[238]毓嶦說他不知所終。[239]

事實上黃子正根本稱不上戰犯,第一批被特赦的 13 名犯罪分子中根本沒有黃子正的名字,[240]他就這樣白白坐了 12 年牢!黃子正在牢中染上肺結核,病況有惡化的現象,所方顧慮到他無家可歸,乃送他到瀋陽附近的鐵嶺醫院。這是刑務所醫院,專門收容思想改造中發病的病人,他一方面接受治療,一方面幫犯人看病,不久過世於鐵嶺。[241]

黃子正堂弟黃樹奎,1928 年畢業於東京醫學專門學校,[242]他赴新京接手大同醫院,1935 年謝介石被任命為滿洲國駐日本第一任全權大使,他為了參加始政四十週年臺灣記念博覽會,也為了替長子謝喆生完婚鄭肇基之女蓁蓁乃回臺,這時

---

234 入江曜子,《貴妃は毒殺されたか—皇帝溥儀と關東軍參謀吉岡の謎》(東京:新潮社,1998),頁 416。
235 中央檔案館編,《偽滿洲國的統治與內幕》,頁 469,〈吉興筆供〉(1954 年 12 月 5 日)。
236 有關溥儀在瀋陽機場被蘇聯逮捕這件事當中,是否為日本人設計將溥儀送到蘇聯手中?據李國雄、毓嶦、毓喦等人的看法是「溥儀是作為日本獻給蘇聯的投降禮物而去瀋陽的。」換言之,蘇聯方面早已自日本手中掌握溥儀的動靜,因此工藤忠認為日本人出賣了溥儀。見戴朋久,《皇帝出獄:末代皇帝溥儀獲釋前後》,頁 343。
237 以上細節參閱以下四本書:1. 毓喦,《我跟隨溥儀二十年:末代皇子回憶錄》(北京:紅旗出版社,1993),頁 33-100;2. 毓嶦,《末代皇帝的二十年:愛新覺羅毓嶦回憶錄》,頁 132-278;3. 愛新覺羅‧溥傑著、葉祖孚執筆,《溥傑自傳》(北京:中國文史出版社,2001),頁 7-148;4. 李國雄口述、王慶祥撰寫,《隨侍溥儀紀實》,頁 229-307。
238 毓喦,《我跟隨溥儀二十年:末代皇子回憶錄》,頁 100。
239 毓嶦,《末代皇帝的二十年:愛新覺羅毓嶦回憶錄》,頁 302。
240 (57)高檢辦字第 25 號文,〈中華人民共和國最高人民檢察院免于起訴書〉,轉引自李國雄口述、王慶祥撰寫,《隨侍溥儀紀實》,頁 306。
241 入江曜子,《貴妃は毒殺されたか—皇帝溥儀と關東軍參謀吉岡の謎》,頁 417。
242 不著撰人,《東京醫學專門學校南瀛會名簿》(會誌第 6 刊)(東京:東京醫學專門學校,1941),頁 7。

黃樹奎以外交部囑託的身分陪同回臺。[243]

此外在滿洲醫科大學就讀者如林伯輝、呂耀堂、戴神庇、謝文燦、王標、戴耀閭、林漢、王大樹等人在 1932 年以前畢業，也算是早期就到滿洲，其中呂耀唐在 1925 年畢業後任安東南滿醫院外科醫長，1926 年轉任到中華撫順醫院院長，[244] 1931 年後到滿洲醫科大學眼科教室任副手兼醫員。[245] 林伯輝不詳，戴神庇畢業後只在同校擔任副手一段短時間，[246] 謝文燦在父親謝秋涫在新京開的百川醫院，王標畢業後入同校附屬醫院研究，後在奉天開內外科耳鼻咽喉科醫院。[247] 戴耀閭、林漢未在滿洲開業，王大樹在錦州開錦生醫院，已如前述。

## 三、後期在滿洲的臺灣醫師

滿洲國建立後，臺灣醫師赴滿者與日俱增，同時開業地點也不再限於奉天、大連、撫順。一般非在滿洲接受醫學教育者，他們初到滿洲，往往先到滿鐵醫院、公立醫院任職；有些則入同鄉的醫院幫忙，在習得滿洲話並建立人際關係後自行開業；亦有一開始即決定自行開業者，往後再入滿洲醫科大學或他處深造。另一說法是，在大連（是否包括全滿洲不詳）的中國醫師（包括臺灣籍醫師）與日本醫師的待遇不同，同是醫員補，1940 年前後，中國醫師的基本工資每月 90 元，日本醫師 135 元，醫員日本醫師 225 元，中國醫師 150 元，而且日本醫師晉升上比中國醫師容易。不過許多臺籍醫師在取得一定的資歷之後，多走上獨立開業的道路，[248] 本節偏重在後期，主要談在不同地區自行開業的醫師。

### （一）在大連行醫者

**1. 江塗龍的回生醫院**：江塗龍，1935 年畢業於滿洲醫科大學，留在母校擔任

---

243 日本外務省外交史料館藏，M,2,52,3-43，各國駐劄帝國大公使任免關係雜纂　滿洲國ノ部，秘警高秘甲第 20307 號，昭和 10（1935）年 10 月 3 日，臺灣總督府警務局長石垣倉治，〈謝介石滿洲國大使來臺ノ件〉。
244 《盛京時報》，第 5871 號，民國 15（1926）年 3 月 2 日，第 5 版，〈更換院長〉。
245 黑田源次編，《滿洲醫科大學二十五年史》，頁 115。
246 興南新聞社，《臺灣人士鑑》（1943），頁 226。
247 興南新聞社，《臺灣人士鑑》（1943），頁 69。
248 郭瑋，〈大連地區建國前的臺灣人及其組織狀況〉，頁 69。但臺灣醫師應屬日本醫師，所以自行開業是為了賺取更多的錢。

婦人科教室副手兼醫員。[249] 1937年登錄為滿洲醫師,[250] 之後在大連開設回生醫院,後遷到南京仍開回生醫院,戰後回到嘉義開業。[251]

**2. 傅元煊的大同醫院**:傅元煊,1925年畢業於臺灣總督府醫學校第24屆(1925),[252] 先在大連醫院第二外科服務,時侯全成也在同醫院。[253] 在此醫院服務時,有畢業於臺南工業學校的高雄美濃人傅慶騰,服務於滿洲電業株式會社,1934年10月受重傷,被送至大連醫院第二外科急救,由時任該科主任的傅元煊為其開刀治療,並為介紹該院護士山本ヒサエ為妻。[254](參見圖5-5)傅後來在大連開大同醫院。醫院中另一個醫師是傅祖宗,可能是親戚,畢業於新京醫科大學,畢業後即入大同醫院服務。[255]

**3. 黃禎祥的同愛醫院**:黃禎祥,臺南人,日本昭和醫學專門學校畢業,曾任省立澎湖病院婦產科主任,後在滿洲登錄為醫師,[256] 曾在大連市自設同愛醫院,後到高雄開業同名的醫院。[257]

**4. 楊德昭的惠仁醫院**:楊德昭,鹿港人,日本山口縣多良中學校畢業,入滿洲醫科大學專門部就讀,1938年畢業。[258] 先在滿洲醫科大學內科任職,[259] 1939年登記為滿洲國醫師,[260] 同年在大連開惠仁醫院。[261]

**5. 劉萬的仁生醫院**:劉萬,彰化花壇人,1940年滿洲醫科大學畢業。畢業後曾在滿洲醫大服務兩年,再在滿洲開仁生醫院,專攻皮膚科。[262]

**6. 徐榮的春華醫院**:徐榮,新竹人,1930年畢業於東京醫學專門學校,先在臺北病院任職,接著入日本赤十字社臺灣支部醫院,1933年在大連開業,[263] 名為

---

249 《滿洲醫科大學檔案》,JD24,38(14),〈滿洲醫科大學昭和十年學籍簿〉;滿洲醫科大學,《滿洲醫科大學一覽》,頁157。
250 國務院總務廳編,《滿洲國政府公報》,第1369號,康德5(1938)年10月29日,頁558。
251 吳銅,《臺灣醫師名鑑》,頁187。
252 景福基金會,《國立台灣大學景福校友通訊錄》,頁16。
253 許雪姬訪問、蔡說麗紀錄,〈盧昆山、李謹慎夫婦訪問紀錄〉,頁289。
254 傅慶騰撰、高淑媛譯,〈傅慶騰回憶錄〉,《日治時期在「滿洲」的臺灣人》,頁558。
255 吳銅,《臺灣醫師名鑑》,頁66。傅祖宗的名字並未出現在平成3年10月編成的《新京醫科大學圭泉會名簿》。
256 國務院總務廳編,《滿洲國政府公報》,第2665號,康德10(1943)年4月17日,頁406。
257 吳銅,《臺灣醫師名鑑》,頁406。
258 《滿洲醫科大學檔案》,JD24,57,〈滿洲醫科大學專門部昭和十二年學籍簿〉。
259 中西利八編纂,《滿洲人名辭典》(東京:日本圖書センター,1989年重印),頁1314。
260 國務院總務廳編,《滿洲國政府公報》,第1525號,康德6(1939)年5月18日,頁410。
261 中西利八編纂,《滿洲人名辭典》,頁1314。
262 許雪姬訪問、紀錄,〈葉彩屏女士訪問紀錄〉,《日治時期在「滿洲」的臺灣人》,頁123、128。葉彩屏為劉萬之妻。
263 中西利八編纂,《滿洲人名辭典》,頁1253。

圖 6-17　1971 年 3 月 27 日，曾在大連開設仁生醫院的劉萬與妻葉彩屏結婚三十週年紀念照片。
資料來源：葉家子孫恭印，《葉公在淵百年忌紀念》，不著頁數。

春華醫院。[264]

　　7. 王祖塏的同德醫院：王祖塏，臺北人，1937 年畢業於滿洲醫科大學專門部，先在同大學內科教室服務，[265] 1938 年登記為滿洲醫師，[266] 而後在大連自行開業同德醫院，回臺後在板橋開設博愛醫院。[267]

　　8. 盧清池的盧牙科診所：盧清池，九州齒科大學畢業，娶簡仁南之妹為妻，婚後在大連開盧牙科診所。[268]

　　9. 林欽明：臺中潭子人，1938 年滿洲醫科大學專門部畢業，先在大連醫院內科服務，後在大連開業欽明醫院，妻江金素帝國女子藥學專門學校畢業。[269]

　　10. 在仁和醫院服務的黃再傳：1932 年臺南長老教中學畢業，之後在彰化基督教醫院受訓成為醫師助手，而後到大連姨丈簡仁南的仁和醫院擔任 X 光技師，並

---

264　不著撰人，《東京醫學專門學校南瀛會名簿》（會誌第 6 刊），頁 4。
265　《滿洲醫科大學檔案》，JD24,51，〈滿洲醫科大學專門部昭和十二年學籍簿〉。
266　國務院總務廳編，《滿洲國政府公報》，第 1343 號，康德 5（1938）年 9 月 27 日，頁 603。
267　吳銅，《臺灣醫師名鑑》，頁 25。
268　許雪姬訪問、蔡說麗紀錄，〈盧昆山、李謹慎夫婦訪問紀錄〉，頁 270。
269　許雪姬訪問，林建廷、劉芳瑜紀錄，〈滿洲、臺灣、日本，伴夫行醫半世紀：林江金素女士訪問紀錄〉，收入陳儀深主編，《記錄聲音的歷史》（臺北：臺灣口述歷史學會，2019），頁 134。

在滿洲考取限地醫,被派到錦州的日系錦州製鹽廠當醫師。之後受一山東籍富人之邀欲前往山東開業,他欲將購得的藥品運往山東,但沒有成功,反被日本憲兵隊告發從事運輸藥品之事,因違法而被逮捕下獄。[270] 但據郭瑋的說法,黃所運的藥品是要支援山東八路軍的抗日活動,因而被捕,經多方營救,半年後才獲釋,因在牢中患肺結核病,乃回臺灣養病,再回大連時帶回蔡行鑄(後任大連兒童醫院副院長),1946 年過世。[271](參見圖6-14)

11. **在大連醫院服務當醫員補的賴雅徵**:1942 年在大連醫院分院服務。[272]

## (二)在奉天及附近行醫者

1. **在奉天開業的吳大杉**:吳大杉,安徽中學第一高級中學畢業後,進入滿洲醫科大學專門部就讀,而在 1939 年畢業。畢業後入醫科大學高森內科、平山外科、稗田病理教室研究,而後在奉天開博愛醫院,可能為了紀念其在滿洲行醫,回臺後在嘉義開奉天醫院。[273]

2. **在奉天開業的張登財**:張登財,嘉義中學畢業後入滿洲醫科大學,畢業於 1941 年,而在同年登錄為滿洲醫師,[274] 在奉天開設中山醫院、[275] 康德醫院(戰後改名仁德醫院),由妻子的大姊夫羅海盛任院長。[276] 戰後患傷寒病腸出血,其中山醫院成為盧昆山醫師要回臺前暫時任職的地方。[277] 回臺前將中山醫院交由弟弟張登川醫師管理。[278] 張登川回臺後在臺北北投開安生醫院,後到日本行醫十餘年,因病回臺。[279]

此外還有 1938 年要到奉天開業的新竹新埔人詹德明,[280] 後來在本溪湖開業。(見頁 423)

3. **在奉天開業的廖泉生**:廖泉生,畢業於滿洲醫科大學(1939),曾任日本赤

---

270 許雪姬訪問、藍瑩如紀錄,〈黃文生先生訪問紀錄〉,頁 379-380。
271 郭瑋,〈大連地區建國前的臺灣人及其組織狀況〉,頁 71-72。
272 森川義金編,《大連醫院誌》(大連:財團法人大連醫院,1945),頁 158。
273 吳銅,《臺灣醫師名鑑》,頁 189;滿洲醫科大學,《滿洲醫科大學一覽》,頁 171。
274 國務院總務廳編,《滿洲國政府公報》,第 2638 號,康德 10(1943)年 3 月 17 日,頁 491。
275 滿洲醫科大學輔仁會,《會員名簿》,頁 34。
276 許雪姬訪問,許雪姬、張英明紀錄,〈張琁女士訪問紀錄〉,《日治時期臺灣人在滿洲的生活經驗》,頁 254。張琁為張登財之妻。
277 盧昆山,《七十回憶》,頁 42。
278 許雪姬訪問,許雪姬、張英明紀錄,〈張琁女士訪問紀錄〉,頁 267。
279 許雪姬訪問、紀錄,〈施義德先生訪問紀錄〉,《日治時期在「滿洲」的臺灣人》,頁 10。
280 〈1938 年 1-3 月外國旅券下付表〉,識別號:T1011_03_156。

圖 6-18　1938 年張琁與夫張登財合影
（張英明先生提供）

圖 6-19　廖泉生在奉天開設的仁愛醫院
資料來源：廖泉生，《乘願藥師如來：廖泉生回憶錄》，頁 21。

十字社病院皮膚泌尿科醫員，[281] 1943 年登記為滿洲醫師。[282] 1945 年春天，離日本投降不到半年，在奉天市大西門里一心街開仁愛醫院，翌年取得滿洲醫科大學博士學位，是年 12 月回到臺灣，以後也在臺中開仁愛醫院。[283]

**4. 在開原開業的黃順記**：醫院在開原掏鹿大街，是臺灣醫師黃順記所開設，時為 1933 年。黃順記，1929 年畢業於滿洲醫科大學專門部，後入奉天赤十字病院擔任皮膚科醫師，舉凡性病、泌尿、疝氣、膀胱切除等都在診察範圍內，需動手術者亦多，鎮日在開刀房，手術後必須常洗手，但因手感染不能常常浸水，遂轉到小兒科。離開前述醫院後決定自行開業，當時大連已有四、五個臺籍醫師開業，乃決定在鐵嶺以北、四平以南，離撫順較近的開原開業，當時開原人口四、五萬人。

---

281　吳銅，《臺灣醫師名鑑》，頁 93。
282　國務院總務廳編，《滿洲國政府公報》，第 2613 號，康德 10（1943）年 2 月 12 日，頁 235。
283　方玉珍、郭紫筠，《乘願藥師如來：廖泉生回憶錄》（臺中：財團法人仁愛綜合醫院，2000），頁 1-6、11-25、31、41-43、53、104-107。

該地傳染病不少,到院應診的有當地人、日本人、朝鮮人,甚至是俄國人。[284] 除了開業外,1937年任開原縣戒煙所所長委囑,1939年為奉天省檢疫委員。1941年博愛醫院被滿洲政府共濟會作為指定醫院。[285] 1942年黃順記被四平省長命為四平省檢疫委員。

任博愛醫院副院長的黃深智是黃順記三弟,1941年畢業於滿洲醫科大學後,[286] 先在同校附屬小兒科充當醫員,再轉到奉天市立傳染病院小兒科服務;後因兄欲往滿洲醫大修博士學位,乃到開原博愛醫院任副院長。以後到遼北省西安縣縣城自行開業,戰後回臺,在臺中開設仁慈醫院。[287] 黃雅幫是黃順記四弟,畢業於九州醫學專門學校,畢業後渡滿,在博愛醫院當副院長,以後在鄰縣昌圖站自行開業兩年。戰後回臺,在臺中開設博濟醫院。

博愛醫院除了黃氏兄弟為主要成員外,還有畢業於九大醫專的施錫卿,戰後並未回臺。[288]

5. 在旅順開業的洪頂霖:洪頂霖,高雄人,臺北帝國大學附屬醫學專門部第一屆(1937)畢業,[289] 後任日本赤十字社臺北支部醫院醫員,以後到旅順開業洪光醫院,戰後回路竹開設洪頂霖診所。[290]

6. 在錦州開業的李德彰:相對於臺灣醫師在大連、瀋陽、旅順、開原開業,李德彰則選擇在錦州開業。李德彰,1917年畢業於臺北師範學校公學師範部乙科,後在大目降公學校、岡子林公學校、善化公學校執教,[291] 曾任岡子林公學校首任代理校長。[292] 以後赴滿洲醫科大學專門部就讀,1933年畢業,換言之當醫師的願望在36歲那年才實現。畢業後到錦州開錦西醫院,[293] 可惜不到五年因多發性筋炎的細菌續發敗血症,卒於滿洲醫科大學附設醫院。[294] 在錦州開業的還有王大樹的

---

284 許雪姬訪問、吳美慧紀錄,〈黃順記先生訪問紀錄〉,《口述歷史》6(1995.7),頁201-202。
285 《滿洲醫科大學檔案》,JD24,54,〈滿洲醫科大學專門部昭和四年至十年學籍簿〉。
286 黃深智原在滿洲醫科大學專門部就讀,1935年4月自專門部第二學年考入大學部。見《滿洲醫科大學檔案》,JD24,47,〈滿洲醫科大學昭和十六年學籍簿〉。
287 許雪姬訪問、吳美慧紀錄,〈黃順記先生訪問紀錄〉,頁203;吳銅,《臺灣醫師名鑑》,頁92;黃深智在1942年登記為滿洲醫師。見國務院總務廳編,《滿洲國政府公報》,第2666號,康德10(1943)年4月19日,頁437。
288 許雪姬訪問、吳美慧紀錄,〈黃順記先生訪問紀錄〉,頁202-203。
289 景福基金會,《國立台灣大學景福校友通訊錄》,頁55。
290 吳銅,《臺灣醫師名鑑》,頁276。
291 不著編人,《臺北師範學校卒業及修了者名簿》(臺北:臺北師範學校創立三十周年紀念祝賀會,1926),頁89。
292 陳春木,《臺灣地方鄉土誌》(臺北:常民文化事業公司,1998),頁132。
293 《滿洲醫科大學檔案》,JD24,54,〈滿洲醫科大學專門部昭和四年至十年學籍簿〉。
294 許雪姬訪問、吳美慧紀錄,〈黃順記先生訪問紀錄〉,頁204。黃順記為李德彰滿洲醫科大學專門部同窗。

錦生醫院，已如前述。

**7. 在本溪湖開業的吳振茂、詹德明：**吳振茂，新竹人，1941 年畢業於新京醫科大學，是二期生，[295] 同年登錄為滿洲國醫師，[296] 先在西安炭礦病院服務，後到本溪湖開健民醫院。返臺後在新竹湖口開博愛醫院，1975 年歿。[297] 詹德明在 1940 年 1 月 15 日取得滿洲醫師資格，亦在本溪湖開天生醫院，其姑表兄弟張宗仁自日本到滿洲時即先在其醫院看診。[298]

**8. 在鞍山開業的楊澄海、張宗田：**在鞍山亦有天生醫院，可視為撫順天生醫院的外延。楊澄海，高雄人，日本愛知醫科大學畢業，曾任愛知醫大勝沼內科副手，[299] 娶梁道醫師長女梁金蓮為妻，梁為耳鼻科醫師。[300] 楊澄海在 1937 年 12 月登錄為滿洲國醫師，[301] 乃到鞍山開天生醫院，[302] 主要醫治對象應該是鞍山鐵礦工員；楊有自用汽車，護士、司機，均為日人，每日患者一百餘人，而且要出診 20 多次，通常出診在下午四時以後。[303] 由於病患多，梁道大媳婦梁許春菊乃介紹盧昆山到鞍山天生醫院協助看診。[304]

張宗田，日本大學醫科畢業，畢業後到南京（中正路明瓦廊北口）開設國民醫院，因醫務不展，乃決定到滿洲。他自大連到新京視察時，黃子正之妻黃洪瓊音告知新京之房價及物品太貴，而且醫院增加不少，因此最後決定在鞍山開設博愛醫院。當時鞍山有日人八、九千，而滿人有一萬多人，是個純粹的工業都市，在該地開業順利，不久即買房遷置醫院。其同學石林玉燦也一度到其醫院駐診。[305] 其表弟熊澤東亦赴其醫院協助，[306] 後考上限地醫，開設千山醫院，回臺後在東勢開博愛醫院。[307]

---

295 大田豐正，《新京醫科大學圭泉會名簿》，頁 44。
296 國務院總務廳編，《滿洲國政府公報》，第 2638 號，康德 10（1943）年 3 月 17 日，頁 488。
297 吳銅，《臺灣醫師名鑑》，頁 70。
298 吳文星訪問、游重義紀錄，〈葉蘊玉女士訪問紀錄〉，1991 年 8 月 10 日於花蓮縣鳳林鎮張家，未刊稿，頁 2；國務院總務廳編，《滿洲國政府公報》，第 2163 號，康德 10（1943）年 2 月 12 日，頁 237。
299 吳銅，《臺灣醫師名鑑》，頁 273。
300 陳國柱，《臺灣省醫師名鑑》頁 312，畢業於東京女子醫學專門學校，回臺後先任高雄市立醫院小兒科醫員，後任自設天生醫院任院長；許雪姬訪問、蔡說麗紀錄，〈盧昆山、李謹慎夫婦訪問紀錄〉，頁 276。
301 國務院總務廳編，《滿洲國政府公報》，第 1369 號，康德 5（1938）年 10 月 29 日，頁 58。
302 許雪姬訪問、蔡說麗紀錄，〈盧昆山、李謹慎夫婦訪問紀錄〉，頁 276。
303 盧昆山，《七十回憶》，頁 42。
304 盧昆山，《七十回憶》，頁 40。
305 許雪姬訪問、王美雪紀錄，〈侯金魚女士訪問紀錄〉，《日治時期在「滿洲」的臺灣人》，頁 89。
306 〈林嘉總、張宗田翁婿書信集〉，1938-1939 年。上述資料為霧峰郭双富先生所提供，謹致謝意。
307 吳銅，《臺灣醫師名鑑》，頁 108。

圖 6-20　1945 年鐵嶺小學校畢業典禮合照
第四排左六為楊金涵（校醫），第一排左三其子楊正昭（畢業生）
（楊正昭先生提供）

9. **在瓦房店開業的盧昆山**：盧昆山畢業於臺南二中，工作一段時間後，到大連姊夫簡仁南的仁和醫院幫忙，被派到孟天成的博愛醫院學習 X 光操作，後考上哈爾濱醫科大學。畢業後在梁許春菊（為盧妻之外甥女）介紹下到楊澄海在鞍山的天生醫院任職，因鞍山為工業要地，時有空襲警報，在其三姊（即簡仁南妻盧淑賢）的催促下回到大連，在仁和醫院當醫師，不久空襲又臨到大連，乃疏散到瓦房店開慈愛醫院，為全科醫師（內、小兒、外、皮膚、婦產科）。[308]

10. **在鐵嶺開業的楊金涵**：1934 年滿洲醫科大學專門部畢業，畢業後到滿洲醫大婦人科教室，[309] 1935 年就職於奉天市奉天看守所醫務科擔任保健技師，1939 年任奉天省衛生方面技佐。1942 年到鐵嶺任衛生課長，[310] 1943 年辭職，[311] 自行在當地開業直到回臺。[312]

11. **在海城開業的張宗仁**：張宗仁，1940 年 3 月日本大學醫科畢業，先在日本贊育醫院擔任副手、助手、產婦人科主任，1943 年自日本來滿洲，先到其表兄弟詹德明在本溪湖開的天生醫院服務半年，再到缺乏醫師的海城開業仁壽醫院，擔任婦產科醫師。[313] 其弟張依仁，1944 年滿洲醫師考試及格，曾任阜新炭礦病院小兒科醫師，亦到海城協助其兄。三弟張果仁，曾一度在新京醫科大學附屬醫院工作，後亦到海城協助張宗仁的醫院，擔任牙科、內科醫師；[314] 醫院中另外有其伯父張采湘之子張蹈仁，考上限地醫。[315]

## （三）在四平開業的臺灣醫師

在四平的臺灣開業醫有一位牙科，三個醫科。一是牙醫王桂霖，兩位醫師是楊毓奇與張大長、林肇基，[316] 唯張大長，事蹟不詳。

---

308　盧昆山，《七十回憶》，頁 48-55。
309　《滿洲醫科大學檔案》，JD24,54，〈滿洲醫科大學專門部昭和四至十年學籍簿〉；滿洲醫科大學，《滿洲醫科大學一覽》，頁 169。
310　許雪姬訪問、劉芳瑜紀錄，〈何處是鄉關？流轉的臺灣認同：楊正昭醫師訪問紀錄〉，收入陳儀深主編，《記錄聲音的歷史》（臺北：臺灣口述歷史協會，2019），頁 189。楊正昭為楊金涵長子。
311　國務院總務廳，《滿洲國政府公報》，2560 號，康德 9（1942）年 12 月 2 日，頁 6。
312　許雪姬訪問、劉芳瑜紀錄，〈何處是鄉關？流轉的臺灣認同：楊正昭醫師訪問紀錄〉，收入陳儀深主編，《記錄聲音的歷史》（臺北：臺灣口述歷史協會，2019），頁 191。
313　許雪姬訪問、鄭鳳凰紀錄，〈葉鳴岡先生訪問紀錄〉，《日治時期在「滿洲」的臺灣人》，頁 121。
314　吳銅，《臺灣醫師名鑑》，頁 21；張炎憲、曾秋美主編，《花蓮鳳林二二八》（臺北：財團法人吳三連臺灣史料基金會，2010），頁 7。
315　吳文星訪問，游重義紀錄，〈葉蘊玉女士訪問紀錄〉，頁 2。
316　許雪姬訪問，吳美慧、曾金蘭紀錄，〈楊蘭洲先生訪問紀錄〉，《口述歷史》5（1994.6），頁 147。

**1. 牙醫王桂霖**：王桂霖，畢業學校不詳，1937 年 12 月登記為滿洲國醫師，[317] 在四平海龍街隆安區開齒科醫院。[318]

　　**2. 楊毓奇的信愛醫院**：楊毓奇，鹿港人，臺南長老教會中學校畢業後，[319] 進入臺南神學校，於 1930 年畢業，之後入滿洲醫科大學專門部就讀，而在 1934 年畢業，由於畢業成績極優良，故得滿洲醫科大學的滿鐵總裁賞。同年回臺，在臺北馬偕醫院服務，1935 年辭職。同年到四平街二條通開信愛醫院。[320] 1937 年 12 月登記為滿洲國醫師，[321] 1941 年申請入滿洲醫科大學稗田教授病理學教室。[322] 畢業於東京東洋醫學院的翁通逢，在 1944 年逃避戰爭到滿洲時，也曾短時間服務於信愛醫院。[323] 戰後回臺任職彰化基督教醫院，1951 年任第八任院長。1953 年在蘭大弼醫師（蘭大衛醫師子）協助下，取得中英基金會獎學金赴英國進修，唯不再回臺轉往巴西，[324] 後因經濟不佳又遷往美國。[325]

　　**3. 林肇基**：臺中潭子人，林欽明之兄。1937 年滿洲醫科大學專門部畢業，先就職於滿洲醫科大學皮膚科，再任日本赤十字社奉天病院醫員、安東市衛生醫院醫員。[326] 之後在四平開業，據說也經營商業，開設紙工廠，養魚、蛤，均成功。[327]

## （四）在新京開業的臺灣醫師

　　**1. 袁錦昌的錦昌醫院**：開在新京的錦昌醫院是袁錦昌一生中最重要的事業，他畢業於臺灣總督府醫學校第 11 屆（1912），[328] 先在豐原開回春醫院，[329] 但未成功

---

317　國務院總務廳編，《滿洲國政府公報》，第 1373 號，康德 5（1938）年 11 月 4 日，頁 54。
318　滿洲聯合齒科醫學會，《本會所屬各齒科醫師會會員名簿》（新京：滿洲聯合齒科醫學會，1943），頁 24。
319　不著撰人，《臺南市私立長榮中學校友芳名錄》，頁 32。
320　《滿洲醫科大學檔案》，JD24,54，〈滿洲醫科大學專門部昭和四年至十年學籍簿〉。
321　國務院總務廳編，《滿洲國政府公報》，第 1369 號，康德 5（1938）年 10 月 29 日，頁 584。
322　《滿洲醫科大學檔案》，JD24,119-2，〈滿洲醫科大學研究所昭和十年六月至昭和十九年一月入學退學文件〉。
323　許雪姬訪問、鄭鳳凰紀錄，〈翁通逢先生訪問紀錄〉，頁 121。
324　陳美玲，《百年彰基院史文物史料紀錄》（彰化：財團法人彰化基督教醫院史文物館，2000），頁 16、24。
325　許雪姬訪問、吳美慧紀錄，〈黃順記先生訪問紀錄〉，頁 201。黃順記與楊毓奇為表兄弟。
326　滿洲醫科大學，《滿洲醫科大學一覽》，頁 170；吳銅，《臺灣醫師名鑑》，頁 83。
327　許雪姬訪問、紀錄，〈葉彩屏女士訪問紀錄〉，頁 134。
328　景福基金會，《國立台灣大學景福校友通訊錄》，頁 4。
329　張麗俊著，許雪姬、洪秋芬、李毓嵐編纂・解讀，《水竹居主人日記（三）一九一一至一九一四》，頁 353，1913 年 4 月 12 日。

圖 6-21　在新京開錦昌醫院的袁錦昌醫師
　　　　（林更味女士提供）

並欠下債務,[330] 一度前往京都轉往廈門,[331] 然後欲選擇在上海開業,未能成功,[332] 繼而要在浙江省海岸設漁業合股公司,亦不成,[333] 乃在行駛南中國線的郵船蘇州丸上當船醫,[334] 亦無起色,而在 1924 年辭職。[335] 1925 年起在基隆開業,[336] 1928 年 3 月因醫療用具被扣押而無法行醫。[337] 翌年因吸鴉片而為警察所見,[338] 已無法在臺行醫。1931 年初袁錦昌擬往暹羅發展未果,[339] 再當盛京丸的船醫,[340] 此船航行經過大連,袁氏盱衡情勢,決定到滿洲發展,何況當時豐原人謝秋濤已在滿洲為官,[341] 故雖經家人勸阻而其意已決,乃於 1933 年 6 月前往新京。[342] 袁認為要在中國人住宅區開設醫院較為安全,故先在西馬路租屋開錦昌醫院,專治內科;後遷到

---

330 曾向來上海之上海商人借二千七百元;又因與妻舅張清漣合賃救仁鄉憲(原豐原公醫救仁鄉忠之子)貸地開墾,迨開墾畢要登記時,為救仁鄉憲之母轉賣與他人,雖曾訴訟,但資本已無所歸,大約欠債萬餘円。見張麗俊著,許雪姬、洪秋芬、李毓嵐編纂・解讀,《水竹居主人日記(五)一九一七至一九二二》(臺北:中央研究院近代史研究所,2002),頁 337-338,1921 年 2 月 27 日、3 月 1 日。

331 張麗俊著,許雪姬、洪秋芬、李毓嵐編纂・解讀,《水竹居主人日記(五)一九一七至一九二二》,頁 337,1921 年 2 月 27 日。

332 張麗俊著,許雪姬、洪秋芬、李毓嵐編纂・解讀,《水竹居主人日記(五)一九一七至一九二二》,頁 354,1921 年 5 月 1 日。

333 張麗俊著,許雪姬、洪秋芬、李毓嵐編纂・解讀,《水竹居主人日記(六)一九二三至一九二六》(臺北:中央研究院近代史研究所,2002),頁 25,1923 年 2 月 29 日。

334 張麗俊著,許雪姬、洪秋芬、李毓嵐編纂・解讀,《水竹居主人日記(六)一九二三至一九二六》,頁 88,1923 年 2 月 16 日。

335 張麗俊著,許雪姬、洪秋芬、李毓嵐編纂・解讀,《水竹居主人日記(六)一九二三至一九二六》,頁 303,1925 年 1 月 18 日。

336 張麗俊著,許雪姬、洪秋芬、李毓嵐編纂・解讀,《水竹居主人日記(六)一九二三至一九二六》,頁 350,1925 年 5 月 13 日。

337 張麗俊著,許雪姬、洪秋芬、李毓嵐編纂・解讀,《水竹居主人日記(七)一九二六至一九二九》(臺北:中央研究院近代史研究所,2004),頁 20,1928 年 3 月 17 日。

338 張麗俊著,許雪姬、洪秋芬、李毓嵐編纂・解讀,《水竹居主人日記(八)一九二九至一九三二》(臺北:中央研究院近代史研究所,2004),頁 115,1929 年 11 月 3 日。

339 張麗俊著,許雪姬、洪秋芬、李毓嵐編纂・解讀,《水竹居主人日記(八)一九二九至一九三二》,頁 317,1931 年 1 月 16 日。

340 張麗俊著,許雪姬、洪秋芬、李毓嵐編纂・解讀,《水竹居主人日記(八)一九二九至一九三二》,頁 340,1931 年 3 月 4 日。

341 張麗俊著,許雪姬、洪秋芬、李毓嵐編纂・解讀,《水竹居主人日記(九)一九三二至一九三五》(臺北:中央研究院近代史研究所,2004),頁 281,1933 年 8 月 16 日。

342 張麗俊著,許雪姬、洪秋芬、李毓嵐編纂・解讀,《水竹居主人日記(九)一九三二至一九三五》,頁 280,1933 年 8 月 14 日;〈1933 年 1-3 月外國旅券下付表〉,識別號:T1011_03_136。

東三馬路。[343] 由於袁到滿洲，使袁的叔父袁樹泉以限地醫[344]的資格到新京，[345] 在二道河開錦昌醫院的分院，與當地人相處良好，在日本投降後照顧不少同鄉。[346] 袁樹泉之子袁湘昌畢業於東京醫學專門學校，由於父親與家人在滿洲，乃到滿洲行醫，在二道河錦昌醫院任職七年，[347] 戰後回臺任巒大山林場專任醫師，後在水里開湘昌醫院。[348]

袁錦昌在滿洲行醫，畢業於燕京大學的長女碧雯因肺結核過世於錦昌醫院，此事對袁可能是相當嚴重的打擊。[349] 當日本投降後，他還介紹翁通逢到二道河滿洲人開的醫院中行醫，[350] 不久因病去世，[351] 得年 50 歲。他過世後錦昌醫院轉由其女婿游高石主持。游高石，1940 年畢業於東京醫學專門學校，[352] 隨後進入滿鐵鞍山醫院外科服務，而後被該院命入滿洲醫大松本外科研究一年。[353] 妻袁碧霞，畢業於京城齒科醫專，亦在錦昌醫院幫忙。[354] 一家人於 1947 年才回臺灣，游高石任彰化縣衛生院第三課長。[355]

2. 謝家的百川醫院：前已提及百川醫院為謝秋涫所開設，先在黑龍江省城戲院胡同開業，後遷往新京東三馬路區，之後開設兩家分院，由其兩子謝文燦、謝文炫繼承。[356]

---

343 許雪姬訪問、鄭鳳凰紀錄，〈林更味女士訪問紀錄〉，《日治時期在「滿洲」的臺灣人》，頁 369。

344 袁樹泉在〈居住長春臺灣省民名簿〉上登載畢業於臺北醫學校，唯其女兒袁櫻雪則稱其父為限地醫。見許雪姬訪問、鄭鳳凰紀錄，〈葉鳴岡先生訪問紀錄〉，《日治時期在「滿洲」的臺灣人》，頁 57。袁櫻雪為葉鳴岡妻。

345 袁樹泉原來反對袁錦昌到滿洲。見張麗俊著，許雪姬、洪秋芬、李毓嵐編纂、解讀，《水竹居主人日記（九）一九三二至一九三五》，頁 280，1933 年 8 月 14 日。袁錦昌的妻舅張世城一家在 1934 年與袁錦昌夫人一起到東北，那時袁已在東北一段時間。見許雪姬訪問、鄭鳳凰紀錄，〈林更味女士訪問紀錄〉，頁 56。袁在 1937 年登錄為醫師，見國務院總務廳編，《滿洲國政府公報》，第 1369 號，年康德 5（1938）年 10 月 29 日，頁 582。

346 許雪姬訪問、王美雪紀錄，〈陳亭卿先生夫人訪問紀錄〉，《日治時期在「滿洲」的臺灣人》，頁 301。

347 不著撰人，《東京醫學專門學校南瀛會名簿》（會誌第 6 刊），頁 17；〈居住長春臺灣省民名簿〉（1946 年 1 月 28 日）。

348 吳銅，《臺灣醫師名鑑》，頁 158。

349 許雪姬訪問、鄭鳳凰紀錄，〈林更味女士訪問紀錄〉，頁 384。

350 許雪姬訪問、鄭鳳凰紀錄，〈翁通逢先生訪問紀錄〉，頁 114。

351 許雪姬訪問、鄭鳳凰紀錄，〈葉鳴岡先生訪問紀錄〉，頁 57。

352 不著撰人，《東京醫學專門學校南瀛會名簿》（會誌第 6 刊），頁 17。

353 《滿洲醫科大學檔案》，JD24,119-1，〈滿洲醫科大學研究所昭和十七年七月至十九年一月入學、退學ノ文件〉。

354 〈居住長春臺灣省民名簿〉（1946 年 1 月 28 日）。

355 吳銅，《臺灣醫師名鑑》，頁 116。

356 謝文燦，1926 年畢業於滿洲醫科大學，曾任百川醫院院長。謝文炫，1936 年畢業於滿洲醫科大學。見〈居住長春台灣省民名簿〉（1946 年 1 月 28 日）；許雪姬訪問、藍瑩如紀錄，〈謝久子女士

以後又設有分院，和袁錦昌的醫院只隔一條街，由其女婿劉建止（外科）及女兒謝久子（婦產科）主持。故在新京的百川醫院共有四家。劉建止，1940 年畢業，在母校附屬醫院松井外科服務，旋到百川醫院分院行醫。戰後夫妻回到臺灣，在沙鹿開設醫院。[357]另一個在百川醫院服務的醫師則為傅秋煌。[358]

3. 張嵩山的真人醫院：在新京除謝百川、袁錦昌兩臺人開的醫院外，還有張嵩山在西三馬路開設真人醫院，專治內科。[359]張嵩山，1934 年 3 月畢業於滿洲醫科大學專門部。[360]娶謝秋涫女謝青蓮為妻。謝青蓮畢業於帝國女子醫學藥學專門學校，專看內科，婚後在真人醫院看診。[361]其弟張泰山，1942 年畢業於滿洲醫科大學專門部，[362]專攻外科，畢業後進入真人醫院服務。[363]另一弟張華山在滿洲新京一中豫科後進入滿洲醫科大學，而於 1945 年畢業，[364]沒有戰後的消息。

4. 邱昌麟齒科醫院：邱昌麟，苗栗人，朝鮮京城齒科專門學校畢業，在新京開業，一度擔任皇帝溥儀的牙科主治醫師。[365]戰後回臺，曾任臺灣省牙醫師公會理事，在臺北開設昌麟齒科醫院。[366]

5. 黃演桂與日本醫師合開的齒科醫院：臺中石岡人，哈爾濱醫科大學畢業，到日本東京齒科專門學校進修，而後在大同大街海上ビル與日本醫師岡田英二與島取合開齒科醫院。[367]

此外林元晃也在新京開業，[368] 林清南則於 1940 年在營口開業，[369] 黃東尚在哈

---

訪問紀錄〉，頁 338。

357 許雪姬訪問、鄭鳳凰紀錄，〈劉建止先生訪問紀錄〉，《日治時期在「滿洲」的臺灣人》，頁 16。

358 吳銅，《臺灣醫師名鑑》，頁 97。傅秋煌畢業於河北省立醫學院，也曾在南京、秦皇島開秋煌醫院。後來在豐原開業。

359 〈居住長春台灣省民名簿〉（1946 年 1 月 28 日）。

360 滿洲醫科大學，《滿洲醫科大學一覽》，頁 171。

361 許雪姬訪問、藍瑩如紀錄，〈謝久子女士訪問紀錄〉，《日治時期臺灣人在滿洲的生活經驗》，頁 333、339。

362 滿洲醫科大學，《滿洲醫科大學一覽》，頁 190。

363 〈居住長春台灣省民名簿〉（1946 年 1 月 28 日）。

364 《滿洲醫科大學檔案》，JD24,128，〈滿洲醫科大學民國卅六年畢業生登記表〉；滿洲醫科大學輔仁會，《會員名簿》，頁 188。

365 許雪姬訪問、藍瑩如紀錄，〈謝久子女士訪問紀錄〉，頁 347。

366 陳國柱，《臺灣省醫師名鑑》，頁 381。

367 滿洲聯合齒科醫學會，《本會所屬各齒科醫師會員名簿》，頁 5。

368 許雪姬訪問、鄭鳳凰紀錄，〈余錫乾先生訪問紀錄〉，《日治時期在「滿洲」的臺灣人》，頁 29。

369 許雪姬訪問、鄭鳳凰紀錄，〈翁通逢先生訪問紀錄〉，頁 121。

爾濱開齒科醫院,[370] 楊藏德在吉林開業,戰後未回臺。[371] 林祺煌在撫順開業。[372]

## (五) 在牡丹江市開業的鄭順發

鄭順發,1906年生,臺南海尾寮人,臺南師範學校演習科畢業,1926年任臺南州安順公學校訓導,1928年調到臺南州安順公學校,[373] 不久辭職研究醫學而考上限地醫。[374] 1930年12月26日取得赴上海、福州、廈門、廣東、香港的旅券,進行商業視察;[375] 1931年6月再申請前往廈門、香港的旅券;[376] 1935年帶二男一女,做定居廈門的打算。[377] 1937年8月申請赴滿洲國的旅券,其目的為「商業視察」,[378] 因同鄉學弟吳深池在牡丹江開修文堂建築師事務所,乃攜眷到牡丹江開業。由於當地醫師甚少,因此生意興隆。[379] 據另一同鄉、也在牡丹江的張丁誥說,其醫院和一些朝鮮人合開。[380] 在蘇聯軍進入牡丹江後,被蘇聯軍召為軍醫,在一般人尚在恐慌之際,得以穿西服掛上赤十字臂章,潤步於牡丹江市,蘇聯軍亦不敢惹他。[381] 戰後在臺南西港開共生診所。[382]

## (六) 在滿鐵醫院服務的石林玉燦、游紹陳

石林玉燦,高雄岡山人,1929年畢業於日本大學專門部醫學系,先在日本甲府市矢島外科病院服務,而後回籍任公醫,1936年到滿洲,入哈爾濱鐵路醫院阿什河診療所任主任兼醫員,亦為阿城診療所主任兼醫員,1938年6月就任滿鐵哈爾濱醫院德惠診療所主任兼醫員,該診療所位於吉林。[383]

---

370 盧昆山著,《七十回憶》,頁29。
371 許雪姬訪問、鄭鳳凰紀錄,〈楊藏嶽先生訪問紀錄〉,頁452。
372 〈1938年1-3月外國旅券下付表〉,識別號:T1011_03_156。
373 《臺灣總督府職員錄》,1926年,頁386;《臺灣總督府職員錄》,1928年,頁430。
374 黃清舜,《一生的回憶》,頁321。
375 〈1930年10-12月外國旅券下付表〉,識別號:T1011_03_127。
376 〈1931年4-6月外國旅券下付表〉,識別號:T1011_03_129。
377 〈1931年10-12月外國旅券下付表〉,識別號:T1011_03_131。
378 〈1937年7-9月外國旅券下付表〉,識別號:T1011_03_154。
379 黃清舜,《一生的回憶》,頁321。
380 林德政採訪、盧淑美撰稿,〈在滿洲國牡丹江工作戰後目睹蘇聯兵暴行:省議員張丁誥先生口述史〉,收入林德政,《口述歷史採訪的理論與實踐:新舊臺灣人的滄桑史》,頁271-272。
381 黃清舜,《一生的回憶》,頁321。
382 吳銅,《臺灣醫師名鑑》,頁243。
383 中西利八編纂,《滿洲紳士錄》(東京:滿蒙資料協會,1940),頁740。

圖 6-22　曾在哈爾濱、阿城、窯門、鞍山等地行醫的石林玉燦
（侯金魚女士提供）

游紹陳，宜蘭員山人，1931年生，1944年9月東京醫學專門學校畢業，10月到滿洲錦州省錦縣滿鐵病院耳鼻科，1948年回宜蘭開慶祥醫院，1951年在天主教靈醫會羅東聖母醫院任職，1956年到日本青森縣北郡市市浦村任技術吏員。[384]

## 四、從事研究教學與進入醫療行政體系的臺灣醫師

並非所有的臺灣醫師都走自行開業或進入公立、私立大型醫院任職之路，還有部分醫師是以研究教學為取向，也有進入醫療行政體系者。以下依序探討。

### （一）以教學、研究及醫療行政為主者

1. 章榮熙：章榮熙是首位進入滿洲醫科大學任教的臺人。1940年畢業於滿洲醫科大學，留任病理學教室任助教及講師，亦任同校附屬醫院外科助教；[385] 1942年登記為滿洲國醫師，[386] 但未開業。戰後留任改為瀋陽醫學院（原滿洲醫科大學）的外科副教授。回臺後，在臺大醫學院當教授，與徐千田等人創立臺北醫學院，[387] 後在臺北開設章外科醫院。[388]

2. 郭松根：臺南人，臺北醫學專門學校第五屆畢業（1926）。[389] 由於酷愛文學、旅行、音樂，畢業後他到中國及南洋各地遊歷，並選擇在新加坡維多利亞醫院就職，[390] 1927年林獻堂父子於5月15日啟程往歐美旅行時，於5月26日抵新加坡，就曾與郭松根會面。[391] 1929年11月辭職回臺灣，在臺灣總督府中央研究所衛生部任技手，專攻熱帶衛生學。在這期間，向京都帝國大學提出學位論文〈赤外線ノ衛生學ト研究〉，1933年12月得到博士學位。[392] 此時正好法國駐日大使館舉辦公費留學的醫師選拔考試，共有數百人投考，錄取三人，郭松根是唯一臺人，而且拔頭

---

384 本資料由已故臺灣師範大學臺灣史研究所范燕秋教授複印自日本青森縣，於2020年提供給筆者，范教授於2021年8月24日過世，謹致悼念之意。
385 滿洲醫科大學，《滿洲醫科大學一覽》，頁29；吳銅，《臺灣醫師名鑑》，頁6。
386 國務院總務廳編，《滿洲國政府公報》，第2665號，康德10（1943）年4月17日，頁407。
387 許雪姬訪問、紀錄，〈葉彩屏女士訪問紀錄〉，頁134。
388 吳銅，《臺灣醫師名鑑》，頁6。
389 景福基金會，《國立台灣大學景福校友通訊錄》，頁26。
390 臺灣新民報社，《臺灣人士鑑》（1934），頁241。
391 許雪姬，〈林獻堂著《環球遊記》研究〉，《臺灣文獻》49：2（1998.6），頁2。
392 中西利八編纂，《滿洲人名辭典》，頁813言是1934年得博士學位，而高野義夫的《臺灣人名辭典》，頁494，言在1933年12月4日得博士學位。

籌，遂於 29 歲赴法國巴黎研究。[393]

　　郭松根赴巴黎專攻公共衛生學，兩年後得到法國理學博士學位。法國政府又留他研究兩年，他並利用節餘之公費，以九個月的時間遊遍南北歐國家。回來後任「醫學部副手」，[394] 亦有言他將在歐洲所見各國對日本已發起宣傳抵制日貨之事告訴親友，使臺灣總督府對郭松根頗有忌諱，遂予以監視。郭擬由臺北去上海未果，乃到日本賦閒一年，後得京都帝大教授介紹才於 1939 年 7 月就任新京醫科大學教授。[395] 1940 年他陞敘薦任二等。[396]

　　1942 年 11 月他登錄為滿洲國醫師，[397] 但未開業。1944 年 9 月，陞敘薦任一等。[398] 他在新京醫科大學教衛生學，頭腦極佳，曾為他學生的葉鳴岡回憶說，每年該校都要種一次樹，但郭往往不參加，有位日本老師知葉也是臺籍，乃要葉往請之，郭的回答是：「我不是來種樹的，我是來研究的。」[399] 1942 年 3 月日本醫學權威二百多人發起組織東亞醫學會，其主要的目的是「應大東亞共榮圈之建設，樹立醫學共榮圈，以謀東亞醫學之研究，應用醫學者之親睦及醫學智識之普及。」26 日有來自日本、滿洲國、蒙疆、中華民國、泰國、安南等日本勢力範圍下的醫學者齊集於東京帝大，舉辦第三十一回日本醫學會，31 日舉行「東亞醫學會」成立大會。滿洲國派出十人代表團參加，新京醫大教授郭松根是代表之一。[400] 戰後郭松根仍為學校所器重，繼續執教。先任長春醫科大學校長，該校被國民政府接收後，改為國立長春大學，郭松根出任醫學院院長，兼附設醫院院長及長春市立第一醫院院長。[401] 戰後在長春的臺人歸臺之心甚切，成立同鄉會，推選郭松根為臺灣同鄉會會長，主導、協助臺灣同鄉返臺事宜。[402]

　　3. 彭春水：新竹人，1933 年 3 月畢業於滿洲醫科大學專門部後，進入同大學耳鼻咽喉科教室任副手兼醫員，[403] 旋入哈爾濱軍醫學校任教官，再升為該大學教授兼耳鼻科主任，後被派到日本陸軍醫大耳鼻科留學兩年。回滿洲後到滿洲陸軍

---

393　許及訓，〈醫界怪傑郭松根〉，《旁觀雜誌》3（1951.2），頁 26-27。
394　中西利八編纂，《滿洲人名辭典》，頁 813。
395　許及訓，〈醫界怪傑郭松根〉，頁 26-27。
396　國務院總務廳編，《滿洲國政府公報》，第 1922 號，康德 7（1940）年 9 月 21 日，頁 419-420。
397　國務院總務廳編，《滿洲國政府公報》，第 2666 號，康德 10（1943）年 4 月 19 日，頁 441。
398　國務院總務廳編，《滿洲國政府公報》，第 3069 號，康德 11（1944）年 9 月 2 日，頁 27。
399　許雪姬訪問、鄭鳳凰紀錄，〈葉鳴岡先生訪問紀錄〉，頁 50。
400　《盛京時報》，第 11456 號，康德 9（1942）年 3 月 20 日，第 5 版，〈東亞醫學發會式 我國派遣代表參加〉。
401　杜聰明，〈介紹中華學術獎金得獎人郭松根博士〉，《杜聰明言論集》（第 1 輯），頁 643。
402　許雪姬訪問、鄭鳳凰紀錄，〈翁通逢先生訪問紀錄〉，頁 108。
403　黑田源次編，《滿洲醫科大學二十五年史》，頁 121。

軍醫學校任教官,[404] 亦曾任哈爾濱醫科大學教授,回臺後開設淵明耳鼻咽喉科醫院。[405]

4. 王世恭:後改名王洛,臺北市人,畢業於廈門旭瀛書院,後考上臺灣商工學校就讀,[406] 1927 年得到旭瀛書院的獎學金到滿洲醫科大學求學。[407] 在校成績優良,畢業時得到滿鐵總裁賞。畢業後在滿洲醫科大學法醫學教室任副手,共研究八年之久。1937 年他登錄為滿洲國醫師,[408] 以後任奉天警察廳衛生科保健股長。[409] 1941 年到日本國立公眾衛生院研究,[410] 翌年回新京任厚生部技正。[411] 他完全是一個研究取向的醫學者,其研究通常在滿洲和中國醫學雜誌用日、中文分別發表,有時也在臺灣醫學雜誌發表。他研究的幾個主題中,用力最深的為〈關於人血特異的被沉降性質物質之被吸著現象〉共寫了五篇,[412] 可說是在滿洲醫學領域發表最多研究論文的臺人醫師。而同時他也是一個從事醫學行政的官僚。

5. 吳昌禮:另一位走醫學行政的是吳昌禮,臺北人,1934 年滿洲醫科大學畢業後,同年入興安西省公署保健科任職,[413] 亦曾入滿洲醫科大學醫院任內科醫員,[414] 一度任職奉天市國光戒煙所。[415] 1937 年 12 月登錄為醫師,[416] 1940 年 6 月由省技佐,升省理事官,敘薦任三等,派在興安西省民生廳辦事,[417] 即在通遼以西地區,開魯縣一帶做防疫實況的紀錄。[418] 1942 年 3 月陞至薦任二等,[419] 8 月任

---

404 許雪姬訪問、吳美慧紀錄,〈黃順記先生訪問紀錄〉,頁 204。彭春水是黃順記滿洲醫科大學專門部的同學。
405 吳銅,《臺灣醫師名鑑》,頁 58。
406 《滿洲醫科大學檔案》,JD24,54,〈滿洲醫科大學專門部昭和四年至十年學籍簿〉。
407 中島利重,《米寿の語り》(東京:中島利重先生の米寿を祝う會,1984),頁 50-51。
408 國務院總務廳編,《滿洲國政府公報》,第 943 號,康德 4(1937)年 5 月 24 日,頁 434。
409 黑田源次編,《滿洲醫科大學二十五年史》,頁 148。
410 《盛京時報》,第 10093 號,康德 7(1940)年 9 月 5 日,第 2 版。
411 〈居住長春台灣省民名簿〉(1946 年 1 月 28 日)。
412 共有五篇,其一:〈於數種吸著物質之被吸著現象〉,《東方醫誌》11:3;其二:〈二、三物理學的或物理化學的影響〉,《東方醫誌》11:5;其三:〈對於抽(Extraktion)出之二、三物理學及物理化學的影響〉,《東方醫誌》11:10;其四:〈再對於諸種吸著物質之吸著及其抽出之二、三物理的或物理化學的影響〉,《東方醫誌》12:6;其五:〈諸種吸著物質之吸著能〉,《東方醫誌》14:4;其六:〈補遺並結論〉,《東方醫誌》14:5。
413 中西利八編纂,《滿華職員錄》(東京:滿蒙資料協會,1942),頁 243。
414 吳銅,《臺灣醫師名鑑》,頁 4。
415 《滿洲醫科大學檔案》,JD24,54,〈滿洲醫科大學專門部昭和四年至十年學籍簿〉。
416 國務院總務廳編,《滿洲國政府公報》,第 1369 號,康德 5(1938)年 10 月 29 日,頁 583。
417 國務院總務廳編,《滿洲國政府公報》,第 1834 號,康德 7(1940)年 6 月 6 日,頁 144-146。
418 吳昌禮,〈附錄:吳昌禮醫師手記〉,《日治時期臺灣人在滿洲的生活經驗》(臺北:中央研究院臺灣史研究所,2015 年 2 刷),頁 297。
419 國務院總務廳編,《滿洲國政府公報》,第 2356 號,康德 9(1942)年 3 月 21 日,頁 311、

公立醫院醫官，給十級俸，派在吉林省立醫院辦事，[420] 而後被派到東京厚生科學研究所進行兩年的研究生活。[421] 一直到1944年10月底才回到新京。先是留學期間，於1944年2月任民生部技正，派在保健司辦事，[422] 1945年1月任厚生研究所副研究官敘薦任二等，給八級俸。[423] 戰後同鄉會成立，被選為該會役員。[424]

林恩魁在東京帝大醫學部就讀，學業尚未完成即因東京空襲嚴重而逃到滿洲新京，進入厚生省研究所吳昌禮主持的研究室任職員，[425] 戰後回臺前一度也任職衛生技術廠。[426]

**6. 楊金涵**：臺南永康人，1934年畢業於滿洲醫科大學專門部後，先入滿洲醫大婦人科教室，而後就職於奉天市瀋陽看守所醫務科。[427] 1935年4月任司法部保健技士，在奉天司法部看守所醫務科擔任保健技師，旋升司法部屬官保健技佐，1939年9月任奉天省衛生廳技佐，[428] 1941年11月依法登錄為醫師，[429] 翌年技佐敘薦任二等，在滿鐵擔任衛生課長，11月即辭官，[430] 後在鐵嶺開設醫院。戰後回臺曾任海軍醫院副院長、衛生課長、戒煙所長，1949年10月在故鄉永康開設明德醫院。[431]

---

312。

420　國務院總務廳編，《滿洲國政府公報》，第2478號，康德9（1942）年8月9日，頁318。
421　吳昌禮，〈附錄：吳昌禮醫師手記〉，頁300。
422　國務院總務廳編，《滿洲國政府公報》，第2940號，康德11（1944）年3月30日，頁482-483。
423　國務院總務廳編，《滿洲國政府公報》，第3180號，康德12（1945）年1月20日，頁197。
424　許雪姬訪問、鄭鳳凰紀錄，〈徐水德先生訪問紀錄〉，《日治時期在「滿洲」的臺灣人》，頁262。
425　許雪姬訪問、鄭鳳凰紀錄，〈翁通逢先生訪問紀錄〉，頁106。
426　〈居住長春台灣省民名簿〉（1946年1月28日）。
427　《滿洲醫科大學檔案》，JD24,54，〈滿洲醫科大學專門部昭和四年至十年學籍簿〉。
428　中西利八編纂，《滿華職員錄》，頁463。
429　國務院總務廳編，《滿洲國政府公報》，第2665號，康德4（1937）年4月10日，頁6。
430　國務院總務廳編，《滿洲國政府公報》，第2356號，康德9（1942）年3月21日，頁312；第2560號，康德9（1942）年12月2日，頁6。據其子楊正昭醫師推測，在鐵嶺任衛生課長時，因設立戒菸所而與市長不和有關。見許雪姬訪問、劉芳瑜紀錄，〈何處是鄉關？流轉的臺灣認同：楊正昭醫師訪問紀錄〉，收入陳儀深主編，《記錄聲音的歷史》（臺北：臺灣口述歷史協會，2019），頁189。
431　吳銅，《臺灣醫師名鑑》，頁249。

## （二）滿洲醫師的研究著作：以在《臺灣醫學會雜誌》[432]為例

表6-1　《臺灣醫學會雜誌》中有滿洲經驗者所發表的論文及演講

| 日文題名 | 中文題名 | 作者 | 出版日期 | 目次 |
|---|---|---|---|---|
| 膵臟ノ原發性粘液癌ノ一例 | 胰臟的原發性粘液癌之一例 | 孟天成 | 4月28日 1907 | 本會記事 |
| 原發性肝臟癌腫ノ一例 | 原發性肝臟癌腫之一例 | 林清月、孟天成 | 9月28日 1907 | 學說及實驗 |
| 二三解剖例證ノデモストラチヨン | 兩三樣解剖例證展示 | 孟天成 | 10月28日 1909 | 例會記事 |
| 嘉義ニ於テ實見ヤル非アメーバ性赤痢ノ剖見例 | 在嘉義所見之非阿米巴性赤痢的解剖例 | 加藤信平、孟天成 | 4月28日 1910 | 演說 |
| 稀有ナル囊胞腎ノ供覽 | 罕見之囊胞腎展示 | 孟天成 | 4月28日 1910 | 演說 |
| 原發性肝臟癌腫ノ二例 | 原發性肝臟癌腫之二例 | 陳章哲 | 3月28日 1911 | 演說 |
| ヂユーリング氏疱疹狀皮膚炎ニ就テ　Ueber Dermatitis herpetiformis Duhring | 關於邱林克氏疱疹狀皮膚炎 | 孟天成 | 5月28日 1912 | 演說 |
| 一二「ヂアスターゼ」劑ノ澱粉糖化力ニ就テ | 關於一些澱粉水解酵素劑（diastase）的澱粉糖化力 | 孫德芳 | 5月28日 1912 | 演說 |
| 橫痃療法ノ比較 | 橫痃（淋巴節炎症腫瘍）療法之比較 | 佐野熊翁、郭進木 | 5月28日 1912 | 演說 |
| 本島婦人ニ於ケル骨盤傾斜調查報告 | 本島婦人的骨盆傾斜度調查報告 | 方瑞壁 | 5月28日 1914 | 演說 |
| 肺結核ニ對スル人工氣胸術ノ治療成績 | 人工氣胸術對於肺結核的治療成效 | 簡仁南 | 7月28日 1927 | 臨床實驗 |
| 軟口蓋肉腫ノ一例ニ就テ | 關於軟口蓋肉腫一例 | 簡仁南 | 12月28日 1928 | 大會記事 |
| 舖裝道路ノ熱衛生學的研究（豫報） | 舖裝道路的熱衛生學性研究（預告） | 富士貞吉、郭松根、增田幸太郎 | 12月28日 1930 | 講演要旨 |
| 各種夏帽子ノ防暑的效果研究（第一報） | 各種夏天用帽子的防暑效果研究（第一回報告） | 郭松根 | 12月28日 1930 | 講演要旨 |
| 窓硝子ノ衛生學的研究 | 窗用玻璃的衛生學研究 | 郭松根 | 11月28日 1931 | 學會 |

---

432　《滿洲醫學雜誌》目前只有韓國首爾大學收藏，尚未搜集，故僅列舉《臺灣醫學會雜誌》。

| 日文題名 | 中文題名 | 作者 | 出版日期 | 目次 |
|---|---|---|---|---|
| 臺灣衣服材料ノ衛生學的研究 | 臺灣衣料的衛生學研究 | 郭松根 | 12月28日 1931 | 講演要旨 |
| 本島「バガス」ヲ以テ製セラレタル室壁材料「アルテツクス」ノ衛生學的研究 | 以本島バカス為原料之室內壁材 Artex 的衛生學研究 | 富士貞吉、郭松根、上妻秀雄、增田幸太郎 | 12月28日 1931 | 講演要旨 |
| チフス豫防注射後ニ於ケルヴィタール氏反應ニ就テ | 關於傷寒預防接種後引起的 Widal's reaction | 大島節哉、楊澄海 | 12月28日 1931 | 講演要旨 |
| 藥品硝子容器ノ色相ト紫外線ノ透過性ニ就テ | 關於藥品用玻璃容器的色相及紫外線的穿透性 | 郭松根 | 4月28日 1932 | 原著 |
| 肥大吸蟲症の一例 | 肥大吸蟲症一例 | 楊澄海 | 11月28日 1932 | 通信 |
| 人體皮膚面ノ可視光線反射スペクトル | 人體皮膚表面的可視光線反射 Spectre（光譜） | 郭松根 | 12月28日 1932 | 講演要旨 |
| 小兒下痢ニ對スル林檎食療法ニ就テ | 關於針對小兒腹瀉的蘋果食療法 | 楊澄海 | 12月28日 1932 | 講演要旨 |
| 鋪裝道路ノ熱衛生學的研究 第一篇 臺北市內鋪裝路面溫ノ測定 | 鋪裝道路之熱衛生學研究 第一篇 臺北市內鋪裝鋪路路面溫度的測定 | 富士貞吉、郭松根、上妻秀雄、增田幸太郎 | 1月28日 1933 | 原著及實驗 |
| 臺灣產「バガス」（Baggasse）ヲモツテ製セル室壁材料 ARTEX ノ衛生學的研究（第Ⅰ報） | 以臺灣產 Baggasse 製成的室內牆壁材料 ARTEX 之衛生學研究（第Ⅰ報） | 富士貞吉、郭松根、上妻秀雄、增田幸太郎 | 3月28日 1933 | 原著及臨床實驗 |
| 新生兒剝脫性皮膚炎の2例 | 新生兒剝落性皮膚炎之2例 | 楊澄海 | 3月28日 1933 | 通信 |
| 木質組織ノ赤外線透過スペクトル（抄） | 木質組織的紅外線穿透波長（spectre）（抄） | 郭松根 | 8月28日 1933 | 原著及臨床實驗 |
| インフルエンザ樣桿菌による小兒腦膜炎に就て | 關於流行性感冒樣桿菌造成的幼兒腦膜炎 | 楊澄海 | 9月28日 1933 | 通信 |
| 赤外線透過分光寫真法ノ一新法ニ就テ | 關於紅外線穿透分光攝影法之一新法 | 郭松根 | 12月28日 1933 | 講演要旨 |
| 「鹽酸エフェドリン及鹽酸コカイン」ノ種々ナル血管ニ於ケル伍用作用 | 鹽酸麻黃素（ephedrine）及鹽酸可卡因（cocaine）對於各種血管的作用 | 羅福嶽 | 3月28日 1935 | 學會 |

| 日文題名 | 中文題名 | 作者 | 出版日期 | 目次 |
|---|---|---|---|---|
| 「鹽酸エフエドリン、鹽酸コカイン及鹽酸キニーネ」ノ剔出臟器ニ於ケル伍用作用 | 鹽酸麻黃素（ephedrine），鹽酸可卡因（cocaine）及鹽酸奎寧（quinine）對於取出之臟器的作用 | 羅福嶽 | 3月28日 1935 | 學會 |
| Rotenon ノ毒物學的作用 | Rotenon 的毒物學作用 | 羅福嶽 | 10月28日 1936 | 學會 |
| Brom-Rotenon ノ疥癬、汗疱、白癬ニ對スル治療成績 | Brom-Rotenon 對疥癬、汗疱、白癬的治療成績 | 羅福嶽 | 10月28日 1936 | 學會 |
| Brom-Rotenon ノ疥癬ニ對スル卓效ニ就テ | 關於 Brom-Rotenon 對疥癬的卓越效果 | 羅福嶽 | 11月28日 1936 | 原著及臨床實驗 |
| Brom-Rotenon ハ汗疱・白癬ニ對シ治療的效果ヲ有スルヤ | Brom-Rotenon 是否對汗疱・白癬有治療效果？ | 羅福嶽 | 11月28日 1936 | 原著及臨床實驗 |
| 鹽酸 Ephedrin, 鹽酸 Cocain 及鹽酸 Chinin ノ剔出臟器ニ於ケル伍用作用 | 鹽酸麻黃素（Ephedrin），鹽酸可卡因（Cocain）及鹽酸 Chinin 對取出臟器的伍用作用 | 羅福嶽 | 2月28日 1937 | 原著及臨床實驗 |
| 鹽酸 Ephedrin, 及鹽酸 Cocain ノ種々ナル血管ニ於ケル伍用作用 | 鹽酸麻黃素（Ephedrin）及鹽酸可卡因（Cocain）對各種血管的伍用作用 | 羅福嶽 | 2月28日 1937 | 原著及臨床實驗 |
| 臺灣ニ於ケル熱帶性フランベシア」ニ就イテ | 關於臺灣的熱帶莓腫 | 高橋信吉、淺井徹、小原菊夫、楊東坡、羅福嶽、渡邊昭 | 12月28日 1939 | 講演要旨 |
| 完全去勢術ヲ施行セル再發性陰莖癌ノ1例 | 實行完全去勢手術的再發性陰莖癌之一例 | 羅福嶽、謝有福 | 6月28日 1940 | 學會 |
| 甲狀腺粉末ノ試食ニヨル動脈硬變症 | 試吃甲狀腺粉末造成的動脈硬化症 | 簡仁南 | 1月28日 1941 | 講演要旨 |
| 過去2年間ニ於ケル臺大皮膚科泌尿器科外來患者ノ統計的觀察 | 過去二年間臺大皮膚科泌尿器科門診患者的統計觀察 | 小原菊夫、羅福嶽、謝有福、陳登科 | 2月28日 1941 | 學會 |
| 精製ツベルクリン、蛋白ニ依ル「マントウ氏反應實施成績」 | 精製結合菌素、蛋白的班頓氏反應實施成績 | 村上勝美、鐘有成、張傳生、陳有德、吳鴻澤、陳炯霖、渡邊末夫、詹湧泉 | 1月28日 1943 | 講演要旨 |

| 日文題名 | 中文題名 | 作者 | 出版日期 | 目次 |
|---|---|---|---|---|
| 國民學校入學學童ニ施行セル結核檢診成績 | 對國民學校入學學童進行的結核檢診成績 | 村上勝美、福田凌、李朝欽、武田浩吉、葉炳哲、張傳生、金山善行、鐘有成、陳有德、陳炯霖、吳鴻澤、林氏彩霞、蘇氏美玉、神岡彬夫、黃秋澄、許氏碧雲、許楊柳、陳再來、太田美智子、八田繁 | 1月28日 1943 | 講演要旨 |

## (三) 得科學盛京賞的臺灣人

《盛京時報》於1906年10月18日由中島真雄創立於奉天（瀋陽），是奉行日本國策且為當地唯一日本人個人經營的中文報紙。它不僅是日本宣傳界中的權威，在中國官民商工業者間也是最受信用的中國新聞，因而大放異彩，可說是滿洲新聞界中歷史最悠久、最有影響力的報紙。該報創刊後一年，即每月受日本奉天滿洲總領事館補助，大正以後補助金越來越多，1917年每年補助9,000円，到1918年已補助21,000円。而後在1924年滿鐵出資89%，到1925年11月後，該報社由滿鐵獨資經營。[433]

1.謝秋濤

盛京時報社為「促進邦家文化、寄與國民福祉起見」，在其創刊三十週年紀念日時設置盛京賞，每年取科學、文藝、體育得獎人士各一名。1939年第四屆科學盛京獎頒給了謝秋濤，他因此獲得國幣三百圓的獎金，[434] 當時謝在奉天省公署衛生科長任內。按謝秋濤在1914年由東京北里研究所講習會前往滿洲，受張作霖知遇，任命為奉天省衛生廳長，滿洲國成立後，本欲聘為新京滿洲國衛生廳廳長，謝則寧可在地方掌實權，乃續任而不到新京赴任。[435] 他個人為求醫學精進，在1937年進入滿洲醫科大學研究室做關於麴之研究，及民間臟器療法等。

他之得獎得力於當時滿洲醫科大學學長（校長）守中清的推薦，此推薦係於1939年10月5日教授會中所做的決定。其推薦的理由是：

---

433 李相哲，《滿州における日本人経営新聞の歷史》（東京：凱風社，2000），頁120-123。
434 《盛京時報》，第10616號，康德6（1939）年10月31日，晚刊，第1版，〈本年度受賞者決定〉。同年得到文藝盛京獎的為徐長吉（古丁）賞金二百圓，體育盛京賞則為郭義達，賞品銀杯一個。徐長吉為國務院總務廳事務官，郭義達曾為滿洲國足球代表選手遠征日本及朝鮮。
435 杜聰明，《回憶錄》，頁76。

圖 6-23　謝秋濤獲盛京時報社舉辦之科學盛京賞

資料來源：《盛京時報》，1939年10月31日，第1版

圖 6-24　謝秋濤等出席盛京賞之授賞式

資料來源：《盛京時報》，1939年11月5日，第2版

第六章　在滿洲的臺灣醫師　　441

右者謝秋濤，民國三年以來歷任滿諸衛生機構，尤其大同元年五月以還，以奉天省公署衛生科長，從事醫事衛生行政，寄與增進民眾保健之外，兼事研究醫學，發表幾多業績，即以一醫師視之，其功績因極顯著，爰此推薦如左。

滿洲醫科大學

至於其研究業績如下：

（1）原著
①關於甲州增富鐳鑛泉之細菌，《細菌學雜誌》，第 229 號，1914 年發表。
②關於紅麴之研究：關於紅麴之酵素作用，《滿洲醫學雜誌》，1935 年 10 月號。

（2）學會演說
①關於臟器未經口的輸入實驗的研究：關於正常家兔、豚膵末之經口的輸入時血糖之態度，1939 年 2 月於奉天。
②用沃度酸加里之塩嗎爾啡因比色定量法（伊藤氏變法）（共著），1939 年 2 月於奉天。
③關於正常及饑餓之左心血及右心血血清沃度酸值，1938 年日本法醫學會總會。
④紅麴〔麴〕酒精浸出液（Kxtrakt）之正常家兔血糖量、血清沃度酸值及波及血色素量之影響，1938 年 2 月於奉天。[436]
11 月 4 日盛京賞頒獎典禮於盛京時報社樓上舉行，由染谷保藏社長分別頒獎。謝秋濤代表得獎者祝辭，會後並進行座談會。[437]

## 2. 王洛（王世恭）

第六屆科學盛京賞再度落到臺灣人手中，此即前提的王洛。王洛自取得醫學博士的頭銜後，任民生部技佐，後在《盛京時報》即刊有其九一八眼之紀念日[438]前夕發表努力撲滅砂眼的談話。說明滿洲砂眼情況嚴重，國民十之三、四被傳染，若

---

436　《盛京時報》，第 10616 號，康德 6（1939）年 10 月 31 日，晚刊，第 2 版，〈受賞者為謝秋濤氏醫學功績顯著〉。
437　《盛京時報》，第 10620 號，康德 6（1939）年 11 月 5 日，第 2 版，〈昨日舉行授賞式 分別授予謝秋濤 徐長吉 郭義達三氏〉。
438　所謂眼的紀念日 1878 年明治天皇巡狩日本北部時到新潟縣，見當地有多數眼病患者，遂在是年 9 月 18 日下賜內帑一千円，由該縣當局謀求治病及預防之方法以免再患，於是九一八即設為「眼之紀念日」。見《盛京時報》，第 11278 號，康德 8（1941）年 9 月 17 日，綜合版，頁 4，〈九一八是「眼」的紀念日〉。

傳染盛行可達其半。得病後結膜發紅,表面生有不鮮明之大小顆粒,若不加以治療,則病毒可侵自角膜,而妨害視力。滿洲國也將砂眼的防治編入國民學校教科書,以便將此思想滲入第二代國民腦中。[439]以後又發表〈百斯篤防疫的重要性〉於報端,並連載七回,[440]以宣傳防範鼠疫的重要性。

1941年的盛京時報賞除了科學、文藝、體育外,又加語學盛京賞,鼓勵日本人學滿洲語,滿洲人學日語,各取五名給予圖書補助費。是年科學獎得獎者王洛是民生部技佐,主要貢獻是在法醫學和血清學上的成就;文藝獎頒給滿洲雜誌社編輯局次長趙孟原(小松),他以長篇小說《北歸》得獎;體育賞得主為王永芳,他是百公尺與籃球代表隊選手,任職於銀行。[441]

科學盛京獎一向由滿洲醫科大學推薦得主,本年度推荐王洛的理由是:

本人於昭和六年由滿洲醫科大學專門部卒業,當時以學力並人物優秀曾受表彰,昭和七年被囑託為滿洲醫科大學副手及奉天市立同善堂醫學專門學校教授,從事教育及研究。自昭和八年後服務於瀋陽警察廳,擔當衛生行政,在此期間繼續研究「關於被血液中特異沉降性物質各種吸引性所吸引之現象」以貢獻法醫學及血清學。昭和十三年入滿洲國民生部保健司,致力於防疫行政。除另載之各學術研究論文外,氏近所著關於滿洲國法定傳染病之論文,不獨可助民眾之衛生思想向上,且其志在使滿洲國人醫師再教育,與舊著滿文病理學書,同可謂卓功偉績。茲附該氏履歷書、研究論文及著書目錄而推薦之。[442]

王洛的研究論文有十篇,[443]著書有兩本,一是《滿洲國法定傳染病教本》、

---

439 《盛京時報》,第11267號,康德8(1941)年9月6日,綜合版,頁7,〈沙眼不治即可失明 務須努力撲滅〉。

440 《盛京時報》,第11294號,康德8(1941)年10月3日,綜合版,頁4,〈百思篤・防疫重要性〉;第11295號,康德8(1941)年10月4日,綜合版,頁4;第11296號,康德8(1941)年10月5日,綜合版,頁4;第11297號,康德8(1941)年10月7日,綜合版,頁4;第11298號,康德8(1941)年10月8日,綜合版,頁4;第11299號,康德8(1941)年10月9日,綜合版,頁4;第11300號,康德8(1941)年10月10日,綜合版,頁4。

441 《盛京時報》,第11307號,康德8(1941)年10月17日,綜合版,頁1,〈盛京賞 康德八年度受賞者選定〉。

442 《盛京時報》,第11307號,康德8(1941)年10月17日,綜合版,頁11,〈康德八年度盛京賞受賞者提名 科學賞對法醫學貢獻頗偉 王洛氏被推薦〉。

443 一、關於被血液中特異沉降性物質各種吸引性所吸引之現象:第一篇:根據抗人血清沉降素之研究(上、中、下)、第二篇根據抗雞血清沉降素之研究(上、下)、第三篇根據抗人血色素之研究(一、二)、第四篇根據抗雞血清沉降素之研究(一、二)、第五篇全研究之要約;二、改良藉血色素沉降產生而使經膚免疫之一法;三、關於滿洲三角地帶尤以鳳城縣下小湯溝門子堡之地方病性甲狀腺腫(第一報、第二報、第三報);四、奉天鴉片癮者之統計視察;五、奉天市滿人接客業者之赤痢菌之檢索成績;六、對滿人接客業者施之茲見爾克林皮內反應檢查成績(合著);七、關於奉天市之強盜殺人事件;八、關於奉天市之漢藥售賣滿鮮之醫學;九、中國鴉片

第六章 在滿洲的臺灣醫師 | 443

二是《簡明病理學》，都是中文作品。除政府的正式職位外，他曾參加日本醫師國家考試合格，[444]1934 年 2 月任奉天醫士會顧問；翌年 11 月，任奉天醫士講習會學監兼講師；1936 年 7 月任奉天市漢藥同業公會附設漢藥成方編纂委員會監督。他得過的榮譽有：

(1) 1927 年至 1931 年在滿洲醫科大學專門部就學中蒙遇為特待生。
(2) 1931 年 3 月畢業時得到銀[?]賞。
(3) 1934 年 3 月滿洲國建國功勞章。
(4) 1934 年 3 月授大典紀念章。
(5) 1934 年 11 月溥儀巡視奉天時，蒙恩賜銀花瓶。
(6) 1937 年 4 月得奉天市醫士講習會長授感謝狀。
(7) 1938 年 9 月在滿鮮醫學聯合大會蒙受鶴見賞。
(8) 1940 年受勳七位。[445]

王洛得獎後，對往後的防疫工作有一番看法，他認為以培養人材（科學者）為先決問題，國家應與以此種機會而善導之科學化，亦可謂為保健部門之基本。此有賴於國民各個人之自覺不為功。[446]

王洛在得獎同年代理第一防疫科長，他闡述冬季保健生活法，以預防滿洲冬季常發之病如呼吸器病，而小孩則易患感冒轉肺炎、猩紅熱、白喉，大人則是感冒和肺結核。他指出八個冬季生活方法作為保健方法。

由此可見王洛在滿洲的工作，及其對滿洲國防疫事情所做的努力。[447]

## 五、醫師社群

醫師社群，包括醫師世家，及其相關姻親所組成。家族中兩代以上當醫師，可稱為「世家」，前述謝唐山的「四代景福」，就是最典型的例子。曾到滿洲的醫師

---

考拾遺。
444　通過時為昭和 7（1932）年 6 月，得日本政府第 383 號醫師免許證。
445　《盛京時報》，第 11307 號，康德 8（1941）年 10 月 17 日，綜合版，頁 11，〈康德八年度盛京賞受賞者提名 科學賞對法醫學貢獻頗偉 王洛氏被推薦〉。
446　《盛京時報》，第 11307 號，康德 8（1941）年 10 月 17 日，綜合版，頁 11，〈康德八年度盛京賞受賞者提名 科學賞對法醫學貢獻頗偉 王洛氏被推薦〉。
447　《盛京時報》，第 11321 號，康德 8（1941）年 11 月 1 日，第 5 版，〈冬季保健生活法〉（上）；第 11328 號，康德 8（1941）年 11 月 8 日，第 5 版，〈冬季保健生活法〉（中）；第 11335 號，康德 8（1941）年 11 月 15 日，第 5 版，〈冬季保健生活法〉（下）。1. 勿畏寒冷，宜屋外運動；2. 留意屋內換氣；3. 低溫生活；4. 防漏煤煙，使煤全燃；5. 努力防止煤煙；6. 先撒水後掃屋，以防塵埃飛散；7. 新築户屋待乾遷住；8. 多食水果、蔬菜。

而被陳君愷列入醫師世家的臺灣醫師有張進通、梁道之長男梁炳元、長女梁金蓮、長女婿楊澄海、次女梁金菊、次女婿羅福嶽，陳宗惠的長婿楊崑松、顏振聲的長媳柯明點。[448]

如果以醫師間彼此之親屬關係，以及以醫院開業吸收臺籍同鄉形成一個醫師社群加以分析，應可加強我們對到滿洲去的醫師多一番認識。而且以醫師世家及其姻親社群築成的網絡，而可窺到滿洲國的臺灣人，有不少是彼此有親緣的家族，才會陸續前往滿洲。

以下特將滿洲的醫師間，不限父子等直系，也兼及旁系及彼此有姻親關係者；或者其親屬有學醫者卻未到滿洲；或其入學時填的親屬中有醫者都一一列舉（相關醫師名單請參閱「表6-4 在滿洲的臺灣醫師表」）：

1. 王大樹為陳章哲醫師之女婿，王大樹醫師的女兒王愛真和楊金涵醫師的長子楊正昭醫師結婚，成為親家。

2. 王火炎，其叔父王漢亭為醫師，住在撫順。[449]

3. 王祖塔之兄王祖派、王祖檀、王祖熺，[450] 分別是臺灣總督府醫學校第11屆（1911）、第19屆（1920）、第22屆（1923）畢業生。王祖檀改名王通明，在1928年以病理學方面的論文取得東京帝大醫學博士，在香港執業，[451] 為李晏醫師摯友。[452]

4. 余錫乾的表兄為林元晃，林是余祖母家親戚。[453]

5. 呂耀唐和戴耀閻、戴神庇三人是表兄弟；如果以澎湖瓦硐戴媽功一家而言（見表6-2），他生有五子二女，長子錦象的長子添成（或成）、五子添曲（天青），次子錦潤的長子戴棟、次子戴神庇，四子錦龍之四子開新（從母姓，姓許），五子錦世之長子耀閻，次女旦之子呂耀唐，加上戴百花、戴雅典、戴雅頌，一共有10個醫師。[454]

---

448　陳君愷，《日治時期臺灣醫生社會地位之研究》（臺北：國立師範大學歷史研究所，1992），頁107-111。

449　《滿洲醫科大學檔案》，JD24, 57，〈滿洲醫科大學專門部昭和十二年學籍簿〉。

450　《滿洲醫科大學檔案》，JD24, 57，〈滿洲醫科大學專門部昭和十二年學籍簿〉；景福基金會，《國立台灣大學景福校友通訊錄》，頁4、11、14。

451　莊永明，《臺灣醫療史》，頁275。

452　李定山，〈李定山先生談家叔李晏〉，《日治時期在「滿洲」的臺灣人》，頁74。

453　許雪姬訪問、鄭鳳凰紀錄，〈余錫乾先生訪問紀錄〉，頁29。

454　許雪姬，〈日治時期澎湖瓦硐籍的醫生〉，收入紀麗美編，《澎湖研究第一屆學術研討會論文集》（澎湖：澎湖縣立文化局，2002），頁417。

圖 6-25 施義德（右）與姑表兄周壽源，都就讀滿洲醫科大學
（施義德先生提供）

圖 6-26 參加滿洲國協和會。施義德為西裝上有紅點者。
（施義德先生提供）

表 6-2　醫師世家戴家世系表

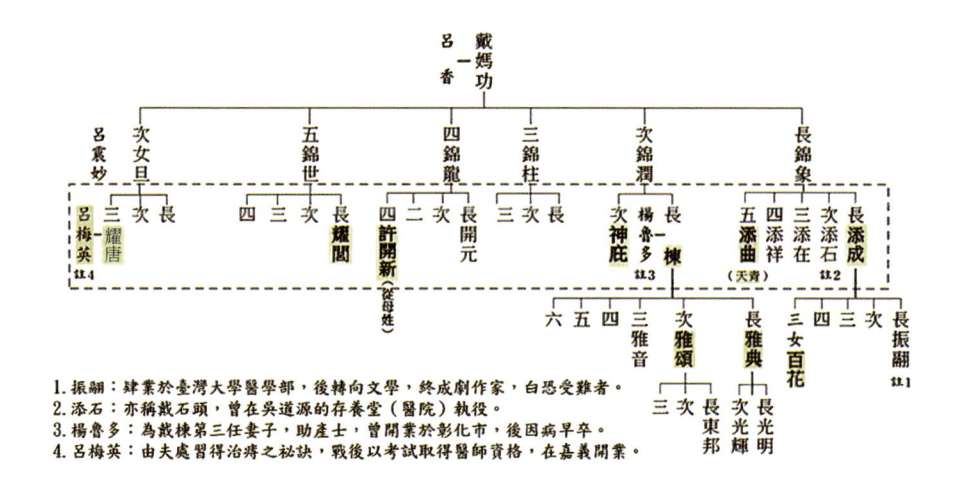

```
                              戴媽功
                              呂一香
   ┌──────┬────────┬────────┬────────┬────────┬────────┐
   呂     次       五       四       三       次       長
   霞     女       錦       錦       錦       錦       錦
   妙     旦       世       龍       柱       潤       象
   │   ┌──┼──┐  ┌─┬─┬─┐  ┌─┬─┬─┐ ┌─┬─┐  ┌─┬─┐     ┌─┬─┬─┬─┬─┐
   呂   三 次 長  四 三 次 長  四 二 次 長 三 次 長  楊 次 長    五 四 三 次 長
   梅   耀       耀           許       開       神 棟  添 添 添 添 添
   英   唐       閶           開       元       胚    鲁多        曲 祥 在 石 成
   註4              註3          新                              (天青)        註2      註1
                               (從母姓)
                         ┌─┬─┬─┬─┬─┐  ┌─┬─┐      ┌─┐
                         六 五 四 三 次  次 長      長  三 女
                               雅 雅 雅  雅        雅  女 百
                               音 頌      頌        典  花
                                        ┌─┬─┐   ┌─┬─┐
                                        三 次 長   次 長
                                           東        光 光
                                           邦        輝 明
```

1. 振翩：肆業於臺灣大學醫學部，後轉向文學，終成劇作家，白恐受難者。
2. 添石：亦稱戴石頭，曾在吳道源的存養堂（醫院）執役。
3. 楊魯多：為戴棟第三任妻子，助產士，曾開業於彰化，後因病早卒。
4. 呂梅英：由夫處習得治痔之祕訣，戰後以考試取得醫師資格，在嘉義開業。

資料來源：許益超編，〈澎湖瓦硐戴氏世系表〉，未刊稿。

6. 周壽源為施義德之姑表表兄，鹿港人，施往讀滿洲醫科大學主要是受其姑表兄周的鼓勵。施義德的岳父王順風也是醫師，畢業於臺灣總督府醫學校第 20 屆（1921）。[455] 施義德之子施春雨亦為醫師，畢業於高雄醫學院，在南投義德診所開業。次子施春裕為牙醫。大女婿林茂為婦產科醫師。[456]

7. 羅東人林秀模、林秀梯兄弟同畢業於滿洲醫科大學。

8. 撫順天生醫院的梁宰，其兄梁道醫師，其女婿林昌德、子梁育明、姪兒梁成、梁松文、梁炳元、梁大東，[457] 姪女梁金蓮、姪女婿楊澄海（蓮夫）、姪女梁金菊、姪女婿羅福嶽（菊夫），都是醫師。

9. 謝秋洎、謝秋濤兩兄弟，秋洎六個子女謝文燦、謝文炫、謝文渙（妻張瑞霽）、謝文火、謝青蓮（夫張嵩山）、謝久子（夫劉建止）都是醫師。[458] 劉建止之兄劉建停，1938 年畢業於滿洲醫科大學專門部，1939 年在滿洲登錄為醫師，回臺後則在潭子開業。[459]

---

455　景福基金會，《國立台灣大學景福校友通訊錄》，頁 12。
456　汪清恭，〈懷故人、憶平生〉，收於「故施義德訃聞」。
457　梁大東，畢業於臺大醫學院第三屆（1949 年 7 月），畢業後在省立臺南醫院任小兒科醫師。黃得時等編，《臺大畢業同學錄》（臺北：臺大同學會，1952），頁 90。
458　謝東漢等著，《徘徊在兩個祖國》（上），頁 173-181。
459　許雪姬訪問、鄭鳳凰紀錄，〈劉建止先生訪問紀錄〉，頁 14；國務院總務廳編，《滿洲國政府公報》，第 1525 號，康德 6（1939）年 5 月 10 日，頁 410。

謝秋濤之女婿為林肇基，亦為醫師，畢業於滿洲醫科大學專門部。[460] 林肇基之堂弟林肇周、弟林欽明畢業自同校。[461] 參見表6-3，醫生世家謝家世系表。

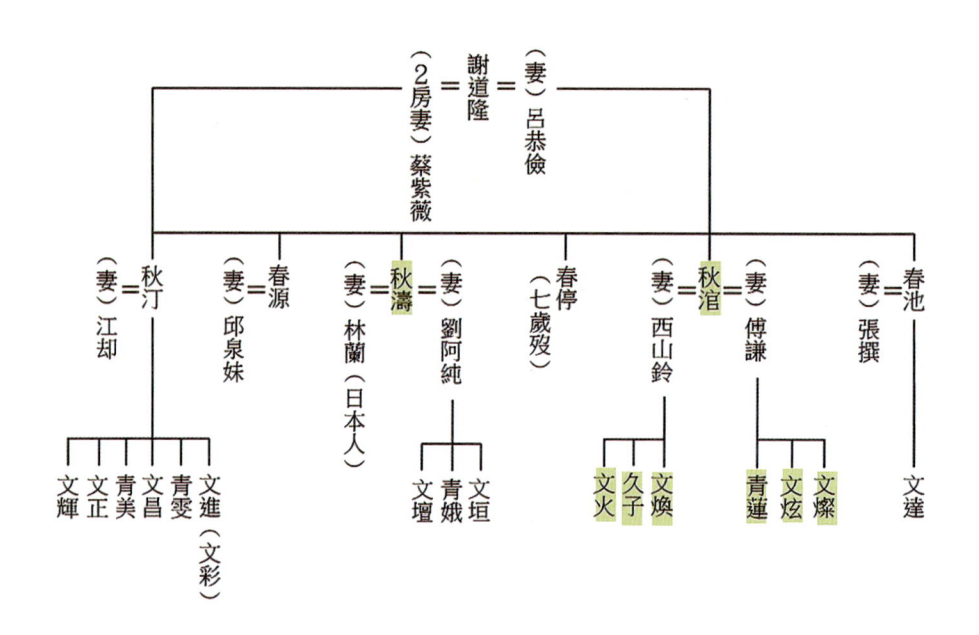

表6-3 醫師世家謝家世系表

謝道隆＝（妻）呂恭儉／（2房妻）蔡紫薇

- 秋汀＝（妻）江却 → 文輝、文正（青美）、文昌（青雯）、文進（文彩）
- 春源＝（妻）邱泉妹
- 秋濤＝（妻）林蘭（日本人）／（妻）劉阿純 → 文壇、文垣（青娥）
- 春停（七歲歿）
- 秋涫＝（妻）西山鈴／（妻）傅謙 → 文火、久子、文煥、青蓮、文炫、文燦
- 春池＝（妻）張撰 → 文達

資料來源：謝文魁主編，《謝氏大族譜》，系103；謝文昌，〈謝道隆家系圖〉，《日治時期臺灣人在滿洲的生活經驗》，頁350。

10. 林錦文、林黃素華夫妻是1945年最後期隨開拓團到吉林，林畢業日本大學，林黃素華則畢業於昭和醫專藥學系，[462] 其子亦為醫師，開業於臺北松隆路。

11. 洪家三兄弟洪禮峰、洪禮卿、洪禮憲全都到了滿洲，而且全走醫學路線，洪禮峰畢業於滿洲醫科大學專門部，弟洪禮卿同校，另有三弟洪禮憲，畢業於新京醫科大。而這三兄弟的父親洪蘭，在孟天成博愛醫院，專作脾病培養，於1933年到達滿洲。[463]

12. 新京錦昌醫院院主袁錦昌，其三女婿游高石是醫師，女兒袁碧霞是牙醫師，

---

460 《滿洲醫科大學檔案》，JD24,57,〈滿洲醫科大學專門部昭和十二年學籍簿〉。
461 許雪姬訪問，林建廷、劉芳瑜紀錄，〈滿洲、臺灣、日本，伴夫行醫半世紀：林江金素女士訪問紀錄〉，收入陳儀深主編，《記錄聲音的歷史》，頁145。
462 許雪姬訪問、王美雪紀錄，〈林黃淑麗女士訪問紀錄〉，頁140-141。兩人之子亦為醫師。
463 〈1933年7-9月外國旅券下付表〉，識別號：T1011_03_138；盧昆山，《七十回憶》，頁19。

其叔袁樹泉限地醫，其堂弟袁湘昌都在滿洲新京開業。

13. 張七郎父子三人。張七郎，臺灣總督府醫學校第四屆畢業（1915），[464] 曾在1929年10月赴旅順一遊，十多年後也曾到孟天成在大連的博愛醫院拜訪。[465] 並於1941年4月取得滿洲國醫師資格，[466] 但未到滿洲開業。張七郎長子張宗仁，就讀日本醫科大學，畢業後到滿洲海城開業，[467] 其大舅子葉鳴岡也到新京醫科大學就讀；[468] 而葉鳴岡之弟葉步嶽亦在同校就讀，戰後回臺大醫學院補完學業。而葉鳴岡之妻袁櫻雪為在新京二道河開業的袁樹泉之女。張七郎次男張依仁，曾任阜新炭礦病院小兒科醫師。[469] 張果仁畢業於東京齒科，到滿洲後考取醫師牌照，在新京醫院擔任耳鼻喉科醫師。[470] 二二八事變時張七郎、張宗仁、張依仁、張果仁父子四人同時被軍方逮捕，只有張依仁因被「搜身時衣袋內被發現枚現職軍醫上尉證章，又詢悉前往東北病院服務時，曾蒙蔣主席面加獎飾等情」而倖免於難。[471] 葉鳴岡之姊葉蘊玉，即張宗仁之妻。[472]

張七郎夫人詹金枝為助產士，內侄詹德明[473]為醫師。詹德明之父詹並茂亦為醫師，臺灣總督府醫學校第11屆，1912年畢業。而詹德明的舅舅李天來也是醫師，

---

464　景福基金會，《國立台灣大學景福校友通訊錄》，頁6。
465　李筱峰，《二二八消失的臺灣菁英》（臺北：自立晚報社文化出版部，1990），頁179。其中一張張七郎在瀋陽博愛醫院的照片，李筱峰推測是1939年，若以去登記醫師的1941年估算可能較為正確；其次李教授說博愛醫院在瀋陽，應該是大連。臺人在滿洲開業名「博愛醫院」的有四個地方，一是黃順記在開原的博愛醫院，一是吳大杉在瀋陽的博愛醫院，一是孟天成在大連開的博愛醫院，一是張宗田在鞍山的博愛醫院，據研判應該是大連，何況書中頁184-185下面的照片，主角都是孟天成與張七郎，右一疑為簡仁南。
466　國務院總務廳編，《滿洲國政府公報》，第2638號，康德10（1943）年3月17日，頁486。
467　據其子張安滿稱：張宗仁有一陣子也在遼寧醫學院擔任教授並兼附屬醫院產婦人科部長。又說「就是南滿鐵路醫院、縣立海城醫院、海城陸軍醫院的特約醫師。」但據張依仁說其兄和弟果仁都是被日本空襲嚇到後才到滿洲。見〈張安滿訪問紀錄〉，收入張炎憲、曾秋美主編，《花蓮鳳林二二八》（臺北：財團法人吳三連臺灣史料基金會，2010），頁205、210-211；頁55，〈張依仁〉。
468　許雪姬訪問、鄭鳳凰紀錄，〈葉鳴岡先生訪問紀錄〉，頁54。
469　吳銅，《臺灣醫師名鑑》，頁21。
470　張炎憲、曾秋美主編，《花蓮鳳林二二八》，頁55。
471　李筱峰，《二二八消失的臺灣菁英》，頁191。有關此事，是其妻張許梅說的，在2010年出版的《花蓮鳳林二二八》，張許梅重申：「依仁之前有拿過一張他做軍醫的證明給我，我收起來放著，怕丟掉了，……那晚他要被捉去時，我趕快去房間把那張紙拿出來，塞進他的口袋內。」（頁88）；但張依仁對太太在他褲袋放證明一事，表示沒這個印象，他解釋說：「那張證明是我和依仁一起從長春逃走要回臺灣時，依仁跟我講說有金條，怕路上被搶，所以去找病院討了這張證明，……軍醫某某某，帶家族要回去臺灣，請途中的軍警照顧……。還蓋上一個大大的豆乾印子。」（頁64）
472　參閱葉蘊玉，〈張宗仁於東北懸壺濟世〉，收入臺灣省文獻委員會二二八事件文獻輯錄專案小組，《二二八事件文獻輯錄》，頁583-585。
473　「詹德明講過，他那時候是在旅順或大連開業。」見〈張安滿訪問紀錄〉，收入張炎憲、曾秋美主編，《花蓮鳳林二二八》，頁195。但據張安滿之母葉蘊玉接受吳文星教授的訪問，明白說詹德明開業於本溪湖。

母親李招治是產婆、大阿姨李金英也是產婆，另一個阿姨李謹是牙科醫師。[474]

14. 張嵩山、張華山、張泰山兄弟。臺北人，三人都畢業於滿洲醫科大學，在新京西三馬路開真人醫院，張嵩山攻內科，妻謝青蓮亦為醫師，專長為小兒科，為謝秋涫之女，張泰山攻外科，張華山不明。[475]

15. 龍井鄉竹仔坑陳安慶，其子陳西庚，臺灣總督府醫學校第23屆畢業（1924），[476]而陳西庚堂兄弟中有陳以專，臺灣總督府醫學校第18屆畢業（1919），[477]另一侄為陳瑞南，畢業於同校第13屆（1914）。[478]陳瑞南開業於大肚、陳以專開業於龍井，陳西庚則開業於霧峰，[479]到滿洲的陳永福則是陳瑞南之子。[480]陳永福，日本名竹田健一，臺中第一中學第一名畢業，考入滿洲醫科大學，1941年畢業後在北京、上海各服務六年，再自上海到丹麥取得醫學博士，又到美國任職六年，復到日本大阪開業，為整形外科。[481]後因骨癌而過世。[482]

16. 章榮秋、章榮基、章榮熙兄弟分別畢業於滿洲醫大專門部1937年（第八回）、滿洲醫科大1933年、1940年。[483]畢業後章榮基先在同校附屬醫院平山外科教室當助手兼醫員，後到青島市立醫院任外科主任、青島聯勤總部總醫院外科主任。[484]

---

474　李天來，1893年生，1917年臺北醫學校畢業。之後到英屬婆羅洲政府當醫官，在タワオ（斗湖）病院當院長，而後在山打根開業。1934年回臺，1935年在臺北市太平町開同仁醫院。見本田六介編著，《日本醫籍錄》，頁12。李招治，1906年入臺灣總督府創設之助產婦養成所第一回講習生，1907年8月畢業，1933年任職新竹市立北辰醫院為保健婦，1936年4月被市役所解職，5月通過臺灣總督府產婆學說測驗、產婆試驗。見《臺灣日日新報》，明治40（1907）年8月31日，第3版，〈助產婦試驗修業〉；黃旺成著、許雪姬主編，《黃旺成先生日記（十九）一九三三年》（臺北：中央研究院臺灣史研究所，2018），頁280，1933年7月24日；《府報》，第2682號，1936年5月13日，頁32；2694號，1936年5月27日，頁7。李謹，陳李謹，畢業於東洋女子齒科醫學專門學校，原1935年12月開業於臺北後火車站（建成町二之五東洋齒科），1960年代開業於北斗。見陳國柱，《臺灣省醫師名鑑》，頁397；黃旺成著、許雪姬主編，《黃旺成先生日記（廿一）一九三五年》（臺北：中央研究院臺灣史研究所，2020），頁426，1935年12月20日。鍾淑敏，〈戰前臺灣人英屬北婆羅洲移民史〉，《臺灣史研究》22：1（2015.3），頁61。

475　〈居住長春台灣省民名簿〉（1946年1月28日）；《滿洲醫科大學檔案》，JD24,128，〈滿洲醫科大學民國卅六年畢業學生登記表〉。

476　景福基金會，《國立台灣大學景福校友通訊錄》，頁10。

477　景福基金會，《國立台灣大學景福校友通訊錄》，頁15。

478　景福基金會，《國立台灣大學景福校友通訊錄》，頁5。

479　許雪姬訪問、傅奕銘紀錄，〈陳耿昕先生訪問紀錄〉，收入許雪姬編著，《霧峰林家相關人物訪談紀錄》（下厝篇）（豐原：臺中縣立文化中心，1998），頁137。

480　《滿洲醫科大學檔案》，JD24,49，〈滿洲醫科大學昭和十七年學籍簿〉。

481　楊逸舟著、張良澤譯，《受難者》（臺北：前衛出版社，1990），頁161-162。楊逸舟為陳永福在龍泉公學校五、六年級的老師。

482　許雪姬訪問、紀錄，〈施義德先生訪問紀錄〉，頁10。

483　〈1933年7-9月外國旅券下付表〉，識別號：T1011_03_138；〈1934年7-9月外國旅券下付表〉，識別號：T1011_03_142；滿洲醫科大學輔仁會，《會員名簿》，頁53，他以吉林籍入學。

484　黑田源次編，《滿洲醫科大學二十五年史》，頁107；吳銅，《臺灣醫師名鑑》，頁58。

1935年章榮熙回臺娶李璧為妻,開設裕德醫院。[485] 1938年夫妻先到滿洲,再轉青島。[486]

17. 傅元煊與傅宏成父子:傅元煊畢業於臺灣總督府醫學校24屆(1925),[487] 1934年又畢業於京都大學醫學院,到大連醫院第二外科服務,後自行開設大同醫院,擅長外科。子傅宏成原在九州帝國大學醫學部就讀,後因戰爭轉讀於滿洲醫科大學,與梁宰之子梁育明同學,畢業於1947年,以後回臺,在臺中開業。[488]

18. 黃子正及其堂弟黃樹奎,其父黃烟篆亦為醫師,已介紹於「溥儀私人醫師黃子正」一節,不贅。

19. 黃仁宗、黃永盛父子:黃永盛滿洲醫科大學專門部1939年畢業,先在母校醫院原內科服務,[489] 1941年登錄為滿洲醫師。[490] 其父黃仁宗開業於臺南市。[491]

20. 線西黃氏兄弟:大哥是黃順記,在開原開博愛醫院,三弟黃深智兩人分別畢業於滿洲醫科大學專門部與大學部,四弟黃雅幫日本九州醫學專門學校畢業,到其兄博愛醫院任副院長。五弟黃炳南,名古屋藥學專科畢業,畢業後在第一製藥公司奉天分廠擔任藥劑師。

黃順記另有一堂兄弟黃再的,畢業於滿洲醫科大學專門部,並未回臺。[492]

21. 石岡黃演桂與黃演敏兄弟:前者畢業於哈爾濱醫科大學齒科後,到日本東京齒科專門學校深造,在新京大同大街與日本人岡田英二、島取合開醫院;[493] 黃演敏1938年3月畢業於滿洲醫科大學,先在滿洲醫科大附屬醫院高森內科及小兒科服務,[494] 隨即在1939年登錄為滿洲醫師,[495] 回臺後在臺中縣石岡鄉開博愛醫院。[496]

22. 彰化楊希榮、楊希聯兄弟及楊宦奇、楊毓奇兄弟:此四人互為表兄弟。他

---

485 菅武雄,《新竹州の情勢と人物》(新竹:作者,1938),頁170-171。
486 李遠輝、李菁萍編,《北郭園的孔雀園:劉玉英的故事》(新竹:新竹市立文化中心,1999),頁26、47、60。
487 景福基金會,《國立台灣大學景福校友通訊錄》,頁16。
488 許雪姬訪問、蔡說麗紀錄,〈盧昆山、李謹慎夫婦訪問紀錄〉,頁289;許雪姬訪問、蔡說麗紀錄,〈梁金蘭、梁育明姊弟訪問紀錄〉,頁315。
489 臺南第一中學校同窗會,《臺南第一中學校同窗會員名簿》(臺南:該會,1940),頁52。
490 國務院總務廳編,《滿洲國政府公報》,第2635號,康德10(1943)年3月13日,頁379。
491 《滿洲醫科大學檔案》,JD24,43,〈滿洲醫科大學昭和十四年學籍簿〉。
492 許雪姬訪問、吳美慧紀錄,〈黃順記先生訪問紀錄〉,頁203、206。
493 黃五常族譜續編輯委員會,《黃五常派族譜續編》(臺中:該會,1995),頁88。
494 吳銅,《臺灣醫師名鑑》,頁108。
495 國務院總務廳編,《滿洲國政府公報》,第1520號,康德6(1939)年5月18日,頁410。
496 吳銅,《臺灣醫師名鑑》,頁108。

們又是黃順記的表弟。⁴⁹⁷ 楊希榮比黃順記晚一年到滿洲醫科大就讀,因九一八事變而轉至上海,後讀南京中央大學醫學院,四年後入上海醫學院,⁴⁹⁸ 主攻外科,1938 年畢業,分發至蘇州博登醫院實習三年,又值日軍攻陷上海,乃撤退到貴州紅十字會,後在貴陽衛生處當地方醫師。抗戰結束,自貴陽復原到上海,在上海聯合國善後救濟總署工作,戰後未回臺。⁴⁹⁹

楊希聯畢業於東京東洋醫學院,此校乃因中國大陸醫師缺乏,為培養醫學人才而辦,畢業時因怕被送至南洋而逃到滿洲。⁵⁰⁰

楊毓奇為上兩者之表兄,在四平開信愛醫院,楊希聯乃到此投靠。楊宦奇畢業於哈爾濱醫科大學,1943 年 1 月到 1945 年 10 月在新京醫科大學小野寺內科服務,回臺後在臺中開健民醫院。⁵⁰¹

23. 臺南大內楊家三兄弟:長楊藏興、次楊藏德、五楊藏鋙三人都是滿洲醫科大學專門部畢業(楊藏興,1936 年;楊藏德,1935 年;楊藏鋙,1937 年),和新化梁家有親戚關係。老大先在母校小兒科教室任副手兼醫員,再到熱河省隆化弘農醫院任公醫後就回臺,⁵⁰² 老二則在吉林當警察醫,後自行開業,戰後未回臺。⁵⁰³ 楊藏鋙則在天生醫院服務,因腹膜炎於 1940 年過世,已如前述。

24. 廖永堂、廖泉生兄弟:均畢業於滿洲醫科大學專門部,而且兩兄弟都是醫學博士。廖泉生畢業後白天在赤十字醫院任臨床醫師,晚上回母校實驗室研究學習,在寺田文治郎教授指導下,七年後取得醫學博士。1945 年春天在奉天開業,到 1946 年 12 月,遂回臺中開仁愛醫院,以皮膚科著名。⁵⁰⁴

25. 劉建停、劉建止兄弟:都畢業於滿洲醫科大學專門部,由於其姑姑劉阿純嫁給謝秋濤,⁵⁰⁵ 因此兩兄弟很早就到滿洲,劉建止還成為謝秋滔的女婿,親上加親。⁵⁰⁶

26. 簡仁南妻盧淑賢,其二弟盧清池,到大連開盧牙科診所,而簡之妹簡美智則為盧之妻。盧淑賢的三弟盧昆山畢業於哈爾濱醫科大,盧昆山大姊次子黃文生亦

---

497 許雪姬訪問、吳美慧紀錄,〈黃順記先生訪問紀錄〉,頁 199。
498 中央大學醫學院後來單獨遷到上海,稱上海醫學院。
499 許雪姬訪問、曾金蘭紀錄,〈楊希榮先生訪問紀錄〉,1994 年 9 月 11 日,於中央研究院近代史研究所研究大樓四樓會議室,未刊稿。
500 許雪姬訪問、紀錄,〈楊希聯先生訪問紀錄〉,1994 年 9 月 11 日,於中央研究院近代史研究所研究大樓四樓會議室,未刊稿。
501 吳銅,《臺灣醫師名鑑》,頁 95。
502 黑田源次編,《滿洲醫科大學二十五年史》,頁 141。
503 許雪姬訪問、鄭鳳凰紀錄,〈楊藏嶽先生訪問紀錄〉,頁 439。
504 方玉珍、郭紫筠,《乘願藥師如來:廖泉生回憶錄》,頁 1、6。
505 許雪姬訪問、藍瑩如紀錄,〈謝大埔先生訪問紀錄〉,頁 366。
506 許雪姬訪問、鄭鳳凰紀錄,〈劉建止先生訪問紀錄〉,頁 14。

到過大連仁和醫院擔任藥劑生、醫師助手，約一年；黃文生之姊黃玉霞在該院任助產士。其兄黃再傳在仁和醫院任X光技師，後考上限地醫。[507]

27. 張登財、張登川、張登山三兄弟都畢業於滿洲醫科大學，其妹婿陳威儀亦為醫師。他們的堂兄陳正中，日本長崎醫大畢業，曾任滿鐵鞍山醫院院長。張登財妻張琔的姊夫為羅海盛，也是醫師。[508]

28. 孟天成醫師的妻舅陳介臣、陳英都是醫師，孟夫人的外甥葉英生夫妻為醫師；孟醫師的如夫人日沖飛郎／娜亦為醫師。

29. 張宗田、張宗池，臺中大雅人，後者滿洲醫科大學專門學校畢業。[509] 還有表弟熊澤東在滿洲考上限地醫。

## 小結

耳鼻喉科醫師楊蓮生，岡山人，1945年畢業於臺北帝國大學附屬醫學專門部（第11屆），他分析該校學生是以讀醫科為目標。主要原因是臺灣是殖民地，臺灣人即使進入官界也不可能與日人並駕齊驅，但如果讀醫，畢業後自行開業則是一匹狼，不僅經濟寬裕且不必仰人鼻息，對當時被差別待遇的臺人來說，選擇醫師毋寧是臺灣人的智慧。[510] 醫師這個行業是日治時期臺人選擇職業的最愛。

如果就第一個臺灣醫師踏上滿洲的1908年起，到1945年滿洲國滅亡止，這期間曾有二百多位臺灣醫師到滿洲接受醫學教育或去當醫師，雖然數目並非絕對多，但如以目前所建立約一千個去過滿洲的人的資料來看，每五人中就有一個醫師，也算比例不低。

到滿洲當醫師的管道之一是在滿洲接受醫學教育，尤其是1933年滿洲醫科大學專門部畢業也可以取得開業資格後，到滿洲讀醫科者日增；而由於滿洲醫師少，公衛不佳，疫病不少，需醫師孔亟；而日治臺人讀臺灣總督府醫學校或赴日讀醫科，可以說是進入「新科舉」，一旦畢業成為醫師，即進入社會中的中上階層，是改善社會地位、家庭經濟最好的手段，因此讀醫科者趨之若鶩。但取得醫師資格後，並非人人都有開業的資本，而醫學校出身的臺人醫師進入公立醫院僅能做日人醫師的助手，因此赴海外開業或入大醫院乃成為臺人醫師的出路之一。

---

507 許雪姬訪問、藍瑩如紀錄，〈黃文生先生訪問紀錄〉，頁384；郭瑋，〈大連地區建國前的臺灣人及其組織狀況〉，頁71-72；盧昆山，〈七十回憶〉，頁62。
508 許雪姬訪問，許雪姬、張英明紀錄，〈張琔女士訪問紀錄〉，頁257-258、265。
509 《滿洲醫科大學一覽》，頁170。張宗池，早逝。
510 楊蓮生，《診療秘話五十年：一臺灣醫の昭和史》（東京：中央公論社，1997），頁31。

然而臺灣總督府醫學校畢業者只能在島內行醫，要到南洋、滿洲都不為當地承認具有醫師資格，經臺灣總督府設法交涉，滿洲（關東州）以限地醫的方式處理，即行醫時限地申請，期滿可延長，唯無法依日本醫師法給予通行全滿洲的醫師執照。滿洲國成立後，於1936年頒布醫師法，只要日系醫學院畢業者即可依醫師法第一條登錄為滿洲國醫師，即使未自醫學院畢業，也可參加滿洲國醫師考試（需經二試）及格亦能取得行醫資格。

　　臺人在滿洲有自行開業成功的如孟天成在大連的博愛醫院、梁宰在撫順的天生醫院、簡仁南在大連的仁和醫院、陳章哲在大連的仁濟醫院、陳英在大連的普愛醫院、王大樹在錦州的錦生醫院、黃順記在開原的博愛醫院、謝秋涫在新京的四家百川醫院、袁錦昌在新京的錦昌醫院。也有入滿洲醫科大學附屬醫院磨練，或進入公家醫院或任公醫者；也有成為醫科大學教授如郭松根、王洛、章榮熙等人，也有走醫學行政的進入官僚體系做衛生部門的主管或技佐，其中以謝秋濤、王洛兩人各得1939、1941年的科學盛京賞，最為時人所知。更難得的是王洛，他可能是臺灣醫師中第一個走法醫路線的。臺灣到滿洲的醫師也有其相關著作（參閱表6-1）。

　　赴滿洲的臺灣醫師中，目前所知有五名女醫師，一是袁碧霞，她畢業於京城齒科醫專，[511] 在父親袁錦昌開設的醫院中服務；二是柯明點，畢業於東京女子醫學專門學校，一度在大連博愛醫院產婦人科服務；[512] 三是梁金蓮，畢業自東京女子醫學專門學校，夫楊澄海、父梁道，1937年12月登記為滿洲醫師。[513] 四是謝青蓮，謝秋涫長女，在丈夫張嵩山於新京開設的真人醫院執業。五是謝久子，畢業於滿洲醫科大學專門部，專攻內科，在父親謝秋涫開設於新京的百川醫院服務，已如前述。另有藥劑師即林素華及梁金菊（夫羅福嶽）。

　　在臺灣醫師中，不少是醫師世家出身者，如梁宰結合侄兒、侄女婿，打造其天生醫院王國；謝秋涫的五個兒女都能繼承衣缽經營百川醫院；黃順記四兄弟，楊藏興三兄弟，楊希榮等四個表兄弟都是。

　　上述之例都可想見在滿洲的臺灣人醫師中不少彼此間有親戚關係者。大凡欲到陌生之地，若有人脈則可增加安全感，對發展事業也有很大的幫助，因而形成醫師社群。臺灣醫師在滿洲，以外科、內科為多，其中值得一提的是有一些人專長皮黴科，所謂皮黴，指的是皮膚、梅毒，當地人有此需求。[514]

　　翁通逢在1944年到滿洲時，自四平轉往新京當醫師前，曾利用一個月的時間到滿洲各地臺灣人醫院去訪問，發現臺人醫師的開業都很成功，主要因為語言的優

---

511　〈居住長春台灣省民名簿〉（1946年1月28日）。
512　吳銅，《臺灣醫師名鑑》，頁213。
513　國務院總務廳編，《滿洲國政府公報》，第1369號，康德5（1938）年10月29日，頁584。
514　許雪姬訪問、紀錄，〈葉彩屏女士訪問紀錄〉，頁129。

勢，能醫日人，也能醫滿洲人。有些醫師在「滿洲人」區開業，可見是以醫治非日人為主。

由「在滿洲的臺灣醫師」表中，可知在滿洲開業的，大半畢業自滿洲醫科大學，其次是新京醫科大學、滿洲開拓醫學校，滿洲為臺灣培養了 120 多位醫師，也因此而得到這些醫師的回饋。自臺灣總督府醫學校（包括專門學校、帝大醫學部）也有 31 人，此外自日本各公私立大學前往滿洲的將近 40 位，畢業自朝鮮京城醫學校（專門學校）有 3 人，此外還有 12 位牙醫。

臺人醫師在滿洲人的心目中是「大仙」，滿洲人生病，在醫治沒起色下，都會問神明，萬一無效，就認為沒救了。滿洲有一種病是回歸熱，其症狀是先高燒 40 度以上，持續一星期；之後降到 35-36 度，會顫冷，反覆發作。滿洲人問神明時往往是高燒期，還抱著希望，等體溫驟降則認為病人快死了，臺灣醫師診斷時即已斷出是回歸熱，注射藥劑後馬上就痊癒了，滿洲人很驚訝說連神明都無法醫好的病，臺灣醫師竟能治癒，真是大仙。

臺人醫師的治療技術聲名遠播，當戰後臺人疏散到新京時，聽到滿洲人說南部有一個島叫醫生島，即指臺灣，而如孟天成以個人之力在大連開了僅次於滿鐵規模相當大的醫院，梁宰的天生醫院都是口碑極好的醫院。臺人醫師在滿洲國的表現可想而知！由於醫術、醫德均佳，因此戰後未被當地人傷害，大半無事回到臺灣，而這些出色的醫師回臺後，繼續大顯身手，貢獻於臺灣醫界，如郭松根主持臺大公共衛生學院，王洛為臺北市衛生院院長。而留在東北未回臺者，大半失掉醫院，有的入獄或被清算，孟天成喪失了大連數一數二的博愛醫院。[515] 簡仁南雖是臺灣民主自治同盟的一員，也失去其仁和醫院。[516] 戰後是不是留在東北的決定，就這樣發展出兩種不同的命運。（第八章再詳述）

由於臺灣醫師中畢業於滿洲醫科大學者有 80 多人，因此在滿洲醫科大學（戰後初期改為瀋陽醫科大學）畢業者，在 1948 年有意將滿洲醫科大學遷來臺灣（即復校之意），[517] 滿洲醫科大學雖未在臺復校，卻直間接推動了臺北醫學院的成立，增加臺灣醫學教育機構，亦值得記上一筆。

---

515 「大連解放後，孟天成將醫院交給了政府，並繼續擔任該院院長。」參閱郭瑋，〈大連地區建國前的臺灣人及其組織狀況〉，頁 67-74。

516 據郭瑋，〈大連地區建國前的臺灣人及其組織狀況〉一文載：「大連解放後，簡仁南熱愛人民的事業，主動將個人所辦醫院的設備和房產獻給政府，本人積極參加大連市的衛生行政領導工作，1946 年被聘為大連醫學院的解剖學、外科教授，1948 年在解放戰爭中，參加遼南軍區手術隊，任小隊長，活躍在前方。」同上註，頁 67-74。

517 許雪姬訪問、紀錄，〈葉彩屏女士訪問紀錄〉，頁 134。

表 6-4　在滿洲的臺灣醫師表

| 區域 | | 學校 | 人數 | 人名 |
|---|---|---|---|---|
| 依就讀學校分類 | 滿洲 | 南滿醫學堂 | 7 | 王標、呂耀唐、林漢、林伯輝、戴神庇、戴耀閭、蘇永隆（在學中亡故） |
| | | 滿洲醫科大學醫學部 | 36 | 王大樹、江塗龍、周壽源、孟天成、林秀梯、林秀模、林昌德、林樹敏、施義德、洪鴻儒、徐裕增、張少基、張登川、張登財、張華山、梁松文、梁炳元、許燦淵、郭英啟、陳永福、陳守仁、陳有德、陳東海、陳松齡、章榮基、章榮熙、黃深智、楊有務、楊崑松、楊鐘靈、葉敏盛、劉萬、劉泗洲、謝文炫、謝文燦、蘇耀輝 |
| | | 滿洲醫科大學專門部 | 45 | 王洛、王火炎、王祖塔、吳大杉、吳昌禮、李德彰、林元晃、林老銓、林宗輝、林清南、林欽明、林肇周、林肇基、洪禮卿、洪禮峰、孫紹芳、高進紀、高夢雄、張嵩山、梁成、章榮秋、莊金城、彭春水、黃永盛、黃酉時、黃昌名、黃順記、黃演敏、楊金涵、楊毓奇、楊德昭、楊藏德、楊藏銧、楊藏興、廖永堂、廖泉生、廖涼棟、劉光業、劉建止、劉建停、蔡啟獻、鄭信章、鄭國輝、謝久子、謝知母、魏木源（遭退學）|
| | | 瀋陽醫學院 | 4 | 梁育明、曾森林、傅宏成、曾森林 |
| | | 中國醫科大學 | 1 | 徐得龍 |
| | | 新京醫科大學 | 12 | 于文藻、王伯群、余錫乾、吳振茂、吳慶輝（未畢業）、吳慶懷（未畢業）、洪源福（未畢業）、洪禮照、洪禮憲、袁鈺昌（未畢業）、張政宏（未畢業）、郭仲舟（未畢業）、陳正乾、陳宋舫（未畢業）、陳銘斌、陳寶琛、傅祖宗、葉步嶽（未畢業）、葉鳴岡、廖錦河（未畢業）、董延葭、歐陽瑞典（未畢業）|
| | | 哈爾濱醫科大學 | 4 | 杜慶祥、林維喬、楊宦奇、盧昆山 |
| | | 滿洲開拓醫學校 | 11 | 羅燦樒、蘇夢蘭、黃元鑫、林啟徽、蔡銘勳、謝育淳、余文奎、陳炳煌、黃元河、林景修、簡汝楨 |
| | | 旅順醫學專門學校 | 2 | 黃啟章、盧主恩（肄業）、邱金波 |
| | | 滿洲國立陸軍軍醫學校 | 2 | 鄭登山、楊占恭 |

| | | | | |
|---|---|---|---|---|
| 依就讀學校分類 | 臺灣 | 臺北帝大醫學專門部 | 臺灣總督府醫學校 | 22 | 方瑞璧、李晏、孟天成、邱鳳儀、張七郎、侯全成、孫德芳、徐榮、袁錦昌、梁宰、郭進木、陳英、陳章哲、傅元烜、楊熢人、謝秋涫、謝秋濤、謝唐山、簡仁南、黃旭東、傅祖鑑、黃子正（特設科） |
| | | | 臺北醫學專門學校 | 7 | 徐銀格、郭松根、羅福嶽、黃樹奎、張七郎、林龍生、呂天欽 |
| | | | 臺北帝國大學附屬醫學專門部 | 2 | 洪頂霖、賴雅徵 |
| | 日本 | | 日本大學醫學部 | 4 | 王毓麟、李道隆、林錦文、盧有智 |
| | | | 日本大學專門部醫學科 | 4 | 謝頂、石林玉燦、張宗仁、張宗田 |
| | | | 九州帝大醫學部 | 3 | 沈水鑪、張進通、林新振 |
| | | | 九州醫學專門學校 | 2 | 施錫卿、黃雅幫 |
| | | | 昭和醫學專門學校 | 4 | 林天意、黃禎祥、羅春桂、葉敏棟 |
| | | | 千葉醫科大學 | 1 | 林濬哲 |
| | | | 長崎醫科大學 | 1 | 陳正中 |
| | | | 愛知醫科大學 | 1 | 楊澄海 |
| | | | 東京帝國大學醫學部 | 0 | 林恩魁（未畢業） |
| | | | 東京女子醫學專門學校 | 2 | 柯明點、梁金蓮 |
| | | | 東京興亞醫學館 | 4 | 洪榮譽、陳金生、陳登連、劉漢 |
| | | | 東洋醫學院 | 4 | 吳連芳、翁通逢、陳茂成、黃炳恩 |
| | | | 東京醫學專門學校 | 7 | 林仁潭、袁湘昌、張文南、游高石、陳尚明、黃樹奎、游紹陳 |
| | | | 大阪醫學專門學校 | 1 | 華嵩地 |
| | 朝鮮 | | 京城醫科大學 | 1 | 柯雲鳳 |
| | | | 大邱醫專 | 1 | 江文湧 |
| | | | 京城醫學專門學校 | 1 | 彭天增 |

第六章　在滿洲的臺灣醫師　　457

| 依就讀學校分類 | 中國 | 河北省省立醫學院 | 1 | 傅秋煌 |
|---|---|---|---|---|
| | | 青島醫學專門學校 | 1 | 傅春鐙 |
| | | 上海東南醫學院 | 3 | 林祺煌、鍾英秀、詹德明 |
| | 其他 | 醫師考試及格與不確定畢業學校者 | 20 | 李天受、周武昌、張大長、張依仁、張傳益、陳長章、陳滄水、陳夢懷、陳錦立、傅春燦、黃王氏淑貞、熊澤東、鄭順發、盧氏慈愛、謝指南、鍾福元、蘇錦豐、張振芳、林天賜、蘇寶章 |
| 醫科總數 | | | 221 | |
| 齒科 | | | 11 | 王桂霖、林士斌、邱昌麟、傅仰敦、袁碧霞、黃東尚、黃溫恭、黃演桂、劉燕鎦、盧清池、陳遠堂 |
| 總人數 | | | 232 | |

製表：助理鄭鳳凰

第七章
臺灣人在滿洲的戰爭經驗

一、蘇軍的占領與國共內戰
二、面對變局臺人的因應
三、臺人面對的蘇聯兵暴行
四、臺灣人、日本人、朝鮮人戰後的境遇
五、千里迢迢回臺路
小結

1945 年第二次世界大戰進入末期，臺灣人因在不同的地方生活，而有各自不同的戰爭經驗，1944 年 10 月 12-14 日的「臺灣沖」航空戰以及 1944 年起的頻繁轟炸，各地不斷傳出災情，尤以 1945 年 5 月 31 日美軍轟炸臺北市，造成重大的破壞[1]最令人難忘，當時身歷其境者多少留下了難以忘懷的戰爭記憶，[2]作者由日記分析終戰前 15 天臺灣人的生活時，「**頻遇空襲，與防空壕為伍**」是最好的寫照。[3]而被徵為軍夫、軍屬，甚至志願軍、高砂義勇隊，大半在南洋戰場，經由林えいだい的訪談，部分高砂義勇隊的成員，在幾個月間沒有飽食過一頓，為了填飽肚子而有吃人肉的經驗。[4]當然與盟軍為敵的日本軍民也都有各自的戰爭經驗，尤其軍隊玉碎、滿洲開拓團自決的情況常被報導。[5]中國人的戰爭經驗在戰後以迄今日，不斷由各種回憶、訪談、影像描繪出，展示出中國人在日本人的侵略下呈現的多重苦難，其中如「南京大屠殺」即是。不論在日本或在中國，在他們的書寫中，很少描述到臺灣人，就是 2004 年塚瀨進所撰的《滿洲の日本人》、NHK 取材班編的《魔都上海　十万の日本人》，沒有包括臺灣人。[6]在中國方面陳祖恩《上海日僑社會生活史（1868-1945）》，亦很少提及臺灣人。[7]在臺灣人相當多的上海都不被記載，違論在滿洲的臺灣人之戰爭記憶。即使是臺灣人自己寫的終戰經驗，其中也缺了在滿洲

---

1　木下晃太，〈大空襲の記憶〉，收入樺山小学校三三期同期会編，《思い出のあの日から　はや六〇年―臺北大空襲の記錄――九四五（昭和二〇）年五月三一日》（日本：樺山小学校三三期同期会編集部，2004），頁 7。木下家在今中山堂的正對方，為三層樓房，開刻印的「印文堂」，不僅他家前面的道路被炸了一個大洞，也有不少死傷者被抬到中山堂前。有關此次大空襲，亦可參考臺北市文化局，《二次大戰下的臺北大空襲》（臺北：臺北市文化局，2007）；張維斌，《空襲福爾摩沙》（臺北：前衛出版社，2015）。

2　許雪姬、劉素芬、莊樹華訪問，丘慧君紀錄，《王世慶先生訪問紀錄》（臺北：中央研究院近代史研究所，2003），頁 61-62。當時只有 B24 來轟炸。

3　許雪姬，〈臺灣史上一九四五年八月十五日前後：日記如是說「終戰」〉，《臺灣文學學報》13（2008.12），頁 159。

4　林えいだい，《証言　臺灣高砂義勇隊》（東京：株式会社草風館，1998），頁 104，〈あれがポートモレスビーの灯だ〉（受訪者為アルツアルラバ，日本名野口太吉，中國名為林德政，1921 年生）。

5　合田一道，〈満州開拓団 27 万人の逃避行：「北満農民救済記録」に見る満州の終戦史〉，收入椎野八束，《別冊歷史讀本　第 79（178）号　滿洲国最期の日》（東京：株式会社新人物往來社，1992），頁 104-122。據該文分析，滿洲開拓團共有 26 萬 9 千人，在日本戰敗後不能不逃回日本，但其中有十萬人，或集體自決、或以「一殺多生」為理由，被棄置；或沿途被中國民眾截殺，女性被蘇聯軍凌辱，男性被蘇聯軍抓到西伯利亞，這些平民為日本侵略中國付出了代價。

6　塚瀨進，《滿洲の日本人》（東京：吉川弘文館，2004 年 2 刷）；NHK 取材班編，《魔都上海　十万の日本人》（東京：角川書店，1995）。但有也少數的例外，如渡邊諒，就提到在滿洲電氣化學工業株式會社任職臺灣人社醫葉敏棟、社員陳嘉樹等戰後的情形。見渡邊諒，《大いなる流れ 滿洲終戰實記》（東京：大いなる流れ刊行会，1956），頁 111-113。

7　陳祖恩，《上海日僑社會生活史（1868-1945）》（上海：上海世紀出版股份有限公司、上海辭書出版社，2009）。同人另兩本著作《日本僑民在上海：1870-1945》、《尋訪東洋人：近代上海的日本居留民（1868-1945）》，亦未特別提到臺灣人。

的臺灣人這一塊。

在滿洲的臺灣人面對戰爭以及回臺，遭遇了那些困難而能平安地抵臺？過去這個問題因史料有限，除戰後《民報》曾零星報導自東北回臺的臺灣人外，幾乎無相關史料出現，幸有中國第二歷史檔案館保存有長春臺灣省同鄉會會長郭松根所呈給臺灣省行政長官陳儀的〈為呈請指定輪便接回東北台胞由〉，並有附文說明當時臺人的情況，包括〈長春台灣省同鄉會會則〉、〈居住長春台灣省民名簿〉，為戰後有關東北長春臺灣人最重要的資訊，此外的資料唯有靠訪問有滿洲經驗的臺灣人才能取得。我自 1992 年開始進行訪問，先後刊登在《口述歷史》第五、六期，《日治時期在「滿洲」的臺灣人》、《日治時期臺灣人在滿洲的生活經驗》，以及 2015 年 5 月赴美國、加拿大與 2016 年在臺北訪問所得，[8] 共五十餘篇。此外，神阪京華僑口述記錄研究會、吳文星、林德政、林志宏的相關口訪紀錄，也會採集到有滿洲經驗的臺灣人的經歷，[9] 彌足珍貴。雖然只有 50 多篇的訪問紀錄，但所涉及的人有上百位，可以進一步來探討這些有滿洲國經驗的臺灣人如何度過滿洲國滅亡、日本投降、蘇軍的威脅，以及邁向千里迢迢的歸鄉路，這一段相關經驗不可在臺灣史中缺席。本文首要先談二戰結束前後，蘇軍在東北的占領與國共的內戰，以及面對此變局臺灣人如何因應，臺灣人所見的蘇軍暴行與國共內戰，臺灣人在此變局中的遭遇，最後再談臺灣人如何辛苦地走向回家之路。

# 一、蘇軍的占領與國共內戰

## （一）二戰後期的滿洲國

1940 年日本由於在中國戰場的消耗及受美國的牽制，為了取得戰爭資源，7 月日本內閣已決定用武力進兵南洋，9 月底，日、德、義三國成立軸心國以對抗英、法為首的同盟國。日本為避免同時與蘇聯軍事衝突，1941 年 4 月 13 日與蘇聯簽訂中立條約，故當希特勒進攻蘇聯時，日本並未與德國聯手攻打蘇聯，但卻為此在 7 月由戍守滿洲的關東軍舉行一次規模很大的演習（俗稱「關特演」），藉此次演習，

---

8　許雪姬訪問、劉芳瑜紀錄，〈何處是鄉關？流轉的臺灣認同：楊正昭醫師訪談紀錄〉，收入陳儀深主編，《記錄聲音的歷史》臺灣口述歷史學會會刊第 10 期（改版第 4 期）（臺北：臺灣口述歷史學會，2019），頁 185-231；許雪姬訪問、林建廷、劉芳瑜紀錄，〈滿洲、臺灣、日本，伴夫行醫半世紀：林江金素女士訪問紀錄〉，收入，《記錄聲音的歷史》，頁 133-183。

9　神阪京華僑口述記錄研究会編，《聞き書き・関西華僑のライフヒストリー6》（神戶：神戶華僑歷史博物館，2015），頁 67-106，〈陳伯英氏〉。

關東軍數目膨脹至 70 萬名，共有 14 個師團、71 個飛行中隊。翌年（1942）關東司令部升格為總司令部，下面配屬 3 方面軍，一時被稱為大關東軍。[10]

1941 年 12 月 8 日珍珠港事件發生，美國隨後加入同盟國。初期日軍勢如破竹，但到 1942 年日本聯合艦隊在中途島一役失敗後，漸呈敗相。為了加強日軍在南洋戰場的戰力及保衛日本本土，自 1942 年起，關東軍不斷被調離滿洲，關東軍對蘇作戰乃由攻而易為守勢，雖然在戰略上有所改變，但仍不放棄防守全滿洲。[11] 1944 年 7 月以後，美軍直接空襲滿洲，滿洲也漸漸成為戰場。[12] 1945 年 4 月 5 日蘇聯外相莫洛托夫（Вячеслав Михайлович Молотов）向日本駐蘇大使佐藤尚武通知不延長日蘇中立條約。[13] 1945 年 5 月 8 月德國投降後（之前義大利已投降），蘇聯已無後顧之憂，但在日本方面，如上述為了支應太平洋和在中國大陸戰場的戰鬥，在滿洲的關東軍已被抽調一空。[14] 此一態勢迫使在滿洲國的軍隊（包括關東軍和滿洲國軍）在 5 月 30 日進入全面備戰狀態，並發布「滿鮮方面對蘇作戰計劃要綱」，決定當遇到進攻時，以新京、圖們、大連這個三角地帶為堅守地帶，換言之，這時已決定放棄滿洲的大部分防守。7 月間為了抵禦蘇聯軍隊，乃經動員，由在鄉軍人中新編入八個師團，七個混成旅團，一個坦克旅團和五個炮兵連隊，表面上關東軍號稱增至 24 個師團、九個混成旅團、二個坦克旅團，但其戰鬥力僅及以前軍力的三分之一。[15]

日本方面雖加強新京、圖門、大連三角地帶的防禦，但卻誤判蘇聯軍隊進軍的速度，因而決定把防守圈改到新京、四平、瀋陽，在防禦工事尚未完成之際，蘇軍已準備好對滿洲展開進擊。[16]

## （二）蘇聯進軍東北、滿洲國滅亡

蘇聯，尤其是史達林，早想利用對日宣戰打敗關東軍，以收復樺太島（庫頁島）及千島群島；且事前已和中國國民政府協定接收旅、大，以保障蘇聯的太平洋艦隊可以自由出入，因此在德、蘇之戰大事底定前，特別是在 1945 年春天以後，已開始向東方移動軍隊。蘇聯準備以滿洲和內蒙共 150 平方公里作戰場，調至戰場的

---

10　姜念東等，《偽滿洲國史》（大連：大連出版社，1991），頁 638。
11　徐焰著、朱建榮譯，《一九四五年滿州進軍―日ソ戰と毛沢東の戰略》（東京：株式会社三五館，1993），頁 88。
12　滿洲國史編纂刊行會，《滿洲國史 總論》（東京：財團法人滿蒙同胞援護會，1970），頁 755。
13　岩波書店編集部，《近代日本総合年表》（東京：岩波書店，1968），頁 342。
14　王育民，〈論蘇聯出兵東北〉，《上海師範大學學報（哲學社會科學版）》3（1980.9），頁 136。
15　王育民，〈論蘇聯出兵東北〉，頁 136-137。
16　椎野八束，《別冊歷史読本　第 79（178）号　満州国最期の日》，頁 71。

有170多萬大軍，僅賴西伯利亞鐵路運輸，而且必須瞞過日本在國界的監視，難度很高。為此，蘇聯兵做了許多欺敵的設計，而將人員、物資迅速集結在滿蒙邊境。7月30日蘇聯命瓦西列夫斯基（Александр Михайлович Василевский）元帥為極東蘇聯總司令官，分以下三軍：

**1. 第一遠東方面軍**：主要以牡丹江、吉林為攻擊目標，要由長白山嶽森林地帶突破要塞陣地，由梅列茨科夫（Кири́лл Афана́сьевич Мерецко́в）將軍統率。

**2. 第二遠東方面軍**：沒有與德國作戰的經驗，只是輔助性的沿黑龍江正面攻擊哈爾濱，由普爾卡耶夫（Максим Алексеевич Пуркаев）大將指揮。

**3. 第三外貝加爾（Transbaikal）方面軍**：自西部攻入，大半是機械化部隊，擁有將近2,000輛戰車，有配備「自走炮」的第六戰車軍，也指揮外蒙古人民軍。由馬利諾夫斯基（Родион Яковлевич Малиновский）元帥指揮。此軍的進攻再分成兩條路線：

（1）以第六戰車軍為中心，部隊越過大興安嶺的草原、砂漠，自滿洲西部迫近新京（長春）及工業都市奉天（瀋陽）。

（2）以蘇聯、外蒙古混合騎兵機械化軍集團進入內蒙北部，向張家口、多倫迫近，以牽制日本在華北的駐屯軍，必要時，繼續南下，切斷日本軍長城內外的聯絡。

此外還有蘇聯太平洋艦隊，擁有427艘軍艦及1,549架軍用機協助作戰。[17]

由於蘇軍的戰力在關東軍的20倍以上，而且大半有實戰經驗，因此突擊力強、速度快，8月上旬進攻滿洲的工作一切就緒，預定8月11日展開進攻。[18]然而8月6日美軍在廣島投下原子彈，造成日本重大損傷，如果日本因此向盟軍投降，蘇軍就失去對日作戰的時機，因此在8月8日蘇聯對日宣戰（日本得知消息已在8月9日），8月9日凌晨蘇軍下達攻擊令，而這天美軍對長崎投下第二顆原子彈。

蘇軍攻擊速度之快，讓關東軍除迅速後撤外，完全措手不及，由外貝加爾往東進攻的機械化部隊以每天150公里的速度越過大興安嶺，直達滿洲國的首都新京。面對蘇軍的進攻，8月9日關東軍司令山田乙三[19]如預定前往奉天出差，10日發布了防衛令，12日關東司令部遷到通化，而溥儀代表的滿洲國中央政府也奉關東軍令遷往大栗子溝。[20] 8月14日蘇軍已占領新京西邊重要的據點洮南，新京、奉天

---

17　太平洋戦争研究会，《図説滿州帝国》（東京：河出書房新社，1996），頁128-131；中山隆志，〈知られざる滿洲の日ソ戦：突然のソ軍侵入に前線部隊はいかに戦ったか？〉，收入椎野八束，《別冊歷史読本　第79（178）号　滿洲国最期の日》，頁76-90。

18　徐焰著、朱建榮譯，《一九四五年滿州進軍—日ソ戦と毛沢東の戦略》，頁83。

19　山田乙三於1944年7月18日就任。見日本近現代史辭典編輯委員会，《日本近現代史辞典》（日本：東洋経済新報社，1990年第6刷），頁878，〈関東軍司令官〉。

20　松井孝也編集，《日本植民地史　2滿州　日露戦争から建国・滅亡まで》（東京：毎日新聞社，1978），頁89，〈年表〉。

的攻占已近在眼前。15日日本天皇宣布無條件投降，16日關東軍司令下令停戰與繳械，但蘇聯仍繼續進攻，18日溥儀退位，滿洲國滅亡。19日關東軍總司令部發出向蘇聯軍投降的命令，同日溥儀等12人由通化分三梯次搭機前往瀋陽以待轉機赴日，甫抵瀋陽即遭蘇聯兵逮捕，[21] 已如第六章所述。8月22日蘇聯軍全面占領滿洲國，日本軍的抵抗也在26日全部告終。[22]

## （三）蘇軍撤退與國共內戰

當蘇聯占領全滿洲後，以日本在滿洲重工業設施為其戰利品，大事拆除、劫收，有些直接運往海參崴（浦鹽斯德，ヴラジオストク）；其次接收關東軍所繳之械，交由共軍使用，並協助共軍進入東北；第三，發行軍用券（票值與法幣不同），搜劫人民財富，延遲撤退期日（原協定要在三個月內撤退），阻止美軍協助國軍接收。[23] 1945年8月14日蘇聯與國府簽訂「中蘇友好同盟條約」，明訂蘇軍占據中國東北期間只能由國民政府派代表設立行政機構，但蘇軍卻暗助中共武裝控制東北。[24] 國府在此「有利的情勢下」，於8月31日在重慶設置軍事委員會委員長東北行營於長春，處理東北各省收復事宜，內設政治、經濟兩委員會，以熊式輝為東北行營主任駐長春，重新劃定東北為九省，[25] 9月4日並任命九省省政府主席，以熊式輝為政治委員會主任委員、張嘉璈為經濟委員會主任委員，蔣經國為外交部東北特派員，沈怡為大連市長、楊綽庵為哈爾濱市長。[26] 此時中共軍冀熱遼軍區第十六分區司令員曾先林率600餘人軍隊自錦州抵瀋陽，旬日間增加至五萬餘人，此一做法，蘇方解釋為「**中共軍隊奉共產國際命令進入東北，與蘇聯兵合作。**」[27] 此後熊式輝、蔣經國不斷與蘇方交涉談判，如國軍登陸的港口，[28] 以及蘇聯兵撤退的日期，迄10月29

---

21　郭廷以，《中華民國史事日誌》（第4冊）（臺北：中央研究院近代史研究所，1985），頁384-387。本書言8月22日蘇聯兵占領旅順、大連，但在8月29日又說「蘇聯兵占領旅順」。且蘇聯兵仍繼續占領熱河圍場。日本方面的說法不一，《図說滿州帝國》，頁128-131，則言22日，但《日本植民地史　2　滿州　日露戰爭から建国・滅亡まで》，頁89，則言23日。說法各自不同。

22　松井孝也編集，《日本植民地史　2　滿州　日露戰爭から建国・滅亡まで》，頁89。

23　郭廷以，《中華民國史事日誌》（第4冊），頁401；頁404，1945年10月6日蘇聯駐華大使彼得羅夫通知外交部，聲言大連為運輸商品而非運輸軍隊之港口，堅拒國軍在該地登陸；頁409，10月15日蘇聯大使正式照會不允國軍自大連登陸；頁435，12月12日，蘇聯拆運東北鞍山鋼鐵廠機器，經大連運往海參崴；頁461，1946年1月21日，蘇聯大使照會中國外交部，東北各省內之一切日本企業，均經蘇聯視為其之戰利品，其中一部分企業交給中國，其餘企業如煤礦、電力廠、鋼料工業、化學工業、水泥工業由中蘇共管。

24　楊奎松，〈一九四六年國共四平之戰及其幕後〉，《歷史研究》4（2004.8），頁133。

25　郭廷以，《中華民國史事日誌》（第4冊），頁388。

26　郭廷以，《中華民國史事日誌》（第4冊），頁391。

27　郭廷以，《中華民國史事日誌》（第4冊），頁392、394。

28　郭廷以，《中華民國史事日誌》（第4冊），頁413、414，這些港口包括葫蘆島、營口、安東。

日,熊式輝與蘇聯遠東總司令馬利諾夫斯基才達成分三期撤退的協議。[29] 但蘇聯兵並未遵守,一再延遲撤退時間,甚至在 11 月 17 日表示要延緩到 1946 年 1-2 月撤軍;而這時中共人員已在長春活動,而瀋陽也在張學良之弟張學思領導下召開東北九省人民代表大會,[30] 1946 年 1 月 28 日中、蘇雙方再敲定 1 月 2 日為撤退期限,後又延至 2 月 1 日。[31] 在這段期間,國軍陸續進入東北地區,12 月 27 日董文琦就任瀋陽市市長、[32] 翌年 1 月 1 日楊綽庵就任哈爾濱市市長,[33] 1 月 22 日蔣夫人宋美齡抵長春,一面宣慰民眾,一面慰勞蘇聯兵(授勳)。[34] 2 月 1 日中、蘇間一再協商蘇聯兵撤出東北的日期,蘇聯兵依舊無動靜,中外報界開始撻伐,《紐約時報》於 2 月 14 日刊出〈蘇聯在東北〉一文、2 月 18 日《大公報》刊出〈東北的陰雲〉,主張蘇軍撤出。[35] 重慶中央大學等校學生二萬多人,也為東北問題示威遊行,北平學生三萬多人亦遊行,要求蘇軍立即撤軍。[36]

迫於外界的壓力,2 月 26 日蘇方發表聲明,說蘇軍大部分已撤退,之所以尚未全撤,主要因中國軍緩慢未到,至於蘇聯兵完全撤退一定不會晚於美軍。3 月 22 日再宣布要在 4 月底全部撤出,[37] 後因 2 月美、英輿論單方面公開雅爾達密約協定內容,以及關內發生大規模反蘇遊行,使蘇聯對國府加深敵視的態度,「**轉而重新支持中共在東北開打**」的必然性。[38] 蘇聯兵未全撤的原因,據推測是尚未全面接收東北的產業,以及要將日俘數十萬人運達蘇聯之故。[39] 3 月 7 日在瀋陽的蘇聯兵開始北移長春,3 月 13 日國軍第 25 師進駐瀋陽,旋即遭到共軍襲擊,[40] 3 月 4 日蘇聯兵撤出遼北四平(介於長春與瀋陽之間)時,共軍包圍此城,[41] 此為四平之戰之嚆矢。

---

29　瀋陽以南 11 月 2 日開始、哈爾濱以南 11 月 25 日開始,12 月 2 日前全部撤退。見郭廷以,《中華民國史事日誌》(第 4 冊),頁 416。
30　郭廷以,《中華民國史事日誌》(第 4 冊),頁 425、426。
31　郭廷以,《中華民國史事日誌》(第 4 冊),頁 429、442。
32　張玉法、沈松僑訪問,沈松僑紀錄,《董文琦先生訪問紀錄》(臺北:中央研究院近代史研究所,1986),頁 81-86。
33　郭廷以,《中華民國史事日誌》(第 4 冊),頁 441、446。
34　郭廷以,《中華民國史事日誌》(第 4 冊),頁 462、463。
35　郭廷以,《中華民國史事日誌》(第 4 冊),頁 475、477。
36　郭廷以,《中華民國史事日誌》(第 4 冊),頁 478-479、482。
37　郭廷以,《中華民國史事日誌》(第 4 冊),頁 482、499、504。長春 4 月 15 日、哈爾濱 4 月 25 日、吉林 4 月 16 日、齊齊哈爾 4 月 27 日、牡丹江 4 月 29 日,至於北安、佳木斯、勃利則在 4 月 10 日前撤完。
38　楊奎松,〈一九四六年國共四平之戰及其幕後〉,頁 134。
39　郭廷以,《中華民國史事日誌》(第 4 冊),頁 485、486。本記載寫約數百萬人,實則 57 萬餘人。
40　郭廷以,《中華民國史事日誌》(第 4 冊),頁 489、490、493。
41　郭廷以,《中華民國史事日誌》(第 4 冊),頁 493。

3月4日開始的國共軍四平之戰,[42] 共軍由林彪所率領。1945年9月,林彪被派往東北,建設根據地,他率領的東北民主聯軍,參加了四平、新開嶺等戰役。[43]共軍於3月16日對四平展開包圍,並於3月18日予以占領,遼北省府主席劉翰東被囚(3月26日脫險),4月15日國軍新一軍擊敗林彪部隊,[44] 此後展開市街戰、拉鋸戰,4月20日,雙方又有激戰,5月17日共軍再度猛烈攻擊,[45] 5月19日國軍終於收復四平街,[46] 戰事告一段落。中國史家非常重視「四平之戰」對中共完全控制東北的積極意義;中共學者楊奎松認為「戰力遠不如國民黨軍的中共軍隊出人意外地堅守四平街達一月之久,後雖敗退,國民黨軍受到關內與南滿中共軍隊牽制,竟無力一鼓作氣乘勝北上,林彪所部割據北滿且東山再起,並非偶然。」[47] 另一中共學者鄧野則認為,在重慶馬歇爾調停下的國共談判和四平之戰是互為條件的,「即通過局部性的軍事決戰方式,體現全局性的政治決戰意圖。」[48]「四平之戰是戰後中共最為嚴重的一次軍事失利。」[49]

　　國共為了爭奪東北的接收權,各在美軍、蘇聯軍的明、暗助下展開激戰,四平戰役只是其中之一。1948年夏季共軍再展開攻勢,林彪軍陸續殲滅30萬國軍,已為「解放」東北鋪路,1948年9月林彪東北野戰軍司令官發動了遼瀋之役,陸續攻下錦州、長春、瀋陽,國軍損失達47萬餘人,11月終於讓東北全面「淪陷」。[50]

## 二、面對變局臺人的因應

　　作為一個日本籍臺灣人,在滿洲國時靠日本,當蘇聯兵侵攻滿洲,滿洲國滅亡後,何去何從?面對不再有政府保護,且因言行舉止類同日本人而被視為日本人,立刻有被滿洲人報復的危險,之後有被蘇聯兵擄掠之虞,因此除了特殊原因非要留

---

42　中國史家對四平之戰的時間定義是4月18日到5月18日。
43　貴志俊彥等,《二〇世紀滿洲歷史事典》(東京:吉川弘文館,2012),頁717,〈りんぴよう　林彪　Lin Biao〉。
44　郭廷以,《中華民國史事日誌》(第4冊),頁510。
45　郭廷以,《中華民國史事日誌》(第4冊),頁511、519。
46　郭廷以,《中華民國史事日誌》(第4冊),頁520。有關四平之役,還可參考劉鳳翰、何智霖訪問,何智霖紀錄整理,《梁肅戎先生訪問紀錄》(臺北:國館,1995),頁52-57;桂恒彬,《1946-1950國共生死決戰全紀錄　喋血四平》(北京:長城出版社,2014年3刷)。
47　楊奎松,〈一九四六年國共四平之戰及其幕後〉,頁132。
48　鄧野,〈東北問題與四平決戰〉,《歷史研究》4(2001.8),頁57、67;鄧野,〈南京談判與第二次國共合作的終結〉,《歷史研究》2(2002.4),頁70。
49　鄧野,〈南京談判與第二次國共合作的終結〉,頁70。
50　貴志俊彥等,《二〇世紀滿洲歷史事典》,頁714-715,〈りょうしんせんえき　遼瀋戰役〉。

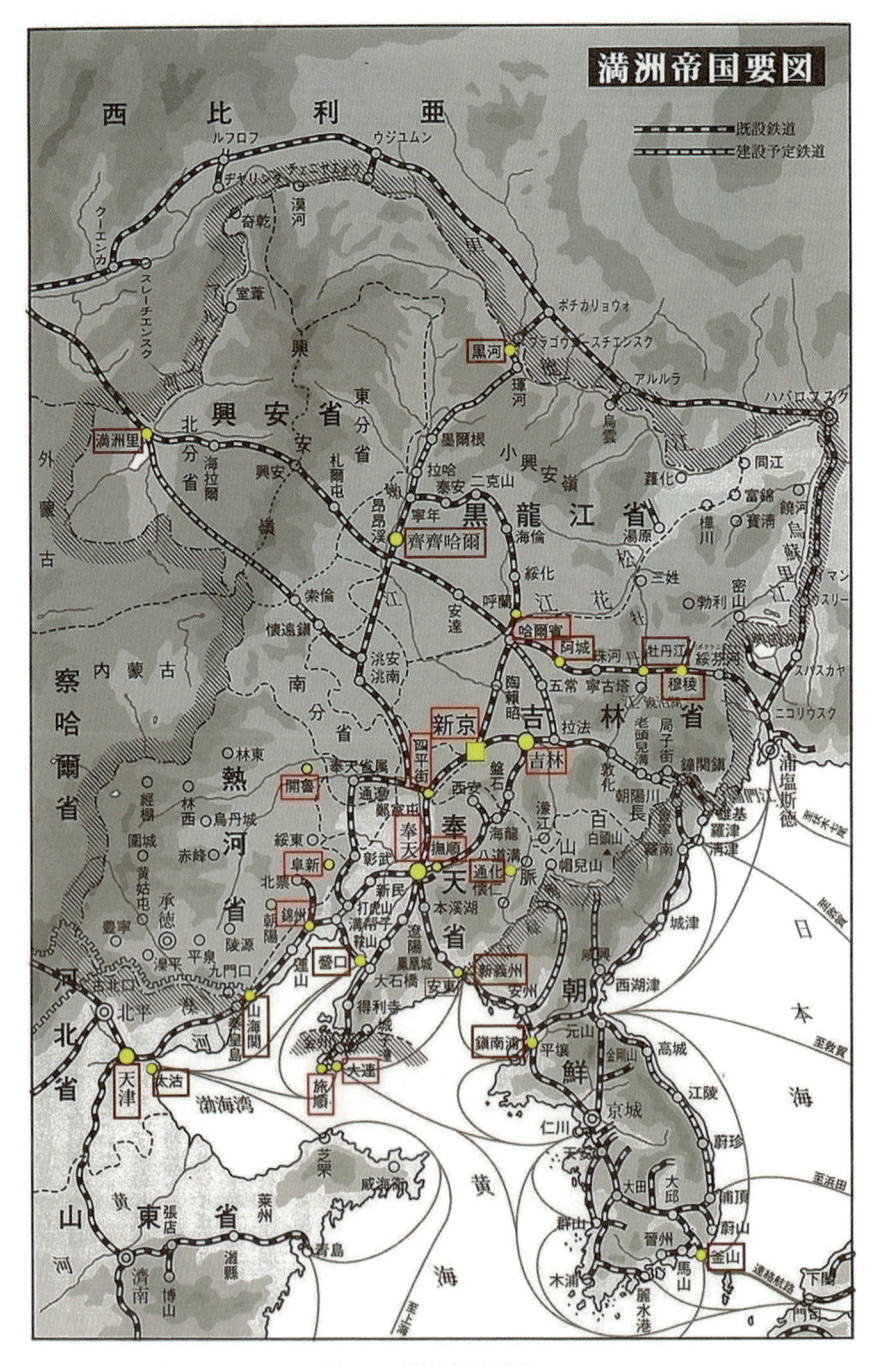

圖 7-1 滿洲帝國要圖
地名加紅框者為有臺灣人住過的城市及經過地
資料來源：太平洋戰爭研究會，《図説滿洲帝国》，頁 5。

在當地不可者,大半臺灣人選擇回到臺灣。然而由東北回臺路途遙遠,在過渡時期他們又如何因應此一危局?當時在滿洲國的臺灣人,以居住在首都新京的為多,這自然與求職的機會多有關,其次是瀋陽、大連,這兩個地方,前者附近是滿鐵工業重鎮,後者是重要的吞吐港市。其他的臺灣人也圍繞在這些大城市的周圍居住;亦即臺人大半以居住在大城市及其周邊,尤其有鐵路經過的城鎮為多。以下主要以哈爾濱、長春、齊齊哈爾、瀋陽一帶的臺灣人如何應變為例。

## (一) 蘇聯兵進入滿洲與臺人的避難

誠如上述,蘇聯兵在 8 月 14 日已進入長春西邊重要的據點洮南,18 日先派軍使到長春,翌日下午,カルロフ(Карлов)少將率 200 個先遣軍到來,在大同大街原協和會[51]本部設衛戍司令部,並以中、日、俄三國語文宣布該軍將自即日起維持市內治安,故凡有武器者必須交出,並禁止結社。20 日馬利諾夫斯基部下科瓦廖夫(Михаил Прокофьевич Ковалев)大將的機械化部隊進駐長春,遂將日軍、滿洲國軍[52]的武裝予以解除,將軍人關在南嶺,但軍人趁勢逃脫。此後蘇聯兵令元國務院總務廳次長古海忠之交出滿洲主要會社、工廠設備的相關資料,蘇聯兵乃按圖索驥拆走設備,運回蘇聯。另方面三萬名蘇聯兵開始搶劫財物與施暴婦女,捕捉有戰犯嫌疑的日人與有漢奸嫌疑的滿洲國重臣。由於蘇聯兵暴行層出不窮,日本人或採集體自決(玉碎),以求解脫;或經由日本居留民會向蘇聯當局抗議,一直到 9 月 6 日スタンケビッチ(Каптон Станкович)衛戍司令才發布告,嚴禁蘇聯兵毀傷日本人的生命財產,若發現,則現行犯格殺勿論,[53]才稍減蘇聯兵的惡行。以下分別敘述在不同城市裡的臺人,如何面對此一情勢的轉變。

---

51 簡而言之,是為了在滿洲國實行「王道政治」而仿效民主主義的議會政治而設,以反映民意的組織。迄 1943 年,一共有 150 餘萬名會員。見豊田要三編纂,《滿洲帝國概覽》,頁 79-86。

52 1934 年 3 月滿洲國實施帝政,隨後日中、日蘇關係惡化後,滿洲國原有 6 萬的國軍 即以「國防軍」的架勢予以整飭,為協助關東軍做準備。遂將全國劃分成五個軍管區,改「滿洲國指導要綱」,將從前用以維持治安的軍隊,改為可以獨立負擔國防任務的軍隊。之後滿洲國防軍和關東軍共同支援ノモンハン(諾門罕)的國境紛爭事件。滿洲國軍中,特別是以蒙古的騎兵為中心的「興安警備軍」,成了對外徵用的兵力,他們不僅參加諾門罕事件,在中日戰爭中也在華北戰線從事軍事行動。諾門罕事件後日本政府對國防軍更加重視,滿洲國也開始實施徵兵制,依 1940 年 4 月 11 日起實施的國兵法,壯丁 19 歲有服兵役的義務,期間 3 年,不再服預備役,是該法的特徵。太平洋戰爭爆發後,關東軍派赴南方戰場,國軍的角色更形重要,其兵力有 15 萬。迨戰爭最末期蘇軍進攻滿洲時,關東軍護衛司令部及皇帝退往通化時,新京的防衛就由滿洲國軍擔任,但到 8 月 18 日即告解體。見豊田要三編纂,《滿洲帝國概覽》,頁 109-111;貴志俊彥等,《二〇世紀滿洲歷史事典》,頁 451-453。

53 滿洲國史編纂刊行會,《滿洲國史 總論》,頁 775-777。

### 1. 疏散到新立城再回長春待機的一群

臺灣人於 8 月 12 日由長春避難至新立城。在長春的臺灣人以官公吏為多，多半住在公家宿舍，換言之是住在日本人區。8 月 9 日凌晨二時半長春發布警戒警報令，三時半發出空襲警報，由於是夜晚，令人心情格外緊張，只能躲在地板下的待避所以待天明。天亮後，方知來轟炸者是蘇聯飛機，蘇聯已對日本宣戰。是日，大半人照常上班，但已人心惶惶，翌日又有空襲警報，[54] 當天臺人已開始組織，準備應變，因為日本方面已宣布到 8 月 12 日晚上 7 點以前不離開新京，整個新京即將封鎖。[55] 8 月 10 日在林鳳麟（國務院總務廳參事官兼司法部參事官）的發動下，下午 4 時在其家開會，參加者除林鳳麟外有袁樹泉（醫師）之子袁湘昌（醫師）、歐陽餘慶（總務廳參事官）、徐水德（經濟部參事官），決定臺灣同鄉一起疏開到新立城。此地離長春行程約半天，袁樹泉曾在此開醫院，與當地人相處得不錯。8 月 11 日臺灣人帶家眷、行李，坐上袁樹泉僱來的大車，於早晨 8 時出發，下午六時抵達，入住客棧。12 日欲疏散的臺人約 200 人 [56] 已全到。為了安全分四班，並組織自警隊巡邏，決定生活秩序、衛生問題。14 日臺灣同鄉開會議決派出袁會長（樹泉）、賀顧問、邱昌河（經濟部事務官）、徐水德、袁錦昌醫師為代表，集資 2,000 圓（每班出 500 圓），感謝當地的警察、自衛團、當地人，對治安的維護。翌日日本投降。日本投降後第四天（8 月 18 日），也是疏散到新立城的第八天，各班派代表商議往後的對策，意見分成兩派，較積極的決定要派人到長春去見中國官員，以便規劃未來的行止；較保守者則認為尚未有充分的情報前，不宜貿然回去，保守者的意見得到尊重，遂繼續在新立城觀望。

8 月 22 日情況逐漸明朗，乃由林鳳麟、洪公川（後改名利澤，參議府秘書官參事）、陳亭卿（經濟部事務官）、鄭瑞麟（纖維公社監察役）做代表，到長春打探消息，經協調後 24 日可以回長春。[57] 他們之所以急於回長春，主要是生活不便、消息來源有限。但回長春也有其困難，一是路上的安全沒有保障，二是原來的居處有被搶的危險，必須另覓住處。25 日在黃海南、黃呈財父子（雜貨商）[58] 及「市政府情報局員」

---

54　徐水德，〈光復日記（民國 34 年 8 月 9 日立）〉，《日治時期在「滿洲」的臺灣人》，頁 253。

55　許雪姬訪問、鄭鳳凰紀錄，〈翁通逢先生訪問紀錄〉，《日治時期在「滿洲」的臺灣人》，頁 109。

56　依翁通楹（大陸科學院航空研究室）的回憶，當時臺人有 600 多人，然依其弟翁通逢的回憶及徐水德的日記，都是 200 人。見許雪姬訪問、鄭鳳凰紀錄，〈翁通楹先生訪問紀錄〉，《日治時期在「滿洲」的臺灣人》，頁 470。

57　徐水德，〈光復日記（民國 34 年 8 月 9 日立）〉，《日治時期在「滿洲」的臺灣人》，頁 258-259。

58　黃海南，臺北人，雜貨商，其子黃呈財。據徐水德的日記記載：「黃先生是一位中年的很忠厚的人，對同鄉的都很有同鄉愛的人，疏開於新立城的人沒有一個不受他的照顧，疏開同鄉人從新立城回來的時候兒，他同著市政府情報局員及他大兒子來接我們大家並保護到長春了。」見許雪姬訪問、

的陪同下,由八輛(一說十多輛)大車載著一行人,戰戰兢兢地回到長春,[59] 途中他們見到「數日前被殺死的屍尚躺著呢,路邊開拓團、牛奶會社都被暴民搶去了,其殘骸尚在,其狀況甚矣。」「走到通化路附近時,……,看見蘇聯兵及暴民正搶人東西,又聽見蘇聯兵自昨日起三天自由行動,……,一同商量即快轉換方向,往西三馬路福豐旅館去。」[60] 而後在郭海鳴(新京稅關理事官)的協助下,找到位於長春南關一個老舊的前地政員工訓練所,由「楊培地政總局長」的照應,撥出位在通化路地政員工訓練所一排長的房子,供部分臺人集體暫時居住,9月1日以後70多名臺人向此地集中,[61] 之後大家儲存一些糧食,相互救濟,共度難關,等待歸鄉的日子,而真正苦難的日子才剛開始。

### 2. 疏散到滿洲人家中暫時避難

當蘇聯兵已進攻滿洲國後,在外交部任事務官的黃清塗,[62] 其日本同僚事務官梶浦智吉[63] 即勸黃必須南下避難,不能再與日本人並肩作戰,否則將來有被漢奸審判之虞,何況日本人不久就要打仗。[64] 黃清塗曾經在日本特務手中救出的劉姓屬官(不詳姓名),為了報恩,在此危急之秋,由劉家用馬車接黃清塗一家前往避難。劉家雖有意報恩,但因劉家經營的大興公司頗富貨財,因此在東北的游擊軍就以劉家藏匿日本人為名,即將強行侵入劉家,劉姓屬官與其弟及一些朋友只好在家中保護黃清塗一家的安全,日夜不得閒。迨外頭風聲較平靜後,黃家五口乃立刻搬出,而由建國大學的學生協助遷到趙鴻謙(新京稅務監督署文書股長)、陳傳標(滿洲興農金庫職員)的住家隔壁以便互相照應。[65]

---

鄭鳳凰紀錄,〈葉鳴岡先生訪問紀錄〉,《日治時期在「滿洲」的臺灣人》,頁58;徐水德,〈光復日記(民國34年8月9日立)〉,《日治時期在「滿洲」的臺灣人》,頁260。

59　據〈吳昌禮醫師手記〉:「幸有一位基督教會信徒黃海南先生自告奮勇,自長春來到新立城,又替我們雇了十幾臺大車。回長春的時候,黃先生走在疏散隊伍的前面,手持基督教旗。對一群一群站在路旁手持兇器的老百姓一一說明,我們是南方的中國人。幸有黃海南先生的照顧,大家得以安返長春住所。」見吳昌禮,〈附錄:吳昌禮醫師手記〉,《日治時期臺灣人在滿洲的生活經驗》,頁308。

60　徐水德,〈光復日記(民國34年8月9日立)〉,《日治時期在「滿洲」的臺灣人》,頁259、260。

61　許鐘榮編,《仁者壽:恭賀爸爸(阿公、阿祖)八十晉四華誕》(臺北:自刊本,1997),頁4-5;許雪姬訪問、王美雪紀錄,〈陳亭卿先生夫人訪問紀錄〉,《日治時期在「滿洲」的臺灣人》,頁301-302。

62　國務院總務廳編,《滿洲國政府公報》,第3210號,康德12(1945)年3月3日,頁25、28。

63　梶浦智吉,1913年生,東京市人,1934年哈爾濱學院畢業,同年入國務院外交部(後改為外交局)任事務官。見中西利八編纂,《滿華職員錄》(東京:滿蒙資料協會,1942),頁14,〈滿洲國官廳　外務局〉。

64　梶浦智吉,《スタリンとの日:「犯罪社會主義葬送譜」》(國分寺:武藏野書房,1993),頁31-32。

65　許雪姬訪問、王美雪紀錄,〈黃陳波雲女士訪問紀錄〉,《日治時期在「滿洲」的臺灣人》,頁

### 3. 由各地向長春集中

新京（長春）是滿洲國的國都，臺人最多，因此蘇聯兵進入中國東北後，在長春以北的臺人紛紛向長春集中。在交通部土木總局牡丹江工程處負責架設橋樑工程的技師林永倉，一向在牡丹江省的東寧建河東橋，工人則自哈爾濱附近的阿城派出，在橋已竣工尚未驗收時，蘇聯兵已入侵。林永倉遵照軍方指示，率領200名工人後退，因無交通工具只好步行，在走到穆陵時遭遇蘇聯兵，身上的細軟、手錶都被搶走。當林永倉到牡丹江工程處時，該處也因工事已結束而拆除，其大同學院同班同學山浦竹二[66]欲林同往鏡泊湖繼續抗戰，但林以需要將工人帶回阿城而婉拒。當一行走到牡丹江火車站時尚有火車可通，乃將工人送到阿城，自己經哈爾濱回到長春，這時他才知日本已經投降。

回長春後乃向交通部報到，領取兩年份薪資的遣散費後，住進南湖金輝路第五代用宿舍。由於各地回到長春的人員增多，交通部門要求負擔較輕的單身漢交回一年份的遣散費，作為他人的遣散費。[67]

蘇聯兵進入東北時，陳嘉樹一家人住在吉林，當時日本尚未投降，他照常在服務的滿洲電氣化學會社擔任工務股股長，其子則因病入吉林省立醫院治療中。8月15日日本投降後，是日下午陸軍倉庫中的物資就陸續被搬走，其中如包工頭，拿不到工資也搬東西抵債，陳見所搬走的東西約略等值後，即不許再搬，不料剩下的物資全被蘇聯兵劫走。此後治安大壞，滿洲人對日本人、朝鮮人的報復行動方興未艾，有被打傷重致死者，有一排排被綁在車站前者；有些人成為勞力市場的臨時工。陳嘉樹一家決定回臺灣，但有滿洲當地人勸陳等留下，因為都已是中國人了。但因臺灣人如果在日本人堆，則有危險；即使與中國人為伍，也不被歡迎。[68]所以陳不為所動，由吉林江北鄉向長春移動。由於陳嘉樹和當地人關係良好，獲得兩位滿洲人同事盡力幫忙。先是在劉文彬的協助下，先住到吉林市，但不久劉的鄰居即發出抗議，劉乃將之遷往其所開設的糧食公司，再介紹住到醫院的病房中；以後搬到另一位吉林的同事劉新同隔壁居住。當治安每下愈況時，陳家決定離開吉林，多數的行李由劉新同保管。當家眷到長春後，陳嘉樹要回吉林取行李時，鐵路已因國共內戰而不通，劉文彬雇馬車陪陳嘉樹運行李到長春。由於兩位滿洲朋友的善行，陳家才能脫困。[69]

---

286-287。黃陳波雲為黃清塗之妻。

66　山浦竹二，1998年時服務於八戶市市立專校，與林永倉為大同學院第十四期生，1942年9月畢業。見大同學院同窓會編，《大同學院同窓會名簿》（新京：大同學院同窓會，1942），頁113。

67　許雪姬訪問、王美雪記錄，〈林永倉先生訪問紀錄〉，《日治時期在「滿洲」的臺灣人》，頁352。

68　渡邊諒，《大いなる流れ 滿洲終戰實記》，頁111，〈第二十七章　臺灣人〉。

69　許雪姬訪問、蔡說麗記錄，〈陳嘉樹、陳高絃夫婦、陳正德先生訪問紀錄〉，《日治時期在「滿洲」

## 4. 就地應變

住在東北已 13 年之久的黃子正（溥儀私人醫師）夫人洪瓊音，他的丈夫被指定隨溥儀撤退到通化，已如前述。她在日本投降前攜子女到大連小叔黃子成家，當要返回長春時，一時無車可搭，等搭上車後來到四平，才知道日本已經投降。雖安全回到長春，由於丈夫不在，又住在人（指住在東北的中國人）多的地區，鄰居怕她被誤為日本人而被搶，紛紛勸她往鄰家躲避，過了最危險的二、三天。

當時東北人和日本人發生市街戰，據聞東北人被日本人欺壓太久，早就預謀要殺死在長春的日本人，遂由滿洲的陸軍軍官學校[70]發起，在某日晚上將該校日本教官全部殺害，天亮後，以手腕綁白布為記號，持刀、棍砍殺日本人以及朝鮮人。[71]日人也知大禍臨頭，換穿中國服裝作為掩飾，但因不諳滿洲話（指東北人使用的語言，即北京話），仍有被殺之虞。據說當一個穿中國服、不會講滿洲話、正要被用西瓜刀砍殺者，情急之下說自己是「臺灣人」，東北人遂將該人帶來黃家求證才得活命。由於日人喪亡慘重，乃利用尚未被接收的武器並動員反擊，一時之動亂才告終。

黃妻帶有三個小孩，自鄰家躲避回來後，由鄰居協助在玻璃門內釘上木板，以防蘇聯兵破門而入。曾有蘇聯兵要入黃家，用手擊破玻璃而受傷，悻悻然而去。當時就讀滿洲最高學府建國大學的臺灣學生賴寶琛、林慶雲等，因學校停課，又見黃家沒有男主人，乃住進黃家協助。也有東北人想來趁勢搶劫，也被鄰居勸導說彼此都是中國人而作罷，再逃過一劫。一直到長春臺灣同鄉會組成，才有秩序地撤離長春，黃妻在等不到丈夫之下，成為最後一批離開長春者。[72]

## 5. 建大涂南山等的行動

涂南山考上建大後在 1945 年初春才到滿洲，由於他參加反日活動，故與滿洲同學過往甚密，其中與劉毓玉（善）[73]結為莫逆。當 8 月 9 日蘇聯對日宣戰、8 月 11 日晚間起常有蘇聯飛機來轟炸長春附近的軍事要地，之後建大的中國籍學生三三兩兩逃走。8 月 12 日涂與劉聯袂變裝出發，目的地是劉的安東老家，走到四

---

的臺灣人》，頁 525-531。等陳嘉樹一家回臺後，千方百計要找這兩位陳家恩人，經聯絡上劉新同家，才知道劉新同於 1971 年死於文革，而劉文彬一直未找著，據陳嘉樹之子陳正德推測，可能已被「清算掉了」。

70　柏崎才吉編，《滿洲國現勢：康德八年版》（新京：滿洲國通信社，1941），頁 109。當時為培養滿洲國軍力，以維持治安，其教育機關有憲兵訓練處、陸軍軍官學校、陸軍興安學校、陸軍軍需學校、陸軍獸醫學校等。

71　宋紹英，〈前夜大逃亡〉，收入長春市政協文史和學習委員會，《回憶偽滿建國大學》，文史資料總集第 49 輯（長春：長春文史資料編輯部，1997），頁 73-76。

72　許雪姬訪問、蔡說麗紀錄，〈黃洪瓊音女士訪問紀錄〉，《口述歷史》5（1994.6），頁 240-241。

73　經查建國大學同窗會，《建國大學同窗會名簿》（昭和六十三年四月現在）（東京：建國大學同窗會，1988），頁 135 所載，有名叫「劉毓善」者，但沒有劉毓玉其人，涂南山可能記錯。

平街已在兩日後,才得到日本已經投降的消息。考慮前往安東,路遠又危險,乃決定坐車回新京。當時建大生組織歡迎祖國的團體,他倆加入,相率到西公園(今勝利公園)將園中兒玉源太郎的銅像的頭砍下來。[74]據涂南山的證言,銅像是由建大滿洲學生每人上去敲一次,輪流敲了很久才把銅像敲下來,而他是最後一個敲擊者。那一天正好是九一八事變當天。涂因與滿洲同學相善,往後都有同學保護,避免挨打。甚至回臺前,他所就讀臨時大學[75]的3,000多個學生,還開大會幫涂募款,並由同學帶到天津給他,遂順利地到達北京。[76]除了涂南山,建大畢業生李水清(自圍場)、黃山水(自承德)、蔡傑川(自綏中),到錦州會合,出發前往北京,踏上回鄉的第一步。[77]

### 6. 黃清舜、張丁誥等自牡丹江抵達長春

(1) 黃清舜由海林、牡丹江而到長春與臺人合流

黃清舜在連增林業公司任職,當8月9日蘇軍進攻滿洲時,他還在分公司的海林辦事處。當他聽到蘇軍忽然由海參崴進攻滿洲東北部,擬經東寧、牡丹江攻到哈爾濱,不日軍隊將到牡丹江。為了避禍,乃和同事辛得祿坐火車由海林到亞布利(ヤブリ,介於牡丹江和哈爾濱間的小鎮)訪連增林業公司的帳櫃,此時在家的余先生。在海林車站看到日人帶着妻小搶搭十多節無蓋的車廂,擬搭到哈爾濱,由於車子不開不得不步行。辛得祿往回家之路走,黃則順鐵道而行,之後碰到條河流,乃欲泅水尋最短距離橫渡,不料水深流急險些喪命,只得拚命泅回岸邊,學當地人涉水走斜路而過,終於脫險,抵達亞布利找到余先生。在余家住了四天,乃循原路欲回牡丹江,途中原想到辛得祿介紹的朋友家過一夜,然該人卻認為黃是日籍,而今日本已戰敗,不僅不准投宿也不再招待,只拿出高粱粥及簡單的菜,要黃吃完馬上離開。回程又遇大河,河上鐵橋已被炸斷,不得不舉升前進,進到一半才發現副線的鐵軌兩條都被炸斷,幸虧舉吊的鐵軌未斷,實為幸運。到了海林,站已被炸毀,存寄的行李化為烏有,經牡丹江,終於先抵達連增公司海林辦事處,該處工人說還好黃半夜

---

74　姜念東等,《偽滿洲國史》,頁644。

75　1946年5月東北的流浪學生共有3、4千人,組織一個以建大學生為中心的團體,由建大的前輩前去交涉復學事宜。由於中央有所謂「甄審」辦法,因此凡在滿洲國、汪政權轄地內受教育的學生,都需要經過臨時大學補習班,在該班中研讀三民主義,做精神訓練才准視同學生。當時臨時大學補習班設在瀋陽的有滿洲醫科大學。涂南山在臨時大學半年後分發到東北大學就讀。見許雪姬訪問,鄭鳳凰、黃子寧紀錄,〈涂南山先生訪問紀錄〉,《日治時期臺灣人在滿洲的生活經驗》,頁142。所謂甄審,可參閱羅久蓉,〈抗戰勝利後教育甄審的理論與實際〉,《中央研究院近代史研究所集刊》22下(1993.6),頁205-231。

76　許雪姬訪問,鄭鳳凰、黃子寧紀錄,〈涂南山先生訪問紀錄〉,《日治時期臺灣人在滿洲的生活經驗》,頁137-138。

77　李水清,〈附錄:東北八年回憶錄(1938年4月-1946年4月)〉,《日治時期臺灣人在滿洲的生活經驗》,頁112。

才到,若12時以前到,必遭蘇聯兵槍殺,無形中脫險兩次。由海林坐二小時車可到牡丹江,但步行則要六小時,才能回到牡丹江,卻遍找不到吳深池等人,最後找到臺南人龔先生,[78] 得以熟睡四、五小時。之後找到吳深池,他在張丁誥、吳連慶、鄭秋慶等人協助下,得以搬入新建木造日式房屋,而該屋成為臺灣人的避難所。二個多月過去,部分生意開始進行,這時吳深池承包到磚造二樓住宅工程,在工匠不缺、小工缺人的狀況下,黃清舜、張丁誥、吳連慶乃以食客而當小工,以賺到蘇軍所發的軍幣,購買冬服。但所承包工程也只此一遭。

何以黃等株守牡丹江不做歸計,主要是鐵路不通,如以哈爾濱為中心的東北線、西北線,為了蘇軍不斷搬運日本儲存在滿洲的物資而不載客。到了1946年春天黃因得知哈爾濱設有日本難民收容所,而且牡丹江亦非久留之地,乃隻身偷乘蘇軍管控的運煤火車躲過巡邏,並在檢查較不嚴的哈爾濱的前站下車。在當地打聽的結果,國府已接收長春,並設有臺籍難民收容所;而哈爾濱不日將落入共軍手中,乃搭火車到長春,打聽到臺籍難民收容所,乃住入該處,當時已有數十人在此食宿以待返鄉。不久,同在牡丹江的張丁誥、吳連慶也到了長春,此外還有任謝介石廚師的陳春生和其日本妻子,以及顏雲年子顏朝邦夫婦。當在長春的臺灣人展開分批回臺的安排後,除原已住長春的臺灣人外,按照入長春收容所的順序分批,黃為第一批,至於張丁誥、吳連慶則分在第二批。[79]

(2)張丁誥、吳連慶由牡丹江抵達長春:張、吳等人搭火車自牡丹江起程到哈爾濱,蘇軍不讓搭乘者坐在車廂內,故不得不坐在車廂頂上,在零下30多度的冷空下,穿棉襖、皮大衣、戴帽防寒,一路由黃道河子到哈爾濱,再由哈爾濱到長春。[80]

### 2. 自哈爾濱乘馬車到長春

楊蘭洲滯留哈爾濱再轉往新京:楊蘭洲,畢業於東京商科大學,先後在產業部、經濟部任職,曾任工務司工業科長,[81] 1942年被派到滿洲國駐泰國公使館,為代表經濟部的理事官,[82] 1945年卸任。其兄楊燧人醫師勸其往安東任職,一則因大姊夫

---

[78] 龔連城,臺南人,1915年生,1938年7月取得赴滿洲之旅券(〈1938年7-12月外國旅券下付表〉,識別號:T1011_03_158)。

[79] 黃清舜,《一生的回憶》,頁338-349。

[80] 林德政採訪、盧淑美撰稿,〈在滿洲國牡丹江工作及戰後目睹蘇聯兵暴行:省議員張丁誥先生口述史〉,收入林德政,《口述歷史採訪的理論與實踐:新舊臺灣人的滄桑史》(臺北:五南出版社,2018),頁274-275。

[81] 國務院總務廳編,《滿洲國政府公報》,第1835號,康德7(1940)年6月7日,頁168、172。

[82] 國務院總務廳編,《滿洲國政府公報》,第2483號,康德9(1942)年8月25日,頁398。在任中敘勳六位,錫景雲章,卸任時敘薦任一等。見國務院總務廳編,《滿洲國政府公報》,第2520號,康德9(1942)年10月13日,頁180;第3210號,康德12(1945)年3月3日,頁24、

圖 7-2 楊燧人早年即赴大連開設民生醫院，以後其家族在他的鼓勵下也到滿洲。戰後一度在上海觀望時局，回臺後病逝於 1950 年。

資料來源：楊蘭洲編，《楊公鵬搏字雲程遺墨》，頁 56。

許鶴年在當地開染廠，[83] 二則因安東過鴨綠江即可到朝鮮，回臺較快，但楊因聽國務院人事局長木田青的勸告而留在哈爾濱，原因是此地文化較高，相對地也較為安全，遂留在哈爾濱擔任該市行政處長。[84] 日本投降後，蘇聯兵一入滿洲，就將滿洲國各市長、省長、處長等高級官員送往蘇聯，哈爾濱也不例外，故當地只剩警察局長等少數官員。迨哈爾濱為國民黨軍接收，任楊綽庵為哈爾濱市長後，楊本要回臺，但被留下協助市長將日人遣送回日本。不料半年後八路軍包圍哈爾濱及通外鐵路，楊一家要回臺變得十分困難。經與同鄉林金殿（任職協和會）、吳深池商量、籌劃數個月後，通知鄉親一百多人，雇了十部馬車往南行，目標是長春。先由哈爾濱到德惠，這時已是 1946 年 3 月 11 日，松花江上的結冰再過五天就會溶化，幸得及時通過。不料一過江即被共軍包圍，由於知道國軍就在附近，乃派兩名斥堠吳深池、徐先華（回臺後任職華南銀行）潛出，聯絡國軍，經其保護，每人限一件行李，走了十天才到長春。到長春後每個家庭各自分散，自行尋找回臺灣的管道。[85]

### 3. 自各地集結到瀋陽待機：

（1）由齊齊哈爾南下的陳欽梓：陳欽梓在 1934 年歸化日本籍，改姓中目，1935 年到滿鐵齊齊哈爾站任職，終戰時滯留該地。之後和 40 個臺灣人一起回臺，沿途歷經種種困難，經哈爾濱、長春、瀋陽，終於到天津。[86]

（2）滯留開原、錦州、瀋陽、撫順一帶的臺人：在東北南方的臺人都先到瀋陽集中，再找船或搭火車到天津轉大沽，搭船往上海，再等待回臺的船隻。也有集中在錦州，由葫蘆島搭船到上海者。

①開原一帶：開原位在鐵嶺以北、四平以南，離撫順較近。戰後，國軍（主要來自四川）即進入開原，找當地人三人為代表進行聯絡，臺人黃順記（醫師）為代表之一。由於共軍在當地鄉下活動，國軍在大城市活動，兩者間時有戰爭，故形成拉鋸之局。黃認為該地不宜久留，乃集合全家（妻及五子三女）及由彰化線西來的十多位親戚，準備回臺。由於當時火車都由軍隊掌控，而黃認識某位中央軍高參，請他幫忙，在該高參協助下，找到幾節車廂、再沿路派兵護送，一行 2、30 人，抵達瀋

---

25、28。

83　許雪姬訪問、蔡說麗紀錄，〈許文華先生訪問紀錄〉，《日治時期在「滿洲」的臺灣人》，頁404。

84　楊蘭洲編，《楊公鵬搏字雲程遺墨》（臺北：楊蘭洲自刊本，出版年不詳），頁34，〈楊蘭洲回憶錄〉。

85　許雪姬訪問、吳美慧、曾金蘭紀錄，〈楊蘭洲先生訪問紀錄〉，《口述歷史》5（1994.6），頁153-155。

86　楊威理（陳威博），〈台湾人、中国人、日本人の三国人に生きる—自叙伝〉，未刊稿，約於2003 年完成，頁 17-19、35、48。此未刊稿由何義麟教授提供，謹致謝意。陳威博為陳欽梓之子。

陽，再轉到錦州。[87]

②錦州一帶：錦州距關內很近，1934 年設立錦州省，由原屬奉天省、熱河省的 12 縣成立。[88] 戰爭後期雖有 B29 轟炸機飛過，但並未遭轟炸，因此受到戰爭的影響不大。戰後蘇聯兵進入錦州，但其破壞比起他地要算輕微。但國軍、共軍卻在錦州三進三出，住在此地的臺人有蔡西坤（錦州省警務處動員科）、賴武明（錦州土木工程辦事處、交通部技士）、[89] 李德彰（醫師，已故）夫人、王大樹（醫師）等四家。蔡西坤與當地人相處和諧，戰後並未遭搶劫，但住在日本宿舍有相當的危險性，經一位滿洲朋友的協助，乃雇 3 輛馬車接走蔡家。滿洲人中有一高等特務，一向靠日人勢力而耀武揚威者，戰後被以漢奸罪名處決，其頭掛在錦州城城門。共軍在 1945 年 10 月左右入城，曾列出一張滿洲政府官員的留用名單，蔡在名單中，但因歸鄉情切而未接受。回臺前為了生活，錦州的臺灣人合開華南餐廳，由一位姓洪、當過軍人的臺人主廚，蔡西坤也開了酒店，不到一星期就已沒有酒可賣，[90] 因而結束營業。

在錦州附近的阜新，黃千里（國務院總務廳參事官）在戰後擔任該市市長，卻被逮捕監禁，其妻在這之前因燒煤引起爆炸，失去一條腿，而後逝去。[91] 黃千里和另兩人一起逃獄，一人摔死、一人受傷，他幸運地自阜新到錦州，與蔡西坤等會合。1946 年 4 月，在錦州的臺灣人集中在一起，推派代表和各機關連繫，終於得到聯合國善後救濟總署的通知，說會有船到葫蘆島來接，遂由錦州搭火車前往候船。[92] 至於王大樹的錦生醫院，除了他本人外，還有臺籍醫師四、五人與護士，由於怕政局動盪影響到兩個女兒的安全，故先帶女兒回臺灣後，再回錦州，之後在 1948 年後回臺。[93]

③瀋陽、瓦房店一帶：在奉天省[94]工作的謝報（奉天省政府經濟廳），在戰爭末期奉命帶 1,000 多名省府員眷疏散到瓦房店，住在當地日本小學校。8 月 15 日日本投降後，依先前眾人的協議要集體自決，先處理完小孩，大人再自行切腹自殺，這時謝報只有一個剛出生幾個月的兒子。臺灣人屬日本籍，卻不是日本人，但因集體行

---

87　許雪姬訪問、吳美慧紀錄，〈黃順記先生訪問紀錄〉，《口述歷史》6（1995.7），頁 207-209。
88　柏崎才吉編，《滿洲國現勢：康德八年版》，頁 169。
89　國務院總務廳編，《滿洲國政府公報》，第 1904 號，康德 7（1940）年 8 月 28 日，頁 699。
90　許雪姬訪問、吳美慧紀錄，〈蔡西坤先生訪問紀錄〉，《口述歷史》5（1994.6），頁 185-186。
91　許雪姬訪問、王美雪紀錄，〈陳亭卿先生夫人訪問紀錄〉，《日治時期在「滿洲」的臺灣人》，頁 294；許雪姬訪問、蔡說麗紀錄，〈許文華先生訪問紀錄〉，《日治時期在「滿洲」的臺灣人》，頁 418。至於黃夫人是在阜新或撫順被炸，猶待進一步查證。
92　許雪姬訪問、吳美慧紀錄，〈蔡西坤先生訪問紀錄〉，《口述歷史》5（1994.6）頁 285。
93　許雪姬訪問、劉芳瑜紀錄，〈何處是鄉關？流轉的臺灣認同：楊正昭醫師訪談紀錄〉，收入陳儀深主編，《記錄聲音的歷史》，頁 225-226。楊正昭為王大樹的女婿。
94　柏崎才吉編，《滿洲國現勢：康德八年版》，頁 147-148。奉天省約略等於戰後的遼寧省，是當時滿洲國產業、經濟、交通中心。

動無理性可言,因此謝報夫婦緊張地屏息以待。這時忽然有人大喊一聲:「**不要殺小孩!**」才將此一緊張情勢緩和下來,於是日人對謝報說,他可以帶眷先回瀋陽,夫妻兩人抱小孩拿行李,經鞍山回到瀋陽。為了自保,在地日臺人五戶組成一防衛措施,每戶設一鈴鐺繩,若遭蘇聯兵入侵,即拉鈴鐺通知以資防範。

即使是共軍入城後,謝報仍到奉天省上班。這時瀋陽同時有三個政府。一是滿洲國奉天原有的舊政權、二是共軍在本溪湖組成的政權、三是最後進城的國軍在錦州成立省政府。國共輪流進入東北的各個城市,瀋陽也不例外。當共軍一時要撤出時,鑒於謝報懂滿洲語又精通日語,允諾給予外交相關工作,要求一起撤退,因其妻陳碧霞(陳逸松妹)堅決反對而作罷。不久,國軍進城,廢除過去的滿洲票、蘇聯兵的軍票,只能用國民政府發行的紙幣,[95]且國軍的軍容未能壯盛,使人民失望不少;再加上接收的不法,使瀋陽更亂,謝雖仍有留下之心,但在太座堅持下,乃積極準備回臺。[96]

另在瓦房店為醫的盧昆山,看到蘇聯兵到來後的奸殺擄掠,共軍來後治安漸好。之後共軍與國軍作戰,共軍命令醫師醫治傷者,而且必須出診,全為無酬。幾天後盧被調到前線,有孕的盧妻一時無法打聽出丈夫的下落。共軍在瓦房店半年後,國軍入城,共軍撤出前向人民募款。然而後到的國軍並未比共軍的素質好,一樣看病不付錢,盧曾因替一名士兵注射後死亡而被扣留,雖然誤會終於冰釋,但盧家仍以回臺為主要目標。由於怕共軍再到瓦房店會對幫助國軍的醫師展開報復,盧乃隨國軍撤退到瀋陽,先後在張登財的中山醫院、黃永盛的醫院代診。[97]

盧妻及小孩滯留瓦房店,共軍再度進入瓦房店時,以盧家有空屋為由入住。為了維生,原為助理助產士的盧妻以展開接生工作度日。這期間共軍一直逼問盧醫師的下落,住又不安穩,盧妻乃決定前往大連,但經向公安申請時並未獲准,在大連的三姊夫簡仁南醫師只好派人雇車到瓦房店來接,當一行抵達金州卻被阻擋不得通行,只得以當時欠缺的藥物賄賂,乃得脫險來到大連,待機坐船回臺。[98]

④撫順:蘇聯兵進入撫順後,日人不得不自衛以自保,雙方因而發生零星的戰

---

95 據陳亭卿夫人的報導,那時數月間三換通貨紙幣,先是蘇聯發行的「紅票」,接著是八路軍的人民幣,然後是國軍發行的綠色「通用券」,只要軍隊退出,其所發行的紙幣就如同廢紙。見許鐘榮編,《她的價值勝過珍珠:祝賀媽媽(阿媽、阿祖)八十華誕》(臺北:自刊本,1998),頁4。

96 許雪姬訪問,吳美慧、丘慧君紀錄,〈謝報先生訪問紀錄〉,《口述歷史》5(1994.6),頁203-207。

97 許雪姬訪問,許雪姬、張英明紀錄,〈張琁女士訪問紀錄〉,《日治時期臺灣人在滿洲的生活經驗》,頁264;盧昆山,《七十回憶》,頁55,回憶錄中未說明張、黃醫師之姓名,但在受訪時則明說。見許雪姬訪問,蔡說麗紀錄,〈盧昆山、李謹慎夫婦訪問紀錄〉,《口述歷史》5(1994.6),頁279-280。

98 許雪姬訪問、蔡說麗紀錄,〈盧昆山、李謹慎夫婦訪問紀錄〉,《口述歷史》5(1994.6),頁282。李謹慎之後帶著三個小孩,自大連搭船到天津,由於無法到上海,只好搭船到韓國釜山,經香港,再回到臺灣。

圖 7-3　梁許春菊畢業於奈良女子高等師範學院，在臺南二高女執教，與梁炳元醫師結婚後到滿洲。戰後面對蘇聯軍的侵攻，歷經危險，終於平安返臺。
（梁許春菊女士提供）

事。某日一躲在梁炳元開設的新生醫院對面的日本人，因躲在地下室已久，想出來探探動靜，甫一出門，即遭蘇聯兵射擊而受傷。負傷的日本人逃到新生醫院，蘇聯兵乃尾隨而入。梁炳元醫師的夫人梁許春菊（戰後任終身制的立法委員）被蘇聯兵瞧見。不久就有蘇聯兵進入醫院，意圖對梁妻不軌。梁醫師以為蘇聯兵是要醫院的物品，乃點頭任由取去，沒想到蘇聯兵指著梁妻，要她一起走。梁妻大驚立刻走避地下室。不久藥局生到地下室，對梁妻說，再不出去梁醫師會有生命危險。梁妻是虔誠的基督徒，只好壯膽而出，但特意提著籃子，其中放些罐頭，裝成去準備東西要請蘇聯兵，上去後再轉入廚房備酒，拖延時間。蘇聯兵作勢梁妻趕快，梁妻一面點頭一面拖延。當時正是梁家合家要用餐時，不知何故，那蘇聯兵似有所感，唱出"Home Sweet Home"而後離去。此後梁妻穿上婆婆之衣，剪短髮，臉塗黑以避禍，歸心似箭，但此時梁醫師尚未做歸計。梁妻一再力勸丈夫回臺仍沒有效果，直到有天梁醫師為國軍看病時，病人坐在醫師的座椅上，梁醫師請其坐到患者的位置，那兵居然打梁醫師一巴掌，梁醫師這才決定歸臺，並在撫順待機，[99] 而後先坐火車到瀋陽中山醫院，[100] 再轉車入山海關，抵達天津，等船回臺。

天生醫院院長梁宰，其醫院的護士為躲避蘇聯兵的侵犯，紛紛走避。共軍入撫順後，看病不付錢，又以梁宰收留國民黨朋友與國民黨同謀為由逮捕梁宰，拘留所衛生環境很差，不幸感染滿洲風土病──回歸熱，由於梁有糖尿病，要治療回歸熱必須要注射六○六，但六○六又和糖尿病相排斥，勉強注射後病情加重，病危時叮嚀長女要帶全家大小帶回臺灣。梁宰過世後，一家在撫順等待回臺的機會。[101]

## （二）解除「玉碎」的困境

當盟國提出日本無條件投降的波茨坦宣言發布後，日本決定採「默殺」（置之不理）的立場，[102] 並決定本土作戰，提出的口號是「一億總特攻」。當時在日本關東軍司令山田乙三麾下的關東軍，成為本土決戰的後盾，被命確保滿洲和朝鮮。日本軍部也喊出一億（7,000萬日人、3,000朝鮮人）總玉碎，[103] 一面等待蘇聯的斡旋。日本投降後，在滿洲的有些日本人有寧可玉碎不願生受侮辱的決心，因而有所謂集

---

99 許雪姬訪問、蔡說麗紀錄，〈梁許春菊女士訪問紀錄〉，《口述歷史》5（1994.6），頁303-305。
100 許雪姬訪問，許雪姬、張英明紀錄，〈張琁女士訪問紀錄〉，《日治時期臺灣人在滿洲的生活經驗》，頁264。
101 許雪姬訪問、蔡說麗紀錄，〈梁金蘭、梁育明姊弟訪問紀錄〉，《口述歷史》5（1994.6），頁313-314。
102 由於波茨坦宣言沒有保存君主立憲的條款，且日本尚在等待蘇聯出面調停，因此7月29日日本在廣播中，宣布對波茨坦宣言「置之不理」。見王育民，〈論蘇聯出兵東北〉，頁139。
103 滿洲國史編纂刊行會，《滿洲國史 總論》，頁69-80。

團自決的事發生,這類情形以日本開拓團為多。由於團中壯年男子先已被徵召加入關東軍,開拓團只剩老弱婦孺,面對蘇聯兵的挾擊而決定集體自殺。如在安東省雉寧縣墾殖的哈達可開拓團,在赴林口逃難途中被蘇聯兵挾擊,9月12日在麻山有四百數十名日人集體自決,也有將開拓團的馬車誤認為敵軍的戰車,因感到絕望而集團自決,類似的例子以幾十人、幾百人為單位展開。[104] 臺灣人也曾面對被要求一起自決,如前謝報夫妻在瓦房店之例。

在日滿商事株式會社工作的許長雄,妻為藥劑師,在新京火車站前的順天堂藥局工作。許家住在日本人區,在參加日本的鄰組會議時,決定當蘇聯兵入侵新京時,能疏散的就疏散,不能的都要「玉碎」,要朝鮮人動手,朝鮮人不敢,日本人也不敢,於是說要發手榴彈,聽到此言,許因嚇壞而逃跑。其妻即將臨盆,也來不及知會,就跑到三、四公里外臺灣同鄉翁通逢(醫師)、楊藏嶽(大陸科學院電氣化學研究室)所住的宿舍要求幫忙,許等不願與日人同玉碎事屬顯然。為了安撫驚魂未定的許,翁通楷(大陸科學院航空研究室)請二位朋友雇車將許妻接出日本人住宅區,[105] 改住「202」號獨身房。[106]

服務在滿洲電業株式會社的傅慶騰,其經歷更值得一提。終戰時傅在阜新發電所,由於必須維持供電,因此無法離開工作崗位。8月蘇聯兵到達阜新,當天傍晚立刻發生暴動,以致傅等無法由發電所回到宿舍,經由電話得知宿舍遭搶,社員的家眷改聚集在單身宿舍,而宿舍與發電所間的道路被隔斷,以致在發電所工作者皆無法吃到便當而餓得頭昏眼花。因為發電設備是精密機械,稍不注意會引起嚴重損壞,為了安全起見,在得到鞍山送電所同意後不得不停止發電運轉,但為了治安考慮,又一定要繼續送配電的工作,遂由傅與周漢揚[107] 仍負責繼續配電,其餘人員冒險到單身宿舍。幸而電廠圍牆冷卻塔周邊種了洋蔥和蘿蔔,兩人在一星期內僅能以此充饑。

雖然家眷員工一起躲在單身宿舍,蘇聯兵仍去搶奪大家的錶,之後又要求提供慰安女子,女性只得分散,被嚴密保護,但分散亦有風險,遂決定將300多個社眷全移到配電所。一行在深夜2時,捨道路而走高粱田,終於安全到達發電所。然而這一遷移不久就被蘇聯兵獲悉。發電所四周原有通電的電網以避免閒雜人等接近,

---

104 滿洲國史編纂刊行會,《滿洲國史 總論》,頁786-794,〈ソ連軍進入後における各地日本人の遭難事件〉。
105 許雪姬訪問、鄭鳳凰紀錄,〈翁通逢先生訪問紀錄〉、〈翁通楷先生訪問紀錄〉,《日治時期在「滿洲」的臺灣人》,頁108、470。
106 許雪姬訪問、鄭鳳凰紀錄,〈楊藏嶽先生訪問紀錄〉,《日治時期在「滿洲」的臺灣人》,頁456。
107 臺人,日姓吉岡,1938年畢業於臺南工業學校電氣工學科第五屆。見傅慶騰撰、高淑媛譯,〈傅慶騰回憶錄〉,《日治時期在「滿洲」的臺灣人》,頁563。

可以防止蘇聯兵入犯，但怕蘇聯兵因觸電而死，引來蘇聯兵的報復，故切斷電源。

蘇聯兵因找不到女性，乃直接到配電所要求提供，否則要殺死男性，在此險惡的情勢下，傅的同僚之妻日本太太奧村，在被帶走時逃走，被追趕而逃到屋頂，而後自屋頂一躍而下自殺；又有臺人醫師表示其在阜新的醫院被搶劫，日人太太有可能受辱，是否可到發電所配電盤室躲避！在得到小林所長同意後，由傅駕馬車前往接回，卻在入門時為蘇聯兵所發覺，急忙逃到黑暗的 boiler（鍋爐）室中而未被發現。由於發生此事，小林所長沉痛地說明發電所決意集團自裁的事，連自裁的時刻也已決定，並已由所長代表透過鞍山送電事務所向長春本社告別。自決將利用發電所周圍的帶電網，所長並拜託傅負責按下帶電網開關，並一同處理善後。當時要自決者（包括傅的日本太太和小孩）都用白布纏在頭上（鉢卷姿），舉杯互相告別，只等下午 5 點半傅按下開關。

面對此一嚴竣的態勢，傅乃請張醫師和阜新市長黃千里聯絡，說明以發電所為中心來確保送配電，對於維持阜新地區的治安十分重要，而發電所工作人員的存在也非常重要，並傳達因蘇聯兵的暴行決意集體自裁的消息，強烈要求拿出對策，並拜託黃市長通知蘇聯司令部。

時間一刻刻地逼近自決的時刻，在等待中，蘇聯司令部派遣憲兵到來，透過翻譯瞭解事情的大概後，憲兵要求延後自決的時間，但傅等皆沒有改變決心，不同意延後，憲兵十分誠意並表示將馬上請司令官來，結果同意延後 30 分鐘。不久司令官到來，先瞭解蘇聯兵的實際暴行，請發電所提出對策[108] 具以實行，以保護發電所安全，並嚴懲蘇聯兵的暴行，才中止集團自決的慘劇。[109]

## 三、臺人面對的蘇聯兵暴行

蘇聯兵進入滿洲，美其名是解放被日本／滿洲國暴虐統治下的東北地區人民，然而 174 萬蘇聯兵進入東北地區，給敗仗的日本人及當地的人民帶來深重的失望與畏懼。過去這段歷史，中、蘇兩國在很長的時間裡都是不能談的禁忌，原因當然很多，主要是考慮到中、蘇兩國國民間的感情。當共產蘇聯解體，中國的史家也開始以實事求是的精神來客觀地討論這一段歷史。據徐焰的解釋，蘇聯兵以法西斯敵愾之心去對付德國（東德），也以此心情來面對滿洲；而且由於歐戰後期軍隊不足，

---

108　重要的有以下四項：1. 發電所的守備室安置憲兵；2. 發電所周圍的帶電網可以通電；3. 蘇聯兵在帶電網上觸電死時，發電所方面沒有責任；4. 對蘇聯兵的暴行處以嚴罰。見傅慶騰撰、高淑媛譯，〈傅慶騰回憶錄〉，《日治時期在「滿洲」的臺灣人》，頁 564-566。
109　傅慶騰撰、高淑媛譯，〈傅慶騰回憶錄〉，《日治時期在「滿洲」的臺灣人》，頁 562-569。

遂以刑事犯補充軍隊；再加上蘇聯兵指揮部未能澈底限制蘇聯兵的惡劣行為，[110]因此暴行頻傳。當時的國民黨瀋陽市市長董文琦，歸納蘇軍在東北之暴行為：姦淫婦女、搶奪物資、搶劫銀行、拆遷工廠、發行紅軍票。[111] 臺人在回憶蘇聯兵的暴行時，莫不義憤填膺。

## （一）臺人所遭遇與所見的蘇聯兵暴行

蘇聯兵的暴行前已提及，傅慶騰等在阜新發電所，不堪蘇聯兵對女性親眷的暴行而決定集團自決；梁許春菊險遭不測，這些都只是冰山一角。蘇聯兵搶手錶，掛得滿手都是；在光天化日下強暴婦女，有的予以射殺；闖入民宅以恣其所欲而搶奪，這些罪行罄竹難書，類似罪行就不再敘述，以下僅敘臺人直接面對的蘇聯兵惡行。

**1. 慘遭殺害的黃榮泰**：黃榮泰1934年3月畢業於臺南高等工業學校電氣工學科，[112] 終戰前任職於滿洲電業株式會社松花江小豐滿發電廠（戰後改稱水豐水庫，位於吉林）。日本投降後，依中國東北行營主任熊式輝的命令，所有重要工業設施由中國人保管、並由該單位職級最高的人來代理所長。蘇聯兵進入東北後，即派日人俘擄搶奪重要設備，故來到小豐滿發電所要搬走發電機，黃卻一定要等國軍來接收，堅持不可搬動，因而被開槍打死。[113] 亦有說某日黃下班後，慘遭三、四個蘇聯兵用機槍掃射而死。[114] 更有一說是某晚他到廠巡視，被蘇聯兵誤殺。[115] 妻楊藍銀是楊蘭洲的五妹，帶著分別是六歲、四歲、一歲三個小孩及丈夫的骨灰歷經艱苦才回到臺灣。[116]

**2. 被蘇聯兵卡車撞死的盧清池**：盧家兩兄弟盧清池、盧昆山都到滿洲謀生，主要原因是姊夫簡仁南醫師在滿洲開業的關係；盧清池畢業於臺南第一中學，[117]

---

110 徐焰著、朱建榮譯，《一九四九年滿洲進軍：日ソ戦と毛沢東の戦略》，頁221-227。
111 張玉法、沈松僑訪問，沈松僑紀錄，《董文琦先生訪問記錄》，頁73-74。
112 臺南工學院，〈畢業生調查表〉，頁1，寫成「電機系」。此表由陽明交通大學教授洪紹洋提供，謹致謝意。
113 許雪姬訪問，吳美慧、曾金蘭紀錄，〈楊蘭洲先生訪問紀錄〉，《口述歷史》5（1994.6），頁154；〈楊蘭洲回憶錄〉，頁35。
114 許雪姬訪問、蔡說麗紀錄，〈許文華先生訪問紀錄〉，《日治時期在「滿洲」的臺灣人》，頁414。有關黃榮泰的死因，據其戰友傅慶騰的說法，是蘇聯兵要劫奪該會社的發電設備而進駐該廠時，黃為保衛發電廠繼續運轉發電而被蘇聯兵開槍打死。見傅慶騰撰、高淑媛譯，〈傅慶騰回憶錄〉，《日治時期在「滿洲」的臺灣人》，頁574-575。
115 許雪姬訪問、蔡說麗紀錄，〈陳嘉樹、陳高絃夫婦、陳正德先生訪問紀錄〉，《日治時期在「滿洲」的臺灣人》，頁528-529。
116 許雪姬訪問、蔡說麗紀錄，〈許文華先生訪問紀錄〉，《日治時期在「滿洲」的臺灣人》，頁414。
117 臺南第一中學校同窓會，《臺南第一中學校同窓會員名簿》（臺南：臺南第一中學校同窓會，1940），頁33。

圖 7-4　據傳為護廠重要設備而被蘇聯兵開槍致死的黃榮泰（1911-1946）
（黃瑞玉女士提供）

圖 7-5　黃榮泰過世後妻楊藍銀（左一）帶著兒女回臺途中經山海關，與隨行的三位臺灣年輕人合影。
（黃瑞玉女士提供）

第七章　臺灣人在滿洲的戰爭經驗

後就讀九州齒科醫專，婚後到大連開盧牙科診所，當時他要到姊夫經營的「いろは食堂」載物，卻被蘇聯兵卡車撞死，得年37歲。[118]

3. 謝報在瀋陽的家遭蘇聯兵侵入：蘇聯兵進入瀋陽後，某日謝報夫婦與妻弟及友人在家中閒聊之際，忽有幾個惡形惡狀的蘇聯兵闖入，不由分說揮動軍刀恐嚇交出財物，並四處翻索。謝家早知蘇聯兵會搶錢，已將錢藏於牆壁夾縫中，因此搖頭表示沒有。那知謝之妻弟藏在褲袋的錢卻不小心掉出來，蘇聯大兵一見勃然大怒，掏出手槍對著謝之妻弟，在槍之威脅下妻弟高舉雙手、臉色發白直叫饒命。正在危急之際，只見日本人鄰居帶著兩個歡場女子及兩瓶酒進入，原來五戶連保之下，鈴鐺繩的自衛組織發生效果，鄰居見大兵進入，久久不出，斷定已出事而前來解圍。就在酒與女人的撒嬌下，大兵才消了氣摟著女人離開謝家。[119]

4. 蘇聯兵在簡仁南的醫院強暴病人：簡仁南的仁和醫院開在大連，醫院所聘請教中文的女老師，某日外出，卻為蘇聯兵所尾隨，乃急奔入醫院並由後門離開。蘇聯兵隨之進入醫院，找不到獵物，乃上樓到二樓病房，此時有一個開刀養病、帶著一個小孩的婦女在病房，於是被就地強暴，[120] 醫院的傭人在簡醫師的命令下，急忙找來蘇聯憲兵解圍。當時在三樓的某間病房，有簡家的醫師朋友張登財醫師之妻張琔和其姊及幾個小孩借住，見狀，關上電燈，正待鎖門，卻找不到鑰匙，還好憲兵已到，才躲過一劫。[121]

5. 盧昆山出診的病家遭劫：盧還在瓦房店開業時，被請出診，才剛到病人家時，發現有兩個蘇聯兵進入屋內強搶病人的手錶及金飾，還四處張望是否還有貴重物品，病人過度驚嚇，不知所措。幸虧帶盧醫師出診的人反應很快，將門反鎖往叫蘇聯憲兵，憲兵來才將蘇聯兵抓走。[122]

6. 林永倉被捕幸得逃離：林永倉在長春等待回臺灣的日子，為了生活，帶著日本人大孩子（未達徵兵年齡）拉載著要賣的乾糧之手拉車，在經過大同大街時，不幸遇上蘇聯卡車，蘇聯兵當林是逃兵，乃逮捕他，並送往設在大同學院（在南嶺）的

---

118 許雪姬訪問、蔡說麗紀錄，〈盧昆山、李謹慎夫婦訪問紀錄〉，《口述歷史》5（1994.6），頁277；許雪姬訪問、藍瑩如紀錄，〈黃文生先生訪問紀錄〉，《日治時期臺灣人在滿洲的生活經驗》，頁400。

119 許雪姬訪問，吳美慧、丘慧君紀錄，〈謝報先生訪問紀錄〉，《口述歷史》5（1994.6），頁205-206。

120 另有一個說法是女病人被強暴時，其夫被其他蘇聯兵持槍強迫旁觀。當傭人叫來蘇聯憲兵，不但強暴者未受罰，醫院的傭工還遭毆打。此報導來自盧昆山、李謹慎夫婦，但他倆並非親眼所見。許雪姬訪問、蔡說麗紀錄，〈盧昆山、李謹慎夫婦訪問紀錄〉，《口述歷史》5（1994.6），頁277。

121 許雪姬訪問，許雪姬、張英明紀錄，〈張琔女士訪問紀錄〉，《日治時期臺灣人在滿洲的生活經驗》，頁262。

122 許雪姬訪問、蔡說麗紀錄，〈盧昆山、李謹慎夫婦訪問紀錄〉，《口述歷史》5（1994.6），頁277。

軍人收容所監禁。幸而遇到大同學院同學橋本寅三郎[123]之學生在此擔任軍官，該軍官對林特表好意，供應三餐（滿洲人只有兩餐）。林雖受善待，仍希冀逃出，三天後趁出外工作的機會，到暖氣管之地下通道藏匿，夜半才爬過鐵絲網逃走，仗著對路的熟悉，回到了原來的住處。[124]

7. 郭海鳴在南關遇到蘇聯兵被剝去衣物：任滿洲貿易公司參事，[125]某天他在長春南關遇到一個蘇聯兵，身上所穿的全部被剝光，只剩下一條內褲，由雪地上跑回家。[126]

8. 楊藏嶽、翁通逢也遇搶：前曾言及，在新京待機回臺的幾個單身漢，一起住在202號。1945年10月10日，是東北變天後的第一個國慶日，在長春開了慶祝會。楊藏嶽、翁通逢都前往參加。散會後楊藏嶽先往第六官舍，到中午坐馬車回家時，在中途遇到蘇聯兵，被搶得只剩件內褲。翁通逢去幫同鄉黃演淮教授[127]懷孕的夫人打止吐針完要回家的路上，遇到三個蘇聯憲兵，騎馬拿槍包圍，搶走了提包。202號的單身漢，把賺來的錢藏在收音機下，有蘇聯兵自稱憲兵，要來查看屋裡的情形，進來後四處翻看，連榻榻米下也不放過。等他們走後，才發現放在收音機下的錢已被拿走。[128]

9. 蘇聯兵闖入吳昌禮家：當蘇聯兵剛入長春不久，住在關東軍總部南嶺附近的吳家，因吳昌禮的衛生職務關係外出，其妻及二名幼年子女在家，其家遭兩個蘇聯兵闖入，手中有武器要攻擊他們。幸好吳昌禮在千鈞一髮之際返家，大喊這是衛生人員的家屬，才倖免於難。其長子吳谷喬亦指出「蘇聯兵是非常地兇狠的，燒殺擄掠沒有秩序，會砍死屍的手搶錶。還記得蘇聯兵會將搶來的錶，整排掛在手上展示。」[129]

10. 中學生楊正昭目睹蘇聯兵闖入家中：楊正昭在奉天（瀋陽）讀日本人中學，回到鐵嶺父親楊金涵開設的醫院。某天一位蘇聯軍官和士兵來敲門，開門後兩人即攜槍而入，用槍指著楊一家人，索取手錶後匆匆離開。13、4歲的中學生眼見這一

---

123 大同學院第十四期生，1942年9月畢業，1992年過世。見米沢久子編集，《大同學院同窓會名簿》（東京：大同學院同窓會，1998），頁116。
124 許雪姬訪問、王美雪紀錄，〈林永倉先生訪問紀錄〉，《日治時期在「滿洲」的臺灣人》，頁353。
125 〈居住長春台灣省民名簿〉（1946年1月28日）。
126 許雪姬訪問、王美雪紀錄，〈陳亭卿先生夫人訪問紀錄〉，《日治時期在「滿洲」的臺灣人》，頁289。
127 臺中石岡人，日本同志社大學法科畢業，時任新京法政大學教授。見中西利八編纂，《滿華職員錄》，頁54；〈居住長春台灣省民名簿〉（1946年1月28日）。
128 許雪姬訪問、鄭鳳凰紀錄，〈翁通逢先生訪問紀錄〉，《日治時期在「滿洲」的臺灣人》，頁119。
129 許雪姬訪問、藍瑩如紀錄，〈吳谷喬先生、吳淑麗女士兄妹訪問紀錄〉，《日治時期臺灣人在滿洲的生活經驗》，頁274。

幕,直稱「行徑就像土匪」,他說:「我實在很難與擁有一流文學、舞蹈、建築的文化蘇聯做連結。」[130]

**11. 許長卿機智脫險**:由於終戰而同時失去職業,又不得不出外購物,就很難不在街上遇到蘇聯兵。許長卿有次出外購物,卻被三個蘇聯兵劫走。蘇聯兵每人配備一支自動機槍,三人一組,許被押往瀋陽的貨物站去剷煤炭到火車上,當天色已晚,他就趁蘇聯兵巡邏一過,從車上翻到另一邊,然後沿著鐵路走回去,這樣的情形一共遇見兩次。之所以不能不逃,乃因不是做事做完就可以回去,如果還傻傻地等在那裡,當火車開走,就順便把人也載到西伯利亞了。[131] 他還在瀋陽火車站親眼見到蘇聯兵的暴行。有一天他到瀋陽火車站送朋友後,在火車站前廣場目擊有一婦女手牽兩個、背上揹一個小孩,另有一個大孩子拿一件草蓆緊跟在旁。忽有七、八個蘇聯兵擁上,在眾目睽睽之下,先將母親強暴,再對小孩施暴,而由背上被解下的小孩正在嚎啕大哭,蘇聯兵叫他們躺下,再用機關槍將他們全部打死。[132]

**12. 張丁誥目睹蘇聯兵的作為**:張丁誥在牡丹江市,說明當地遭蘇聯兵搶劫、強暴的情形,並且看見「當時很多沒人收屍的屍體,都躺在路旁,我那時目睹這一切,全身嚇得流冷汗,當我和蘇聯兵擦身而過時,簡直嚇得快死了。幾乎每一個人看到蘇聯兵都會發抖,好像是魂不附體的。」也曾被蘇聯兵強迫去敲當地人的門,準備入內搶劫。只能一邊敲門,一般用中國話說不要開門,再伺機逃難,渡過這一段艱難的歲月。[133]

**13. 黃清舜所見的蘇軍暴行**:在牡丹江的黃清舜,某日散步街路時,忽遭帶槍的蘇聯兵,用手指著手輪(掌、腕之間),知道他要的是錶,但黃用俄語回說沒錶,但蘇聯兵不信,即將開槍。黃想起過去的老闆郝掌櫃會俄語,於是帶蘇聯兵到郝住處。此時蘇聯兵似以為黃要回家拿錶給他,因此與之同行。到了郝家,不見郝只見其侄子,經告知郝與朋友在抽大煙,其侄子見情勢不妙欲溜走,蘇聯兵乃持槍欲射郝的侄子,就不敢再動。約莫等了半個小時,郝掌櫃的友人出現,將蘇聯兵帶到院子中央,用俄語和兵溝通了約20分鐘,蘇聯兵乃默然而去。原來郝的友人是駐牡丹江蘇聯軍司令部的高級通譯,經他一說,蘇聯兵不敢反抗而退,該兵隨即被調離

---

130 許雪姬訪問、劉芳瑜紀錄,〈何處是鄉關?流轉的臺灣認同:楊正昭醫師訪談紀錄〉,收入陳儀深主編,《記錄聲音的歷史》,頁196。

131 許雪姬訪問、鄭鳳凰紀錄,〈許長卿先生訪問紀錄〉,《日治時期在「滿洲」的臺灣人》,頁597。

132 許雪姬訪問、鄭鳳凰紀錄,〈許長卿先生訪問紀錄〉,《日治時期在「滿洲」的臺灣人》,頁595。

133 林德政採訪、盧淑美撰稿,〈在滿洲國牡丹江工作及戰後目睹蘇聯兵暴行:省議員張丁誥先生口述史〉,頁273-274。

牡丹江。[134]

　　他所在的牡丹江，在蘇聯軍進入後，到晚上即逢人開槍。聽說這些兵原是犯罪放逐西伯利亞的囚犯，蘇聯因兵力不足而起用，但「性情惡劣，行為亂來，其獸性銳不可當；以致牡丹江的妓女，都怕受其傷，女扮男裝，遁跡各方，無可查獲。俄兵性慾極強，無處發洩，因此結隊夜間用鐵枝敲動民宅之門，侵入屋內，舉槍威脅，而搶年青〔輕〕婦女，帶到兵營，輪流強姦，使其受傷不動才罷休，翌日放她歸家，但因傷重而久臥病床；如此受害者不只一家。」

　　哈爾濱為中心的鐵路東北、西北線都被蘇聯軍控制，專運搶奪自滿洲的物資回國，一般客商無法買票乘車。當時牡丹江的日常用品和食品非常缺乏，因此大膽的商人，便乘坐火車到哈爾濱辦貨可得數倍之利，此中商人亦有女扮男裝者。有一次蘇聯兵在車中認出女性，竟不顧周圍有人，就地強姦，而槍遂置於一旁，眾人一見機不可失，乃先將槍丟出窗外，再合力將兵拋出窗外，而蘇軍亦難以追究其死因。

　　蘇聯在牡丹江戒嚴期間，天天出入酒家，酒店生意興隆，收入軍幣不少。蘇聯兵出入酒家十天即將一個月的薪水耗盡，而後即結隊於黑夜搶劫酒家將軍幣取去，隔日即再來飲酒吃菜。遭此厄之酒家莫不閉店而逃。[135]

　　**14. 廖泉生化解蘇聯兵在醫院的衝突**：戰後廖泉生在瀋陽的仁愛醫院，某日忽然有一蘇聯兵入內搗亂，而和醫院內的病患、助理一言不合起了衝突，蘇聯兵突然舉起槍來，廖見狀，趨前握住槍，和善地問出衝突的原因，化解可能造成的傷害。但隔壁的邱婦產科，女性主治大夫是東北人，被綁架一個多星期，「遭受各種殘酷的凌虐。」[136]

## （二）蘇聯兵拆解重工業機械運回蘇聯

　　蘇聯以戰勝國的姿態進入戰敗國「滿洲國」，很重要的工作之一，是將東北有用的機械拆運回蘇聯當做戰利品。株式會社昭和製鋼所鞍山本社，除了因美軍轟炸而破壞一部分外，蘇聯兵以 2,000 個未解除武裝的日軍維持治安，進行機械拆除工作，一直到 11 月 8 日，幾乎將三分之二的設備拆走。此處的拆除作業，並非要將機械運回蘇聯重組，而是以破壞生產能力為主，因此拆除時是以硬撤的方式處

---

134　在此之前黃清舜住吳深池的隔壁，有個山東移民韓某，被俄兵討手錶，韓氏會俄語，與之爭論不給，終在槍枝威脅下不得不給。之後有三名蘇聯兵來強要亦不得不給，他們以為韓氏開錶店，第五位蘇聯兵再來要，韓氏已沒錶，蘇聯兵要不到錶，一氣之下開槍打死韓氏，當時棺木尚置院中。黃清舜，《一生的回憶》，頁 345。
135　黃清舜，《一生的回憶》，頁 343-344。
136　廖泉生，《乘願藥師如來：廖泉生回憶錄》，頁 30-31。

理。[137]與鞍山本社不同的是阜新火力發電所的機械拆除,臺人傅慶騰見證了這一過程。

### 1. 傅慶騰見證阜新火力電廠被解體

前曾提及阜新火力發電所員工、員眷預計集團自決,因蘇聯司令官前來解決問題而取消。何以蘇聯司令官如此重視阜新火力發電廠的員工?主要是蘇軍要利用該廠的技術工人來解體發電機,以便運回蘇聯。1945年9月下旬,為了拆運阜新廠的設備,蘇聯兵進駐阜新,規定到10月底要全部解體完成。由於前後只有40多天,因此使用二、三千人的人力,包括電業社員,蘇聯兵,阜新炭礦、製作所人員,日軍部隊,採用人海戰術進行,解體範圍「包括boiler、turbine(渦輪)發電機及變壓器等本、附屬設備,基礎bolt(螺釘)及crane(起重機)等」,一拆下即堆積到無蓋貨車上運往大連。解體時所需的氧氣、枕木等材料及工具,均由在瀋陽的軍用飛機補給。參與其事的傅慶騰有如下的回憶:

> 我也參加作成解體日程的計畫。機械類解體的指揮以久保芳雄為主,發電機的stator(固定片)重量超過100噸,所以無法利用turbine室60噸的crane(註:為節約建設費只設60噸),乃堆積枕木,利用重量oil jack〔插座〕,一點一點移開枕木,先卸到一樓之後,移動在stator的下面所鋪的枕木,滾動到貨車旁。在這個貨物裝載處,起重機等吊起重量物的機械設備,當然一個也沒有。這裡的裝載作業以我為主體,動員前述疏開渾河發電所設備時使用的勞工,用兩根最粗最長的電柱組成四組,活用roller block〔滾輪滑車〕、chain block〔聯條滑車〕及鋼索wire rope,將其吊上貨車。看了此一作業的蘇聯解體隊長,對我很注意,又因為我有阜新發電所的計畫設計及運轉經驗,再三勸誘我去莫斯科,提出了種種優待條件。

當解體工作大致結束,11月10日左右,裝滿機械開往大連的最後一班車將經大崖山、奉天到大連,電業會社員及前所敘及參加解體的人同搭此車,以免錯過這唯一的機會。傅帶著懷孕的妻及二子,悄悄在瀋陽下車,下車後立即被蘇聯兵追趕。蘇聯兵捉住傅的日本妻子似欲帶走,他想起過去聽人說只要將小孩弄哭,蘇聯兵即會放棄標的物的說法,當小孩一哭,蘇聯兵果真放手,但也隨手搶走了傅妻手上所有的行李。[138]

---

137 松本俊郎,《「滿洲国」から新中国へ:鞍山鉄鋼業からみた中国東北の再編過程1940-1954》(名古屋:名古屋大学出版会,2000),頁152。
138 傅慶騰撰、高淑媛譯,〈傅慶騰回憶錄〉,《日治時期在「滿洲」的臺灣人》,頁567-569。

### 2. 建大涂南山等到北京抗議蘇聯兵惡行

由於國府與蘇聯間有秘密協定，中共軍也和外貝加爾方面來的蘇聯兵聯手，三者之間有微妙的互斥與合作的關係，國府對於蘇聯解體、破壞、運走東北重工業的機械，無力阻止，而採睜隻眼、閉隻眼的態度。東北的學生尤其是建國大學學生，眼見蘇聯搬走東北工業機械的惡行，乃決定到北京去示威抗議。1946 年 2 月，學生一行約五、六百人，時而搭火車，時而因車軌被破壞而坐馬車前往北京，到錦州時差點被當地「軍閥」將學生抓去當兵，實則學生中有人鼓動，想投靠「軍閥」。建大生涂南山站在臺上，用日語演說，企圖阻止此事，因為此行主要的目的是抗議蘇聯將重機械撤到蘇聯，不應與參不參軍混為一談。這次的遊行國府並未反對，因當時只要反蘇就有其政治作用。當五、六百個學生進入北京時，受到很好的待遇，事後於 5 月安全回到瀋陽。[139]

上述學生到北京抗議，主要也是因中、蘇雙方交涉破裂，下旬蘇聯槍殺國民黨派往撫順的接收代表張莘夫，國府以此為口實，在各大都市舉行反蘇、反共抗議大遊行。蔣介石敵視蘇聯的態度極為明顯，蘇聯也認識到中國在美、蘇對峙中不可能保持中立，於是蘇聯在並未通知下開始自東北撤退。1946 年 3 月 12 日蘇軍退出瀋陽，4 月 14 日撤出長春，4 月下旬自哈爾濱、齊齊哈爾退出，5 月 3 日蘇聯除了在旅順、大連駐屯的第三十九軍及太平洋分艦隊與空軍的一部分外，完全撤出東北。[140]

## （三）臺人被帶往西伯利亞

蘇聯兵除了解體重工業設備遷回蘇聯，為了復興因大戰而荒廢的國家建設，乃以國家防衛委員會（實則為史達林）做出決定，要在日本軍中挑出適合在西伯利亞工作的 50 萬人，每千人組織一個建設大隊，其中自技術部隊的下級士官中優先指定為各大隊、中隊的指揮官，每一隊配二名俘擄來的醫師；每千人一隊的作業大隊人數不足時，則以「捕」的方式抓人，在 8 月下旬全部送往蘇聯。除了庫頁島／樺太島、千島群島方面捕擄的人數不計外，自東北被送到蘇聯的共有 57 萬 5 千名，實際被送到蘇聯的日本人共有 70 多萬人。[141] 由於無法前往俄羅斯海參崴市政府圖書館、莫斯科軍事公文圖書館搜集資料，因此以下的例子，皆由相關資料及口述訪談而來。

---

139 許雪姬訪問，鄭鳳凰、黃子寧紀錄，〈涂南山先生訪問紀錄〉，《日治時期臺灣人在滿洲的生活經驗》，頁 140-141。
140 徐焰著、朱建榮譯，《一九四九年滿洲進軍：日ソ戦と毛沢東の戰略》，頁 228-229。
141 太平洋戰爭研究會，《図説滿洲帝国》，頁 138-139。

臺灣人理論上在戰後就是中國人，除非在滿洲國中任職科長以上，或當警察、協和會事務長、特務，[142] 否則不該被如日人般交送到西伯利亞，臺人之所以被送往，應是蘇聯方面誤抓而造成。但也有人如鍾謙順（1945年駐防滿洲里）因在哈爾濱解除武裝成為俘虜時，即告知自己是臺灣人而免於被送往西伯利亞。[143] 以下介紹6個被送往西伯利亞的臺人。

　　**1. 服務於協和會的林金殿：**林金殿原在四平市擔任該市協和會事務長，終戰前轉到哈爾濱任職。[144] 蘇聯兵進入東北後，原先在吉林、哈爾濱的臺人由林金殿設法雇馬車一路渡松花江南下，大半逃往長春，[145] 但他此後卻被當成日人而被帶往西伯利亞，也許其妻是日人是他被誤認的原因。幸虧收容所中有一個滿洲人通譯，是他以前的部下，通譯向蘇聯兵說明林是有日本名字的臺灣人，因而被釋放，在戰爭結束後一年多才回到臺灣。[146] 同在哈爾濱的楊蘭洲卻有另一種說法，他說林金殿在被送到火車站後見到情形不對，便對蘇聯兵說他們捉錯人，他那麼年輕，怎會當到協和會的支部局長？後來被帶往莫斯科，拘留一百天後被放出來，一路行乞才回到哈爾濱。[147] 由於林於1978年過世，而且在其傳中並未提及此事，以致被捕前往西伯利亞的真相難明。[148]

　　**2. 服務於滿洲航空機整備部隊的許敏信（1921-2000）：**許敏信之父為許丙。日本成城高等學校畢業，1944年東京工業大學金屬學科畢業，曾任日本陸軍技術中尉、滿洲航空機整備部隊配屬及大尉等職。戰後被誤認為服務於與化學兵器相關的部隊，因而被扣留在西伯利亞六年。[149] 1950年後才獲釋回臺，回臺後第三天，即被警總叫去問在蘇聯的情形，而後長住在日本。[150]

---

142　高丕琨，〈在蘇聯戰俘營〉，《文史月刊》1（2014.1），頁61。高丕琨，自稱原為滿洲國國務總理大臣張景惠之秘書，後轉任九台縣縣長，於1945年10月2日被蘇聯兵扣押，1950年6月9日才獲准回中國。據《滿華職員錄》，頁330，高生於1905年，關東州人，大同學院第一部畢業，畢業後再入遞信省官吏練習所，1932年任四平省公署財務課長。

143　鍾謙順著、黃昭堂編譯，《台湾難友に祈る：ある政治犯の叫び》，頁190。

144　許雪姬訪問、鄭鳳凰紀錄，〈翁通逢先生訪問紀錄〉，《日治時期在「滿洲」的臺灣人》，頁105。

145　許雪姬訪問、蔡說麗紀錄，〈許文華先生訪問紀錄〉，《日治時期在「滿洲」的臺灣人》，頁408。

146　許雪姬訪問、鄭鳳凰紀錄，〈翁通逢先生訪問紀錄〉，《日治時期在「滿洲」的臺灣人》，頁105。

147　許雪姬訪問、吳美慧、曾金蘭紀錄，〈楊蘭洲先生訪問紀錄〉，《口述歷史》5（1994.6），頁153-154。

148　阪口直樹，《戰前同志社の台湾留学生：キリスト教国際主義の源流をたどる》（東京：白帝社，2002），頁80、120-121。

149　長户毅，〈許敏信さんを偲んで〉，收入東京工業大學硬式網球部，《藏前テニスクラブ會會誌》27（2001），頁3。

150　1996年8月，許雪姬於日本東京代々木許寓訪談許敏信先生。

3. **湯守仁任關東軍少尉**：湯守仁（1923-1954），阿里山鄒族人，臺南青年學校畢業，1941 年以軍屬身分在屏東日本所設的俘虜營當守衛，因表現好，破例被保送至日本陸軍士官學校特訓班，結業後改派至關東軍，由見習士官被升到少尉。1945年 8 月 9 日蘇聯對日宣戰，四天後被俘，送至西伯利亞集中營，歷數月後被證明非日本人後才被遣送回臺。[151]

4. **溥儀的私人醫師黃子正**：黃子正是滿洲皇帝溥儀的私人醫師，1945 年 8 月 9 日蘇聯兵進攻滿洲，皇帝及皇室人員、滿洲國大臣隨之遷往，8 月 13 日溥儀一行九人（包括黃子正）坐火車往通化大栗子溝，18 日決定皇帝退位，滿洲國至此滅亡。皇帝等一行在日人的安排下於 9 月 9 日前往日本避難，當渠等搭機飛往瀋陽，以待搭機赴日之際，即遭蘇聯軍逮捕。翌日被送往蘇聯赤塔的莫洛科夫卡，11 月 16 日再遷到伯力郊外的紅河子。1947 年 7 月 3 日遷到伯力市內第 45 收容所。1950 年 7 月 28 日蘇聯將溥儀等戰犯交還中國，本日由伯力出發，8 月 1 日中蘇在綏芬河正式移交，8 月 3 日一行被囚於撫順戰犯管理所。已如第六章所述，前後在蘇聯有 5 年之久。

5. **陳以文留下在西伯利亞的經驗**：陳以文，宜蘭人，1927 年生，1940 年赴日就讀獨逸學協會中學校，1944 年 6 月通過「特許生」考試，10 月以「陸軍特別幹部候補生」的身分，隸屬於「八戶教育院」，1945 年 3 月底畢業，4 月底被調赴滿洲，屬於「滿洲第一二五部隊」（25214 連隊），駐在滿蘇邊境的杏樹（今黑龍江省索力縣杏樹鄉）。同年 8 月 9 日蘇軍進攻滿洲國，15 日在接到蘇聯軍機投下來的投降命令後，立刻投降，之後開始撤退，並在集合地點被蘇軍解除武裝，包括手錶、鉛筆、肥皂等生活必需品。而後被送往貝加爾湖、伊爾庫次克附近的第七收容所，從事鋸木業工作，期間罹患副傷寒（熱性傳染病的一種，類似傷寒）而住院，康復後轉到鐵路隊，從事鋪設工作，1948 年 3 月鐵路修成，經身體檢查後得以在 4 月中旬搭日本派來的「遠州丸」回到日本。他原想就此留在日本繼續讀書，但因其已是中華民國人非日本人，且不許歸化，而後回臺。[152]

6. **建國大學二期生賴英書**：戰爭後期被徵兵入關東軍第二大隊，在間島附近前線作戰，滿洲國滅亡後被俘，被蘇軍送到西伯利亞中部去開煤礦三年，才回來。工作十分辛苦，餓死很多人，他被送到西伯利亞主要是他改為日本姓名，被蘇軍誤認為日本人所致，1948 年 10 月回臺。[153] 建大畢業校友在其回臺時，於大學長李水

---

151 鍾逸人，《辛酸六十年》（上）（臺北：前衛出版社，1993），頁 507-508；許雪姬總策畫，《臺灣歷史辭典》（臺北：行政院文化建設委員會、中央研究院近代史研究所、遠流出版事業出版股份有限公司，2005 年 3 版 1 刷），頁 891，沈懷玉，〈湯守仁〉。

152 陳力航訪談、紀錄，〈陳以文先生訪談紀錄〉，《宜蘭文獻雜誌》87/88（2011.6），頁 137-156。陳力航為陳以文之孫。

153 高雄縣警察局，民國五十七年六月五日，〈調查筆錄〉，林慶雲，頁 254-255。本資料由政大臺灣

清在臺北的家為其開歸鄉祝福之會，約有十多名校友前來參加。[154]

以上為六個在滿洲被帶往西伯利亞的臺灣人，究竟他們在蘇聯的待遇如何；以下舉在朝鮮被帶往西伯利亞的賴興煬的遭遇為例，以窺一斑。賴興煬，新竹關西人，1925 年生，公學校畢業後擔任五年的青年團員，1944 年 8 月為海軍特別志願兵第三期生，1945 年 3 月隨部隊前往上海，5 月移調朝鮮的元山。日本投降後，被進駐的蘇聯軍解除武裝，連身上的所有都被搜羅一空，人也被蘇軍押到西伯利亞。[155]先被送到蘇城一帶山區砍樹，腳曾被大樹壓腫，受傷期間仍要工作，只能用最簡單的藥品和熱敷才痊癒。工作期間，蘇方防備森嚴，30 人一組，有荷槍的兵看守，集中營四周設鐵絲網；初時飲食奇差，而且以軍階定食品量，加上天氣嚴寒無法種菜，僅吃粥湯、一吋大小的麵包，在糧食、營養雙重不足下，該營每千人有二、三百人病故，他營據說也有六百人死亡的。1946 年春天，經極力爭取下，方得營中配給品一律相同，而且分配量也比以往多。因要填飽肚子，遇有樹皮、樹葉，便剝摘來在鋼杯煮食；或將松樹樹幹中軟的部分挖出搗碎，加入稀飯中食用。1947 年七、八月時，再被調到蘇城、納霍德卡港之間一條鐵路支線的山中砍樹。1948 年五、六月又調到其他工作地點，最後被送回納霍德卡港，在港口工作約莫一、兩個月，才有日本船來。當蘇聯軍要將戰俘移到另一工作地點時，總騙說要送戰俘回家，這次終於沒有讓戰俘失望。

對臺灣人而言，不知何時才能等到來自臺灣的船，蘇聯軍勸說在當地再等待，賴乃表示要回日本。9 月船終於到舞鶴，先進海軍訓練營消毒和體檢，並決定要回臺灣。經由美國在日大使館聯絡，由國府派船接回。自到日本至離開日本約兩、三個月，才知道臺灣發生二二八事件。[156]

與賴興煬相同命運被自韓國元山送到西伯利亞當苦工的臺灣人有九人，雖然住在同一集中營，但都不同班，後來才一起調到蘇城。其中邱華忠，到 1947 年身體已不好，乃先和一些日本人一起被送回日本。蕭冬、唐中山這兩位和賴一起調去砍樹，後來三人一起回到日本。賴是客家人，蕭、唐是福佬人，賴不會河洛話，因此

---

史研究所博士生陳昱齊所提供，謹致謝意；許雪姬訪問，黃子寧、林丁國紀錄，〈李水清先生訪問紀錄〉，《日治時期臺灣人在滿洲的生活經驗》，頁 18。

154 三浦英之，《五色の虹　満州建国大学卒業生たちの戦後》（東京：集英社，2015），頁 241-242。

155 由朝鮮興南（Hungnan）港上船，先到海參威，再北上到納霍德卡（Nakhodka），再走 7 天 7 夜抵達蘇城（Suchan）。見蔡慧玉訪問、校閱，吳慧芩、吳玲青記錄、整稿，〈賴興煬先生訪問記錄〉，收入蔡慧玉編著、吳玲青整理，《走過兩個時代的人：臺籍日本兵》（臺北：中央研究院臺灣史研究所籌備處，1997），頁 159-163。賴雖未到滿洲，但其在西伯利亞的經驗值得參考，因此亦舉此例。

156 蔡慧玉編著、吳玲青整理，《走過兩個時代的人：臺籍日本兵》，頁 159-165。

較常往來的反而是日本人。[157]

總之,到目前為止,已知有九位臺灣人有西伯利亞的經驗。

## 四、臺灣人、日本人、朝鮮人戰後的境遇

日本帝國昭和天皇於 1945 年 8 月 15 日宣布日本無條件投降,8 月 18 日日本卵翼下的滿洲國皇帝溥儀退位,滿洲國滅亡。到滿洲追求建立王道樂土、實現東亞同盟的日本人、日本開拓團,失去國家的保護,面臨被蘇聯兵進逼,無路可逃而自決;被滿洲當地人報復,面臨逃亡,衣食禦寒之具俱失,他們如何渡過滿洲的嚴冬?局面較穩定後,他們等待被遣返日本,這中間種種的經歷,日本方面已有不少的實地採訪與相關研究,[158]不贅。本文要由臺灣人在中國東北所見的滿洲當地人如何報復日本人、朝鮮人、甚或臺灣人來談,或許可以補充日本人所未見到的另一面。

### (一) 滿洲人報復性地追殺日本人

**1. 初期的狀況**:當關東軍往南撤,日本人也清楚,在沒有軍隊保護下,保命為先,乃先行偽裝穿上中國服,但因不會聽滿洲話,且據說日本人戴眼鏡的多,因此勢難遮掩。當時東北人急欲打、殺死日本人和朝鮮人,曾引起第一階段的市街戰。[159]很多日本人被搶、自殺、發狂,情況甚為可憐。[160]在新京二道河橋上有不少日本人被打死,以至於溪水一兩日都是紅色的。[161]滿洲人隨意打日本人,被打死也沒人理會,隨便丟在公園內,被野狗吃;也有小孩掉落水溝,滿洲人說是日本小孩,見死不救。也有一些日本人被要求跪在車站前,一個接一個的跪成一長排。[162]日本人不敢上街,一被認出是日本人,就會被亂拳打個半死,所以他們都假扮成東北人,但走路的姿勢硬是不同,故無論如何假扮都沒用。[163]日本人在戰敗後組織

---

157 蔡慧玉編著、吳玲青整理,《走過兩個時代的人:臺籍日本兵》,頁 159-165。
158 滿蒙開拓を語りつぐ會編,《下伊那のなかの滿洲:聞き書き報告集》(全十集)(飯田:飯田市歷史研究所,2003-2012);富永孝子,《大連·空白の六百日—戰後、そこで何が起ったか》(東京:株式會社新評論,1999)。
159 許雪姬訪問、蔡說麗紀錄,〈黃洪瓊音女士訪問紀錄〉,《口述歷史》5(1994.6),頁 240。
160 許雪姬訪問、吳美慧紀錄,〈蔡西坤先生訪問紀錄〉,《口述歷史》5(1994.6),頁 183。
161 許雪姬訪問,鄭鳳凰紀錄,〈翁通逢先生訪問紀錄〉,《日治時期在「滿洲」的臺灣人》,頁 112。
162 許雪姬訪問、蔡說麗記錄,〈陳嘉樹、陳高絃夫婦、陳正德先生訪問紀錄〉,《日治時期在「滿洲」的臺灣人》,頁 526。
163 許雪姬訪問,鄭鳳凰、黃子寧紀錄,〈凃南山先生訪問紀錄〉,《日治時期臺灣人在滿洲的生活

一個「日人在滿救濟協會」，翁通逢醫師與黃溫恭（牙醫師，戰後死於白恐）想要知道10月份由北方來到長春的日本人情況如何，於是去問該協會。取得地址後就去看，才知道當時來的人大概已經死了三分之一，有餓死、有病死的，剩下的也是極衰弱的活死人，而死亡的人也沒有埋葬，呈現一片淒慘的景像。到11月，又看到一群約100個人的年輕人，衣服都被扒光，身上只用稻草當衣服，走在零下20度的街上。翁通逢看他們走路不太穩，心想這群人大概來日無多，尾隨其後，看見走進了日本小學校。三個星期後翁再往看：「學校運動場像個墳墓，我想到了夏天那個死人坑會流出死人水，流行病可能就發生，看來不離開東北不行了。」[164] 在吉林小豐滿的謝秋臨，也看到戰後當地沒人保護的日本人，被搶，連衣服也被剝下，天冷就冷死。[165] 在安東的許文華也說，日本投降後，在法院工作的官員，被滿洲人視如仇人，所以日人法官都被打得很慘，很多死於非命。[166]

在由新立城回長春途中，吳昌禮在途中看到幾具日本人的屍體，有的無頭，有的缺一隻腿，傳說被老百姓活活打死。有一天他在長春街上見到一個日本的中年男子，用蔴袋蔽身，狀似乞丐，說他是由佳木斯北方的開拓團逃出來唯一的生存者，其他同伴非被機關槍打死，即餓死、病死。[167] 另外在瀋陽，謝報見證了如下情形，更可以看出在滿洲的日本人在戰後的慘況：

當時有些滿洲人趁著兵荒馬亂之際，搶奪日本人留下的軍用品與倉庫，而未及逃走的日本人也放火燒這些軍用品，不讓對方使用。雙方在爭搶時，有一滿洲人左手被切斷了，就改用右手來搶。集中留在奉天市內的日本人大概不到一、二十萬，他們大都是屬於日本農業開拓團的員眷。這些人在無收入維生的情況下，都在路邊變賣家產。有些日本人在住宅被沒收，無處可居時，只好住在學校，在沒得洗，沒得吃、穿的情形下，整個人顯得又黑又髒；再加上嚴寒的氣候，迫使他們把門窗關得緊緊的，這下反而死了更多的日本人，還未死的日本人就把這些死掉的日本人屍體丟到屋外，成了一條條的黑色人凍，等到堆成一座『人凍山』時，再用馬車棄置於河畔。等到來年春回大地，河水融化之際，只看到一條條魚乾似的屍體，緩緩地流向下游。[168]

---

經驗》，頁137-138。
164　許雪姬訪問、鄭鳳凰紀錄，〈翁通逢先生訪問紀錄〉，《日治時期在「滿洲」的臺灣人》，頁116。
165　黃子寧、林丁國訪問、紀錄，〈謝秋臨先生訪問紀錄〉，《日治時期臺灣人在滿洲的生活經驗》，頁192。
166　許雪姬訪問、蔡說麗紀錄，〈許文華先生訪問紀錄〉，《日治時期在「滿洲」的臺灣人》，頁415。
167　吳昌禮，〈附錄：吳昌禮醫師手記〉，《日治時期臺灣人在滿洲的生活經驗》，頁309。
168　許雪姬訪問，吳美慧、丘慧君紀錄，〈謝報先生訪問紀錄〉，《口述歷史》5，頁204。

張丁誥在牡丹江市也提到戰後日本人的情形,「滿洲人看到日本人,就會報給蘇聯人知道,一抓到馬上就會被槍打死,當時很多日本人就是這樣死的。當時日本人死了很多,蘇聯人要打死一個人,好像打死一隻『狗蟻』一樣。蘇聯和日本人結仇很深重,之前日本關東軍在中國和蘇聯國界那裡搶奪。」[169]

## (二)朝鮮人的遭遇

據韓國學者尹輝鐸的研究,在滿洲的朝鮮人大半是為了擺脫貧窮才進入滿洲,以貧窮者居多,大都對居住的滿洲國沒有認同感,但也有被視為「鮮系」依違在日本統治者身邊之人。在滿洲國諸民族中他們屬於「鮮系」,雖然也算是「日本臣民」,但形式上被看做二等公民。朝鮮人在日本人眼中是一種在日本人面前顯得很卑屈,到東北人面前卻會像日本人一樣擺排場的狡獪的奴隸。這種覺得比東北人優越的想法,引發了與滿洲人之間的矛盾,被視為「日帝的走狗」。[170]東北人高丕琨,他觀察當時在滿洲的朝鮮人,認為在滿洲國的「鮮系」朝鮮人,也算是日本臣民。所謂「日滿協和」中的「日」也包括朝鮮人,日本稱朝鮮人為「半島人」,待遇僅次於日本人,比東北人還高一級,這一來使朝鮮人驕傲起來。但另方面東北人仍然瞧不起朝鮮人,因此兩者間總是不甚和睦。自1943年日本准許朝鮮人改為日本姓後,朝鮮人均須改姓(不改姓的要受責問),這樣就消滅了日、朝形式上的差異。[171]戰後臺灣人所見到的朝鮮人有無被滿洲人尋仇呢?

臺灣人在滿洲時與朝鮮人似乎沒有太多來往,在我從事訪談時,受訪者幾乎很少談到有朝鮮人的朋友、同僚,倒是林德政教授在採訪張丁誥時,張說在牡丹江市臺灣人鄭順發醫師和韓國人合開醫院。[172]而同樣在牡丹江從事建築業及其相關製裱、製疊事業的吳深池,他僅用日本人當工頭,辛苦的是十多位朝鮮工人,到各處去工作,一去三、五日到工作完成之後才回來。日人工頭十分戒備朝鮮工人的偷竊行為,一旦發現工料不見,即以武力制裁,朝鮮工人表面懼怕工頭,但內心是厭惡的。[173]當時臺灣人對在滿洲的朝鮮人以及日、韓兩族間的相處有些看法。雖然可能是片面之辭或帶有偏見,仍可以一提。如前述,梁宰在撫順的天生醫院,曾雇用

---

169 林德政採訪、盧淑美撰稿,〈在滿洲國牡丹江工作及戰後目睹蘇聯兵暴行:省議員張丁誥先生口述史〉,頁271。
170 尹輝鐸著、金蘭譯,〈滿洲國的「流浪者(nomad)」:在滿朝鮮人的生活和認同〉,《臺灣史研究》22:1(2015.3),頁104-105。
171 高丕琨,〈在蘇聯戰俘營〉,頁71。
172 林德政採訪、盧淑美撰稿,〈在滿洲國牡丹江工作及戰後目睹蘇聯兵暴行:省議員張丁誥先生口述史〉,頁272。
173 黃清舜,《一生的回憶》,頁308-309。

朝鮮人司機。涂南山也曾提到他建大的學長陳金聲，曾有建大畢業、擔任過韓國總理的姜英勳[174]到臺找他。此外就只有在戰爭中提到朝鮮人的遭遇。在長春的黃洪瓊音回憶說：「當時東北人急欲殺死日本人和朝鮮人，為什麼東北人這麼恨朝鮮人呢？我曾問一東北人原因，他說：『你不知道，日本人初入東北、九一八事變時，朝鮮人依附日本勢力，害死了多少中國人。』後來聽說有朝鮮人被東北人抓到後活埋至死。」[175] 林恩魁（厚生研究所職員）亦在長春，他也見證說：「那時候最危險的就是朝鮮人，滿洲人非常恨他們，因為滿洲人認為韓國人都在作壞事，我親眼看到韓國人被大家追，拿鐵鎚硬生生地敲他，好好的一個人被敲到死，不是一次、二次，這裡也有、那裡也有，所以我們也不太敢出去。」[176] 在瀋陽的許長卿（日新鐵工廠員工）他曾說到朝鮮人：「我們臺灣人到海外的，都是比較過得去的人；而朝鮮人正好相反，去滿洲的不是幫人清水溝，就是幫人挑肥（挑糞），比較多從事苦力的人。……這麼多種族，我覺得朝鮮人既狠、又奸詐。當開始空襲時，防空壕上頭有美軍空襲，底下則有朝鮮人躲在防空壕，看到日本婦女跑進去躲，就拿竹竿插他們的屁股，這是事實。所以朝鮮人氣日本人，日本人也恨朝鮮人，現在也一樣。」[177]

陳亭卿夫人在長春待機回臺時，和臺灣同鄉在工廠做肥皂，準備出售換取生活費，這時「八路軍進來，朝鮮的八路軍也進來，說要利用製造肥皂的鐵鍋煮東西吃，我先生告訴他們鐵鍋裡有化學物質，吃了會中毒。那知他們不聽，很兇，馬上拿起槍要打人，後來我先生對這個朝鮮人說：『你是朝鮮人，我是臺灣人，我們同樣被日本人管的，互相處境相同，不騙你。』這句話剛說完，那個朝鮮人馬上就將槍放下，可能是想到我們同樣是被人管的，好在互相諒解，……。」[178] 徐水德於國共在長春進行市街戰時，遇見一個住過延安的林姓朝鮮人帶著朝鮮部隊進來參加市街戰，徐水德告訴他，朝鮮人和臺灣人一樣都給日本人管，都受到殖民地的待遇。他因著這分情誼，煮飯給林姓朝鮮人和帶著的部隊吃。[179]

---

174 建國大學同窓会，《建國大學同窓会名簿》（昭和六十三年四月現在），頁65、66，為新制三期，1941年入學，1988年時任教授。見許雪姬訪問，鄭鳳凰、黃子寧紀錄，〈涂南山先生訪問紀錄〉，《日治時期臺灣人在滿洲的生活經驗》，頁174。
175 許雪姬訪問、蔡說麗紀錄，〈黃洪瓊音女士訪問紀錄〉，《口述歷史》5（1994.6），頁241。
176 許雪姬訪問，黃子寧、林丁國紀錄，〈林恩魁先生訪問紀錄〉，《日治時期臺灣人在滿洲的生活經驗》，頁222。
177 許雪姬訪問、鄭鳳凰紀錄，〈許長卿先生訪問紀錄〉，《日治時期在「滿洲」的臺灣人》，頁595。
178 許雪姬訪問、王美雪紀錄，〈陳亭卿先生夫人訪問紀錄〉，《日治時期在「滿洲」的臺灣人》，頁303。
179 許雪姬訪問、鄭鳳凰紀錄，〈徐水德先生訪問紀錄〉，《日治時期在「滿洲」的臺灣人》，頁244。

## （三）在國共內戰中的臺灣人

臺灣人在戰後必須和日本人劃清界線、遷離日本人區，以避免受到波及。但臺灣人自小受日本教育，說的是日語，第二代臺灣人連臺語也不會說，除了少數在滿洲國任職的臺灣人會說滿洲話外，語言不通，走路的姿勢內八字，衣服、裝備都和滿洲當地人不同，因此在戰後常被視做日本人而遭東北人追打。當他們脫離日本人區，進入已人去樓空的原日本人住宅，或進入中國人住宅區，也未能免去被東北人責難，以及陷在國共拉鋸戰的困境中。以下舉醫師葉敏棟做例子。

### 1. 葉敏棟在戰後

滿洲電氣化學工業株式會社「重役」（理事）渡邊諒，依其日記著書所載，該社社醫葉敏棟在戰後的情形，作為了解另類臺灣人戰後在東北的情形。他在事齊（國府）、事楚（中共）之後終於選擇回鄉之路。二戰前在電化會社有幾個受到高等技術教育的臺灣人社員，他們在待遇和日常生活上，完全是個日本人，也被我人（日本人）公認為日本人。如果從中國人的立場來看，大約是緣淺的存在，當臺灣人在一覺醒來就變成中國人，對本人而言一定是大大地嚇了一跳。他們留在日本人同事中有危險，不過也不會受中國人歡迎。住在會社宿舍或離開社宅，也很難決定。臺灣人起初在門口貼上「キタイスキー」（俄文的「中國人」）可以避免蘇聯兵的侵犯，終於有下定決心，住到中國人的社宅。然而移過去後，生活環境變化很大，不要說是妻子，就是自己也無法流利地說中國話，看來生活過得不愉快。當事態稍為穩定，傳說電化要復工，他們就在中共和原來日本人中當成仲介調停人。更進一步知道中共方面對於日本的技術人員格外尊敬，再加上對社宅的依戀，遂表歉意想要回日本人社宅居住的都有，渡邊都表示歡迎。他們活在國府的治理下，想要就便搭船回臺灣，卻等得不耐煩，因此集結在長春，想由渤海灣的某個港回故鄉。

在這當中葉敏棟是個奇特的外科醫，他是典型的南方人性格，六分豪邁、四分熱情，決心捨身保護日本人，而繼續在龍潭的電化醫院努力，此點和其他臺灣人是相對照的存在，特別是也可以這麼說說，是他的職業所致，如果他沒有向前赴難的氣概，是無法生就此特色。事實上，渡邊不知道他救助的日本人有多少。他是個對淋病的治療有妙技的醫師，獲得蘇聯兵的信賴，利用他這張臉去操縱一些事。也許是他的活躍太過引人注目，受到原中國人電化社員的反感，尤其是接收後他成為電化醫院的首長，一時有人要除掉他，卻以一流的政治力而予以解決。

原來葉敏棟因早先奔走於國府軍的系統，但中共當頭，他也不得不被拉過去而感到為難。雖然過了這個難關，但若再變成國府軍的時代，如何證明自己的清白很難。葉氏向渡邊訴苦，渡邊對他說，醫師一貫是以施行仁術為主，更要遠離政治，

萬一某日被國軍追究,他會幫葉氏作證,這才阻止葉氏逃避的想法。此後他以一個醫師的身分,聽從中共軍的命令,來回於樺甸間行醫,[180]而後聽說葉離開長春,成為國府軍的軍醫。當長春有段時間被中共軍占領,葉的命運如何,沒有更進一步的消息。葉熱中奔走於國民黨之際,卻被強要捐給軍資金,令他為難,這時渡邊任日本民團會的會計,乃拿出 3,000 元給他,這也是渡邊給葉捨身保護日本人的酬報。渡邊後來得到同社的陳嘉樹安抵臺灣以及隨後葉敏棟也回到臺灣的消息。[181]

### 2. 面對滿洲人

臺灣人由於外表裝扮像日本人不像東北人,因而會被誤為日本人而險遭侵犯。住在瀋陽的張琔,在蘇聯兵進入滿洲後,在瀋陽的婦女被強制疏散,張家在夏家河子(位在大連、旅順)之間有別墅,所以她帶兩個女兒和姊姊的四個孩子及一個十八、九歲的遠親女孩一起前往。當火車到大連,張琔與遠親女孩要去買日常用品時,在街上碰到一個小伙子,扣住那女孩的辮子不放,意圖有所不軌,她一時情急用臺語罵了一聲:「死囝仔!」那位小伙子知道不是日本人,才放開手。[182]陳茂經在安東任法院推事,東北人仇視在法院工作的日本人,被打、被殺的事例時有所聞。為避免被打死,只好四處躲藏,幸獲同鄉許鶴年搭救,讓陳藏身於許家的地下室一年多。許鶴年之子許文華說:「父親這個同胞愛的行動,使我們家人天天提心吊膽。」[183]在滿洲電信電話株式會社的陳永祥,原先和日本人同住在一棟大樓裡,在臺灣人同鄉的協助下遷到廖泉生醫師開設的仁愛醫院中。隔天回到原住處,發現所有的日本人都搬走了,當他一出大樓,被一群擁上的人團團圍住,高喊「日本人!日本人」,眼看就要動手,幸好口袋中的名片被抄出,寫著「陳永祥」三字,不是日本人,就有人說那就是同一國人不要打,但仍有人要打,他就被一個持武士刀的人揪往井邊,搶走 100 元,而後離開。接著又被另一群人追,陳眼見對面有保安隊乃過去求援,在保安隊鳴槍嚇阻下才保住一命。[184]

1945 年 12 月,傅慶騰赴長春洽公要回瀋陽時,途中蘇聯兵上車要找男乘客中的日本人,目的據說是要搶他身上的財物,之後會從疾馳中的火車推下去以報仇

---

180 〈龍潭民團重要日誌抄〉,《大いなる流れ 滿洲終戰實記》(東京:大いなる流れ刊行會,1956),頁 160,1946 年 2 月 22 日,「葉醫師、土井藥劑師樺甸に出發す」。
181 渡邊諒,《大いなる流れ 滿洲終戰實記》,頁 111-113。
182 許雪姬訪問,許雪姬、張英明紀錄,〈張琔女士訪問紀錄〉,《日治時期臺灣人在滿洲的生活經驗》,頁 260。
183 許雪姬訪問、蔡說麗紀錄,〈許文華先生訪問紀錄〉,《日治時期在「滿洲」的臺灣人》,頁 415。
184 許雪姬訪問、王美雪紀錄,〈陳永祥先生訪問紀錄〉,《日治時期在「滿洲」的臺灣人》,頁 497。

恨。蘇聯兵進入傅所坐的車廂內不久,同排座位的中國乘客尖叫,指著傅說這裡有一個日本人。傅馬上用國語否認,但中國乘客認為傅是會講中國話的日本人。當蘇聯兵走近時,又再喊說:「**有個日本人。**」面臨危機,傅改用客家話說他是客家人,比他們更純的中國人,若不相信到瀋陽後一齊去國民軍羅司令官處談判。對方似乎相信,到瀋陽時就不見了。[185]

臺灣人雖在戰後初期被當成日本人而有些驚險,但得到滿洲人幫助的也不少。在錦州的蔡西坤,他的一位東北朋友,知道蔡一家住在日本人區會有危險,就僱三輛馬車載全家及細軟,用窗簾一蓋,載離宿舍。[186] 在新京的黃洪瓊音,丈夫不在身邊,鄰居日本人都走了,她沒跟著走。對面鄰居來叫她一家人到他家躲避,不久便有人來搶,鄰居對來人說:「**不要搶,這戶也是中國人。**」才得無事。[187] 在吉林的陳嘉樹一家到長春找臺灣人,劉文彬、劉新同幫忙才得脫險,已如上述不贅。最令人感動的是建大滿洲同學對涂南山的保護,如涂的北京話不靈光,同學劉毓玉(善)要他裝啞吧,走路內八字怕被視為日本人,滿洲同學怕他被打,上街時一群同學特意叫涂走在他們中間,「把我像他們的王子似的保護著逛街,迄今回憶起來,仍然使我感動不已。」[188]

### 3. 對共產黨的印象

臺灣人對於共軍隨蘇聯兵入城,因而得到不少補給,多有深刻印象,大致來說對共軍殺人有所目擊,對共軍逮捕臺人或招募臺人協助,也都印象深刻。

(1)共軍的逮捕行為:在撫順的天生醫院院長梁宰,共軍入城後,以梁宰收留過一位國民黨舊友,就以他私藏國民黨員、與國民黨黨員同謀為由押走梁宰。由於拘留處環境差,不幸感染回歸熱,而告藥石罔效。[189] 大連名醫孟天成,開有兩家醫院,當蘇聯兵進來後,八路軍緊接其後,在大連的臺灣醫師,拿著國旗、穿長衫前往歡迎,回來後方知情勢不對,紛紛將這些穿著的東西燒掉,怕被共軍認為與國民黨有關。隔天孟天成被捕,中共認為他是漢奸,可能因他的第二太太為日本人。被關一個月出來後,他不再是院長,而是受雇管理醫院的人。[190] 另一個例子是大連的楊燧人醫師,戰後接收日人的醫院及醫療品,並為維持秩序,暫時出任大連衛

---

185 傅慶騰撰、高淑媛譯,〈傅慶騰回憶錄〉,《日治時期在「滿洲」的臺灣人》,頁570-571。
186 許雪姬訪問、吳美慧紀錄,〈蔡西坤先生訪問紀錄〉,《口述歷史》5(1994.6)頁183。
187 許雪姬訪問、蔡說麗紀錄,〈黃洪瓊音女士訪問紀錄〉,《口述歷史》5(1994.6),頁240。
188 許雪姬訪問,鄭鳳凰、黃子寧紀錄,〈涂南山先生訪問紀錄〉,《日治時期臺灣人在滿洲的生活經驗》,頁137-138。
189 許雪姬訪問、蔡說麗紀錄,〈梁金蘭、梁育明姊弟訪問紀錄〉,《口述歷史》5(1994.6),頁313。
190 許雪姬訪問、紀錄,〈葉彩屏女士訪問紀錄〉,《日治時期在「滿洲」的臺灣人》,頁131。

生局長、簡仁南醫師任副局長。兩人的想法是待國軍來到就將之交給國軍,不料共軍先入城,兩人都被捕,被關兩個月才釋放。[191]

(2)共軍殺人:據聞共軍進入安東後,不經法律程序即將原滿洲國廳長以上幹部抓去槍殺。接著連工廠的負責人也不能倖免,許鶴年是安東柞蠶絲工廠的負責人,共軍要抓他,故煽動其手下的工人動手,但因許平時對工人好,工人反對才逃過一劫。[192]在承德,建大畢業生李水清看到共軍在賣鴉片,10月末,共軍發表要槍殺四人,其中二人是前熱河省公署的廳長,一人是以前的憲兵,另一名是原協和會熱河省本部參與王冷佛,共軍認為九一八事變發生時,王為豐寧縣長,協助日本侵略熱河而被處死。[193]

(3)共軍要臺人協助:由於戰後人才缺乏,臺人醫師常會被共軍留任,但臺人歸心似箭,或家人反對,因而選擇回臺。當四平會戰,共軍被國軍打敗後,用火車將傷兵運往長春,隨後到原新京市立醫院強行調遣醫護人員為傷兵治療,結果一車子的醫護人員都被載往哈爾濱,約莫兩、三個月才得回來。余錫乾,原為市立醫院醫師,當日找人代班而未被送往哈爾濱。[194]服務於滿洲電信電話會社的陳永祥,戰後服務於電信電話維持會,暫代處理原電電的業務,當共軍到瀋陽電信局,就問他們看有沒有會說日語、國語的,陳被東北人推薦為最適合的人選,於是共軍就和陳接洽,要陳和妻子搬入軍營,但太太拒絕,故陳單身赴任前後有三個月,負責修無線電,因而見過林彪。共軍撤退後,乃回家。[195]

### 4. 國民黨利用部分臺灣人才

吳金川戰前任滿洲中央銀行調查課長,經常性的調查以及活用各種不同的相關出版品,因此熟悉銀行和重工業資金的各項數字,並做成報告提供給上司參考,或利用報告進行演講。[196]日本投降後,國府在9月初於重慶組建東北行營,10月2日派張嘉璈(東北行營經濟委員會主任委員)至長春。然而蘇聯兵比國軍更早到長春,蘇

---

191 許雪姬訪問,吳美慧、曾金蘭紀錄,〈楊蘭洲先生訪問紀錄〉,《口述歷史》5(1994.6),頁155。
192 許雪姬訪問,吳美慧、曾金蘭紀錄,〈楊蘭洲先生訪問紀錄〉,《口述歷史》5(1994.6),頁153。
193 李水清,〈附錄:東北八年回憶錄(1938年4月-1946年4月)〉,《日治時期臺灣人在滿洲的生活經驗》,頁100。
194 許雪姬訪問、鄭鳳凰紀錄,〈余錫乾先生訪問紀錄〉,《日治時期在「滿洲」的臺灣人》,頁38。
195 許雪姬訪問、王美雪紀錄,〈陳永祥先生訪問紀錄〉,《日治時期在「滿洲」的臺灣人》,頁497-498。
196 許雪姬訪問、吳美慧紀錄,〈吳金川先生訪問紀錄〉,《口述歷史》5(1994.6),頁132。

圖 7-6　吳金川在滿洲中央銀行任職，娶楊肇嘉之女楊湘玲。戰後協助東北行營經濟委員會主任委員張嘉璈進行接收工作，回臺後仍活躍於金融界。
（吳金川先生提供）

聯兵利用滿洲重工業開發株式會社總裁高崎達之助[197]主持全部蒐集計畫，承辦人員八木聞一，將不得不提供給蘇聯的資料副本提供給吳，囑他密交甫抵長春的張嘉璈，張在10月14日見吳金川，見資料甚喜，亦起用吳共同蒐集財政經濟資料。[198]甚至在共軍入長春、國府人員於11月15日奉命撤走之時，仍特別囑咐中國銀行（由滿洲中央銀行改成）給吳生活費，以待張再度來長春。[199] 1946年5月23日國府軍收復長春，東北行營在瀋陽成立，張嘉璈請吳擔任「東北經濟研究所」副所長，並要吳留用若干日本專業人員，以借重其專才。1947年3月張嘉璈被調任上海中央銀行總裁，囑吳挑選在紡織業、金融業有傑出表現的日本專才前往上海，但因宋子文、孔祥熙反對重用日人計畫而不果。吳到上海，張又安排他至「全國花紗布管理委員會」，不久即因局勢變化，而於1948年10月回臺。[200]

除了吳金川被張嘉璈請來幫忙外，任滿洲國經濟部參事官的徐水德，也被張嘉璈找去東北行營整理圖書與資料、翻譯相關論文，下有四個人協助。他對張的印象很好，往後還教張公子日語；他又介紹吳炎烱（原日滿商事會社職員）、陳亭卿（原經濟部事務官）、楊義夫（原經濟部屬官）整理資料。何芳陔也曾向張嘉璈報告當時大陸科學院的情形，[201]曾任大陸科學院副研究官的林耀堂，雖已轉至北京師範大學醫學院藥學系，卻因他在大陸科學院的經驗，以及懂日語、國語，被派回長春接收該院，並將之改為中央工業試驗所。[202]但這些都只是暫時性的工作，是他們在等待回臺前謀生的方式。[203]

不論臺人願或不願意，他們也看見了蘇軍的橫暴、劫收以及國共內戰，成為參

---

197 高崎達之助（1885-1964），日本大阪人。1941年任滿洲重工業社副總裁，1942年12月升總裁。日本戰敗後，為日本人撤退回日盡力，且任國府東北行營顧問，協助接收日本企業，1947年回日，被「公職追放」。見臼井勝美等，《日本近現代人名辭典》，頁593。
198 據張嘉璈的日記所載，吳金川與張嘉璈見面，是長春中國銀行經理葛祖蘭所介紹。見伊原澤周編注，《戰後東北接收交涉記實：以張嘉璈日記為中心》（北京：中國人民大學出版社，2012），頁9。
199 有關張嘉璈的動向，他在9月底被任命，10月12日到長春，由於蔣介石要試探蘇軍是否阻礙國府接收，且暗助共軍，故一直延暖撤退時間，乃在11月15日撤出長春。迨共軍在蘇聯軍的警告下撤出東北城市後，而國府也和蘇方達成協議，張才又在12月4日重返長春，而蘇方也不斷向張提出經濟合作的要求，但雙方條件差距過大，12月20日張嘉璈離開長春到南京向蔣介石匯報，但當時國府的立場是一定要蘇方撤離軍隊，方願展開經濟談判，因此張再回長春亦無法進一步談判。翌年2月2日張嘉璈再離開長春，以後留在重慶不再回長春；而當時行營主任也離開長春駐錦州，可說東北行營在長春已名存實亡。見鄧野，〈東北問題與四平決戰〉，頁58-60；伊原澤周編注，《戰後東北接收交涉記實：以張嘉璈日記為中心》，頁9-104。
200 許雪姬訪問、吳美慧紀錄，〈吳金川先生訪問紀錄〉，《口述歷史》5（1994.6），頁135-136。
201 伊原澤周編注，《戰後東北接收交涉記實：以張嘉璈日記為中心》，頁17。
202 陳永發等訪問、陳逸達等紀錄，《臺灣蛋白質化學研究的先行者：羅銅壁院士一生回顧》（臺北：中央研究院近代史研究所，2016），頁60。
203 徐水德，〈光復日記（民國34年8月9日立）〉，《日治時期在「滿洲」的臺灣人》，頁266、278。

與、見證時代變化的一群。

# 五、千里迢迢回臺路

　　1946 年 1 月，國府陸軍總部發布「臺灣人處理辦法」五項，由行政院轉飭各省照辦，其中的第四項為：「對良善的臺人願在中國或臺灣居住者聽其自由，但以大部分送回臺灣交臺省行政長官安置為原則。」[204] 似不太歡迎臺灣人留在大陸。另方面在滿洲的臺灣人飽受戰爭之苦，先是蘇聯入侵，隨後共軍、國軍陸續而來，生活相當困難；再加上有被滿洲人報復的危險，故急著回家鄉臺灣，因此大半向住處鄰近有臺灣人居住的城市集中，組成同鄉會，互相扶持。但東北離臺灣很遠，又必須乘船，其回鄉的難度全中國最高，他們如何渡過這段「過渡」時期？又如何向聯合國善後救濟總署交涉回臺事宜，走向回家的路。

## （一）積極籌設臺灣同鄉會

　　當時在東北（長春）的臺灣人的數目約有 3,000 人，[205] 平時各地已設有同鄉會，戰後為了加速返鄉及應付時局，乃重組同鄉會。以下以長春、瀋陽兩地的同鄉會組織為例說明之。

　　**1. 長春臺灣同鄉會**：滿洲國滅亡之後，在滿洲國政府服務的臺灣人面臨失業，且因蘇軍入侵滿洲，個人生命、財產面臨威脅，如何團結同鄉設法返鄉，就成為重要的問題。要達成返鄉的目的，非得加強臺灣同鄉會，對內同舟共濟、對外展開交涉不可。1945 年 10 月 7 日長春臺灣同鄉會成立，一面積極展開臺灣人的登記工作，一方面由推選出的會長郭松根（新京醫科大學教授）在是年年底（12 月 28 日）致電陳儀臺灣省行政長官，請設法派輪船到東北將臺灣人接回，但行政長官迄未回覆。翌年 2 月中旬，登記的臺人已有 211 戶、608 人，乃再向陳儀說明他們的辛苦，請急派船隻前往救援，略謂：

---

204　《民主報》，1946 年 1 月 20 日，第 4 版，〈留居內地臺人處理辦法 在日軍服務者暫不區分〉；此即據陸軍總司令部總揖京字一四五號中之第四款。見 Q153-2-20，上海市警察局新市街分局，〈總局訓令：為關於臺民及財產之處置應照軍委會伐東令二宮三代電之規定辦理仰知照由〉，上海市檔案館藏。

205　長春臺灣省同鄉會會長郭松根，〈為呈請指定輪便接回東北台胞由〉（1946 年 2 月 23 日），頁 1，藏於中國南京第二歷史檔案館。如果就 1944 年 7 月大東亞省總務局經濟課的調查，當時在華北的臺灣人有 1,464 人，在華中有 7,101 人，在華南有 21,559 人，在中國的臺灣人共 30,124 人。在滿洲有 3,000 人，只比華北的臺人多。金丸裕一，〈名簿屋一代　中西利八—自分の記錄を殘さなかった男—〉，《中國紳士錄上》，頁 17-18。

伏望我公俯察眉急，恩准從速轉飭關係機關酌定輪便，並諮請善後救濟總署臺灣分署沿途分神照料一切，先賜電示，則百千里外凍餒交迫待哺嗷嗷者，當感戴恩德而益奮發圖報於邦家矣。[206]

翌日也分函行政院善後救濟總署臺灣分署署長錢宗起。

臺人對政府具體的要求有六：

（1）指定輪船接回，並於抵臺後之遣送回歸各地救助辦法先為準備一切；

（2）按名冊（所附之〈居住長春台灣省民名簿〉）所載各人的希望安排適當的職業，尤其是技術人材的盡量登用；

（3）准將前在東北大、中、小各級學校肄業之學生，無論遲早抵臺，均得編入於相當學校，俾免失學；

（4）懇望善後救濟總署臺灣分署，賜於設法救助一切；

（5）請播音當局，盡量將在長春臺胞的情形播送，使在臺父母兄弟安心；

（6）請報界及各界諸公，盡量將在長春臺胞的情形按名單播送，使在臺父母兄弟安心。

4月東北行營主任熊式輝電告，已令長春市政府調查對生活有困難者予以補助，也將在可能時送臺人返臺。[207] 由於久未得長官公署回音，臺人也以同鄉會名義和聯合國善後救濟總署（簡稱 UNRRA、聯總）求援，亦有個人直接向聯總交涉派船由東北接運回臺。究竟在海外的臺灣人其返臺，應該由那個部門負責，經聯總與中華民國行政院所設立之善後救濟總署（簡稱行總）協調，中國國內的臺人應由行總負責，至於海外臺灣人則由聯總接回。然因東北離臺太遠，後因行總臺灣分署、行政長官公署遲無回音，臺人乃轉向聯總求援，這些聯絡人包括郭松根、陳亭卿、何金生、黃順記，分別代表在長春、瀋陽、開原的臺人。[208] 6月底，在東北的臺人致電蔡培火、林呈祿、林茂生三人，請速派臺北號去接他們，電曰：「臺北民報社林茂生、蔡培火、林呈祿：四月匪禍，身雖脫險，生活苦懷想歸，計被七、八月洪水所矇，團體不日冒險南下，生死關頭，乞前輩代就近呼籲，速派台北號來接。」[209] 是年8月，臺灣省行政長官公署總算去電南京行政院善後救濟總署，說長春臺人300人已分三批到天津，善後救濟總署臺灣分署乃一面請轉電天津善後救濟總署儲運局、北京善後救濟總署與熱平津分署請救援協助；一面向長春臺灣同鄉會，表示沒有專輪

---

206　相關呈情書，見《民報》，民國35（1946）年3月15日，第2版，〈長春臺灣省同鄉會 呈請指定輪便 接回東北在住臺胞〉；3月16日，第2版，〈長春旅居省胞現狀〉。

207　《民報》，民國35（1946）年4月25日，第2版，〈旅居東北同肥〔胞〕該地政府設法管〔營〕救〉。

208　許雪姬訪問、鄭鳳凰紀錄，〈翁通逢先生訪問紀錄〉，《日治時期在「滿洲」的臺灣人》，頁119。

209　《民報》，1946年7月1日，2版，〈東北台胞受苦 火速派輪來接〉。

可以派去，已申請上述兩單位協助。[210]

除了臺灣同鄉會外，臺人還成立兩個團體，一是臺灣愛國青年會，二是臺灣科學技術學會。[211] 除了上述外，臺灣人還組有研究會，在徐水德的日記中，留下「臺灣省建設研究會」的相關記載，其目標是要建設新中國，而目前的工作置於建設新臺灣，主要在「互相研究修練自己」，分別在會員的家召開，一星期開一次。[212] 為了了解臺灣的現況，翁通楹為首的一批單身漢，經常聽收音機來收集臺灣消息，謄寫後印發給同鄉看，每次發的簡報為 B4 大小、兩面。[213]

**2. 瀋陽同鄉會**：瀋陽在戰前早有臺灣同鄉會的組織，由在當地經營日新鐵工廠、頗有口碑的李清漂當會長。當戰爭結束後，李清漂請在滿洲電信電話株式會社服務的陳永祥出面邀請在維城中學擔任副校長的何金生出來擔任同鄉會的總幹事，以便盡早照顧住在瀋陽市以及附近數百名臺灣同鄉，何金生乃即日到同鄉會辦公。同鄉會設在日新鐵工廠辦公室，這時已有十多位為躲避兵役而逃到滿洲的臺灣青年，到同鄉會要求救濟。[214] 何金生為代臺人發抒心情並向東北人披露臺灣人的想法，乃草成〈敬告旅居東北的臺灣同胞書〉，印製數千份散發給各界人士。信中談及臺人到東北源於日本在臺的殘暴統治，並以下的句子勉勵臺人今後的人生方向：

我們已經不是殖民地的奴隸了，我們有民權、有自由、有平等，以前是作夢也不敢想的奢望權利，現在竟能享受了，這是何等快樂呀！但我們需要知道，我們的祖國，革命還沒有成功，為著祖國現在當務為急的建設，我們既是重見光榮的國民一份子，我們都應該粉身碎骨，和四萬萬的同胞一同去工作，建設我們工業化、科學化的大中華，這才對得起此次祖國血鬥的同胞，也對得起聯合國勇士呢！

這時三民主義青年團（簡稱三青團）也進入瀋陽，團主任王書麟，見〈敬告旅居東北的臺灣同胞書〉深受感動，乃邀何金生等臺人加入三青團，成立區分部，由何金生任書記。臺灣同鄉中有十幾個具有工業技術者，欲組織技術團經營日人留下來的工廠，將計畫書送到三青團再轉送南京總團部，然而 11 月底蘇軍將機器拆走，

---

210 何鳳嬌編，《政府接收臺灣史料彙編》（下冊）（臺北：國史館，1993 年再版），頁 1039-1041。至此在東北的臺人已不再向長官公署求援，而長官公署亦無力救援臺人。
211 長春臺灣省同鄉會長郭松根，〈為呈請指定輪便接回東北台胞由〉（1946 年 2 月 23 日），頁 1。
212 徐水德，〈光復日記（民國 34 年 8 月 9 日立）〉，《日治時期在「滿洲」的臺灣人》，頁 273-277。12 月 11 日在歐陽餘慶家成立，有 12 人參加。第二次在洪公川家開，決定研究擔當部分，設研究題目。12 月 19 日在鄭瑞麟家開第三次，預計第四次在吳福興家開，但 12 月 26 日未見相關記載，反而在 12 月 23 日記載在吳福興家開會，由徐水德報告臺灣幣制情形。
213 許雪姬訪問、鄭鳳凰紀錄，〈翁通楹先生訪問紀錄〉，《日治時期在「滿洲」的臺灣人》，頁 473。
214 許雪姬訪問，何金生、鄭鳳凰紀錄，〈何金生先生訪問紀錄〉，《日治時期在「滿洲」的臺灣人》，頁 185-186。

此事乃告中止。[215]

要維持沒有職業、沒有收入的同鄉生活是一件困難的事,會長李清漂的財產不是被蘇聯兵接收就是被當地人拿走,[216]無法照顧同鄉,乃向謝秋汀[217]勸募,謝在戰後專門做蘇軍的生意,一次就捐出十萬元,並接下同鄉會會長的職務。謝會長以後又不斷捐款,使同鄉會的會務可以順利進行。1946 年 5 月四平街之役國府軍勝利後,國軍進入瀋陽,臺灣同鄉會為了歡迎國軍,籌備勞軍晚會,女高音歌手林氏好的獻唱與何金生妻詹春秧訓練的臺灣女子舞蹈團都有賣力演出。受國軍入城喜悅氣氛的感染,臺人也有些青年投入青年軍 207 師。[218]

除了同鄉會向 UNRRA 接洽,由於東北的行總東北分署支援外,建大的林慶雲等人也曾致電臺北市政府請求援助。[219]

## (二)回臺前的生活肆應

在東北的臺人較早回鄉的都要到 1946 年的春天,換句話說,戰後臺人等待回臺的時間至少在半年以上,他們如何維持生活?

**1. 滿洲國政府發的遣送費是生活的重要經濟來源**:滿洲國在結束之際,發送遣散費給官公吏,故部分臺人獲得遣送費。任滿洲國駐汪精衛政權濟南總領事的吳左金,在日本投降前兩天接到外務局(1940 年 7 月設)來電,命令發遣送費給總領事以下各級職員,再造冊呈報,吳領到遣送費。[220] 謝報服務於奉天省經濟廳,在戰爭後期受命代理副廳長。當日本宣布投降,奉天省決定一次發五年薪水當退休金,當時蔡一個月的薪水 420 元,五年薪水是筆大數目。[221] 在大陸科學院服務的楊藏嶽、翁通楹都拿到兩年薪水總額約 5,000 元,他們聽說在銀行任職的其遣散費則有

---

215 許雪姬訪問,何金生、鄭鳳凰紀錄,〈何金生先生訪問紀錄〉,《日治時期在「滿洲」的臺灣人》,頁 189-190。
216 許雪姬訪問,鄭鳳凰紀錄,〈許長卿先生訪問紀錄〉,《日治時期在「滿洲」的臺灣人》,頁 591。李清漂的鐵工廠雇用一、二百個當地人工作,規模不小。
217 許雪姬訪問,何金生、鄭鳳凰紀錄,〈何金生先生訪問紀錄〉,《日治時期在「滿洲」的臺灣人》,頁 185-186;許雪姬訪問,藍瑩如紀錄,〈謝文昌先生訪問紀錄〉,《日治時期臺灣人在滿洲的生活經驗》,頁 361。
218 許雪姬訪問,何金生、鄭鳳凰紀錄,〈何金生先生訪問紀錄〉,《日治時期在「滿洲」的臺灣人》,頁 185-186;許雪姬訪問,鄭鳳凰紀錄,〈翁通逢先生訪問紀錄〉,《日治時期在「滿洲」的臺灣人》,頁 119。
219 《民報》,民國 35(1946)年 8 月 18 日,第 2 版,〈長春旅居省胞現狀〉。
220 許雪姬訪問、曾金蘭紀錄,〈吳左金先生訪問紀錄〉,《口述歷史》5(1994.6),頁 115。
221 許雪姬訪問,吳美慧、丘慧君紀錄,〈謝報先生訪問紀錄〉,《口述歷史》5(1994.6),頁 203。

15,000元。[222] 在經濟部經濟司工作的徐水德分兩次拿到兩年遣散費，共12,800元，蔡森榮、許坤元、吳福興也一起去領。[223] 至於服務於交通部土木總局工程處的林永倉先領到兩年薪水的遣散費，後被處長曉諭，負擔較輕的單身漢應交出一年份的遣散費給其他同事，乃如命交出。[224] 然而這些錢並不夠用，因為後來貨幣貶值，且蘇聯、國、共各自發行「票」，只要撤退，該「票」就等於廢紙，若不換成黃金，有馬上貶值、失效的危險。在郭松根給陳儀的呈請信中指出，長春臺灣同鄉會「當經極力籌募捐款進行救助，奈中產以上者屈指無幾，類皆家無儋石，即有些存項於銀行者亦視同畫餅，勉強湊集五千餘金用資西江一勺，曾不兩月又告缺如，歲杪預料賑款不繼，再回籌措，終無辦法。……新春以來市上經濟愈見轉惡，米珠薪桂幾三倍於光復當時（查米每公斤二十圓，煤每公斤五圓，光復前幣價與我臺相等），推測此去此必有加而無已。」[225] 在此羅掘俱窮時只能找工作以解燃眉之急。

**2. 做生意賺錢周轉**：除了生活費外，還有醫藥費和回臺的盤纏都得準備，既然一時無法回臺，做小生意就成為回臺前重要的工作。吳金川之妻楊湘玲為楊肇嘉的女兒，為維持家小用度，偷偷到市區販賣香煙賺取小利。[226] 自哈爾濱前進長春的原滿洲國駐泰國大使館一等書記楊蘭洲，以賣衣服為生，[227] 在錦州的臺灣人非常團結，合開華南餐廳，還賣包一顆棗子的甜包子，這家餐廳開了兩個月，之後再開一家酒店，這些賺來的蠅頭小利，還不如蔡西坤為同鄉賣屋得到的報酬（溢出房屋原價歸蔡）十萬元，在房子尚未成交前又租來開店，轉賣別人託賣的高粱酒、日本酒，看似頗有利潤，然不到一個月已無酒可賣。[228]

在長春住202號房的大半是身強體壯的單身漢，他們毫無牽掛，準備打頭陣回臺，但郭松根會長請他們留下來幫忙照顧老弱婦孺。翁通逢是醫師，受僱到滿洲人的醫院賺錢，其他的人就到東北人居住區二道河批發豆腐、五穀、蔬菜賣給不方便外出的日本人，男性負責打工賺錢，唯一的女性孫雪負責煮飯，賺的錢也交給她保管，大家一起用。[229]

---

222　許雪姬訪問、鄭鳳凰紀錄，〈翁通楹先生訪問紀錄〉，《日治時期在「滿洲」的臺灣人》，頁470。
223　徐水德，〈光復日記（民國34年8月9日立）〉，《日治時期在「滿洲」的臺灣人》，頁261。
224　許雪姬訪問、王美雪紀錄，〈林永倉先生訪問紀錄〉，《日治時期在「滿洲」的臺灣人》，頁352。
225　長春臺灣省同鄉會會長郭松根，〈為呈請指定輪便接回東北台胞由〉（1946年2月23日），頁1；〈居住長春台灣省民名簿〉（1946年1月28日）。
226　許雪姬訪問、吳美慧紀錄，〈吳金川先生訪問紀錄〉，《口述歷史》5（1994.6），頁135。
227　許雪姬訪問、吳美慧、曾金蘭紀錄，〈楊蘭洲先生訪問紀錄〉，《口述歷史》5（1994.6），頁155。
228　許雪姬訪問、吳美慧紀錄，〈蔡西坤先生訪問紀錄〉，《口述歷史》5（1994.6）頁184-185。
229　許雪姬訪問、鄭鳳凰紀錄，〈翁通逢先生訪問紀錄〉，《日治時期在「滿洲」的臺灣人》，頁

同在長春的林永倉，住在日人代用宿舍，為了謀生和日人大男孩到該市郊南關批糧食和日用品到市區擺攤；[230] 陳亭卿、陳嘉樹兩家人，利用所住地政員工訓練所的 5 個大鐵鍋製造肥皂，取名玉山，由婦女、孩童將肥皂切塊到街上去賣。之後改用大豆製成日人愛吃的納豆賣給日人，後來才改做肉脯（hu$^2$）。[231] 通常將肉切好後放入日人洗澡用的大缸燉煮，熬爛後撈起在塌塌米上放涼，然後用鏟子拌成。通常三斤牛肉可做一斤肉脯，100 元可買三斤牛肉，肉脯可賣到 200 元，一個月可賺二、三千元。[232]

石林玉燦醫師一家戰爭後期住在吉林，家中來了七個由日本逃到滿洲的年輕人，供宿可以，供食則困難重重。石妻侯金魚（臺南人，布商侯基之女，長榮女學校畢業）決定做生意解除困境。分配有人買糯米，她做糯子和壽司，由三個人去擺地攤，四個人去送貨，等於合資分工做生意，做一個多月即賺到錢。不僅做此生意，還將日人帶不回去之物品盤來賣，遂將資本三等分，一是資金，一是買東西的錢，一份買工具，就這樣以做生意維生，直到半年後離開吉林。[233]

許長卿在瀋陽待機回臺，決定和同住的臺灣學生賣牛肉，早上先批牛肉，再到已成攤販聚集區的春日町擺攤，但三個月後資本全虧，乃改賣成本較低的青菜，也賣不成，最後決定賣餅。以後在鹽野義（しおのぎ）製藥廠，推銷トリアノン藥丸，得到不少佣金，既暫時解決生活的困難，也得以到北京讀書。[234]

戰後由阜新逃到瀋陽的傅慶騰，在遼寧電力局上班，每個月 4,000 元，但不夠開銷，為了籌措回臺經費，和日人穎原卓爾一起，每天早上 5 時至 7 時在路旁賣蠟燭、肥皂、豌豆、鹽豆，這些貨賣給要回日本的人。至於雜貨則是向開雜貨店於瀋陽車站前的臺灣朋友免費取得，賣完一批後再行精算，每天可賺四、五百元，傅和穎原兩人平分，就這樣賣了二、三個月。直到有一天，將貨賣完後，卻被警察取締，拖車被沒收、繳了罰金後才被釋放，也就中止賣東西。[235]

---

114。

[230] 許雪姬訪問、王美雪記錄，〈林永倉先生訪問紀錄〉，《日治時期在「滿洲」的臺灣人》，頁 352-353。

[231] 許雪姬訪問、王美雪紀錄，〈陳亭卿先生夫人訪問紀錄〉，《日治時期在「滿洲」的臺灣人》，頁 302。

[232] 許雪姬訪問、蔡說麗記錄，〈陳嘉樹、陳高絃夫婦、陳正德先生訪問紀錄〉，《日治時期在「滿洲」的臺灣人》，頁 533-534。

[233] 許雪姬訪問、王美雪紀錄，〈侯金魚女士訪問紀錄〉，《日治時期在「滿洲」的臺灣人》，頁 89-90。

[234] 許雪姬訪問、鄭鳳凰紀錄，〈許長卿先生訪問紀錄〉，《日治時期在「滿洲」的臺灣人》，頁 592。

[235] 傅慶騰撰、高淑媛譯，〈傅慶騰回憶錄〉，《日治時期在「滿洲」的臺灣人》，頁 571-572。

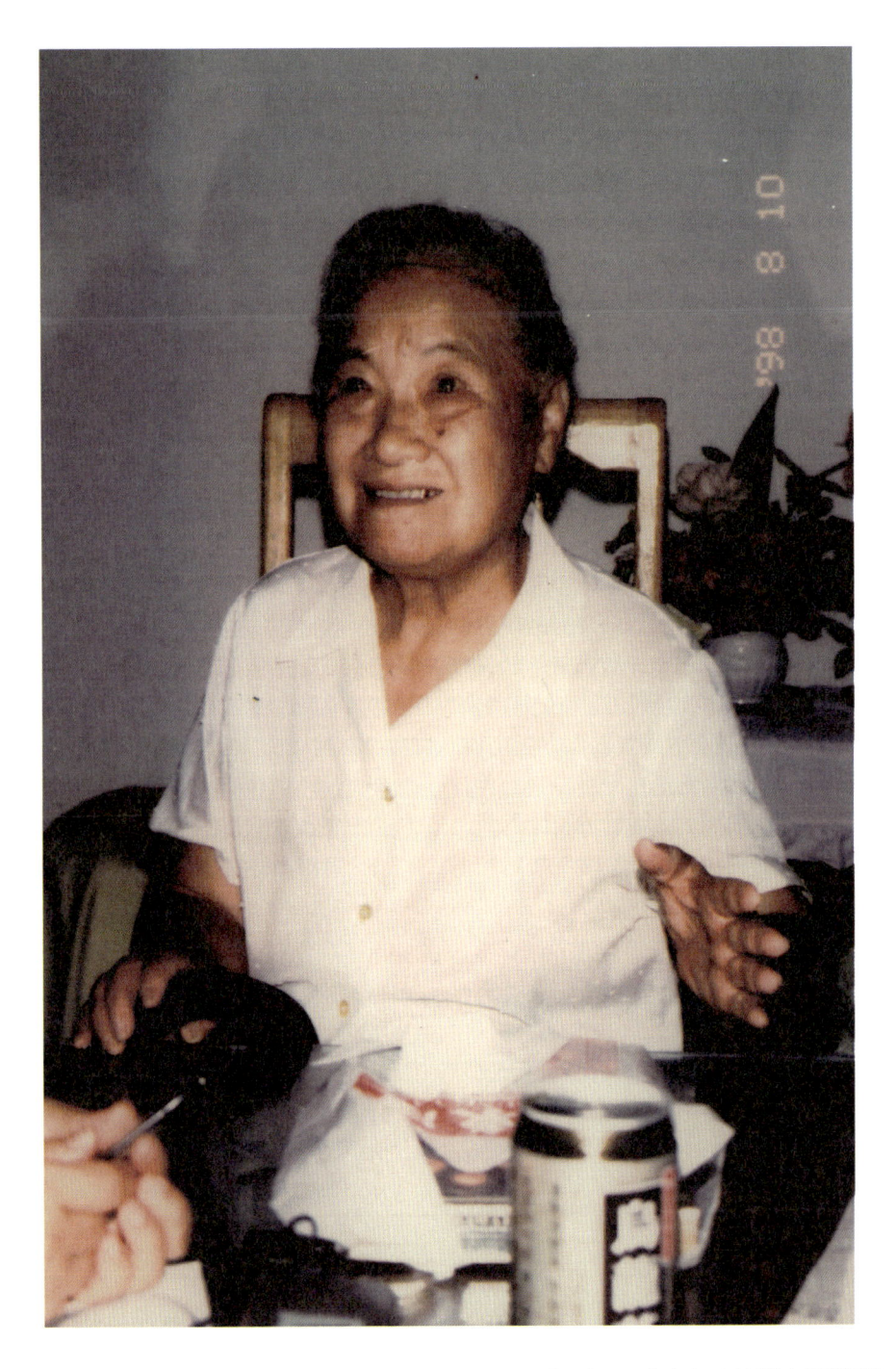

圖7-7 侯金魚晚年在上海接受訪問時，談到戰後與臺灣青年「合資分工作生意」以便賺取歸鄉盤纏。
（助理王美雪拍攝，作者提供）

曾任經濟部事務官的邱昌河，在長春以開書店賣舊書為生，[236] 成為臺灣同鄉最常光顧的場所。

　　由牡丹江到長春的黃清舜、張丁誥、吳連慶三人，和長春的臺人不熟，為了維持生活，也學他們做小買賣。由於資本不多，且不要全天做生意，黃清舜選擇賣豆腐，張、吳兩人選擇賣菜。黃乃買一擔亞鉛桶及扁擔，拂曉往豆腐店批發，擔到住宅區賣，約莫剩四、五塊時即不賣，而在中午煎豆腐，並等待同伴回來炒菜，一起吃午飯。大約三個月後，大廚陳春生（受聘於謝介石）建議做牛肉鬆賣給即將被遣返的日人。乃在陳春生的指導下，40斤牛肉要炒揉一整個白天，做完的肉鬆賣給陳春生，陳再去賣給日本人。前後工作了五天，只做出200斤牛肉鬆。[237]

　　雖然臺灣同鄉如此努力賺錢好還鄉，但功虧一簣的也大有人在。侯金魚搭車入山海關後，因聽說關外的錢在關內不能用，就急忙在路邊換錢，原本應換回2,000元，卻只換到200元，差了九倍，不久發現錯誤，轉回去找人時，換錢的人早已不知去向，於是回臺過程只能省吃儉用，大人一天吃兩頓才度過難關。[238] 陳亭卿在上海要換錢並為小孩買麵包，不料錢被扒走，不但孩子沒有麵包吃，連回臺都有困難。[239] 傅慶騰一家好不容易坐船在基隆登陸，再坐火車到高雄，準備搭小火車回美濃時，先下車買水果，被扒走了3,000元，只好向同鄉借錢才能回家。[240]

　　**3. 受僱於政府機關任職**：一般而言，在戰亂時專業技術人員和醫師都是不可或缺的角色。前已述及吳金川受張嘉璈的重用，和孟慶恩（東北人）[241] 合編出東北經濟狀況送張參考，不再贅述。以下利用〈徐水德日記〉介紹徐水德的例子。1945年9月，往後與臺灣人有較多接觸的張嘉璈，被任命為長春鐵路理事長兼東北經濟委員會主任委員，在10月12日抵達長春。他和幾個特派員主要的任務在接收以及改制，所以先期的主要工作是調查東北實情、蒐集資料，以做判定的標準。11月11日徐水德與張嘉璈見面，受張之託，自翌日起當資料室主任並在行轅（海上大樓）整理資料及圖書，有四名助理協助。主要在整理滿洲國國務院的圖書資料，研究匯兌管理法令，並翻譯〈經濟平衡資金制度〉一文，[242] 為東北中央銀行重新開幕做

---

236　徐水德，〈光復日記（民國34年8月9日立）〉，《日治時期在「滿洲」的臺灣人》，頁270。
237　黃清舜，《一生的回憶》，頁346-347。
238　許雪姬訪問、王美雪紀錄，〈侯金魚女士訪問紀錄〉，《日治時期在「滿洲」的臺灣人》，頁91。
239　許雪姬訪問、王美雪紀錄，〈陳亭卿先生夫人訪問紀錄〉，《日治時期在「滿洲」的臺灣人》，頁304。
240　傅慶騰撰、高淑媛譯，〈傅慶騰回憶錄〉，《日治時期在「滿洲」的臺灣人》，頁572。
241　伊原澤周編注，《戰後東北接收交涉記實：以張嘉璈日記為中心》，頁9。
242　徐水德，〈光復日記（民國34年8月9日立）〉，《日治時期在「滿洲」的臺灣人》，頁276，往後也還譯〈匯兌管理之沿革〉，見頁277。

準備。11月上旬，因蘇聯軍阻礙接收，又有掩護中共占領城市的事實，蔣委員長下令行營撤退，以試探蘇聯的真正態度。[243] 16日張嘉璈一行人撤出長春，[244] 徐水德對此事的理解是：「十一月十六日行轅八路鬧得厲害，行營有些危險，委員都恐慌，已準備撤離，翌日撤離。」[245] 徐水德的工作仍繼續，12月8日起還為張嘉璈之子補習日文，[246] 並引薦臺人[247] 協助東北行營蒐集資料，直到離開長春。

## （三）回臺前的喪亡與被捕

亂世損失人命在所難免，據1947年2月長春臺灣同鄉會的說明，自戰後到當時，「病斃及枉死之臺胞有十餘人」。[248] 被捕而有牢獄之災者亦有之，分敘如下：

**1. 喪亡者**：袁錦昌醫師在新京開錦昌醫院，在長春臺灣同鄉會成立時，和其叔父袁樹泉都是該同鄉會的諮議，他倆在蘇軍入侵滿洲時，協助二百多位臺灣同鄉疏散到新立城已如上述。他也幫同鄉看病，如徐水德，[249] 不幸在1946年初病逝。[250] 在滿洲國經濟部服務的許坤元，1941年畢業於臺北帝國大學文政學部，經大同學院入經濟部服務。他在1945年9月22日因病入滿洲電信電話醫院，到10月病情惡化，[251] 11月4日上午八時過世。臺灣同鄉為之營葬，當日出殯。[252] 徐水德目睹同鄉的死亡，感慨良多。他在日記上記著：「昨晚因回想故許坤元君的交情到天亮了才睡覺，想起他的遺族實在真可憐，在這個時期死的就像狗死的一樣，交通杜絕，電信未通，無法連絡他遺族。」[253]

梁宰醫師在共軍入撫順後，對共軍帶來看病的病人不敢收費，然共黨並未放過

---

243 伊原澤周編注，《戰後東北接收交涉記實：以張嘉璈日記為中心》，頁36。
244 伊原澤周編注，《戰後東北接收交涉記實：以張嘉璈日記為中心》，頁36-37。
245 徐水德，〈光復日記（民國34年8月9日立）〉，《日治時期在「滿洲」的臺灣人》，頁266-267。
246 徐水德，〈光復日記（民國34年8月9日立）〉，《日治時期在「滿洲」的臺灣人》，頁272。
247 徐水德，〈光復日記（民國34年8月9日立）〉，《日治時期在「滿洲」的臺灣人》，頁278，他和吳金川兩人推薦陳亭卿、楊友夫去參加經濟委員會調查班考試。
248 長春臺灣省同鄉會會長郭松根，〈為呈請指定輪便接回東北台胞由〉（1946年2月23日），頁3。
249 徐水德，〈光復日記（民國34年8月9日立）〉，《日治時期在「滿洲」的臺灣人》，頁257。徐水德瀉肚子加上發燒，經袁錦昌診斷為急性腸胃炎。
250 許雪姬訪問、鄭鳳凰紀錄，〈林更味女士訪問紀錄〉，《日治時期在「滿洲」的臺灣人》，頁394。
251 徐水德，〈光復日記（民國34年8月9日立）〉，《日治時期在「滿洲」的臺灣人》，頁262。
252 徐水德，〈光復日記（民國34年8月9日立）〉，《日治時期在「滿洲」的臺灣人》，頁263。許坤元「在午前十一時半就收在棺內，正午出棺，送山的同鄉二十餘人，埋葬於『長春市大房身商工會議墓地十八排五十六號』」。
253 徐水德，〈光復日記（民國34年8月9日立）〉，《日治時期在「滿洲」的臺灣人》，頁264。

梁宰,以他收留過一個國民黨朋友,就將其貼上與國民黨同謀的標籤,逮捕梁宰。[254]另有說法是梁宰與三民主義青年團有所接觸,而資助過一些錢,所以共產黨進入撫順後,認為他和國民黨有接觸,思想有問題,就被共產黨抓去洗腦。[255]由於居留所內衛生奇差,梁宰不幸感染了回歸熱,經一段時日後藥石罔效,於1946年3月22日過世,得年52歲。[256]

在兵慌馬亂之際,也是小孩死亡較多之時,實因一來治安堪虞,二來衛生不佳所致。林錦文、黃素華夫婦隨著日本開拓團移民吉林,他們帶二、三歲的女兒同行,因禦寒衣物不足,衛生也差,女兒得了腸胃炎,自吉林農場到新京時就過世了。在東北生了一個男孩,出生當天醫院停電,因此連產婦也冷得發抖,而這醫院正是醫師丈夫受雇的紅十字醫院。當護士抱出生嬰兒去洗澡後,卻久久不歸,正狐疑間,護士來報孩子在洗澡時五孔出血而亡。[257]

維城中學副校長何金生戰後帶著妻女到臺灣同鄉會當總幹事,其妻有七個月身孕。1945年11月23日長男何寧出生,生後沒幾天肚臍周圍有紅腫的現象,請同鄉謝醫師(可能是謝頂)來治療,經十多天紅腫未消,再找皮膚科醫師、同鄉廖泉生出診,他判斷是腹膜炎,乃轉到滿洲醫科大學找也是臺人的章榮熙醫師,因病情嚴重立即住院,二個星期後過世,埋葬於東關外的公共墓地。[258]

**2. 入獄者**:在大連開醫院的楊燧人、簡仁南在共軍入大連後被捕,約兩個月後才獲釋,[259]一如前述。在大連先是蘇軍進來,共軍緊接其後,而在大連的臺灣醫師,前往迎接。不料隔天,名醫孟天成被捕,大約被關了一個月後才被釋放。[260]葉萬發(鞍山市同業工會理事長),曾被共軍投獄38天(後敘),謝秋汀曾四度入獄(後敘)。謝秋汀(臺灣同鄉會會長)在潘陽開了工廠,先是其被服廠沒有配合蘇聯軍的被服補給命令,被請去協商,答應供給被服後,拘留兩天才獲釋。當共軍接管東北後,住家附近遭搶劫一空,幸得軍隊中謝氏遠親的搭救而未遭難。之後二次遭共黨囚禁,為時不長,倒是第四次牢獄之災是發生在國府時期,被關長達一年四個月,

---

254 許雪姬訪問、蔡說麗紀錄,〈梁金蘭、梁育明姊弟訪問紀錄〉,《口述歷史》5(1994.6),頁313。
255 許雪姬訪問、蔡說麗紀錄,〈梁許春菊女士訪問紀錄〉,《口述歷史》5(1994.6),頁305。
256 許雪姬訪問、蔡說麗紀錄,〈梁金蘭、梁育明姊弟訪問紀錄〉,《口述歷史》5(1994.6),頁314-315。
257 許雪姬訪問、王美雪紀錄,〈林黃淑麗女士訪問紀錄〉,《日治時期在「滿洲」的臺灣人》,頁147。林黃淑麗本名林黃素華。
258 許雪姬訪問,何金生、鄭鳳凰紀錄,〈何金生先生訪問紀錄〉,《日治時期在「滿洲」的臺灣人》,頁191。
259 許雪姬訪問,吳美慧、曾金蘭紀錄,〈楊蘭洲先生訪問紀錄〉,《口述歷史》5(1994.6),頁154。
260 許雪姬訪問、紀錄,〈葉彩屏女士訪問紀錄〉,《日治時期在「滿洲」的臺灣人》頁131。

主要原因未供給物資或索賄不成所致,直到陳誠 1947 年 8 月任東北行轅主任後,命令盡速開釋無罪的囚犯,謝才被放出牢外,於是除了母親已先回臺外,謝家全家走上歸家之路。[261]

畢業於滿洲醫科大學專門部的黃永盛醫師,在參加過共軍要醫師們開的會後,就被帶走,從此行蹤不明。[262]

## (四) 回臺的經過

### 1. 集體回臺

由於臺人大半在戰後集中到長春、開原、瀋陽、錦州等幾個重要都市等待回臺,這四個地方到北平、上海的距離不同、交通互異,以下分別敘述之。

(1) 錦州:在錦州集中的臺人有 4、50 人,以黃千里、賴武明為副團長,接受聯合國善後救濟總署(UNRRA)的安排,一行由錦州出發,搭火車經山海關到葫蘆島,本來是不遠的行程,卻坐了將近一天,下車後再兩小時才到上船處,由於船尚未到,只得就地找破房子暫住,十天後船才到,被載到天津附近的塘沽,又在秦皇島外等了三、四天,才到上海。到上海後,全體住到港口旁的大倉庫,等待回臺灣的船,終於在兩個月後的 1946 年 6 月上旬回到臺灣。[263]

(2) 開原:在開原的臺人大半是黃順記醫師的親戚,約 2、30 人,戰後在國軍某高參的協助下,在火車上找了一節車廂讓臺人搭乘,並派兵沿途保護鐵道,遂順利到達瀋陽,接著在錦州等船,卻等一個月而無結果,乃向 UNRRA 申請難民證後,得其安排,協助買票,供給路費、糧食,順利到達天津。在天津與其他臺人合流,經天津臺灣同鄉會會長吳三連協助,坐上英國「和生輪」到達上海;在上海等了 20 多天,再搭上一萬噸左右招商局的船回到臺灣,同船共有 800 多人。黃順記等人,1946 年 3 月出發,歷經三個多月,終於在 1946 年 8 月 1 日回到臺灣。[264]

(3) 安東:許鶴年在安東開協和染廠發大財,日本投降後,欲歸臺的臺人,趕

---

261 許雪姬訪問、藍瑩如紀錄,〈謝文昌先生訪問紀錄〉,《日治時期臺灣人在滿洲的生活經驗》,頁 357-358。

262 許雪姬訪問、蔡說麗紀錄,〈梁許春菊女士訪問紀錄〉,《口述歷史》5(1994.6),頁 304。

263 許雪姬訪問、吳美慧紀錄,〈蔡西坤先生訪問紀錄〉,《口述歷史》5(1994.6)頁 186。同團的洪智默(臺北工業學校建築科畢業,在福昌公司任職)有不同與補充性的報導。他說該梯次的人數有 88 人,由錦州經山海關到秦皇島,轉青島搭船到上海,在上海等船 1 個月,才坐「鐵橋號」回臺。見許雪姬訪問、紀錄,〈洪智默先生訪問紀錄〉,2000 年 6 月 18 日,未刊稿。至於同團的謝報,回臺遇到其妻舅、臺灣省參政員陳逸松要到南京開會,因有他的幫忙,才有船搭,好不容易才在 1946 年 8 月底回臺。見許雪姬訪問,吳美慧、丘慧君紀錄,〈謝報先生訪問紀錄〉,《口述歷史》5(1994.6),頁 207。

264 許雪姬訪問、吳美慧紀錄,〈黃順記先生訪問紀錄〉,《口述歷史》6(1995.7),頁 209。

圖 7-8　在安東的許鶴年、楊藍馨夫妻及兒女 1947 年的「離安記念」照
前排坐者許鶴年夫妻，後排左一女兒、左二兒子許文華、左三一起回臺的羅振鑑
（許文華先生提供）

緊到瀋陽集結，許家雖已變賣家產做準備，但尚在觀望時局，當國共內戰愈演愈烈時，乃急做歸計。一家由安東出發，打算先坐火車到瀋陽、營口，不料購買車票十分困難，後來以一張票至少五兩金子才買到票。自營口搭戎克船（搭載30餘人）赴上海途中，上船前必須先檢查看是否為中國人，許鶴年之妻楊藍馨，不會說北京話，以穿耳洞和一張參加婆婆出殯時的照片證明是中國人；而長子名文雄，怕被誤為日人，改為「文華」。當船行駛到山東半島外海時，船主再向許家敲詐，補交金子才再開船，前後四、五天才到上海。之後住進武進路臺光小學（在上海的臺人小學）的講堂內，等待一個月，才以高價（一張船票要幾百萬法幣）買得中興輪船票，三天後全家抵達臺灣，同行的還有許建裕、林金殿、王江村、郭曉鐘等人。時序已到1947年。[265]

（4）瀋陽：在瀋陽的臺人有些是原就住在瀋陽，有些則是由東北各大城市匯集而至。由於瀋陽市政府社會科的協助，造就臺人名冊，呈送UNRRA亞東分署，由其協助安排。當時預定回臺路線是自瀋陽乘火車至天津，再由塘沽去上海，再由上海回基隆，沿途經過天津、上海，當地天津臺灣同鄉會會長吳三連、臺灣重建協會上海分會理事長楊肇嘉[266]都表示將予接待。1946年4月第一團約100多人的返鄉團，每團設有團長、[267]祕書和服務隊員，在瀋陽市皇姑屯火車站出發，類似這樣的團共有十團。第一團回臺的是經葫蘆島搭英國船到上海，再搭海辰號輪，於6月18日抵臺。據黃千里說，這次回臺有87名，是東北第一批返臺。[268]10月底第十團，可能也是瀋陽最後一團，即將集結成行，何金生將同鄉會總幹事的工作，交給尚在瀋陽做生意的汪振銘，自己擔任第十團團長。如例自皇姑屯車站出發經瀋陽經錦州，在山海關住一晚，到達天津後如約住在天后宮，何金生前往拜訪吳三連。12月上旬自天津分乘卡車到塘沽候船，經兩天兩夜到達上海，隨即住進漳州小學，楊肇嘉來與團員見面。在上海候船兩星期，當上船不久即有年輕團員與船上外省青年打架，幸得雙方都有人出來勸架才消除一場風波，船行三天終於回到臺灣。[269]

---

265 許雪姬訪問、蔡說麗紀錄，〈許文華先生訪問紀錄〉，《日治時期在「滿洲」的臺灣人》，頁408-410。

266 楊雖當選同鄉會會長，因故則由李偉光擔任，他在1946年2月27日已被選為臺灣重建協會上海分會理事長。見楊肇嘉，〈六然居典藏史料〉，LJK-06-01-0210738-0017-19，〈選舉常務理事、理事長，推定各組組長及幹事〉。

267 原先何金生受訪時說團長是陳章哲醫師，但定稿時只說「團長是位ศ中的老醫師」。據陳章哲醫師所撰的《養生之道》，他遲至1947年6月才回臺。見許雪姬訪問，何金生、鄭鳳凰紀錄，〈何金生先生訪問紀錄〉，《日治時期在「滿洲」的臺灣人》，頁193；陳章哲，《養生之道》（自刊本，出版年不詳），〈25.為什麼能從東北回臺〉。感謝陳章哲外孫女王愛惠、陳章哲外孫女（王愛真）婿楊正昭提供。

268 《民報》，民國35（1946）年6月21日，第2版，〈東北臺胞三千餘名 賣盡家財生活困苦 首批返台黃千里氏告記者〉。另一批360人，在6月27日由錦州到達天津，將搭和生輪赴滬轉臺。到7月19日已有700餘人到上海。

269 許雪姬訪問，何金生、鄭鳳凰紀錄，〈何金生先生訪問紀錄〉，《日治時期在「滿洲」的臺灣人》，頁195-196。

（5）長春：長春的臺人至少要在四平戰役結束後才能分別自長春一路南下，[270] 大約分成五批。第一批[271]的團長是廖行貴、副團長是翁通楹，共有 200 多人（一說 300 人），一一造名冊，在 1946 年 7 月離開長春，共使用三節火車廂（一說 6 節），為安全，婦孺、年長者坐車中，每個車廂都有兩個年輕人站著照顧，一路上禁止講日語，以免被誤為日本人而挨打。7 月 28 日抵達瀋陽，投宿在一間相當大的學校，當時因是暑假，乃利用課桌為床，以高粱飯或粥為食，在此停留三天。再坐火車到錦州，停留兩天；再搭火車到山海關、天津。[272] 到天津四天後改搭船，但因船隻小乃分成兩批，因河口的港不深，必須潮滿才能航行，因此等了六小時才出港，航行 30 多小時才抵達吳淞口。[273] 到上海後由同鄉會安排住宿。要回臺時，有一郭姓大林人，暫時在臺灣同鄉會工作，想回臺，在名冊中有一出生不久即過世的小孩，乃將之遞補，一起回臺。9 月在基隆上岸，就到救濟總署臺灣分署求援，每人獲贈 100 元及回鄉車票，而這一路由長春到基隆的車費、每人十公斤麵，亦為 UNRRA 所支付。[274] 在第一批回臺者中，有兩位澎湖人黃清舜、辛嵩地，抵達上海後，因有澎湖籍的機帆船光華號來滬，乃搭此船，[275] 於 23 日到達基隆。[276]

第二批是徐水德、張芳燮等人。先自長春搭火車到瀋陽，從瀋陽要到錦州時，因鐵路被八路軍破壞，所以在瀋陽等三、五天，無處可宿，只好宿於車站。到錦州後又因錦州、山海關間國共正在作戰，無法通過，故止宿一晚。經山海關、長城到天津，在天津福建會館等船，再自塘沽搭船經青島到上海。在上海又等了一星期，搭海空輪回臺，[277] 因船艙很悶，大家紛紛到甲板上透氣，一路辛苦，抵臺時間可能在 9 月。[278]

第三批由高湯盤當團長，余錫乾則是團員之一。由長春到瀋陽搭火車，只能白

---

270　《民報》，民國 35（1946）年 7 月 26 日，第 3 版，〈長春臺胞之近況〉：郭松根會長在 6 月 12 日洽《民報》，告知因四平戰役結束，臺人未受害，極盼歸鄉。
271　報導為第三批，但對長春的臺人而言是第一批。見《民報》，民國 35（1946）年 7 月 27 日，第 1 版。
272　黃清舜，《一生的回憶》，頁 349-350。
273　黃清舜，《一生的回憶》，頁 354。
274　許雪姬訪問、鄭鳳凰紀錄，〈翁通楹先生訪問紀錄〉，《日治時期在「滿洲」的臺灣人》，頁 473-474；許雪姬訪問、蔡說麗紀錄，〈陳嘉樹、陳高絃夫婦、陳正德先生訪問紀錄〉，《日治時期在「滿洲」的臺灣人》，頁 536-537；林永倉也參加第一梯次，但他說只有四、五十人。見許雪姬訪問、王美雪紀錄，〈林永倉先生訪問紀錄〉，《日治時期在「滿洲」的臺灣人》，頁 353。
275　船長顏明照，澎湖望安人；船主為李漢川，亦為澎湖人。當時該船到上海裝麵粉，黃清舜經由在上海同鄉顏馴馬告知，才得搭此船回臺。參見黃清舜，《一生的回憶》，頁 353-354。
276　《民報》，民國 35（1946）年 8 月 24 日，第 3 版，〈東北台胞三千名 將陸續經滬歸省〉。
277　林德政採訪、盧淑美撰稿，〈在滿洲國牡丹江工作及戰後目睹蘇聯兵暴行：省議員張丁誥先生口述史〉，頁 275。
278　許雪姬訪問、鄭鳳凰紀錄，〈徐水德先生訪問紀錄〉，《日治時期在「滿洲」的臺灣人》，頁 246。

天坐，因晚上共軍會破壞鐵路，白天修好了才能繼續通行。在瀋陽一、二星期後前往錦州，仍是白天坐火車，晚上止宿，也要避免被搶，因此男人重要的工作之一是看顧行李。由錦州搭船到秦皇島，再到上海。在上海等船約一個月，故回臺灣前後用了兩個月，也大約在1946年8、9月抵臺。[279]

〈黃旺成先生日記〉於1946年9月15日曾記載，「郭輝昨日歸自東北亦來會。」亦即9月14日即抵臺，但不知其參加的是哪一批。[280]

第四批為陳亭卿等人。1946年6月中旬由長春南下，其間鐵路爆炸無法通行，只得露宿。到瀋陽，又因溪水暴漲，停留兩天，經一星期才到達山海關，到天津後，住在破廟裡，停留兩星期才輾轉到上海。在上海等船十多天，才搭上貨物船，在海上漂浮四、五天後抵達基隆，時為1946年9月底。[281]

第五批由長春臺灣同鄉會長郭松根押陣。這梯次走的路和前次相同，但很顯然，這梯次抵臺的時間已在1947年3月以後的事。何以證明？228事件發生後，3月10日郭松根在得知此消息後一天，立刻發表談話；3月12日北平、天津臺灣同鄉會、臺灣旅平同學會於發表「為臺灣二‧二八大慘案敬告全國同胞書」，長春臺灣同鄉會也署名。[282]這時第五批可能還在平、津才能恭逢其會。若他那時已回臺，不可能署名其上。第五批之所以遲遲其行，亦有其原因，當時他受聘長春醫科大學（原新京醫科大學）醫學院院長兼附屬醫院院長，聘期三年，[283]故無法立刻回臺，乃以送太太回臺再回東北任職為藉口，才能離開長春。[284]可能這是最後一批，郭會長希望把滯留長春的臺灣人都帶回來，所以耗了些時間。如溥儀皇帝的私人醫師黃子正，他與皇帝同行，被送到蘇聯，其妻黃洪瓊音帶三個小孩想在長春等丈夫歸來，郭松根認為不一定能等到黃子正，乃力勸洪瓊音隨團南下。洪雖跟團南下，但因天津、北京有親戚，乃住在天津等丈夫。一直到情勢危急，才自費乘船回臺。[285]

（6）齊齊哈爾：在齊齊哈爾及其附近的臺灣人有幾十人，一起邁向歸途，途中歷險、吃苦，先經哈爾濱、長春、瀋陽，然後抵達天津候船。這其中有陳欽梓，他

---

279 許雪姬訪問、鄭鳳凰紀錄，〈余錫乾先生訪問紀錄〉，《日治時期在「滿洲」的臺灣人》，頁38-39。
280 黃旺成，〈黃旺成先生日記〉，1946年9月15日，典藏於中央研究院臺灣史研究所檔案館，識別號：T0765_02_03_01。
281 許鐘榮編，《她的價值勝過珍珠：祝賀媽媽（阿媽、阿祖）八十華誕》，頁4-5；許雪姬訪問、王美雪紀錄，〈陳亭卿先生夫人訪問紀錄〉，《日治時期在「滿洲」的臺灣人》，頁303-304。
282 臺灣省旅平同鄉會、天津市臺灣同鄉會、臺灣省旅平同學會編印，《臺灣二‧二八大慘案華北輿論集》（北平：臺灣省旅平同鄉會等，1947），頁6-7，〈台胞在華北及東北二‧二八大慘案發生後的活動經過概述〉；頁2，〈為臺灣二‧二八大慘案敬告全國同胞書〉。
283 許及訓，〈醫界怪傑郭松根〉，《旁觀雜誌》3（1951.2），頁26-27。
284 許雪姬訪問、蔡說麗紀錄，〈黃洪瓊音女士訪問紀錄〉，《口述歷史》5（1994.6），頁244。
285 許雪姬訪問、蔡說麗紀錄，〈黃洪瓊音女士訪問紀錄〉，《口述歷史》5（1994.6），頁244。

因其子陳威博終戰時在東北帝大醫學院就讀，過去他要其子當醫師或當外交官，並且要去祖國的北京，他料想其子戰後會到北京，[286] 因此一路向臺灣同鄉會打聽其子的蹤跡，因此到天津時知道兒子已入北京大學，乃電話聯絡，父子於 1947 年乃在天津相會。其父一路上告訴同行的臺灣同鄉，如果能見到兒子，要招待他們，遂在天津的飯店開宴，[287] 自是一段佳話。先是楊威理在戰後時常翹醫學院的課，而到在日本的臺灣同鄉會、同學會去幫忙工作，以便打聽有沒有到中國的船，至是於 1946 年春天由橫須賀回到臺灣，該年夏天參加臺灣省行政長官教育處的留學考試，考取後依其志願進入北京大學經濟系，11 月前往。[288]

2. 非團體、親族相率回臺

所謂非團體，乃非集體回臺，由個人或幾個人、一些人一起回臺，主要的原因是從商、從醫或技術人員當時尚有工作；有的是在當地置有財產尚未決定回臺；更有的是在東北已有成就根本不打算回臺。非團體回臺都有一個特色是時間較晚，有些人還搭飛機離開。茲分述於下

（1）吳左金以「漢奸罪」遭逮捕：原任滿洲國駐汪記中華民國駐濟南總領事，戰爭後被逮捕，以懲治漢奸條例議罪（下章再敘），迨獲無罪開釋已是 1946 年底。這時他的三個女兒已先回臺，只留兒子陪伴他。遂由山東濟南搭飛機到上海，在上海四、五天後想搭飛機回臺，卻只買到一張票乃作罷。不久搭船回臺，時為 1947 年元月。[289]

（2）陳永祥被國共軍留用：陳於 1936 年畢業於臺南高等工業學校電機系，之後前往滿洲，服務位於新京的滿洲電信電話株式會社，在東北共 13 年。當滿洲國滅亡後，原奉天電信局幹部傅考科成立一個「電信電話維持會」，暫代處理滿洲電電的各項事務，他參加在內，因而被共軍找去修無線電，三個月後共軍撤退。國軍入城，他和校友林有丁（臺南高等工業學校電機系，1937 年畢業）都被留用，負責維護電話線路。1946 年四平之役，國軍載波設備被共軍破壞時，奉命前往搶修，歷時 50 多天。以後要再調往廣東，乃藉口要先回臺灣再上任。1948 年 4 月 1 日由瀋陽搭軍用飛機到北京，在北京滯留 20 多天，住鹿港人周松坡（即周壽源）醫師家，再搭船到上海，最後搭船回到臺灣，這時是 1948 年 5 月 1 日。[290]

（3）楊蘭洲先由哈爾濱前往長春：到長春住了一年多，再等車一、兩個月才到

---

286　楊威理，〈台湾人、中国人、日本人の三国人に生きる〉，頁 39-41。
287　楊威理，〈台湾人、中国人、日本人の三国人に生きる〉，頁 48。
288　楊威理，〈台湾人、中国人、日本人の三国人に生きる〉，頁 48。
289　許雪姬訪問、曾金蘭紀錄，〈吳左金先生訪問紀錄〉，《口述歷史》5（1994.6），頁 117。吳左金說他原要搭回臺的那飛機，在起飛不久後就掉入海中，他很慶幸沒搭上這班死亡飛機。
290　許雪姬訪問、王美雪紀錄，〈陳永祥先生訪問紀錄〉，《日治時期在「滿洲」的臺灣人》，頁 499-500。

瀋陽。楊原在哈爾濱擔任該市行政處長，當時的市長楊綽庵也到瀋陽，經由楊市長的祕書安排，到營口搭乘UNRRA運大豆的貨船到上海，當時臺灣正爆發228事件，在楊肇嘉的勸導下，才在1947年5月回到臺灣。[291]

### 3. 遲遲回臺的醫生

（1）陳章哲醫師：於1909年畢業於臺灣總督府醫學校，1917年到大連，在市立宏濟醫院當院長13年半。辭職後在大連近郊老虎灘開闢一塊17甲（約五萬坪）的大蘋果園，在大連市有51戶出租房產，錦州附近還有Santonin農園700多甲的三分之一產權，這三份產業加總在1億元以上。有這麼多的不動產，很難放棄回臺。1945年蘇聯軍占領大連，之後又被共黨接收，他到錦州女婿王大樹的錦生醫院觀望一年餘，至1947年深知不可能再永住大連，乃冒險到天津，在天津候船一個月，而在1947年6月兩袖清風地回到臺灣，再度重操醫師舊業。[292]

（2）梁宰醫師一家：梁宰已如前述於1946年3月22日逝世，遺言長女梁金蘭，當天下有變，要帶家屬回到臺灣。當大連的局勢丕變後，梁金蘭帶生病中的丈夫林昌德醫師以及三個五歲以下的幼兒，在1947年7、8月回到臺灣。1948年其妹梁園與堂兄梁松文夫妻，也回到臺灣，只有在滿洲醫科大學還有一年學業的弟弟梁育明留在瀋陽。[293]

（3）醫師劉建止、謝久子夫妻：夫妻兩人都畢業於滿洲醫科大學專門部。1942年兩人結婚，在新京開百川醫院，做為丈人謝秋滔醫師百川醫院的分院。戰後不論蘇聯、共軍、國軍到來，對其醫院的業務並未有多大的影響；而其妻謝久子則出生在東北，因此一時未做歸計。但劉很思念父母，因此決定攜妻子回臺灣定居。1948年要離開長春時打算搭乘飛機，但沒有民航機只有軍機，不得不託人將身分證拿去變更為軍職，才好不容易以每人四兩黃金（一家四口）買得軍機的機位，但飛機是螺旋槳的運輸機，行李放中間，旁邊放長櫈坐人。由瀋陽起飛後，有一邊的螺旋槳停止，飛機一直往下，後來才又慢慢升高，當飛機降落北京機場時還連碰跳三下才停止。到北京後，和先到北京的岳父母（謝秋滔、西山鈴）和妻舅謝文煥團聚，然後到天津搭到上海，再由上海轉搭船回臺灣。[294]

（4）葉鳴岡醫師一家人：葉鳴岡1943年畢業於新京醫科大學，由於在學中領

---

291 許雪姬訪問，吳美慧、曾金蘭紀錄，〈楊蘭洲先生訪問紀錄〉，《口述歷史》5（1994.6），頁156；楊蘭洲編，《楊公鵬搏字雲程遺墨》，頁36，〈楊蘭洲回憶錄〉。
292 陳章哲，《養生之道》，頁13，〈25.為什麼能從東北回臺〉。
293 許雪姬訪問、蔡說麗紀錄，〈梁金蘭、梁育明姊弟訪問紀錄〉，《口述歷史》5（1994.6），頁314。
294 許雪姬訪問、藍瑩如紀錄，〈謝久子女士訪問紀錄〉，《日治時期臺灣人在滿洲的生活經驗》，頁340-341；許雪姬訪問、鄭鳳凰紀錄，〈劉建止先生訪問紀錄〉，《日治時期在「滿洲」的臺灣人》，頁18-19。

圖 7-9　戰後謝久子、劉建止夫妻回臺前的全家福。他們於 1948 年以每張票四兩黃金買到四張軍機票，自長春直飛北平，經天津到上海搭船返臺。
（謝久子女士提供）

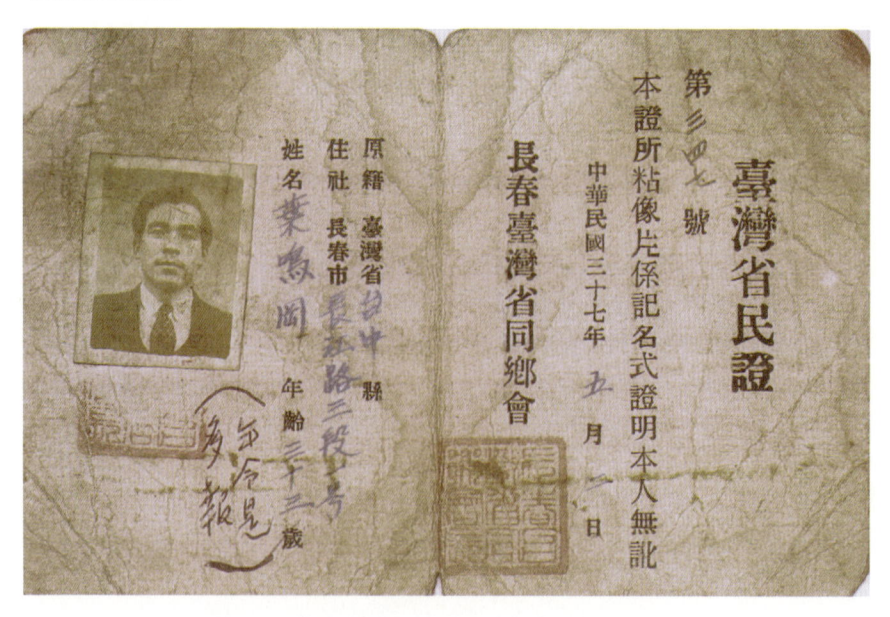

圖 7-10　葉鳴岡醫師回臺前取得的「臺灣省民證」
（葉鳴岡先生提供）

有北票礦山會社的獎學金,故畢業後必須在礦山醫院服務2年,於1946年回到長春和未婚妻袁櫻雪(袁樹泉醫生之女)結婚,並在岳父二道河的錦昌醫院看診。當1948年共軍即將打到長春時,因共軍缺醫生,其岳父怕被征調,就準備回臺。當時鐵路被共軍控制,離開長春的唯一辦法是搭飛機,但卻無論如何買不到票,於是只好坐馬車。當時自行駕駛的馬車都用一隻眼睛的老馬,這樣路上才沒有人搶,到目的地再把馬賣掉。5月葉家大小四口,加上岳父母以及黃呈財[295]一家及五、六個從新一軍出來的年輕人,共30多人。一行坐馬車到瀋陽共六、七天,再搭飛機到錦州,改坐火車到天津。在天津等船時,借住吳三連開的糖廠(應為倉庫),由上海回臺時為1948年7月31日。[296]

(5)袁錦昌妻女:袁錦昌家族因袁錦昌醫師過世,其錦昌醫院由女婿游高石掌理,因見國共內戰而斷了繼續留在東北之念。游高石夫妻離開長春的時間比其么叔袁樹泉一行早,同樣的沒有火車可搭,一行雇兩輛大車前往長春。車夫見人多不敢動手搶袁家的家當,但藉口以袁家人所帶的東西太多為由,沿路將東西丟下馬車,迫使客人不斷去撿被丟下的東西,即使住客棧時也怕車伕丟下他們跑了;更甚的是在路上要脅再不加價要將客人趕下車,一路就驚受怕,好不容易才到瀋陽,之後從大連搭飛機回臺,據云在1947年回臺。[297]

(6)劉萬夫妻:劉萬,1940年畢業於滿洲醫科大學,先在母校服務兩年,才在大連開仁生醫院,準備清還在臺的債務。日本投降後,醫院停診,共軍且不准在大連的臺灣醫生離開。據云共軍入大連後,將吃白米、聽收音機、有錢都視為罪惡。劉萬讓兒女們先行回臺,之後與妻子葉彩屏、[298]傅元煊[299]夫婦,還有一些戰末逃到滿洲的學生,每個人以十兩的代價租船兩艘欲離開大連。不料在前往上海途中的金州海邊,共軍卻不准一行人離開。即使簽下切結書,說回臺探親之後還要回大連,亦不獲准。主要原因是,一行人尚未交出隨身所帶的金子,同船的學生出面與共軍交涉,大意是學生都窮,即使較富有的醫師也是從事救人的工作,應該放行。共軍

---

295 黃呈財,臺北人,在長春開雜貨店,父親為黃海南。見許雪姬訪問、鄭鳳凰紀錄,〈葉鳴岡先生訪問紀錄〉,《日治時期在「滿洲」的臺灣人》,頁58。
296 許雪姬訪問、鄭鳳凰紀錄,〈葉鳴岡先生訪問紀錄〉,《日治時期在「滿洲」的臺灣人》,頁60-61。
297 許雪姬訪問、鄭鳳凰紀錄,〈林更味女士訪問紀錄〉,《日治時期在「滿洲」的臺灣人》,頁393-394。林更味之夫張世城是袁錦昌之妻舅。林更味一家由北京回臺是在1946年9月。
298 葉彩屏,南投人,父葉作淵醫師,彰化女子高級中學畢業。見葉家子孫恭印,《葉公在淵百年忌紀念》(南投,自刊本,1989),正文前照片,不著頁數。
299 傅元煊,1925年臺灣總督府醫學校、1934年京都大學醫學院畢業。曾在大連醫院第二外科服務,後自行開設大同醫院,是相當成功的外科醫生。見許雪姬訪問、蔡說麗紀錄,〈盧昆山、李謹慎夫婦訪問紀錄〉,《口述歷史》5(1994.6),頁289;盧昆山,《七十回憶》,頁25;許雪姬訪問、紀錄,〈葉彩屏女士訪問紀錄〉,《日治時期在「滿洲」的臺灣人》頁132。

仍要一行人再度坦白所帶走的金子。這樣在海邊鵠候 20 多天，幾至斷炊，幸得尚留在大連的簡仁南醫師夫婦，三、五天即載食物接濟。當一行獲准離開後，先航往秦皇島，途中船家又要一行人加錢才願開船，劉萬再付出兩個金戒指。船航到上海後，劉夫人葉彩屏換下青布衫買新衣服，燙了頭髮，才坐上回臺灣的船，回到臺灣已是二二八之後的事了。[300]

(7) 盧昆山、李謹慎夫妻殊途回臺：盧昆山在戰爭後期自鞍山遷到大連附近的瓦房店開慈愛醫院。戰後蘇軍、共軍、國軍陸續入駐，當共軍再度逼近瓦房店時，盧怕共軍追究其助國軍之罪，乃隨國軍撤走，從此夫妻分離。盧先到大連臺灣同鄉張登財醫師開設的中山醫院協助看診，得知有美援飛機運麵粉到東北將空機而回，乃申請搭乘，每人票價金元券 37 元，直飛北京，幾天後到天津，再經上海回臺灣已是 1948 年 10 月。盧妻本身為助理助產士，丈夫離去後從事醫療工作以維生。共軍入城後，由三姊夫簡仁南派人帶行李及小孩回大連，作回臺的準備。先搭貨船到天津，在當地要搭船到上海時，因上海已被共軍「解放」，無法通行，乃經韓國釜山到達香港，經由在當地的臺人醫師蔡愛禮協助，再自香港坐船回臺，這是已是 1949 年，夫妻兩人在基隆見面時恍如隔世。[301]

(8) 張登財醫師：張醫師在瀋陽開設兩家醫院，一名中山、一名康德（戰後改名仁德）。戰後張醫師應同鄉會幹事長何金生之託，將醫院提供給路過的臺灣同鄉落腳，並提供三餐。1948 年聽說共軍又要進瀋陽，非得趕快離開不可。當時陸上交通已斷絕，乃透過管道用一張票十兩黃金的代價買下五張機票，就搭上一架十一、二人座的軍用機直飛北京，住到最好的北京飯店，再借住周壽源醫師家。自北京到上海搭乘唯一的民用機「霸王號」（螺旋槳機），在上海又等了十多天才回臺灣。[302]

(9) 林欽明、林肇周醫師：林肇周為林欽明的堂兄，兩人都是滿洲醫科大學專門部畢業，也都在大連開業。戰後林欽明想先回臺看看，但賣家當所得不多，為了多賺些錢再回臺，乃盤了一間原臺灣人的店開「欽明醫院」。就在快離大連前，聽說官廳要抓人，林欽明連忙躲藏，太太和二個小孩先坐卡車去錦州再會合。堂兄林肇周也同行，不久林欽明趕到錦州會合。此行約有十人，分別租雇帆船，以便到達塘沽等待到上海的船。帆船十分簡陋，甲板上裝有電土，坐上船後，沒有風助航，一行帶的糧食即將不足。船長問有沒有人帶骨灰？原來林肇周帶了大兒子的骨灰回臺，乃對之祭拜。第二天乃順風到達塘沽。在塘沽等了一個星期後，搭船到上海，

---

300 許雪姬訪問、紀錄，〈葉彩屏女士訪問紀錄〉，《日治時期在「滿洲」的臺灣人》頁 131-132。
301 許雪姬訪問、蔡說麗紀錄，〈盧昆山、李謹慎夫婦訪問紀錄〉，《口述歷史》5（1994.6），頁 279-286。
302 許雪姬訪問，許雪姬、張英明紀錄，〈張琁女士訪問紀錄〉，《日治時期臺灣人在滿洲的生活經驗》，頁 264-265。

圖 7-11　1945 年張登財夫妻與大女兒美惠、二女兒芳惠於瀋陽合影
（張英明先生提供）

在上海又等了一星期才坐船回臺灣，這時是 1947 年。[303]

（10）梁松文醫師一家七人、羅福嶽醫師一家七口、梁宰之女梁園及五、六個軍伕：一行二十多人，自撫順免費搭美國貨運飛機到瀋陽，由瀋陽到北京也坐飛機，到滿洲醫科大學畢業、在北京開業的周松坡（周壽源）家住一個多月，再經天津、上海，1948 年才回到臺灣。[304]

4. 建大畢業生：臺人讀滿洲國第一流大學建國大學的只有 27 名，但畢業的只有三人，[305] 大半都還在就學中，各有不同的回臺路線和方式，以下舉例說明。

（1）先回臺的吳憲藏：1945 年日本見大勢已去，乃徵召建國大學臺籍學生從軍，建大第八期生（舊九期）吳憲藏乃決定到廈門找在當地任職的父親。所以在蘇聯軍未入東北前已南下，決定由山海關入關，先到上海再轉廈門。一路上盡量不開口以避

---

303 許雪姬訪問，林建廷、劉芳瑜紀錄，〈滿洲、臺灣、日本，伴夫行醫半世紀：林江金素女士訪問紀錄〉，收入，《記錄聲音的歷史》，頁 156-157。
304 林德政採訪、撰稿，〈懷念在滿洲國的十二年：楊從貞女士訪問紀錄〉，收入林德政，《口述歷史採訪的理論與實踐：新舊臺灣人的滄桑史》，頁 301。
305 許雪姬訪問，黃子寧、林丁國紀錄，〈李水清先生訪問紀錄〉，《日治時期臺灣人在滿洲的生活經驗》，頁 11，〈表一：建國大學臺灣學生名單〉。

圖 7-12　1994 年吳憲藏娓娓道出自滿洲回臺，船在淡水河口擱淺的驚險情況。
（助理丘慧君拍攝、作者提供）

免被識破非中國大陸人，好不容易才到達天津，發現自天津到上海的船價 200 元，幾乎是他所有的錢，不得不改買短程火車票一路前往上海。火車至徐州途中遇到美軍 B29 轟炸機轟炸，暫時無法通行，等到可以通行時，竟看到對面自浦口來、遭轟炸的火車，千瘡百孔、血流遍地。到上海後投奔其父之友人，而這時得悉其父已經由廈門調職到泰國，乃決定和其父之友一家人一起返臺。這時日本已戰敗。好不容易才在 1946 年初得以搭船離滬。這船是「永豐餘」往來臺滬間運輸棉紗、麵粉的物資船，回航臺灣之前合買豆餅回臺販售，順便以每人數萬元的代價，搭載臺灣人返鄉。船到淡水八里就擱淺，隨後連續幾天的暴風雨使人滿為患的船飽受大浪的衝擊，為使不致翻船，遂紛紛拋棄行李，儘管曾多次拍電求救，但救援船因風浪過大而暫時停止作業。當時有些搭乘的原臺籍日本兵，一般稱為「散客」，眼見船只距陸地 300 多公尺遠，因此有一半人紛紛跳船游往岸邊。吳憲藏也想縱身入海，卻為上海友人之二、三歲小孩抱住腳不讓走，而打消念頭。當天下午正逢退潮，下船的人不諳當地海流流向，有 20 多人被捲得不知去向，也有體力不支而遭溺斃者，有些則幸運地被捲到海邊而獲救。第二天早上，吳終經救援而平安返臺。日後同船之劫後餘生者，每年春天都舉辦慶生會，一方面慶祝重生；另方面燒香祭拜那些不認

識的死者。[306]

（2）李水清等：日本投降時，李水清正在滿洲國熱河省圍場青年訓練所工作，前往半壁山區招募學生。日本人被命令8月16日下午要離開駐地前往承德，後來再延一天，改為17日，李水清22日回圍場後，暫住在青年訓練所主任教導馬光甫家，不再出面。日本人撤退後，共軍入縣城接收，9月下旬共軍曾在縣公署約見李，詢問協助工作的意願，李知此處不可留，乃於9月30日離開圍場，10月3日到達承德。在承德婉拒國民黨邀約的工作，決定回臺灣。第一步先往錦州，乃於11月18日出發，先去看住在頭道溝胡家的建大同學黃山水，黃想同行，卻被胡家留下。之後歷經重重困難到達錦州，到同鄉醫師王大樹的錦生醫院探聽臺灣同鄉的消息。1946年3月黃山水與建大二期的蔡傑川都分別自承德、綏中到錦州會合，三人乃告別錦州，邁向回鄉的第一步。到北京後住在洪學優家，和洪一起做販賣日人舊衣、古物的生意，一面準備回臺，[307] 幸得林朝棨、林耀堂兩位教授拜託北京臺灣同鄉會安排李等三人優先還鄉。[308] 4月初在同鄉會安排下自北京前門出發，在塘沽碼頭倉庫住一夜，第二天搭上UNRRA安排怡和公司塘沽、上海間的定期輪船，船費全免，約四、五天到達上海，在黃浦江上下駁船，停留數天後再換上預定開往基隆的招商局的輪船。航行五、六天後，船終於抵達基隆，這時是1946年4月中旬。[309]

（3）涂南山要回臺考國內留學生考試：涂南山是最後一期（舊九期、新八期）的建大生。1946年5月到瀋陽就讀設立原滿洲醫科大學的臨時大學補習班。此補習班乃為就讀「偽滿、汪偽政權」下所設學校學生而設，經半年研讀三民主義做種種精神訓練後才予承認過去的學歷。之後涂被分發到東北大學，但他因去過北京，看過清華大學，想唸北京的學校，自忖以當時不諳中文，絕無考上的可能，乃想回臺考臺灣省行政長官公署舉辦的國內留學考試。1946年底付諸行動而回臺，先由一位同學陪伴到天津，1947年元月再坐船到上海，在那裡等船將近一個月，才在2

---

306 許雪姬、黃自進訪問，丘慧君紀錄，〈吳憲藏先生訪問紀錄〉，《口述歷史》6（1995.7），頁219-222。

307 依照臺灣省旅平同鄉會製作的〈臺灣省旅平同胞名冊〉，有黃山水、李水清、蔡傑川的姓名。見臺灣省旅平同鄉會，〈臺灣省旅平同胞名冊〉（1946年1月）。

308 他們三人同住在北京銅井大院13號，由於優先送回，因此已不在〈台灣省旅平同鄉會會員歸還台灣名冊〉中。見臺灣省旅平同鄉會，〈臺灣省旅平同胞名冊〉（第5冊），1946年1月。

309 李水清，〈附錄：東北八年回憶錄（1938年4月-1946年4月）〉，《日治時期臺灣人在滿洲的生活經驗》，頁90-116。此回憶錄頁116，曾提及由上海到基隆航行途中「基隆顏家的一員，地質專家顏滄波」。對照1987年顏滄波所寫的回憶錄，頁45，說他回臺灣的船期已決定六月二十二日而從天津出帆……，七月一日船進入〔基隆〕港內，慢行而靠岸。如此六月二十一日離開北京以來已十一天了。」和李水清的回憶不同。見顏滄波，〈顏滄波回憶錄〉（稿本，1987），頁45。這個顏家的一員很可能是顏朝熙（顏國年之子），見〈長春台灣省民名簿〉（1946年1月28日）。名簿中僅登記為電氣社員。

圖 7-13　涂南山先生肖像（郭彬源繪），1947 年 2 月 1 日回臺。
（涂南山先生提供）

月初一抵達臺灣。[310]

### 5. 艱辛的回臺之路

在東北的臺人回臺，路途十分遙遠，再加上蘇軍入侵、國、共軍的爭奪戰，使回臺之路既遙遠又危險。這些返鄉的難民，一路上體會到大環境的不佳，不能說日語又不會說北京話，對外只好噤聲的困境。以下分敘之。

（1）回臺之路上最大的不方便莫過於婦女懷孕或正要臨盆，或帶有初生幼兒。蔡西坤妻黃婉華產下第三胎時，正是 UNRRA 的船已安排好要載臺人回臺時，黃婉華卻不願在上海稍事休息，只為離鄉已久，又耳聞母親染病，更是歸心似箭，故在產後體力尚未復元之際即堅持一同返鄉。途中得產褥熱，發 39 度以上高燒，情況危險。對黃氏而言，回臺之路就等於是拚生死。[311] 余錫乾之妻在自長春南下到瀋陽的第三天生產，但仍必須繼續行程，幸虧同行的同鄉中有護士、產婆與婦產科醫生。[312] 何金生之妻詹春秧在回臺一個月後產下一女，可說是以孕婦進行艱苦的返鄉之路！[313] 陳永祥的妻子也在回臺後四天產下一女，陳妻一路應該也很辛苦。[314]

（2）在客觀環境上的不安，是大多數自滿洲回臺的人的感受。由於臺灣人受日本統治、住日本住宅區，甚至娶日本女性為妻、在滿洲出生，因此往往本人或第二代不會北京話、母語，只會日語，因此除非東北人能理解臺灣人的困境，否則將臺灣人等同日人報復亦有可能；但臺人即使外部換裝也改變不了內部氣質，在回鄉途中怕不小心說日語而賈禍。林黃素華追憶時指出：

> 我從滿洲到回臺灣途經上海時，一路上被滿洲人、中國人罵，他們罵我，說我走路內八字，穿著像日本人，說我不是中國人，一路罵我。[315]

陳嘉樹之子陳正德出生在東北，九歲時隨著父母返臺。他記得戰後父親母親開始教說臺灣話，且命令不能說日語，二弟只有三歲，在搭火車時被叮嚀不能說日語，弟弟立刻用日語回嘴說：「日本語を喋ってないじゃないか」（哪有說日語），不自

---

310 許雪姬訪問，鄭鳳凰、黃子寧紀錄，〈涂南山先生訪問紀錄〉，《日治時期臺灣人在滿洲的生活經驗》，頁 142-143。
311 許雪姬訪問、吳美慧紀錄，〈蔡西坤先生訪問紀錄〉，《口述歷史》5（1994.6）頁 186。
312 許雪姬訪問、鄭鳳凰紀錄，〈余錫乾先生訪問紀錄〉，《日治時期在「滿洲」的臺灣人》，頁 34、38。
313 許雪姬訪問，何金生、鄭鳳凰紀錄，〈何金生先生訪問紀錄〉，《日治時期在「滿洲」的臺灣人》，頁 195-196。
314 許雪姬訪問、王美雪紀錄，〈陳永祥先生訪問紀錄〉，《日治時期在「滿洲」的臺灣人》，頁 500。
315 許雪姬訪問、王美雪紀錄，〈林黃淑麗女士訪問紀錄〉，《日治時期在「滿洲」的臺灣人》，頁 147。

覺仍用日語回答。[316] 徐水德也指出:「這種逃難很可怕,不能說日本話,怕一說會被人捉去殺掉,也有摀小孩的嘴卻把小孩摀死的。」更讓徐水德害怕的是,無法立刻改變的樣子。

我們的東西、行李拿出來就是日本樣,很危險的。[317]

東北人能分辨出何謂日語,但對臺語、客家語卻不詳知,因此認為講這些話的不是中國人,常發生意外的困擾。翁通楹就指出,東北人認為臺灣人既不是日本人,怎不會講滿洲話?翁答稱他講的是福建話,但當地人不知道福建在哪裡?恰好蔣夫人宋美齡在 1946 年 1 月 22 日到達長春,24 日發表廣播演說,[318] 當地人也聽不懂蔣夫人說的話,翁乃問他們說,蔣夫人的話你們聽不懂,但她確實是中國人,而我(指翁)不會說滿洲話,當然不能說我不是中國人。[319] 前已敘及,傅慶騰自長春搭車到瀋陽時,蘇聯兵上車找日本人男乘客,目的在搶劫日本人,然後將之推下火車洩憤。同排座位的東北人指著傅叫說這裡有一個日本人,傅立刻用國語回答,仍被視為會講中國話的日本人。當蘇聯兵再度接近時,又再喊這裡有一個日本人。傅一時情急改用客家話表示自己是客家人,傅因此也保住一條命,可謂驚險萬分。[320] 當語言成為區分族群及政治化問題時,注定是相互誤解且悲劇不斷。

(3)患難時同鄉間的互助,也留下一些佳話。當日本投降後在日滿商事任經理的許長雄,被日本鄰居找去開會,他們準備集體自殺。他一聽非同小可,急奔三、四公里外單身同鄉的住處求助,由同鄉翁通楹等雇馬車前往帶許太太來,已如前述。許太太在回到新京不久才生小孩。要離開新京回臺灣時,不巧許長雄因生病無法行走,原先翁通楹和楊藏嶽要留下來陪他,但是和許長雄同畢業於臺南二中的涂榮慧說他自己應該留下來照顧,而讓楊藏嶽先走。而後大家覺得不能再留在長春,無論如何用抬的都要將許長雄抬回來。許長雄知道大家要抬他回來好高興,就叫人扶他起來走路,才一個星期就能走,後來還可以自己揹小孩、拿行李,[321] 終於回到到臺灣。九歲的陳正德還記得,當全家在天津上船時,六歲的弟弟在船上到處玩,回來時帶著一條麵包回來,陳母一直到處問誰給的,始終沒有人承認,在當時物資

---

316 許雪姬訪問、蔡說麗記錄,〈陳嘉樹、陳高絃夫婦、陳正德先生訪問紀錄〉,《日治時期在「滿洲」的臺灣人》,頁 536。

317 許雪姬訪問、鄭鳳凰紀錄,〈徐水德先生訪問紀錄〉,《日治時期在「滿洲」的臺灣人》,頁 246。

318 宋美齡於 1946 年 1 月 22-25 日在長春和蘇軍交涉撤退的事。見滿洲國史編纂刊行會,《滿洲國史總論》,頁 779;伊原澤周編注,《戰後東北接收交涉記實:以張嘉璈日記為中心》,頁 92-94。

319 許雪姬訪問、鄭鳳凰紀錄,〈翁通楹先生訪問紀錄〉,《日治時期在「滿洲」的臺灣人》,頁 472。

320 傅慶騰撰、高淑媛譯,〈傅慶騰回憶錄〉,《日治時期在「滿洲」的臺灣人》,頁 570-571。

321 許雪姬訪問、鄭鳳凰紀錄,〈翁通楹先生訪問紀錄〉,《日治時期在「滿洲」的臺灣人》,頁 472-473。

缺乏，且不知要航行多久才能到上海，能有人匿名送比金子還珍貴的糧食給你，就是「患難中的同胞愛」，陳一直以未能當面道謝而耿耿於懷。[322] 黃清塗的太太黃陳波雲，當時有孕在身，其大兒子正要斷奶，但因營養失調，又係在回臺途中，故瀕臨死亡邊緣，幸賴余錫乾醫師打針，並一路照拂，在回臺後就醫，因而保住了性命。[323] 在北平、天津、上海的同鄉會，尤其是天津同鄉會會長吳三連、臺灣重建協會上海分會理事長楊肇嘉，為自東北回臺的同鄉借得當地投宿的地點與對生活的照拂，這在一些訪問紀錄中一再被提到。1947 年國大代表選舉，吳三連參選時，那些得到在天津臺灣同鄉會幫忙而順利返臺的人凝聚成很大的力量。楊肇嘉、劉明電兩人聯合推薦時指出吳三連「**勝利後被推為天津同鄉會長，又為華北臺胞盡力服務，故歷遭艱難之華北臺胞，終能獲得保護，三千餘名難胞，亦能免費安全回臺。**」[324] 可見一斑。

年輕人尤其是學生，在日本投降後一直到回臺都是臺灣同鄉重要的支柱，如住在吉林的侯金魚，丈夫石林玉燦是醫師，日本戰敗後，蘇聯軍迅速進入東北，石林家卻有 7 個從日本到東北的年輕人來住，後來為了生活乃集資買米做壽司、糕子等賣給日本人，又去收購日本人不要的東西轉售維生，其中有二個年輕人還和石林家同一批回臺。[325] 當在長春的臺人要分批搭火車到瀋陽時，第一批就由建大的學生打頭陣，一路照拂一行人的安全。[326] 李水清等建大畢業生在回臺過程中上下車船、搬行李、看管行李都自動效勞，使臺灣同鄉感念。[327]

（4）回臺過程中必須有盤纏，由此必須各顯神通藏錢或金子，一旦被騙或遺失就會造成困境。為了不使憾事發生，臺灣人亦藏金有術。劉萬一家人回臺時，共軍非要他們交出所有的金子不可。劉萬有個身障的女兒，由一個自臺灣帶來的女藥局生揹著，碎金子就藏在身障女兒身上，而未被發現。[328] 林欽明醫師夫人江金素藏金技術更妙，他在收入存到一定程度時，就拿去買金條保值，要離開大連時，為方

---

322 許雪姬訪問、蔡說麗記錄，〈陳嘉樹、陳高絃夫婦、陳正德先生訪問紀錄〉，《日治時期在「滿洲」的臺灣人》，頁 527。

323 許雪姬訪問、王美雪紀錄，〈黃陳波雲女士訪問紀錄〉，《日治時期在「滿洲」的臺灣人》，頁 289。

324 吳三連口述、吳豐山撰記，《吳三連回憶錄》（臺北：自立晚報社文化出版部，1992 年 1 版 4 刷），頁 115、247。

325 許雪姬訪問、王美雪紀錄，〈侯金魚女士訪問紀錄〉，《日治時期在「滿洲」的臺灣人》，頁 90-91。

326 許雪姬訪問、蔡說麗記錄，〈黃洪瓊音女士訪問紀錄〉，《口述歷史》5（1994.6），頁 244；許雪姬訪問、鄭鳳凰紀錄，〈翁通楹先生訪問紀錄〉，《日治時期在「滿洲」的臺灣人》，頁 473。

327 李水清，〈附錄：東北八年回憶錄（1938 年 4 月-1946 年 4 月）〉，《日治時期臺灣人在滿洲的生活經驗》，頁 116。

328 許雪姬訪問、紀錄，〈葉彩屏女士訪問紀錄〉，《日治時期在「滿洲」的臺灣人》頁 131。

便攜帶家裡的黃金,就請人將金子熔成細條狀,放在雨傘柄中,平安地將黃金帶回臺灣。329

(5)搭船回臺有遭海盜之虞:海盜是一種固有的行業,迄今仍有。因此航行期間必須防範海盜的攻擊。原住長春,後住北京的林更味,自己帶三個小孩回臺。在上海搭上船,船上有六、七個建大生幫忙。所搭的船為貨運船,為了嚇唬海盜,安上一枝刻意包住的假炮,主觀地希望海盜因船上有炮而不敢靠近。當船行至福建外海,聽說該處最不安全,這時又有颱風來襲,恐怕不得不駛入港內避風,如果因而遇劫,婦孺必須躲在船艙內,由男人全力抵抗。幸而颱風不至,也沒遇到海盜,終於平安返臺。330

(6)在東北被漢奸、戰犯審判的臺人

當大部分臺人選擇回臺時,固然有一部分人因為妻子是本地人、不忍放棄在東北打下的基業而留著未走,但也有二、三位因案而走不得,這就不得不提到被用審判漢奸、戰犯條例審判的臺灣人。1945年9月27日國民政府頒布〈漢奸條例草案〉13條,11月23日正式公布〈處理漢奸案件條例〉11條,12月6日公布〈懲治漢奸條例〉,依該條例第二條有下列行為者為漢奸,處死刑或無期徒刑。331

在東北的臺人,因任「偽滿小吏」的人不少,實有準「漢奸」之嫌。在郭松根長春臺灣同鄉會會長呈給臺灣行政長官公署的信,說到東北臺人的情形,頗善為自己開脫,然其所言亦係實情。為了讓讀者明白東北臺人的自我剖析,雖引文稍長,但由此當能理解他們當時的心情:

查台胞之旅居長春,係自民初以來業醫及經商者率先進出,嗣後逐年增加以至現在。顧居此之台胞,與華中、南、北情形稍特異者,則為台胞中尚無複雜分子,與東北人士相處頗稱融洽,從未聞有利用日籍,倚勢欺人,圖謀不軌,使彼此傷害感情之情事發生,洵可慶也。不寧惟是,所有業醫者之於當地信望地位與日俱增,使新來之台胞亦直接、間接受良好的影響。故最近十數年來客居此地者益眾。慨自我台產業被日寇剝奪,教育被日寇荼毒,台胞求職求學之路為所壅塞之後,有識有

---

329 許雪姬訪問,林建廷、劉芳瑜紀錄,〈滿洲、臺灣、日本,伴夫行醫半世紀:林江金素女士訪問紀錄〉,收入,《記錄聲音的歷史》,頁154。

330 許雪姬訪問、鄭鳳凰紀錄,〈林更味女士訪問紀錄〉,《日治時期在「滿洲」的臺灣人》,頁359。

331 第二條共有14款:1.圖謀反抗本國者;2.圖謀擾亂治安者;3.招募軍隊或其他軍用人工夫役者;4.供給、販賣或為購辦、運輸軍用品,或製造軍械彈藥之原料者;5.供給、販賣或為購辦、運輸穀米、麥、麵、雜糧,或其他可充食糧之物品者;6.供給金錢資產者;7.洩漏、傳遞、偵察或盜竊有關軍事、政治、經濟之消息、文書、圖書或物品者;8.充任嚮導或其他有關軍事之職役者;9.阻礙公務員執行職務者;10.擾亂金融者;11.破壞交通、通訊或軍事上之工事或封鎖者;12.於飲水食品中投放毒物者;13.煽惑軍人、公務員或人民逃叛通敵者;14.為前款之人民所煽惑而從其煽惑者,犯前項各款之罪,情節輕微者,處五年以上有期徒刑。見朱金元、陳祖恩,《汪偽受審紀實》(杭州:浙江人民出版社,1988),頁145-161。

技之士及莘莘學子，為找出路不辭跋涉、不遠千里而來，輓近復以日寇在台強制徵用青年勞役，繼復實施徵兵制度，台胞不願為敵寇犧牲，相率繞道日本來此，及因在日遭受兵災不能直接回台，暫先避難於此地者尤為多數。祇因乍來語言懸殊，就職頗感困難，除國語文字已有素養，迫於餬口，勉就偽滿小吏，或各會社職員者，尚能勉強度日外，大都行囊羞澀，欲歸既不可得，逗留又不可能，進退維谷，誠可憫已。此間祖國軍民連年抗戰，吾等台胞雖身處曹營而心猶在漢，戰報傳來未嘗不默禱祖國勝利還我河山之有日也。[332]

由上可知，在東北的臺人自比在華中、南、北的臺人表現良好，並未在東北為非作歹，在滿洲國政府中工作只是為了餬口。戰後被捕的首推吳左金。

誠如前言，其在外交部的職位，直追前外務總總長謝介石，任駐濟南總領事，但在日本投降前兩日，滿洲國外務局曾打電報要吳將所餘公款分發給副領事（1人，日人）、館員（5-6人），再造冊呈報外務局。吳心知肚明這是日本投降前，為照顧官員所做的舉動。日本投降後，領事館（德式建築）每日都有國軍要來領東西，但都沒有拿接收證明，直到高階人員拿來證明，才領走東西。吳在被捕前一心想回臺灣，因他將在東北所賺的都寄回臺灣置產，但因沒有飛機而作罷；而以「滿洲國駐濟南領事館」的名義寄往北京的全部財產（還包括資料、照片）化為烏有。幾個月後，國府以漢奸罪名扣押吳左金，吳左金辯明自己是日本籍，不受1945年12月6日正式頒布的〈懲治漢奸條例〉的規範。他被關在濟南的「漢奸收容所」，其中收容4、50人，十分擁擠，待遇很差。之後被送回警察署內的監獄，同樣擁擠不堪。據吳所知，當時國府命濟南市政府送吳回臺灣，但因無錢而無法送回。其後高等法院以「戰犯」條例審理，吳予以抗辯，乃送之到日本戰犯收容所，此收容所為日本人所建，牢中情況較好，在此大約關了100天，前後總共繫獄297天。經吳請人多方奔走，才獲不起訴而無罪開釋，這時已是1946年底，1947年1月才回到臺灣。有獄中經驗的他，從此不再從事公職。[333]

吳之所以因漢奸罪被捕，卻以戰犯審理，主要是懲治漢奸條例公布後，臺人抗議，因此1946年1月25日司法院「院解字第3078號」做出解釋，說臺灣人民不適用懲治漢奸條例。[334] 到5月，司法院「院解字第3133號」指出臺人不適用漢奸條例，但應受國際法上處置，[335] 即用1946年6月10日公布的「戰爭罪犯審判條

---

332 長春臺灣省同鄉會會長郭松根，〈為呈請指定輪便接回東北台胞由〉（1946年2月23日）；《民報》，1946年3月16日，2版，〈長春旅居省胞現狀〉。
333 許雪姬訪問、曾金蘭紀錄，〈吳左金先生訪問紀錄〉，《口述歷史》5（1994.6），頁116-117。
334 司法院解釋編輯委員會，《司法院解釋彙編》（第四冊）（臺北：司法院祕書處，1976），頁2445。
335 司法院解釋編輯委員會，《司法院解釋彙編》（第五冊）（臺北：司法院祕書處，1976），頁15。

例」³³⁶ 來處置。依戰犯條例（共35條），其中第五、六條，尤其第六條：「戰爭罪犯雖於中華民國三十四年十月二十五日以後回復中華民國國籍，仍準用本條例的規定。」³³⁷ 這二條就是將臺人等同日人成為戰犯，對其在戰爭中的犯行予以戰犯審判依據，非但適用於中國各地，也適用於美、英、法、荷、澳。³³⁸

## 小結

　　本章旨在利用政府相關檔案資料，以及一、二十年來針對有滿洲經驗的臺灣人所進行的口述歷史為主，來瞭解其在中國東北的戰爭記憶、交涉回臺的經過、回臺前的因應及如何度上回家之路，並分析一位受戰犯審判、原滿洲國駐汪政權濟南總領事吳左金，終禁不起訴無罪開釋的經過。滿洲在二戰末期才面臨盟機轟炸，因此在1944年後仍有一些臺灣人自日本去滿洲。但1945年8月9日蘇軍侵入滿洲後，部分臺灣人必須面臨和過去的同僚、同宿舍的日本人切割，離開日本人區，以免遭到蘇軍、滿洲人的報復與搶劫、侵犯。他們見證蘇軍的種種暴行，如行暴婦女、拆重工業設備運回蘇聯，蘇軍將沒收自日本的武器、彈藥交給共軍。臺人本身也有遭搶劫、被殺死，甚至有如日人般被送到西伯利亞的個案。國共在東北的內戰，尤其1946年5月結束的四平之戰，使當地殘破、秩序紊亂，也使民眾不知要事齊還是要事楚？更重要的是內戰阻延了臺人的歸鄉之路。在臺灣，日本戰敗後，較少有日本人被臺人報復致死，³³⁹ 在東北，臺人見證了日人被報復及逃難之慘狀。和日人一樣被日本殖民、同在東北的朝鮮人，在臺灣人的戰爭記憶中較為少見，主要是在東北的朝鮮人人數約有200多萬人，但農民占了約六成，白領階級僅占1.33%，³⁴⁰ 和臺灣人少卻以官吏和醫師為多的情況大不相同、且交流不多所致。

　　戰後亟需歸鄉而無法歸鄉的臺人，他們的處境正如長春臺灣同鄉會會長郭松根的呈文中所描述的：「……嗣後輾轉半載，東北之情勢變化日見複雜，進駐之中央軍隊北上遲遲，接收工作竟難如意進行，治安紊亂百鬼夜行，物資殆被劫盡，各機關商社工廠及農村之搜刮、破壞、紛擾，舉凡耳目聞見無不動魄驚魂。同胞之一部，曾有技棲者，十之八九亦皆失其所業，戰禍所及遷徙流離，轉為小販勞工以度日，

---

336　司法行政部編，《戰時司法紀要》（南京：司法行政部，1948），頁9-130。
337　茶園義男，《BC級戰犯中國―仏国裁判資料》（東京：不二出版株式会社，1992），頁100。
338　岩川隆，《孤島の土となるとも：BC級戰犯裁判》（東京：講談社，1995），頁587-588。
339　本田保喜，〈「戰爭」―私の記憶〉，收入樺山小學校三三期同期会編，《思い出のあの日からはや六〇年―臺北大空襲の記録――一九四五（昭和二〇）年五月三一日》，頁10。
340　尹輝鐸著、金蘭譯，〈滿洲國的「流浪者（nomad）」：在滿朝鮮人的生活和認同〉，頁95。

前之仰賴鄉親救濟者,至此乃更無依靠。際此冰天雪地酷寒達零下三十度左右,舉目無親告貸無門,飢寒交迫,甚至病莫就醫而待斃,或被誤認為日人而死於非命,遺有寡幼相攜徬徨於饑餓道上者狀極堪憐。」[341] 但陳儀無力施予援手。東北離臺遠,又有國、共內戰,臺人唯有自救。按東北和臺灣通郵始於 1945 年年底,臺人在此之前重組同鄉會,造冊後向行政長官公署請願派船接回,並在回臺後安插工作,陳儀迄無回音,乃轉向 UNRRA 交涉,得其分署同意,將東北回臺之人視為「難民」,發給難民證,安排船隻,給予糧食、盤費助其回鄉。在東北錦州、大連、瀋陽的臺人回臺較早,但也都要在 1946 年之後了。在尚未回臺前,臺人只好賣肉脯、納豆、壽司、飯糰、蔬菜、豬肉、豆腐,製造、販賣肥皂,甚至買賣日人的舊物,賺取蠅頭小利以維持生活;更有的人被東北當局請去協助接收的事,如吳金川、徐水德協助經濟特派員張嘉璈接收東北的金融。臺灣人返鄉有集體、分批,由年輕者扶老攜幼而行,井然有序;亦有家庭、個人的回臺,較早的大約在 1945 年年底回臺;但個人有的見局面日益惡化才想離開,因此相當晚才回到臺灣。途中嚴禁使用日語,以免造成危險,而有孕在身、才剛生產、乳子尚幼、有病者最為辛苦,但總算平安回到家園。但也有不幸的人,在船進入淡水河口時,遭逢颱風過境,船長又不熟悉臺灣的地形,以致觸礁擱淺,後因風大,船破為二,犧牲了一些人的性命,最為不幸。這時為 1946 年 1 月 15 日。[342]

　　這一段迢迢的歸鄉路已經走過,回臺後的他們,又面對什麼樣的情況?而留在中國東北的臺人往後又如何?且待下章。

---

341　長春臺灣省同鄉會會長郭松根,〈為呈請指定輪便接回東北台胞由〉(1946 年 2 月 23 日)。
342　許雪姬訪問、吳美慧紀錄,〈藍金塗先生訪問紀錄〉,《口述歷史》6(1995.7),頁 174-176。

# 第八章
## 滿洲經驗者往後的遭遇與再離散

一、考試、就學與任教
二、在政治事件中的受難者
三、再度離散
四、留在東北者的遭遇
小結

戰後自東北或中國其他淪陷、占領地區回臺者和自海外其他地區回臺的人一樣，都面臨政治清算和失業的問題。政治清算是漢奸／戰犯的追索，失業則是戰後復元較遲以及陳儀施政不良所致；再加上東北回臺路程較遠，好的機會已被他人捷足先得，因此回臺後都有一段待業期。幸好有滿洲經驗的臺人，有部分是菁英，大半受到大專以上的教育，不僅有 50 多人當上高等官，還有二百餘人的醫生，此外，銀行界、商界、教育界也大有人在，即使一時困頓，終有在各行各業發揮的餘地。但是在參加國家考試的資格上及年資上仍受到限制。除了滿洲「第一代」外，也要注意滿洲「第二代」的問題。第二代出生在滿洲，或者是年幼時被帶往滿洲，基本上沒有「臺灣經驗」，正在受教育中；他們既不會臺語，也不會「國語」，只會日本話，「第二代」回臺後在臺灣的適應甚至認同，以及繼續學業都值得進一步探討。本章首先要談的是自滿洲回臺後，所面臨的「考試」障壁，他們中繼續學業或在各行各業方面的發展，將以職業別來加以敘述。

　　另外，他們有些人的遭遇也不順遂。在臺灣，二二八、白恐時都有人遭難，之後由於中華民國被迫退出聯合國，又陸續與邦交國斷交，這些政治上的巨變，加上遲至 1991 年白色恐怖時期才結束，因而有離散經驗的這群人，又紛紛再離散，各自尋求自己的「王道樂土」，這樣的人至少占一成五，甚至更多，他們再離散的經驗值得一提。最後也利用有限的資料談談在中國未回臺者，他們也隨中國的政治變遷而起伏，直到 1976 年中國改革開放後，才過得比較平穩。

# 一、考試、就學與任教

## （一）國家考試上的設限與就業不計年資

　　臺灣自 1895 年後即由日本統治，自 1923 年起即開始有人透過高等文官考試取得公務員的資格，滿洲國設立後考上大同學院或參加滿洲國各種考試及格者，戰後國民政府對這些舊資格如何認定或不予認定？而受日人在臺、在滿洲國的教育者，戰後有沒有參加高考的資格？上述問題在在考驗著國府的統治技術。有關日治時期臺人通過高、普考或辯護士（律師）、計理士（會計師）考試及格者，在 1947、1949 年兩次辦理甄試，甄試及格就可取得本國高等考試、普通考試、律師、會計師的資格，但未參加甄別考試或參加而不及格者，則不得視為具有高普考及格資格。[1] 至

---

[1] 邱仕豐省議員提案，案由：「建議中央認定日據時期高普考及格人員，比照現行高普考任用案」。經考選部於 1972 年 5 月 12 日（61）選一字第 106860 號函銓敘部覆稱，曾舉行兩次甄別考試，一

於要參加國府舉辦的高考是否有資格？1946 年 3 月國府頒布「臺灣省考試變通辦法」,[2] 並舉辦第一次國家考試，包括縣長考試和普通考試（包括普通行政人員和技術人員），於 1947 年 2 月放榜，這次的考試除了錄取時以本籍的定額作為錄取原則外，沒有其他限制，及格者臺籍考生占大半。[3] 1947 年二二八事件後的 10 月，國府再公布「辦理臺灣省考試注意事項」，對臺人曾任偽職的，或在收復區域或東北地區專科以上的學生要報考時，規定必須繳交甄審及格書，[4] 若甄審不及格則考試成績無效。由以下注意事項中的三條，可以看出這與二二八事件、中國國內正在進行漢奸／戰犯審判不無關係。

1. 曾在收復地區偽組織或其所屬機關團體擔任職務，經依懲治漢奸條例判罪，或雖未依該條例判罪，而其擔任職務經法院認為屬實者均不得應考。如矇混應考，一經查明，考試成績即認為無效。其於及格後始經發覺者，即撤銷其考試及格資格。

2. 應受前條限制之偽職人員，在其任偽職期間內，如曾為協助抗戰工作，或有利於人民之行為，或其職務係為專門技術，經各部隊最上級指揮部、國防部、中央黨部、中央主管機關或地方最高級行政機關證明屬實，並咨送考試機關有案者，准免除此項限制，仍得應考。

3. 曾在收復區偽組織或其所屬機關團體任職之年資，均不予計算。[5]

以陳錫卿 1947 年 2 月考上縣長為例，[6] 因當時尚未有 10 月頒布的注意事項，他才能應考。事實上以後亦未曾有滿洲經驗者因故未能參加國家試者之例，但這些曾經在滿洲國任官吏者，其年資均未被計算在內。李訓忠，1940 年畢業於臺北工業學校應用化學科，1941 年前往滿洲國，在大陸科學院任職，1942 年回臺。戰後

---

是 1947 年，合格 75 名，一是 1949 年，錄取 80 名，一共是 155 名。見《臺灣省議會公報》27：8（1972.2.4），頁 128。

2　楊學為總主編、劉芃副總主編、劉昕主編，《中國考試史文獻集成 第 5 冊：第 7 卷（民國）》（北京：高等教育出版社，2003），頁 421。主要內容有四：1. 各科考試一律用國文，但必要時得附日文譯稿。2. 各科考試分發試題時，應考人設於題義有疑問，得當場以日語口頭解釋。3. 每科考試時間得較一般規定延長 1 小時。4. 上項變通辦法暫定兩年為施行期間。

3　楊學為總主編、劉芃副總主編、劉昕主編，《中國考試史文獻集成 第 5 冊：第 7 卷（民國）》，頁 422，〈典試委員張忠道主持臺灣省 1947 年考試後之對臺灣廣播講稿〉。

4　所謂甄審，即在偽政權地區辦的學校畢業者，要經過甄審才承認其學歷。可參考本文前述涂南山的例子，並參閱羅久蓉，〈抗戰勝利後教育甄審的理論與實際〉，《中央研究院近代史研究所集刊》22 下（1993.6），頁 205-231。

5　楊學為總主編、劉芃副總主編、劉昕主編，《中國考試史文獻集成 第 5 冊：第 7 卷（民國）》，頁 412，〈辦理臺灣省考試注意事項（1947 年 10 月）〉。

6　許雪姬訪問、蔡說麗紀錄，〈陳許碧梧女士訪問紀錄〉，《口述歷史》5（1994.6），頁 267，〈附錄：陳錫卿先生簡歷〉。陳許碧梧為陳錫卿之妻。

圖 8-1　陳錫卿在 1947 年的縣長考試中考得第二名，被任命為彰化市長。
前排右一何舉帆（屏東市長）、右二張忠道（座師），後排左一陳錫卿、左二林伏濤（嘉義市長）
（陳許碧梧女士提供）

於 1946 年 6 月到石炭株式會社（後改為礦務局）任職，他曾拿在新京大陸科學院的聘書要求敘薪，因有如上在偽政府工作經驗的人，其年資都不採算的規定，自然被否決。人事單位乃對他說：「這是偽政府的聘書，無事便好，還敢拿出來，很容易被懷疑是漢奸。」[7]總之，有滿洲經驗者的學經歷都被承認，唯獨年資不被採計。

## （二）繼續學業者

誠如長春臺灣同鄉會的希望，讓在東北大、中、小學校肄業的學生回臺後都能編入相當的學校以避免失學。讀大學的大半是第一代，讀中、小學的則以第二代為多。但因回臺時的時間不一，一時銜接不上，總有一段空窗期。

### 1. 就讀中小學

（1）吳谷喬：1935 年出生於滿洲，因父親吳昌禮於 1942 年自滿洲到日本「公眾衛生院」深造，而在日本就讀東京中野區桃園國民小學，1944 年 10 月隨父回到滿洲，陸續就讀八島、順天小學。他因在和同學玩軍事遊戲時，被同學笑「臺灣猴」，要他當二等兵，才發覺自己是臺灣人。在滿洲只唸到三年級，戰後其父因他既不會臺語也不會北京話而有被誤認為日本人之虞，為了安全起見，因此不讓子女去上學，所以大約有一年都待在家中。回到臺北後跳過四年級，直接就讀臺北市螢橋國校五年級。當時他數學只會加減不會乘除，因他不會講北京話，同學們知道卻故意讓他當代表上台發號施令，有次在台上晾了三分鐘說不出一句話來，同學們就笑他：「你從中國來的，怎麼不會說北京話呢！」[8]

（2）謝文昌：1938 年出生於中國河南，滿月時被父親謝秋汀帶往滿洲，1945 年要上小學一年級時，因瀋陽附近的學校被破壞得很嚴重，上學還要自備小板凳，因此父親將他送往北京就讀教會「育英」學校，三年級時轉回瀋陽就讀三經路小學。1947 年回臺後，就讀豐原瑞穗國校，因只會加減，故自三年級讀起，在學校老師的眼中成為「外省小孩」，因為當時臺灣小學生都理「和尚頭」，他卻留長頭髮，不免惹來異樣的眼光，後來才剪掉頭髮。[9]

（3）楊正昭：1932 年出生於臺南，後隨父（楊金涵）、母（林綢）遷往滿洲。及

---

7　許雪姬訪問、蔡說麗紀錄，〈李訓忠先生訪問紀錄〉，《日治時期在「滿洲」的臺灣人》，頁 432。

8　吳昌禮，〈附錄：吳昌禮醫師手記〉，《日治時期臺灣人在滿洲的生活經驗》，頁 304；許雪姬訪問、藍瑩如紀錄，〈吳谷喬先生、吳淑麗女士兄妹訪問紀錄〉，《日治時期臺灣人在滿洲的生活經驗》，頁 273-277。

9　許雪姬訪問、藍瑩如紀錄，〈謝文昌先生訪問紀錄〉，《日治時期臺灣人在滿洲的生活經驗》，頁 356-360。

齡後先在新京的小學校就讀一年,而後隨著父親轉職而就讀奉天彌生小學校一年,再畢業於鐵嶺小學校。由於當地沒有中學校,因而到奉天南滿中學校就讀,初中一年級時終戰,父親急忙託人帶他回鐵嶺。[10] 在尚未回臺前,他和弟弟楊正義曾就讀滿洲的中國人中學一、兩個月,稍能理解中文上課的內容,最難的是作文,而他弟弟曾被其他同學指為漢奸。1945 年 10 月回到臺灣後,其父急忙安排楊正昭兄弟插班臺南一中,因在滿洲已學會簡單的中文,所以成績不錯,學校方面認為可以直接讀初中部三年級,其弟則讀初中部一年級,楊正昭在高中畢業後考上臺大醫學院醫學系。[11]

(4) 許文華:1931 年出生於臺南,1933 年隨父親許鶴年前往滿洲。1943 年自安東大和小學校畢業,接著進入安東中學,改名青木文雄。初三那一年春天被派去參加開拓團,亦即 1945 年 6 月由安東出發前往佳木斯,安東加上奉天的學生共有 200 多人,主要任務是除草。在團中,蘇聯進攻滿洲,遂由團長帶著,經哈爾濱、新京,於 8 月 14 日回到安東。此後到回臺的兩年間一直沒有上學唸書。1947 年 5 月離開安東回臺灣,9 月進入臺南私立長榮中學就讀高中,[12] 而後考上臺大商學系。[13]

### 2. 就讀大學

(1) 涂南山:涂南山保留東北大學學籍,準備回臺考留學國內大學的事,之前已有敘述。涂回臺後才知道已不舉辦國內留學考試,但已回不去東北大學,只好投考臺灣的大學。他當時尚具祖國情懷,很想為建設黃河、長江的水壩和水利發電廠盡力,因此想讀工科學土木。所以用東北大學臨時補習班畢業證書,報考臺灣大學工學院。由於臺大工學院沒有預計的好,入學一個月後就想轉經濟系。剛開始法學院院長戴炎輝並不同意,經不斷地請求並降轉,戴院長才勉為其難。涂乃進入經濟系自一年級讀起,但他並未讀完經濟系,因為他在三年級期末考第二天下午被捕(下

---

10  楊正昭由奉天回鐵嶺的經過值得一提:當蘇聯軍開始攻擊日本關東軍,火車、客車都已停駛,其父母擔心隻身在奉天的大兒子會出事,乃拜託在滿鐵任職的朋友,他派一名機關手(火車司機)從鐵嶺開火車頭前往奉天,先用電話聯繫也告知此事,再派表哥跟機關手到奉天找到他。三人碰面後,他坐在車頭放煤的地方,大約 40 分鐘後才回到鐵嶺,這時他的臉都黑了。見許雪姬訪問、劉芳瑜紀錄,〈何處是鄉關?流轉的臺灣認同:楊正昭醫師訪談紀錄〉,《記錄聲音的歷史》,頁 199-200。

11  許雪姬訪問、劉芳瑜紀錄,〈何處是鄉關?流轉的臺灣認同:楊正昭醫師訪談紀錄〉,《記錄聲音的歷史》,頁 199。

12  李國澤編,《臺南市私立長榮中學校友芳名錄》(臺南:臺灣省臺南市私立長榮中學,1955),頁 171。

13  許雪姬訪問、蔡說麗紀錄,〈許文華先生訪問紀錄〉,《日治時期在「滿洲」的臺灣人》,頁 406-407、410-411。

第八章 滿洲經驗者往後的遭遇與再離散 | 543

節再敘）而沒能完成大學教育。[14]

（2）袁柏偉：袁錦昌的侄子，戰後由東北到北京中國大學就讀，回臺後就讀臺大動物學系，於1948年畢業，1952年在母校動物系當助教。[15]

（3）葉步嶽：原肄業於新京醫科大學。[16] 戰後待在長春等其兄葉鳴岡自北票歸來，才於1948年返臺。[17] 回臺後入臺大醫學系進修，為第四屆，於1950年畢業。[18]

（4）許長卿：原在日本就讀法政大學，因逃避戰爭到滿洲，戰後到北京考上朝陽大學經濟系，原本要完成學業後再回臺，不料東北在1948年下半年已被中共解放，張家口與山海關也已在中共掌握中，北京岌岌可危，乃急忙束裝做歸計，1949年3月27日抵臺。由於是家中的獨子，乃先結婚並就職臺北市童子軍理事會，一直到1950年代初期才提出復學申請，這是政府辦理海外臺人回臺復學的最後一年。教育部將許分發在臺大，但因半工半讀必須減薪，他已有三個女兒，後來為生活所迫，辦理休學，此後不再復學。[19]

（5）邱來傳：建大舊七期（新六期）肄業，戰後進入臺大法學院，1948年任該院自治會會長，[20] 據說在滿洲時已加入共產黨，在臺大時屬省工委會臺大法學支部，[21] 後逃往中國。[22]

（6）賴寶琛：建大舊八期肄業，彰化人，回臺後入臺大經濟系就讀，[23] 1950年（第四屆）畢業。[24]

（7）林恩魁（1922-2015）：1943年考入東京帝大醫科，因東京遭受空襲等因素，乃到滿洲國，在厚生省研究所工作，1946年12月回臺，進入臺大醫學院醫科就讀，

---

14　許雪姬訪問，鄭鳳凰、黃子寧紀錄，〈涂南山先生訪問紀錄〉，《日治時期臺灣人在滿洲的生活經驗》，145-146。

15　許雪姬訪問、鄭鳳凰紀錄，〈林更味女士訪問紀錄〉，《日治時期在「滿洲」的臺灣人》，頁390；黃得時等，《臺大畢業同學錄》（臺北：臺大同學會，1952），頁25，但袁柏偉誤植為「袁偉柏」。

16　大田豊正，《新京醫科大學圭泉會名簿》，頁104。

17　許雪姬訪問，鄭鳳凰紀錄，〈葉鳴岡先生訪問紀錄〉，《日治時期在「滿洲」的臺灣人》，頁55。

18　黃得時等，《臺大畢業同學錄》，頁96；景福基金會，《國立台灣大學景福校友通訊錄》，頁152。

19　許雪姬訪問、鄭鳳凰紀錄，〈許長卿先生訪問紀錄〉，《日治時期在「滿洲」的臺灣人》，頁598-605。

20　許雪姬訪問，鄭鳳凰、黃子寧紀錄，〈涂南山先生訪問紀錄〉，頁175。

21　沈懷玉訪問、曹如君紀錄，〈黃玉坤先生訪問紀錄〉，《戒嚴時期臺北地區政治案件相關人士口述歷史》第二輯，（臺北：中央研究院近代史研究所，1999），頁239。

22　許雪姬訪問，鄭鳳凰、黃子寧紀錄，〈涂南山先生訪問紀錄〉，頁175。

23　許雪姬訪問，黃子寧、林丁國紀錄，〈李水清先生訪問紀錄〉，《日治時期臺灣人在滿洲的生活經驗》，頁25。

24　黃得時等，《臺大畢業同學錄》，頁71。

為第二屆,[25] 1948 年 7 月畢業。[26]

## (三) 在各大學、高中、高職任教

**1. 何芳陔**:1910 年生,1935 年畢業於臺北帝國大學農藝化學部農化科。[27] 畢業後到滿洲國就任大陸科學院生物化學研究室副研究官。[28] 回臺後任臺大農學院食品化學系教授。[29]

**2. 林朝棨**(1910-1985):1934 年臺北帝國大學理學部地質學科畢業。1939 年 4 月任新京工鑛技術院(後改為新京工業大學)教授,9 月辭職獲准,[30] 前往北京擔任北京師範學院地學系教授,兼國立北京大學地質系教授,1942 年任北京師範學院地學系主任,戰後回臺任臺大理學院地質學系教授。[31]

**3. 林耀堂**(1912-1986):1936 年臺北帝國大學理學部有機化學科畢業。1938 年[32] 到大陸科學院有機研究室任副研究官,為高等官,[33] 1944 年辭職,到北京師範大學醫學院藥學系任教,戰後臺大化學系因留任的日人教授野副鐵男[34] 準備回日,該系乃力邀其回臺接掌其研究室,故 1948 年回臺擔任臺大理學院化學系教授。[35]

**4. 翁通楹**(1920-2019):[36]1944 年 9 月畢業於京都帝國大學機械工學科。因當時其弟翁通逢已到滿洲,乃前往鶴崗(龍江省)炭礦公司就職,因興趣不合,兩個月後到大陸科學院航空研究室,專攻流體力學。[37] 戰後回臺,臺大請他去當助教,但

---

25 許雪姬訪問,黃子寧、林丁國紀錄,〈林恩魁先生訪問紀錄〉,《日治時期臺灣人在滿洲的生活經驗》,頁 209。
26 黃得時等,《臺大畢業同學錄》,頁 88;景福基金會,《國立台灣大學景福校友通訊錄》,頁 138。
27 黃得時等,《臺大畢業同學錄》,頁 5。
28 不著編人,《大陸科學院の会:会報と名簿》(出版項不詳,1995),頁 31。
29 黃得時等,《臺大畢業同學錄》,頁 5。
30 國務院總務廳編,《滿洲國政府公報》,第 1946 號,康德 7(1940)年 10 月 21 日,頁 408。
31 林恩朋,《林朝棨(戟門)先生紀念文輯》(臺北:自刊本,1989),頁 3。
32 〈1938 年 7-9 月外國旅券下付表〉,識別號:T1011_03_158,中央研究院臺灣史研究所檔案館「臺灣史檔案資源系統」,http://tais.ith.sinica.edu.tw/sinicafrsFront/index.jsp。
33 不著編人,《大陸科學院の会:会報と名簿》,頁 45。
34 野副鐵男,1906 年生於橫濱,1926 年日本東北帝大理學部畢業;同年來臺任臺灣總督府專賣局技手,1927 年任中央研究所技手,1929 年任臺大助教授,1936 年取得博士學位,1938 年任臺北帝大理農學部教授。見《臺灣人士鑑》(1943),頁 315。
35 黃得時等,《臺大畢業同學錄》,頁 5,載擔任有機化學系教授。陳永發等訪問、陳逸達等紀錄,《臺灣蛋白質化學研究的先行者:羅銅壁院士一生回顧》,頁 60,則言化學系。
36 卒年由翁通楹先生之子翁青志提供,謹致謝意。
37 許雪姬訪問、鄭鳳凰紀錄,〈翁通楹先生訪問紀錄〉,《日治時期在「滿洲」的臺灣人》,頁 465,說他在航空研究室工作,但《大陸科學院の会:会報と名簿》,頁 30,卻顯示他在機械研究室。

他聽說日本帝大的中國畢業生回中國都由副教授任起，他認為這是欺負臺灣人的作法，乃予回拒。這時臺南高等工業學校請他去當講師，當他得知該校畢業生都當副教授，卻請帝大的他任講師，再度回絕。為解決失業問題，在有滿洲經驗、且在臺中師範任教的黃春木之聯絡下到該校任職。1946年5月，在臺大當助教的朋友來函告知，他等助教都已被臺大改聘講師，叫他前去。正要就任時，遇到二二八事件，直到1947年5月才拿到聘書。往後於1953年赴美進修，進臺大8年升等為教授。1964年擔任私立明志工專創校校長前後五年。回臺大後於1974年任機械系系主任，1979年任工學院院長，1990年退休。[38]

**5. 郭松根**（1903-1982）：[39] 日本京都大學醫學博士、法國理學博士。在滿洲時為新京醫科大學教授（薦任一等）。[40] 回臺後於1947年任臺大醫學院教授兼教務主任，後來轉任臺大公共衛生系，1950年8月赴美深造。[41] 1953年12月迄1955年5月，擔任第二任臺大公共衛生研究所所長。[42] 之後出任內政部衛生司司長。1956年離臺到世界衛生組織（在法國巴黎）當顧問，在任期間與臺灣同鄉會人士頗有來往，在法國逝世。[43]

**6. 黃春木**：1908年生，1932年日本九州大學工學部採礦冶金科畢業，1940年入新京工業大學任教，[44] 回臺後先到臺中師範教書，後到臺大工學院機械系任教。因肺癌過世。[45]

**7. 黃演淮**：1906年生，1933年日本京都同志社大學法科畢業。1935年入新京法政大學任教，[46] 升至教授。[47] 回臺後歷任臺中縣立民眾教育館館長、省立臺中圖書館閱覽部主任，而後擔任臺中市立家事職業學校校長。[48]

---

38　許雪姬訪問、鄭鳳凰紀錄，〈翁通楹先生訪問紀錄〉，頁474-482。
39　有關其卒年，《新京醫科大學圭泉會名簿》，頁8，說他逝世於1986年；朱真一，《府城醫學史開講》（臺北：心靈工作坊文化事業股份有限公司，2013），頁156-157，則寫為1982年。本文從後者。
40　國務院總務廳編，《滿洲國政府公報》，第3069號，康德11（1944）年9月2日，頁27。
41　張秀蓉、江東亮著，《永遠的陳拱北》（臺北：財團法人陳拱北預防醫學基金會，2016），頁193。
42　張秀蓉、江東亮著，《永遠的陳拱北》，頁70。
43　朱真一，《府城醫學史開講》，頁156-157；許及訓，〈醫界怪傑郭松根〉，《旁觀雜誌》3（1951.2），頁26-27。
44　中西利八編纂，《滿華職員錄》（東京：滿蒙資料協會，1942），頁57；國務院總務廳編，《滿洲國政府公報》，第1900號，康德7（1940）年8月23日，頁617。
45　許雪姬訪問、鄭鳳凰紀錄，〈翁通楹先生訪問紀錄〉，頁475；許雪姬訪問、王美雪紀錄，〈林黃淑麗女士訪問紀錄〉，《日治時期在「滿洲」的臺灣人》，頁149。
46　中西利八編纂，《滿華職員錄》，頁54。
47　〈居住長春台灣省民名簿〉（1946年1月28日）。
48　許雪姬訪問，何金生、鄭鳳凰紀錄，〈何金生先生訪問紀錄〉，頁176-177；許雪姬訪問、蔡說麗記錄，〈陳嘉樹、陳高絃夫婦、陳正德先生訪問紀錄〉，《日治時期在「滿洲」的臺灣人》，頁522；黃五常族譜續編輯委員會，《黃五常派族譜續編》，頁87。

圖 8-2　1956年臺大教授合影
有滿洲經驗的臺大教授：前排右二林耀堂（化學系）、右三林朝棨（地質系）、左三黃春木（機械系）
資料來源：林恩朋編，《林朝棨（戟門）先生紀念文輯》，頁66。

還有一些直接進入高中教書，或任校長，如廖行貴，1907年生，1934日本大阪帝大工學部機械科畢業，同年即赴滿洲。[49] 在滿洲國最後一個職務是交通部技正港口科長。[50] 戰後回臺，經歷不詳。1947年2月高雄市教育局局長王天賞，任命廖為高雄市工業學校校長，[51] 才接任十天即因二二八事件被捕。[52] 至於建國大學畢、肄業生，如蔡宗傑（舊二期），先在延平中學協助朱昭陽辦學，離開後由游海清（舊二期）加入，擔任總務主任；紀慶昇（舊四期）也在延平擔任教務主任；黃進福（舊六期）則在泰北中學、開南工商教書；黃山水（舊一期）在臺南長榮中學、林慶雲（舊一期）、孫順天（舊五期）在高雄中學；[53] 顏再策（舊七期）在高雄三民國校教書。[54] 誠如建國大學大學長李水清所言，由於戰後建大被視做軍國主義的產物，其學歷不被臺灣、日本所承認，而畢業生也被「公職和教職追放」，不能擔任公職或教職，所以私立的臺北的泰北、延平中學是建大「想留著吃飯維生的學校。」[55]

## （四）進入各級政府部門工作者

前已提及，在滿洲國擔任公職或在國策會社工作的臺灣人不少，他們懂中文、日文，又有相關的經驗；何況當時在臺灣高普考及格者並未分發到相關單位任職，因此他們有機會被各政府機關任用，有的單位也常晉用沒有考試資格者。[56]

### 1. 臺北市政府內的「東北幫」

有滿洲經驗的臺灣人之所以能陸續進入臺北市政府，與吳三連在1950年擔任臺北市長有關。[57] 之前戰爭中吳三連到天津做生意，戰後為天津臺灣同鄉會會長。

---

49　中西利八編纂，《滿洲人名辭典》（東京：日本圖書センター，1989年重印），頁1137。
50　〈居住長春台灣省民名簿〉（1946年1月28日）。
51　《國聲報》，1947年2月11日，〈高雄工業校校長 李鍾淵革職 後任校長廖行貴氏充任〉。
52　中央研究院近代史研究所編，《二二八事件資料選輯》（六）（臺北：中央研究院近代史研究所，1997），頁47；許雪姬訪問、曾金蘭紀錄，〈潘作宏、翁繡花夫婦訪問紀錄〉，收入許雪姬、方惠芳訪問，吳美慧等紀錄，《高雄市二二八相關人物訪問紀錄》（上）（臺北：中央研究院近代史研究所，1995），頁417-431。潘作宏時任該校教師。
53　許雪姬訪問，黃子寧、林丁國紀錄，〈李水清先生訪問紀錄〉，頁10-25；許雪姬訪問，鄭鳳凰、黃子寧紀錄，〈涂南山先生訪問紀錄〉，頁173-177。
54　許雪姬訪問、吳美慧紀錄，〈顏再延先生訪問紀錄〉，收入許雪姬、方惠芳訪問，吳美慧等紀錄，《高雄市二二八相關人物訪問紀錄》（上），頁354。顏再延為顏再策之弟。
55　許雪姬訪問，黃子寧、林丁國紀錄，〈李水清先生訪問紀錄〉，頁26。
56　許雪姬，〈另一類臺灣人才的選拔：1952-1968年臺灣省的高等考試〉，《臺灣史研究》22：1（2015.3），頁135-136。
57　吳三連在1950年2-11月擔任官派市長，1951年2月到1954年6月擔任民選第一任市長。由於官派後期辭職參加選舉，遂由項昌權（臺灣省民政廳副廳長）暫兼任兩個月。見許雪姬總策劃，《臺灣歷史辭典 別冊》（臺北：行政院文化建設委員會、中央研究院近代史研究所、遠流出版事業出

圖 8-3　1954 年春節並紀念吳三連市長就任三週年合影
前排右六吳市長、前排右二楊蘭洲（臺北市工務局長）
（楊蘭洲先生提供）

由於大連和臺灣間不再有聯絡船,故自東北要回臺者,必須徑由天津到上海,而等船之際的膳宿最成問題,為協助在華北、東北的臺人平安回臺,吳三連將與連襟陳火碑在天津經營的「合豐行」(買賣染料陰丹士林)的大倉庫提供給臺灣同鄉居住,至於所要的公物則向 UNRRA 申請,這樣的服務將近一年。這一功德,成為吳三連步入政壇最重要的政治資產,1947 年吳三連以最高票當選臺南縣國大代表,繼則擔任臺北市長。他入主市政,部分有滿洲經驗者才有機會陸續進入臺北市政府,[58] 被稱作「東北幫」。

(1) 楊蘭洲:回臺前曾任哈爾濱市行政處長,回臺後由戰後被任命為哈爾濱市市長的楊綽庵分別推薦給財政廳長嚴家淦與建設廳長楊家瑜,最後在建設廳當專員。1949 年 12 月吳國楨任臺灣省省主席,為落實臺人治臺的理念,吳先任命楊肇嘉為民政廳長,這時許丙向吳國楨推薦吳三連為人才,吳乃被任命為臺北市市長。接著又有人向吳國楨推薦楊蘭洲,吳乃將楊蘭洲派到臺北市協助吳三連。楊氏頗得吳三連信用,於 1950 年 2 月出任工務局長。[59] 楊與吳一樣以清廉自持,絕不貪污(楊蘭洲指出這種觀念緣自於滿洲國期間,政府規定送禮在五〇元以下的可以收,五〇元以上必須退回)。在任期間實心任事,拆除違章建築、重視道路施工,興建學校,都獲致成果,[60] 1954 年 11 月吳三連卸任。[61] 楊和吳間的情誼並未因卸任而終止,他和十多位早期離退同仁,訂於每年國曆 10 月 3 日(吳三連身分證記載的生日)為吳三連作壽,長達 33 年之久,未嘗間斷,直到吳三連過世。[62]

(2) 王洛:原名王世恭,臺北人。他在滿洲卓然有成,得過盛京時報賞,也在 1942 年取得日本國立公眾衛生院博士。戰後準備自行開業,因無開業經驗,因此請翁通逢協助。[63] 1952 年 3 月起任臺北衛生院院長兼臺北市立醫院院長,[64] 一直到 1962 年 9 月。[65] 在這十年間,他有機會到美國霍浦金斯大學深造,也兼任臺灣大學

---

版股份有限公司,2005 年 3 版 1 刷),頁 A208,〈24.歷任臺北市長〉。

58  吳三連口述、吳豐山撰記,《吳三連回憶錄》(臺北:自立晚報社文化出版部,1992 年 1 版 4 刷),頁 106、115-117、142-149。

59  許雪姬訪問,吳美慧、曾金蘭紀錄,〈楊蘭洲先生訪問紀錄〉,《口述歷史》5(1994.6),頁 158。楊自稱任工務局長時為 1952 年 10 月 7 日,實為 1952 年 2 月。見臺北市政府人事室編印,《臺北市各機關職員通訊錄》(臺北:臺北市政府人事室,1953),頁 221。

60  許雪姬訪問,吳美慧、曾金蘭紀錄,〈楊蘭洲先生訪問紀錄〉,頁 157-159。

61  臺灣省文獻委員會編,《重修臺灣省通志 卷八:職官志文職表篇武職表篇》(第二冊)(南投:臺灣省文獻會,1993),頁 980。

62  吳三連口述、吳豐山撰記,《吳三連回憶錄》,頁 329,附錄 趙富鎰,〈追述三連先生的高風卓行〉。

63  許雪姬訪問、鄭鳳凰紀錄,〈翁通逢先生訪問紀錄〉,《日治時期在「滿洲」的臺灣人》,頁 119。

64  臺北市政府人事室編印,《臺北市各機關職員通訊錄》(1953),頁 81、85。

65  1955 年以後不再兼臺北市立醫院院長。見臺北市政府人事室編印,《臺北市政府暨所屬各機關學校職員通訊錄》(臺北:臺北市政府人事室,1965),頁 23;臺灣省文獻委員會編,《重修臺灣省通志 卷八:職官志文職表篇武職表篇》(第二冊),頁 984。

醫學院教授,亦任伊索匹亞政府衛生部顧問。1966年到美國伊利諾州立醫學發展中心任職,1979年住日本岡山市,成為財團法人岡山淳風會成人病中心的醫師,[66] 退休後定居美國。

(3) 吳昌禮:1946年10月回臺,先在臺北雙連租屋開診所,名曰「三江」,[67] 1953年任臺北市建成衛生所主任,[68] 到1965年又兼任該所醫師,[69] 逐步推行公共衛生。1969年調職到中山區衛生所擔任所長,所長以下共有52人,分三組,第一組專司預防、醫療等公共衛生;第二組專司環境衛生;第三組專司醫政,[70] 一直任職到1973年9月退休。[71]

(4) 林永倉:1942年畢業於新京工業大學,在滿洲國時最後一個職位是交通部土木總局牡丹江工程處。回臺後因未帶回學歷證件,難以在公家機關任職,乃以寫保證書的方式,先在私立開南高級工業學校擔任土木科主任。二二八事件發生後轉至母校臺北工業職業學校土木科任教,主要是當時的校長簡卓堅,畢業於日本九州帝國大學,知道林在東北的經歷,同意在沒有學歷證件下任職,但因此昇級不易。1950年國軍從舟山列島撤退到臺北,借住臺北工業學校,校方不得已讓該屆畢業生提早畢業,林乃帶學生到臺北市政府工務局就職,此時工務局長為楊蘭洲,而總務科長賴武明,都是一樣自東北回臺者,乃勸林和學生一起到工務局工作。[72] 林先任技正兼土木科道路橋樑股長,後來調昇都市計畫課課長,[73] 期間經行政院美援會和市政府保送至美國公路總局接受都市計畫、道路工程訓練一年。之後在美國首都Washington D. C.、俄亥俄州的Chillicothe、Cleveland,各五個月,接受工程機械施工之訓練,結訓後再到Hawaii考察。由於受到沒有大學畢業證書之困擾,回臺前順路到日本文部省取得新京工業大學的學歷證明書,回臺後立刻升兩級。[74]

高玉樹任市長(1954年6月—1957年6月)時改派林為技正兼美援道路工程處長,[75]

---

66　中島利重,《米寿の語り》(東京:中島利重先生の米寿を祝う會,1984),頁50-51。
67　許雪姬訪問、藍瑩如紀錄,〈吳谷喬先生、吳淑麗女士兄妹訪問紀錄〉,頁282。三江即指黑龍江、松花江、烏蘇里江。
68　臺北市政府人事室編印,《臺北市各機關職員通訊錄》(1953),頁95。
69　臺北市政府人事室編印,《臺北市政府暨所屬各機關學校職員通訊錄》(1965),頁172。
70　吳昌禮,〈附錄:吳昌禮醫師手記〉,頁316-317。
71　吳昌禮,〈附錄:吳昌禮醫師手記〉,頁323。
72　許雪姬訪問、王美雪記錄,〈林永倉先生訪問紀錄〉,《日治時期在「滿洲」的臺灣人》,頁354。
73　許雪姬訪問、王美雪記錄,〈林永倉先生訪問紀錄〉,頁355。自1950年6月到1953年10月,任工務局都市計畫科長。見臺北市政府人事室編印,《臺北市各機關職員通訊錄》(1953),頁19。1955年時為都市計畫課課長。見臺北市政府人事室編印,《臺北市各機關職員通訊錄》(臺北:臺北市政府人事室,1955),頁21。
74　許雪姬訪問、王美雪記錄,〈林永倉先生訪問紀錄〉,頁355。
75　回臺後任工務局建築管理課技正。見臺北市政府人事室編印,《臺北市各機關職員通訊錄》(臺北:

在配合美援下建設不少美援道路,如羅斯福路、仁愛路、敦化路、南京東路、重慶北路、民權東路、新生南北路,也同時建設復興橋、中興大橋。這些工程中以拓寬羅斯福路最為困難,故未能完成。當時工務局長黃千里(後敘)因而去職,遂以林代理工務局長,完成該工程後也交卸代工務局長,改任美援道路工程處長。

黃啟瑞市長(1957年6月—1960年6月)上任後,先以林福老任工務局長,後林福老調往臺北縣,林永倉在1959年任工務局局長,[76]前後兩任。此時局長的工作仍是利用美援來闢建道路為主,但開路必須要拆房子,而政府的拆除金、補償金無法滿足業主、住戶之需,引起市民埋怨,竟因敦化路曲直案而被告,遭停職十餘年。[77]在停職期間,擔任民間水泥加工業國產實業建設公司協理兼南港廠廠長,得以改善預力混凝土製品(預力電桿、預力基樁),並引進預拌混凝土工業於工程界,以提高工程建設之速度與品質。被判無罪後,調任內湖特定區開發處副處長,直到退休。退休後,在啟業化工公司擔任工程師、外務經理、副總經理,財團法人全國林姓宗廟總幹事、世界林氏宗親會秘書長、臺北市中山區調解委員會委員,[78]並辦理東北會相關事務。[79]

(5)洪智默:1947年5月回臺後,6月進入臺灣工礦公司服務。工礦公司民營化後,得到當時任職臺北市政府工務局局長林永倉的介紹,[80]而於1959年任工務局建築管理課技士,[81]於做滿25年在1984年退休,自己開建築師事務所。[82]

(6)洪禮卿:新莊蘆洲人。[83]1939年滿洲醫科大學專門部畢業,[84]1954年任臺北市立醫院院長。[85]

---

臺北市政府人事室,1957),頁23。

76 臺北市政府人事室編印,《臺北市各機關職員通訊錄》(臺北:臺北市政府人事室,1959),頁17;臺北市政府人事室編印,《臺北市各機關職員通訊錄》(臺北:臺北市政府人事室,1964),頁18。

77 許雪姬訪問、王美雪記錄,〈林永倉先生訪問紀錄〉,頁355-356。

78 許雪姬訪問、王美雪記錄,〈林永倉先生訪問紀錄〉,頁356。

79 許雪姬訪問、鄭鳳凰紀錄,〈林更味女士訪問紀錄〉,頁400;許雪姬訪問、蔡說麗紀錄,〈許文華先生訪問紀錄〉,頁420。洪在明指出東北會由楊蘭洲領導,楊過世後由陳重光繼任,林永倉皆任總幹事。洪在明提供作者的筆記所敘。

80 洪和林都畢業自臺北工業學校,而洪之五兄洪適安與林一起回臺,且為莫逆之交。見許雪姬訪問、紀錄,〈洪智默先生訪問紀錄〉,2000年6月18日,未刊稿。

81 臺北市政府人事室編印,《臺北市政府暨所屬各機關學校職員通訊錄》(臺北:臺北市政府人事室,1963),頁20。

82 許雪姬訪問、紀錄,〈洪智默先生訪問紀錄〉,未刊稿。

83 〈1934年1-3月外國旅券下付表〉,識別號:T1011_03_140。

84 滿洲醫科大學,《滿洲醫科大學一覽》(奉天:滿洲醫科大學,1941),頁162。

85 臺北市政府人事室編印,《臺北市各機關職員通訊錄》(1955),頁102。

（7）翁通逢：1922-2008，[86]回臺後先在故鄉嘉義義竹開設逢春醫院，[87]後因1952年王洛任臺北衛生院院長，在其鼓勵下於1954年到臺北來，任建成區衛生所醫師，[88] 1960年任中山區衛生所主任，[89] 1965年兼醫師，[90] 1968年不再兼醫師。[91]

（8）郭曉鐘：早稻田大學專門部政治科畢業。[92]在滿洲的事蹟不詳。與許文華一家一起回臺。[93] 1950年擔任臺北市地政事務所主任，[94] 1961年任地政科地籍股股長兼代科長，[95] 1965年任地政科地籍股股長。[96]

（9）游阿喜：臺北中和人，臺北師範學校畢業。兄游阿春，1937年因商到滿洲經營家畜販賣。[97]據說兄弟兩人都曾到蒙古當軍屬。[98]回臺後，於1955年任臺北市家畜市場管理處業務課長。[99]

（10）黃千里：戰後任阜新市市長，[100]在阜新發電所員難忍蘇聯兵壓迫，準備集體自裁時，曾請他通知蘇聯司令部。[101]回臺後，1950年2月任臺北市公用事業管理處處長，1952年7月公用事業處改為公共汽車管理處與自來水廠，故改任自來水廠廠長。1954年11月卸任，調任工務局局長，任內因拓寬羅斯福路等工程，政府補償的財源有限，不能滿足受拆遷戶的需求，輿論界竟以「黃沙千里」來形容工程進行之緩慢困難，[102] 1956年2月遂由林永倉代理工務局長，同年11月去職。[103]

---

86　其死亡年代由翁通逢醫師女兒翁秀綾提供，謹致謝意。
87　吳銅，《臺灣醫師名鑑》（臺中：臺灣醫藥新聞社，1954），頁206。
88　臺北市政府人事室編印，《臺北市各機關職員通訊錄》（1955），頁114。
89　臺北市政府人事室編印，《臺北市各機關職員通訊錄》（臺北：臺北市政府人事室，1960），頁24。
90　臺北市政府人事室編印，《臺北市各機關職員通訊錄》（臺北：臺北市政府人事室，1965），頁175。
91　臺北市政府人事室編印，《臺北市各機關職員通訊錄》（臺北：臺北市政府人事室，1968），頁341。
92　臺灣早稻田大學同學會，《臺灣早稻田大學同學會會員通訊錄》（臺北：臺灣早稻田大學同學會，1957），頁20。
93　許雪姬訪問、蔡說麗紀錄，〈許文華先生訪問紀錄〉，頁410。
94　臺北市政府人事室編印，《臺北市各機關職員通訊錄》（1953），頁127。
95　臺北市政府人事室編印，《臺北市各機關職員通訊錄》（臺北：臺北市政府人事室，1961），頁9。
96　臺北市政府人事室編印，《臺北市各機關職員通訊錄》（1965），頁26。
97　〈1937年4-6月外國旅券下付表〉，識別號：T1011_03_153；臺灣省旅平同鄉會，〈臺灣省旅平同胞名冊〉（第5冊），1946年1月。
98　許雪姬訪問、鄭鳳凰紀錄，〈許長卿先生訪問紀錄〉，頁602。
99　臺北市政府人事室編印，《臺北市各機關職員通訊錄》（1961），頁164。
100　許雪姬訪問、王美雪紀錄，〈陳亭卿先生夫人訪問紀錄〉，《日治時期在「滿洲」的臺灣人》，頁294。
101　傅慶騰撰、高淑媛譯，〈傅慶騰回憶錄〉，《日治時期在「滿洲」的臺灣人》，頁565。
102　許雪姬訪問、王美雪記錄，〈林永倉先生訪問紀錄〉，頁355。
103　臺灣省文獻委員會編，《重修臺灣省通志 卷八：職官志文職表篇武職表篇》（第二冊），頁

（11）黃清塗：在滿洲國任外交官，回臺後並無用武之處。後在楊蘭洲介紹下，[104] 1953 年到臺北市政府任工商科科長，[105] 工商科改為工商課後任課長迄 1959 年，[106] 是年 8 月被派任為臺北市第七任松山區區長，[107] 一直到 1967 年 6 月卸任。7 月臺北市改制為直轄市，乃任第一任松山區區長，[108] 1968 年 7 月轉任延平區區長，[109] 1977 年 6 月卸任，[110] 1994 年過世。[111]

（12）賴武明：金山人，在滿洲國時任遼河治水調查處辦事、交通部技士，兼在錦州土木工程處辦事。[112] 回臺後於吳三連任臺北市長時進入工務局當技正兼總務科科長。[113] 退休後到臺灣惠爾特公司當監事、在臺灣通信公司任常董。[114]

（13）羅振鑑：苗栗人。戰前為日人強制徵兵，日本投降後逃到安東，並被國軍請入軍中修理武器，先任上士，到要回臺時已升為少尉，由於知道國軍何時要撤出安東，乃告知在安東的許鶴年得以及時離開，走向歸回臺灣之路。[115] 1951 年 6 月擔任臺北市工務局營繕科技士，[116] 1963 年任工務局建築管理課技士。[117]

如果加上原日新鐵工廠廠主李清漂戰後在北市任公共汽車處處長，[118] 及林金殿任市府秘書，[119] 則共有 15 位自東北回臺的臺人都是在吳三連市長以後進入各相關區處任職，由於表現不壞，故稱為「東北幫」。

---

　　980、985、986；臺灣省政府人事室編印，《臺灣省各機關職員通訊錄》（臺北：臺灣省政府人事室，1957），頁 439。
104　許雪姬訪問、王美雪紀錄，〈黃陳波雲女士訪問紀錄〉，《日治時期在「滿洲」的臺灣人》，頁 290。
105　臺北市政府人事室編印，《臺北市各機關職員通訊錄》（1953），頁 7。
106　臺北市政府人事室編印，《臺北市各機關職員通訊錄》（1955），頁 8。
107　臺北市政府人事室編印，《臺北市各機關職員通訊錄》（1960），頁 38。
108　曾迺碩總編纂，《臺北市志 卷三：政制志行政篇》（臺北：臺北市文獻委員會，1987），頁 154；臺北市政府人事室編印，《臺北市各機關職員通訊錄》（1968），頁 349。
109　臺北市政府人事室編印，《臺北市各機關職員通訊錄》（臺北：臺北市政府人事室，1969），頁 488。
110　曾迺碩總編纂，《臺北市志 卷三：政制志行政篇》，頁 233。
111　許雪姬訪問、王美雪紀錄，〈黃陳波雲女士訪問紀錄〉，頁 290。
112　國務院總務廳，《滿洲國政府公報》，第 1904 號，康德 7（1940）年 8 月 28 日，頁 699。
113　臺北市政府人事室編印，《臺北市各機關職員通訊錄》（1953），頁 17。
114　許雪姬訪問、蔡說麗紀錄，〈許文華先生訪問紀錄〉，頁 418。
115　許雪姬訪問、蔡說麗紀錄，〈許文華先生訪問紀錄〉，頁 416。
116　臺北市政府人事室編印，《臺北市各機關職員通訊錄》（1953），頁 20。
117　臺北市政府人事室編印，《臺北市政府暨所屬各機關學校職員通訊錄》（臺北：臺北市政府人事室，1963），頁 19。
118　李清漂，高雄楠梓人，在瀋陽開日新鐵工廠，戰後財產盡失，回臺後曾擔任臺北市公共汽車處處長。見許雪姬訪問、鄭鳳凰紀錄，〈許長卿先生訪問紀錄〉，頁 591。
119　李國澤，《臺南市私立長榮中學校友芳名錄》（臺南：臺南市私立長榮中學校友會，不著編年），頁 37。

## 2. 在各衛生所或公立醫院任職的醫師

相關醫師回臺後的開業情況，本書第三章已提及在滿洲相關醫學校者回臺的動向，在本小節就不再提出。

由於從滿洲回來大半的醫師缺少開業的資金，所以公職成為他們首選。由於開醫院需要大量開業資金，更要有病人緣，因此公立醫院和衛生所就成為他們最重要的就職地，東北幫中的王洛、洪禮卿、吳昌禮都是，這些人有異於在滿洲讀完醫科大學後即回臺開業者。當時在衛生所任職仍可自行在外開業，因此自滿洲國回臺的醫師，往往先屈就當地衛生所，再徐圖開業，或開業穩定後再辭衛生所的職務。

（1）李天受：高雄人，化學專科學校畢業，醫師考試及格，曾任滿洲國政府指定紅十字診療所醫師，1952年6月任高雄縣仁武鄉衛生所主任兼醫師。[120]

（2）沈水鐳：臺南人，日本九州大學醫學部畢業。1940年取得滿洲國醫師資格，[121] 任南滿洲鐵道會社內科醫員。回臺後任臺南紙廠醫務室主任，1948年開業於新營，名曰宏恩醫院。[122]

（3）林老銓：臺南人，1937年滿洲醫科大學專門部畢業，1938年5月1日取得滿洲國醫師資格，[123] 戰後任職國防部（南京）醫務所內科主任，[124] 回臺後一度想任職衛生署，而向林獻堂求介紹信，[125] 之後曾任縣立旗山醫院內科主任，1952年自行開業於旗山。[126]

（4）林欽明：臺中人，1938年滿洲醫科大學專門部畢業，回臺後先在基隆臺灣肥料股份有限公司第一廠任職，而後搬回妻江金素員林老家開欽明醫院，再遷至臺中市開業，並在其兄林肇基介紹下，到臺中市南區衛生所上班，擔任過醫師、主任。[127]

（5）林肇周：臺中人，林欽明之堂兄。1938年滿洲醫科大學專門部畢業。[128] 1939年取得滿洲國醫師資格，先在謝秋涫的百川醫院服務，[129] 之後在大連開業。[130]

---

120 吳銅，《臺灣醫師名鑑》，頁265。
121 國務院總務廳編，《滿洲國政府公報》，第2613號，康德10（1943）年2月12日，頁238。
122 吳銅，《臺灣醫師名鑑》，頁231。
123 國務院總務廳編，《滿洲國政府公報》，第1343號，康德5（1938）年9月27日，頁603。
124 國家檔案局藏，（0036/013.81/7529.2），〈陳卓乾等戰犯審理案〉（一）。
125 林獻堂著、許雪姬編著，《灌園先生日記（十九）一九四七年》（臺北：中央研究院臺灣史研究所、近代史研究所，2011），頁311，1947年5月28日。
126 吳銅，《臺灣醫師名鑑》，頁280。
127 許雪姬訪問，林建廷、劉芳瑜記錄，〈滿洲、臺灣、日本，伴夫行醫半世紀：林江金素女士訪問紀錄〉，《記錄聲音的歷史》，頁159。
128 滿洲醫科大學，《滿洲醫科大學一覽》，頁170。
129 《滿洲醫科大學檔案》，JD24,57，〈滿洲醫科大學專門部昭和十二年學籍〉。
130 許雪姬訪問、紀錄，〈葉彩屏女士訪問紀錄〉，《日治時期在「滿洲」的臺灣人》，頁132。

圖 8-4　林欽明醫師戰後先回臺開業，繼到日本無醫村工作，終至再離散至美國。
2015 年 5 月 15 日林欽明醫師之妻林江金素與子女在美國華盛頓州 Spokane 市之合照。前排中林江金素、後排中長女林淑惠、前排右次女林淑貞、前排左三女林淑卿、後排左長子林正中、後排右次子林正南。

（助理劉芳瑜拍攝、作者提供）

回臺後在豐原　衛生所擔任醫師。[131]

（6）林肇基：林欽明之兄、謝秋濤婿；1937年滿洲醫科大學專門部畢業，[132]曾任日本赤十字社奉天病院醫員、安東市衛生醫院醫長。[133] 回臺後為臺中市西區衛生所主任兼醫師。[134]

（7）林錦文（1921-1982）：嘉義人，日本大學醫學科畢業，戰後曾在長春紅十字醫院任職。1946年底回臺後，不久發生二二八事件，又因大醫院不缺人，乃先到嘉義商職任教，先教生理衛生，後教數學，[135] 而後到省立松山結核防治院任職，1953年自設林呼吸器科醫院於嘉義，[136] 1982年得癌過世。[137]

（8）徐裕增：臺南人，1938年滿洲醫科大學畢業，先在母校附屬醫院任內科醫員，[138] 之後在奉天太平醫院任職。[139] 回臺後任臺南市衛生院院長，[140] 之後在臺南市開大欽診療所。[141]

（9）袁湘昌：袁樹泉子。東京醫學專門學校畢業，畢業後到父親開業於新京二道河的錦昌醫院任職。[142] 戰後回臺，先在巒大山林場任專任醫師，[143] 而後在南投水裡開湘昌綜合醫院院。[144]

（10）梁松文：臺南人，1939年滿洲醫科大學畢業。之後在叔父梁宰於撫順開設的天生醫院任職。戰後叔父於1946年過世，乃接任院長。1948年回臺，[145] 任高雄鐵路醫院外科主任、[146] 院長。[147]

---

131　吳銅，《臺灣醫師名鑑》，頁99。
132　吳銅，《臺灣醫師名鑑》，頁83。
133　據葉彩屏女士的報導，林肇基曾在四平開業很成功，也設紙工廠，還飼魚、養蛤都賺錢。見許雪姬訪問、紀錄，〈葉彩屏女士訪問紀錄〉，頁134。
134　吳銅，《臺灣醫師名鑑》，頁83。
135　許雪姬訪問、王美雪紀錄，〈林黃淑麗女士訪問紀錄〉，頁141。
136　吳銅，《臺灣醫師名鑑》，頁193。
137　許雪姬訪問、王美雪紀錄，〈林黃淑麗女士訪問紀錄〉，頁149。
138　吳銅，《臺灣醫師名鑑》，頁208。
139　許雪姬訪問、王美雪紀錄，〈陳永祥先生訪問紀錄〉，《日治時期在「滿洲」的臺灣人》，頁494。
140　吳銅，《臺灣醫師名鑑》，頁208。
141　滿洲醫科大學輔仁會，《會員名簿》（東京：滿洲醫科大學輔仁會，1978），頁26。
142　在《臺灣醫師名鑑》中，說「曾任東北長春醫院醫師七年」，在〈居住長春台灣省民名簿〉中，則在職業下填「錦昌病院職員」，備考：「二道河錦昌病院現職」。以後者為是。
143　吳銅，《臺灣醫師名鑑》，頁158。
144　許雪姬訪問、鄭鳳凰紀錄，〈林更味女士訪問紀錄〉，頁390、399。
145　許雪姬訪問、蔡說麗紀錄，〈梁金蘭、梁育明姊弟訪問紀錄〉，《口述歷史》5（1994.6），頁314。
146　吳銅，《臺灣醫師名鑑》，頁253。
147　吳巍主編，《南臺灣人物誌》（臺中：東南文化出版社，1956），頁100。

(11) 陳守仁：彰化人，1945 年滿洲醫科大學畢業，入母校附屬醫院第一外科任職。戰後回臺曾任省立臺東醫院外科主任醫師，[148] 之後在秀水開設大仁醫院。[149]

(12) 陳章哲：彰化人。戰後拋棄所有在滿洲的產業回臺，除自行開業外，也任彰化縣社頭鄉衛生所主任。[150] 90 歲過世。[151]

(13) 陳登連：臺南人，1943 年日本興亞醫學館畢業。之後前往滿洲國東邊道株式會社的東邊道醫院（位於五道江）服務 3 年。[152] 回臺後，歷任臺南市衛生院醫師、臺南市安南區衛生所擔任主任兼醫師。而後在安南區開設南橋醫院院長。[153]

(14) 陳寶琛：南投人，陳錫卿弟。1944 年新京醫科大學畢業。回臺後曾任職省立澎湖醫院婦產科，後在鹿谷鄉開設重生醫院，1952 年遷到竹山開業，後任竹山鎮衛生所主任。[154]

(15) 曾森林：屏東人，1943 年 9 月進入滿洲醫科大學就讀，戰後自國立瀋陽醫學院（原滿洲醫科大學）畢業。曾在屏東醫院服務，1948 年自設北辰醫院於內埔。[155]

(16) 游高石：彰化人，1940 年東京醫學專門學校畢業，旋即到滿鐵鞍山醫院外科服務。[156] 1945 年岳父袁錦昌過世後，接掌錦昌醫院，1947 年才回臺。[157] 而後任彰化衛生院第三課課長。[158]

(17) 黃禎祥：臺南人，昭和醫學專門學校畢業，1934 年登錄為滿洲醫師，[159] 曾在大連市設立同愛醫院，戰後先任省立澎湖醫院婦產科主任，後在高雄開設同愛婦產科醫院。[160]

(18) 楊有務：屏東人，1945 年畢業於滿洲醫科大學，[161] 回臺後先任省立臺東

---

148 滿洲醫科大學輔仁會，《會員名簿》，頁 37。
149 吳銅，《臺灣醫師名鑑》，頁 130。
150 吳銅，《臺灣醫師名鑑》，頁 119。
151 許雪姬訪問、蔡說麗紀錄，〈盧昆山、李謹慎夫婦訪問紀錄〉，《口述歷史》5（1994.6），頁 289。
152 林德政，〈日據時代臺灣人之海外經驗：以《安南區志》為例〉，收入王明蓀主編，《海峽兩岸地方史志地方博物館學術研討會》（南投：臺灣省文獻會，1999），頁 84-85。
153 陳國柱，《臺灣省醫師名鑑》（臺北：國際文化服務社，1958），頁 262。
154 吳銅，《臺灣醫師名鑑》，頁 148；大田豊正，《新京醫科大學圭泉會名簿》，頁 74。
155 吳銅，《臺灣醫師名鑑》，頁 301。
156 《滿洲醫科大學檔案》，JD24,119-1，〈滿洲醫科大學研究所昭和十七年七月至十九年一月入學、退學ノ文件〉。另不著撰人，《東京醫學專門學校南瀛會名簿》（會誌第 6 刊）（東京：東京醫學專門學校，1941），頁 17，本書載游高石在鞍山開設鞍山醫院外科。
157 許雪姬訪問、鄭鳳凰紀錄，〈林更味女士訪問紀錄〉，頁 399。
158 吳銅，《臺灣醫師名鑑》，頁 116。
159 國務院總務廳編，《滿洲國政府公報》，第 2665 號，康德 10（1943）年 10 月 7 日，頁 406。
160 陳國柱，《臺灣省醫師名鑑》，頁 311。本書籍貫寫高雄市，但《臺灣醫師名鑑》，頁 256，籍貫寫「臺南縣人」。
161 滿洲醫科大學輔仁會，《會員名簿》，頁 41。

醫院醫師，再任高樹鄉衛生所主任。[162]

（19）楊金溢：1934年登錄為滿洲國醫師。[163] 終戰前在鐵嶺開業，[164] 戰後回臺，先短期到高雄左營海軍醫院任副院長，戒菸所衛生課長、所長，1949年在臺南永康開設仁德醫院，再遷大灣開明德診所，最後在臺北市仁愛路開楊內科診所。[165]

（20）楊澄海：高雄人，日本愛知醫科大學畢業。1937年登錄為滿洲醫師。[166] 在鞍山開天生醫院，本人專攻兒科，妻梁金蓮為耳鼻科。[167] 回臺後任臺南醫院主任醫師、高雄鐵路醫院院長、縣立岡山醫院院長。[168]

（21）葉敏盛：1944年滿洲醫科大學畢業，回臺後自設葉耳鼻咽喉科，後任順光醫院醫師，再轉任木柵、三芝鄉任衛生所主任。[169]

（22）葉敏棟：臺中人，[170] 昭和醫學專門學校畢業，[171] 1941年登錄為滿洲醫師，[172] 任職於位在吉林的滿洲電氣化學工業株式會社（1938年設立）當社醫，當時改姓北村。[173] 戰後先到省立宜蘭醫院任外科主任，曾介紹劉建止醫師擔任該院外科醫師，[174] 而後在宜蘭市開設葉外科醫院。[175]

（23）董延蕸：屏東人，1944年新京醫科大學畢業，[176] 曾任職新京市立第一病院產婦人科，戰後任平安病院長。[177] 回臺後任屏東醫院主治醫師。[178]

---

162　吳銅，《臺灣醫師名鑑》，頁284。
163　許雪姬訪問、劉芳瑜紀錄，〈何處是鄉關？流轉的臺灣認同：楊正昭醫師訪談紀錄〉，《記錄聲音的歷史》，頁187-188。
164　國務院總務廳編，《滿洲國政府公報》，第2665號，康德10（1943）年4月7日，頁6。
165　許雪姬訪問、劉芳瑜紀錄，〈何處是鄉關？流轉的臺灣認同：楊正昭醫師訪談紀錄〉，《記錄聲音的歷史》，頁198；吳銅，《臺灣醫師名鑑》，頁249。
166　國務院總務廳編，《滿洲國政府公報》，第1369號，康德5（1938）年10月29日，頁584。
167　盧昆山，《七十回憶》（臺南：豐生出版社，1979），頁42。
168　吳銅，《臺灣醫師名鑑》，頁273。
169　吳銅，《臺灣醫師名鑑》，頁15。
170　據昭和10年（1935）4-6月外國旅券下付表，葉敏棟當時本籍臺中市錦町、寄籍在彰化郡和美庄；而《臺灣省醫師名鑑》，頁97則載為臺中縣人。
171　依《臺灣省醫師名鑑》，頁97所記。而另一資料則稱他畢業於滿洲醫科大學皮膚科，且曾就讀東大，受土肥博士的指導。參見渡邊諒，《大いなる流れ 滿洲終戰實記》（日本：大いなる流れ刊行會，1956），頁112，〈第二十七章 台灣人〉。
172　國務院總務廳編，《滿洲國政府公報》，第2635號，康德10（1943）年3月13日，頁379。
173　渡邊諒，《大いなる流れ 滿洲終戰實記》，頁111。
174　許雪姬訪問、藍瑩如紀錄，〈謝久子女士訪問訪問紀錄〉，《日治時期臺灣人在滿洲的生活經驗》，頁28。
175　陳國杜，《臺灣省醫師名鑑》，頁97。
176　大田豐正，《新京醫科大學圭泉會名簿》，頁78。
177　〈居住長春台灣省民名簿〉（1946年1月28日）。
178　吳銅，《臺灣醫師名鑑》，頁287。

(24) 劉萬：彰化人，1940 年滿洲醫科大學畢業，在大連開仁生醫院。1947 年回臺，先任集集鎮衛生所主任，另在南投水里開設萬全醫院。[179]

(25) 蔡啟獻：臺中人，1938 年滿洲醫科大學專門部畢業，1939 年登錄為滿洲國醫師，[180] 曾任母校高林內科副手，戰後任聯勤瀋陽陸軍總醫院內科二等正軍醫。回臺後擔任梧棲鎮衛生所主任。[181]

(26) 鄭國輝：臺南人，1938 年滿洲醫科大學專門部畢業，[182] 翌年登錄為滿洲國醫生。[183] 戰後在高雄開設保安醫院，之後任鼓山區衛生所主任。[184]

(27) 盧有智：日本醫科大學畢業，曾任吉林寬仁醫院婦產科主任。回臺後先開設盧婦產科醫院，1949 年任高雄市立醫院婦產科醫院二年，再自己開設醫院。[185]

(28) 盧昆山（1910-2000）：離開東北前在瓦房店開慈愛醫院。回臺後在臺南市衛生局第二課任課長兼醫師，旋任湖內鄉衛生所主任三年，再往埔里與謝緯醫師合作四年，經新樓診所再回湖內衛生所當所長 11 年，直到退休。退休後在道隆綜合醫院、仁愛診所駐診，前後五年八個月。[186] 2000 年 11 月 25 日過世。[187]

(29) 賴雅徵：南投人，1940 年臺北帝國大學醫學專門部畢業。[188] 曾在大連簡仁南的仁和醫院任職，[189] 1941 年 6 月起任職大連滿鐵分院（仁壽醫院）外科，1943 年 10 月起任大連醫院分院同壽醫院醫員補。[190] 回臺後任臺北鐵路醫院副院長及外科主任。[191]

(30) 羅福嶽：嘉義人，1934 年臺北醫學專門學校畢業。[192] 1942 年登記為滿洲國醫生，[193] 先到撫順梁宰開設的天生醫院任職，[194] 之後開設回生醫院。戰後回

---

179　吳銅，《臺灣醫師名鑑》，頁 158；許雪姬訪問、紀錄，〈葉彩屏女士訪問紀錄〉，頁 133。
180　國務院總務廳編，《滿洲國政府公報》，1525 號，康德 6（1939）年 5 月 18 日，頁 410。
181　吳銅，《臺灣醫師名鑑》，頁 100。
182　《滿洲醫科大學檔案》，JD24,57，〈滿洲醫科大學專門部昭和十二年學籍〉（1938 年 6 月 23 日轉籍）。
183　國務院總務廳編，《滿洲國政府公報》，1525 號，康德 6（1939）年 5 月 18 日，頁 410。
184　吳銅，《臺灣醫師名鑑》，頁 251。
185　吳巍主編，《南臺灣人物誌》，頁 132。
186　盧昆山，《七十回憶》，頁 65-68。
187　〈故盧昆山長老生平略傳〉，《聖徒盧昆山長老告別禮拜》（2000 年 12 月 30 日）。
188　陳國柱，《臺灣省醫師名鑑》，頁 47。
189　盧昆山，《七十回憶》，頁 61。
190　森川義金編，《大連醫院誌》（大連：財團法人大連醫院，1945），頁 158。
191　陳國柱，《臺灣省醫師名鑑》，頁 47。
192　吳銅，《臺灣醫師名鑑》，頁 253；吳巍主編，《南臺灣人物誌》，頁 100-101，載其為臺北帝國大學醫學院研究科醫學博士。
193　國務院總務廳編，《滿洲國政府公報》，第 2665 號，康德 10（1943）年 4 月 17 日，頁 406。
194　嘉義中學校同窓會，《嘉義中學校同窓會會報・附會員名錄》，第 13 號（嘉義：嘉義中學校同窓會，1942），頁 15。

臺，任省立高雄醫院副醫長兼皮膚泌尿科主任、院長，後開設嘉生皮膚科醫院於高雄。[195]

（31）蘇夢蘭：臺南人，滿洲開拓醫學校畢業，1949 年 3 月在省立嘉義醫院擔任助理住院醫師。[196]而後開設志生醫院於嘉義竹崎。[197]

（32）羅燦楹：嘉義人，滿洲開拓醫學校畢業，1945 年 3 月在省立嘉義醫院擔任助理住院醫師。[198]而後開設羅小兒科於嘉義市。[199]

（33）黃元鑫：嘉義人，滿洲開拓醫學校畢業，1949 年 3 月在省立嘉義醫院擔任助理住院醫師。[200]而後開設芳生醫院於嘉義市。[201]

（34）林啟徽：嘉義人，滿洲開拓醫學校畢業，1949 年 3 月在省立嘉義醫院擔任助理住院醫師。[202]曾任介生醫院院長，之後在中埔鄉開設分診所。[203]

（35）蔡銘勳：嘉義人，滿洲開拓醫學校畢業，1949 年 3 月在省立嘉義醫院擔任助理住院醫師。[204]

（36）謝育淳：嘉義人，滿洲開拓醫學校畢業，1949 年 3 月在省立嘉義醫院擔任助理住院醫師。[205]而後開設長妙醫院於臺南後壁。[206]

由蘇夢蘭到謝育淳共六位，學歷相同、入院時間相同，但黃元鑫、林啟徽、謝育淳三人，在《臺灣省醫師名鑑》中，學歷由滿洲開拓醫學校改為「東京都興亞醫學館」，其中奧妙有待進一步研究。而所謂「開拓醫學校」，應是訓練開拓地公醫而設，[207]而其培養機關，為短期養成機關，在 1940 年後成立。[208]由於僅「醫學校」程度，因此只能由助理住院醫師做起，再升為醫師，之後才自行開業。

自滿洲回臺的醫師，未到公家任職，而直接成為開業醫的也不少。可參看《臺灣醫師名鑑》與《臺灣省醫師名鑑》，在此不贅述。

---

195　吳銅，《臺灣醫師名鑑》，頁 253。
196　〈臺灣省立嘉義醫院職員錄〉（民國三十九年 春季）（稿本，1950），不著頁數。郭双富先生提供，謹致謝意。
197　陳國柱，《臺灣省醫師名鑑》，頁 252。
198　〈臺灣省立嘉義醫院職員錄〉（民國三十九年 春季）。
199　陳國柱，《臺灣省醫師名鑑》，頁 252。
200　〈臺灣省立嘉義醫院職員錄〉（民國三十九年 春季）。
201　陳國柱，《臺灣省醫師名鑑》，頁 245。
202　〈臺灣省立嘉義醫師職員錄〉（民國三十九年 春季）。
203　陳國柱，《臺灣省醫師名鑑》，頁 253。
204　〈臺灣省立嘉義醫院職員錄〉（民國三十九年 春季）。
205　〈臺灣省立嘉義醫院職員錄〉（民國三十九年 春季）。
206　陳國柱，《臺灣省醫師名鑑》，頁 295。
207　豐田要三編纂，《滿洲帝國概覽》（新京：滿洲事情案內所，1942），頁 129。
208　柏崎才吉編，《滿洲國現勢：康德八年版》（新京：滿洲國通信社，1941），頁 519。

除了在醫院、衛生院、衛生所工作的醫生外，還有一些人戰後自東北回臺後，直接或之後進入相關公家機關服務，茲列敘如下。

### 3. 任職公家機關

（1）何金生：臺中人，早稻田第一高等學院文科畢業。1944年任奉天維城中學副校長，戰後任瀋陽市臺灣省同鄉會總幹事，回臺後歷任臺中縣政府教育科督學，1950年在臺中縣國民黨黨部辦黨務，擔任縣黨部執行委員兼書記長，翌年任臺中縣改造委員會第一任主任委員。而後擔任第二屆臨時省議會議員、山地文化工作隊主任委員，1956年10月任臺北市民政局局長，[209] 1960年當選第四屆臺中縣縣長，退任後任大同公司經理，在省黨部工作一直到66歲退休。[210]

（2）吳福興：臺南人，日本大阪工業大學專門部採礦冶金科畢業，在滿洲國擔任經濟部技佐。[211] 回臺後在臺灣水泥公司任職。[212]

（3）周萬清：1943年9月滿洲醫科大學藥學專科畢業。[213] 回臺後任職省立基隆醫院藥局長。[214]

（4）周壽灶：鹿港人，1941年9月畢業於滿洲醫科大學藥學專科，[215] 戰後任職於行政院衛生署藥政處。[216]

（5）林洒信：臺南人，1938年東京帝國大學理學部地質礦物學科畢業。[217] 戰前在滿鐵（大連）任職，[218] 戰後回臺任臺灣省工業研究所技正，並兼任臺大教授，而後轉入臺灣省地質調查所任技正，[219] 被認為是「*沉重確實而天才澎湃的學者*」。[220]

（6）邱欽堂：苗栗人，1929年臺北帝國附屬農林專門部畢業。[221] 畢業後任母

---

209　臺北市政府人事室編印，《臺北市各機關職員通訊錄》（1957），頁5。
210　許雪姬訪問，何金生、鄭鳳凰紀錄，〈何金生先生訪問紀錄〉，頁197-212。
211　〈居住長春台灣省民名簿〉（1946年1月28日）。
212　許雪姬訪問，蔡說麗紀錄，〈陳嘉樹、陳高絃夫婦、陳正德先生訪問紀錄〉，頁538。
213　《滿洲醫科大學檔案》，JD24,93，〈滿洲醫科大學藥學專科昭和十五年至二十年卒業名簿〉；《滿洲醫科大學檔案》，JD24,112，〈滿洲醫科大學藥專十六年四月入學生徒身上調書〉。
214　滿洲醫科大學輔仁會，《會員名簿》，頁59。
215　《滿洲醫科大學檔案》，JD24,93,，〈滿洲醫科大學藥學專科昭和十五年至二十年卒業名簿〉。
216　滿洲醫科大學輔仁會，《會員名簿》，頁58。
217　壽山，〈本省人地質專家林洒信〉，《旁觀雜誌》15（1958.11），頁53。
218　嘉義中學校同窗會，《嘉義中學校同窗會會報·附會員名錄》，第13號，頁19。
219　壽山，〈本省人地質專家林洒信〉，頁53。
220　林洒信，〈硫黃這件東西〉，《旁觀雜誌》1（1951.1），頁17-20，編後。
221　黃得時等，《臺大畢業同學錄》，頁17。

圖 8-5　擔任臺北市民政局局長時回臺中競選縣長當選後，臺北市民送何金生（中）的匾額。
（何金生先生提供）

圖 8-6　臺中縣第四屆縣長兼民防指揮官何金生（前排右十一）宣示就職暨交接典禮
（1960 年 6 月 2 日）
（何金生先生提供）

校森林經理學研究室助理教授,[222] 期間曾在 1938 年到滿洲國視察林業。[223] 1939 年任新武營林署長。[224] 回臺後任林產管理局副局長。[225]

（7）洪利澤：原名洪公川，日本中央大學法科畢業。[226] 任滿洲國參議府參事官。[227] 回臺後任職農林廳。[228]

（8）徐水德：桃園人，1932 年大阪商科大學畢業。在滿洲國任經濟部參事。[229] 回臺後先經營鐵工廠，1948 年進入農林廳，三年後轉任檢驗局副局長，直到退休。[230]

（9）張芳燮：桃園人，日本中央大學法科畢業。[231] 在滿洲時擔任遼北省參事。回臺後，於彭德掌省建設廳長時，擔任該廳總務科長、專門委員及臺灣省政府參事。[232]

（10）陳東興：南投竹山人，臺中師範學校畢業，1938 年之後在南投郡坪仔頂公學校、大里喀哩公學校任職，[233] 而後到新京治安部警務司教養科任職。在職中入大同學院第二部第七期畢業，考上高等薦任文官適格考試，[234] 任錦州省警務處警正。[235] 回臺後任警察局長。[236]

（11）陳嘉樹：臺南人，日本廣島高工機械科畢業。任職滿洲電氣化學會社調查、企劃股股長。回臺後進入臺糖工作，以副總工程師、顧問退休。[237]

（12）陳嘉濱：臺南人，陳嘉樹弟，廣島高等工業學校電氣科畢業。[238] 為滿洲

---

222　中西利八編纂，《滿洲人名辭典》，頁 631。
223　〈1938 年 7-9 月外國旅券下付表〉，識別號：T1011_03_158。
224　中西利八編纂，《滿華職員錄》，頁 150。
225　黃得時等，《臺大畢業同學錄》，頁 17。據說戰後他曾賭命阻止濫伐森林，甚至向聯合國致送陳情書，但被蔣經國手下的特務暗殺。見楊逸舟，《臺湾と蔣介石：二・二八民変を中心に》（東京：三一書房，1970），頁 38。
226　〈居住長春台灣省民名簿〉（1946 年 1 月 28 日）。
227　大同學院同窓會編，《大同學院同窓會名簿》（新京：大同學院同窓會，1942），頁 17。
228　許雪姬訪問、鄭鳳凰紀錄，〈徐水德先生訪問紀錄〉，《日治時期在「滿洲」的臺灣人》，頁 249。
229　國務院總務廳編，《滿洲國政府公報》，第 3191 號，康德 12（1945）年 2 月 2 日，頁 38。
230　許雪姬訪問、鄭鳳凰紀錄，〈徐水德先生訪問紀錄〉，頁 248。
231　〈居住長春台灣省民名簿〉（1946 年 1 月 28 日）。
232　林藜，《臺灣名人傳》（臺北：新亞出版社，1976），頁 145-146。
233　《臺灣日日新報》，昭和 10（1935）年 5 月 22 日，第 8 版，〈陳東興永退教育界〉。
234　《臺灣日日新報》，昭和 14（1939）年 5 月 7 日，第 8 版，〈高文パス〉。
235　大同學院同窓會編，《大同學院同窓會名簿》，頁 189。
236　許雪姬訪問、鄭鳳凰紀錄，〈徐水德先生訪問紀錄〉，頁 251。
237　許雪姬訪問、蔡說麗紀錄，〈陳嘉樹、陳高絃夫婦、陳正德先生訪問紀錄〉，頁 539-544。
238　臺南第一中學校同窓會，《臺南第一中學校同窓會員名簿》（臺南：該會，1940），頁 35。

國電信電話株式會社技術員。[239] 回臺後任臺灣廣播電台工程師，[240] 二二八後去職。而後任職臺灣電力公司採購股長，直到退休。[241]

（13）傅傳欽：高雄人，新京工業大學畢業，任職滿洲電業株式會社社務部建築科職員、滿洲電業總局土建課設備股長。回臺後，歷任臺灣省政府水利局高雄工程處工程兼水源工務所所長、臺灣省政府水利局高雄工程處副工程師兼龍鑾潭公務所主任、臺灣省政府水利局屏東工程處副工程師。[242]

（14）楊基振（1911-1990）：臺中清水人，1934年畢業於日本早稻田大學政經學部。同年考上滿鐵，4月到大連滿鐵總公司任職。1938年5月轉任華北交通株式會社天津鐵路局，1940年調往華北交通運輸局貨物課賃率係。1945年升參事，提辭呈，轉任啟新水泥公司唐山工廠副廠長兼業務部部長，已如上述。戰後於1946年6月回臺，1947年任職臺灣省交通處，直到退休。[243]

（15）蔡西坤：臺南人，日本京都帝國大學法科畢業。考入滿洲國大同學院，接受訓練，分發錦州省警務處當警佐，而後改文教科副科長、科長，最後任動員科科長。回臺後，先在臺大法學院擔任講師，[244] 接著通過國家考試，出任檢察官，而後為執業律師。[245]

（16）張喜榮：在滿洲有開車、經商經驗。回臺後先到屏東糖廠當臨時工，數個月後才成為正式員工，一直到1978年退休。[246]

### 4. 金融業者

在滿洲國時期在滿洲中央銀行（1932年6月15日設立）任職的有王萬賢（國庫科）、[247]

---

239　〈居住長春台灣省民名簿〉（1946年1月28日）。
240　中央研究院近代史研究所編，《二二八事件資料選輯》（一）（臺北：中央研究院近代史研究所，1992），頁329。
241　許雪姬訪問、蔡說麗記錄，〈陳嘉樹、陳高絃夫婦、陳正德先生訪問紀錄〉，頁537-538。
242　吳巍主編，《南臺灣人物誌》，頁315。
243　黃英哲、許時嘉編譯，《楊基振日記：附書簡‧詩文》（下）（南投：國史館，2007），頁804-806，〈一、年譜簡編〉。黃英哲在2016年的書中提及他曾在大同學院受訓一年，唯在《大同學院同窓會名簿》中，並未有其姓名，有可能是由單位派往受訓，未在考試錄取名單及《大同學院同窓會名簿》中。見黃英哲，《漂泊與越境：兩岸文化人的移動》（臺北：國立臺灣大學出版中心，2016），頁51。
244　劉煥宇編，《國立臺灣大學法學院畢業同學通訊錄》（臺北：自刊本，1950）頁2。
245　許雪姬訪問、吳美慧紀錄，〈蔡西坤先生訪問紀錄〉，《口述歷史》5（1994.6），頁161-193。
246　林志宏、何思瑩，〈屏東運將的滿洲青春紀事：張喜榮先生訪問紀錄〉，《口述歷史》15，頁90-94。
247　王萬賢，臺北板橋人，日本京都同志社大學畢業，1937年赴滿洲中央銀行就職，戰後一度在長春中央銀行（原中央銀行）服務。回臺後經商。〈1937年1-3月外國旅券下付表〉，識別號：T1011_03_152；〈居住長春台灣省民名簿〉（1946年1月28日）；許雪姬訪問、鄭鳳凰紀錄，〈徐水德先生訪問紀錄〉，頁247。

吳金川（調查科科長）、侯震東、涂榮慧、張三如、許建裕（調查科）、劉啟盛、蔡金泉、蕭秀淮（佳木斯支行副經理）、謝義；興業銀行（1937年1月1日設立）有江呈麟、高湯盤（支店長）；興農金庫有許傳標。這些銀行員回臺後，有些人繼續任職於銀行界，另有些人新加入銀行業。茲略述如下。

（1）吳金川（1906-1997）：楊肇嘉女婿，於1948年返臺。省財政廳長嚴家淦曾託吳三連勸往任財政廳副廳長，以長年勞累需休息為由婉拒。前已述及戰後他受東北行營經濟委員會主任委員張嘉璈的賞識，至是推薦給嚴家淦。1949年8月在合作金庫理事長謝東閔[248]邀請下，出任合作金庫信託部經理、業務部經理。1952年3月轉任彰化商業銀行協理兼業務部經理、儲蓄部經理，1963年8月升任該行總經理，1984年任董事長直到卸任公職。此外他擔任財團法人中華聯合徵信中心董事長、國際工商經營研究社中華民國聯合會（IMC）主席。1979年與三陽實業股份有限公司董事長黃世惠組中華租賃股份有限公司，任董事長。[249]

（2）林鳳麟：1908年生，在回臺尚未決定從事何職時，去參加日本九州大學同學會，校友臺中縣縣長宋增榘請他以省政府參議之銜協助縣政。宋轉職農林廳後請林同行，這時合庫理事長謝東閔請他到合庫任職，由總務處主任（1951年到任）、稽核處主任（1961年到任）、副總經理（1969-1972）而至理事會常務理事（1972-1978），自1949年迄1978年前後30年。[250] 期間合庫於1948年組成軟式棒球隊，又在1954年成立硬式棒球隊，本年起擔任合庫棒球部部長。1973年謝東閔出任省主席，辭去以往擔任的全國、臺灣省棒球委員會主任委員之職，主委一職由謝國城承接，總幹事由林鳳麟擔任。同年全國體育團體全面改組，全國棒球委員會改稱中華民國棒球協會，亦由委員制改為理事制，謝國城成為首任理事長，林鳳麟副之又兼總幹事，直到1988年辭任，在棒球界服務36年，[251] 見證臺灣棒球運動的興起。

（3）高湯盤：淡水人，1927年開南商工學校商科畢業，先在滿洲中央銀行任職，再轉任滿洲興業銀行，曾任通化支店、吉林支店長。回臺後任職華南銀行，由副理至總經理，之後轉任第一商業銀行董事長。退休後於1980年夏天創辦中南租賃公司。[252]

（4）許建裕（1907-1999）：回臺後在農復會任職，後來擔任世界銀行顧問、臺北

---

248　合庫六十年誌編輯委員會，《合庫六十年誌》（臺北：合作金庫商業銀行，2006），頁27，〈歷任首長玉照〉。
249　許雪姬訪問、吳美慧紀錄，〈吳金川先生訪問紀錄〉，《口述歷史》5（1994.6），頁141-142。
250　合庫六十年誌編輯委員會，《合庫六十年誌》，頁113-114。
251　許雪姬訪問、曾金蘭紀錄，〈林鳳麟先生訪問紀錄〉，《口述歷史》5（1994.6），頁221-230。
252　許雪姬訪問、蔡說麗紀錄，〈許文華先生訪問紀錄〉，頁411。

市銀行常務董事,退休後任中南租賃公司常務董事。[253]

(5)陳亭卿:回臺後於1946年任職臺灣廣播電台總幹事,並擔任籌備設立高雄台之事。之所以能就此職,乃是臺中一中同學林忠[254]的任命。二二八事件時因民眾闖入電台,被追究責任而入獄(後敘)。9月出獄後經妹婿牛光祖(張慶璋)介紹,[255]10月1日進入華南銀行工作。先在臺北總行研究室任職,不久派任屏東分行襄理。1949年起歷任臺南、嘉義分行襄理、副理職,1950年7月任清水分行經理。1951年任臺中縣第一任民選縣議員。1953-1965年間再回華南銀行總行任副理,再歷任萬華、建成、西門、中山路分行經理,1966年調總行稽核室主任,1972年調總行儲蓄部經理,1977年再調回總行任稽核室主任,直到退休。[256]

(6)鄭瑞麟:嘉義人,兄王炳麟,王得祿子孫。[257]在東京商科大學畢業後,進入滿鐵大連本社,後被派任安東地方事務所事務員,而後到滿洲纖維公社任監察役。戰後任職於合作金庫,曾任董事會稽核處(1949年起),陸續任輔導室主任(1954年起)、研究室主任(1956年起)。[258]

(7)賴寶琛:滿洲建國大學肄業(新七期),回臺後進入臺大就讀,畢業後到合作金庫工作,任中小企業金融課經理(1974年起),儲蓄課經理(1980年起),金融業務檢查室主任(1985年起),[259]以經理職退休。[260]

(8)陳茂經:滿洲國高等文官考試司法科及格,經大同學院受訓後,遼陽、安東地方法院推事。回臺任合作金庫輔導室主任。[261]

(9)陳傳標:回臺後任職合作金庫。[262]

(10)賴英書:戰後為蘇軍帶往西伯利亞,1948年10月回臺。在「愛國青年會」事件中被捕,不久獲釋。而後任職於合作金庫,曾任人事室主任(1973年5月起),

---

253 莊健隆,《臺南莊黃兩個家族:莊維藩與黃京華的故事》(臺北:財團法人吳三連臺灣史料基金會,2020),頁304-305;許雪姬訪問、蔡說麗紀錄,〈許文華先生訪問紀錄〉,頁418。

254 林忠就讀臺中一中,之後以中國籍福建人林姓義的身分,去日本讀第一高學校特設高等科,1937年畢業。見一高同窗會,《會員名簿 昭和二十七年四月十五日現在》(東京:一高同窗會,1952),頁328,〈特設高等科〉。

255 許雪姬訪問、王美雪紀錄,〈陳亭卿先生夫人訪問紀錄〉,頁306。

256 許鐘榮編,《仁者壽:恭賀爸爸(阿公、阿祖)八十晉四華誕》(臺北:自刊本,1997),頁7-8。

257 顏新珠編著,《嘉義風華:嘉義縣老照片選集(1895-1945)》(嘉義縣:嘉義縣立文化中心,1997),頁146。

258 合庫六十年誌編輯委員會,《合庫六十年誌》,頁114、118-119。

259 合庫六十年誌編輯委員會,《合庫六十年誌》,頁119-120。

260 許雪姬訪問、黃了寧、林丁國紀錄,〈李水清先生訪問紀錄〉,頁25 26;建國大學同窗會,《建國大學同窗會名簿》(昭和六十三年四月現在)(東京:建國大學同窗會,1988),頁102。

261 許雪姬訪問、蔡說麗紀錄,〈許文華先生訪問紀錄〉,頁415-416。不過在《合庫六十年誌》沒有找到相關資料。

262 許雪姬訪問、王美雪紀錄,〈黃陳波雲女士訪問紀錄〉,頁287。

放款覆審中心執行秘書（1973年11月起），²⁶³ 退休時為基隆支庫經理。²⁶⁴

（11）劉椿輝：臺南人，日本大學文學部心理學科畢業，曾到滿洲任滿洲日報社職員，回臺後而任合作金庫大稻埕分行經理（1972年10月起），董事會稽核處主任（1974年2月起），大稻埕分行經理（1975年12月起）。²⁶⁵

（12）陳寶川：瑞芳人，1917年生，1932年臺北工業學校土木科畢業，1934年考入新京法政大學就讀，畢業後參加滿洲國高等考試，在司法行政科拔得頭籌，之後入日本京都帝大大學院深造，1939年回新京法政大學任講師、副教授。1942年被日本陸軍部調往蘇州擔任司政官。回臺後在臺大法學院任副教授，1949年任彰化銀行任臺北分行營業主任，一年後陞經理，以後在臺北區合會公司任總經理前後11年。1976年調任華銀董事長，1980年調任彰銀董事長，在第一商業銀行董事長任內退休。²⁶⁶

（13）吳憲藏：滿洲建國大學新五期肄業。回臺後，先在貿易行學做生意，在自家經營藤器銷往中國大陸亦未得利，雖想回臺大繼續學業，但為經濟所迫而放棄。由於畢業於臺中師範，遂以此資格在臺北西門國校教一年書。之後考入第一商業銀行，1947年10月開始上班，先在總務處、營業部學習，再調往衡陽路分行放款科做信用調查事務，1954年任城內分行襄理，在一銀工作13年。之後進國泰信託，1983年離職，轉任元富證券股份有限公司董事長。²⁶⁷

以上12位在金融業服務的尖兵，除陳亭卿、賴寶琛、陳寶川、吳憲藏、林鳳麟、陳茂經外，其餘回臺的職位與其滿洲經驗息息相關。不過也有在滿洲從事金融業者回臺後轉行。

## 5. 各級民意代表及地方父母官

有東北經驗者，回臺後經幾年磨練，有任民意代表、有任縣市長，或兩者皆任者，如前曾提及任臺中縣縣議員的陳亭卿，其餘舉例如下：

（1）王毓麟：臺中人，1939年日本大學醫科畢業，之後到滿洲醫科大學平田外科任職，1940年回臺後入臺北帝大醫學部澤田外科臨床，1944年返臺中沙鹿繼承其父王劉銅鐘的光田醫院。1945年8月，以〈游離心臟之異常收縮〉為題，取

---

263 合庫六十年誌編輯委員會，《合庫六十年誌》，頁115-120。
264 許雪姬訪問，黃子寧、林丁國紀錄，〈李水清先生訪問紀錄〉，頁18；許雪姬訪問，鄭鳳凰、黃子寧紀錄，〈涂南山先生訪問紀錄〉，頁174。
265 合庫六十年誌編輯委員會，《合庫六十年誌》，頁114、160。
266 陳寶川口述，卓遵宏、歐素瑛訪問，歐素瑛紀錄整理，《陳寶川先生訪談錄》（臺北：國史館，1999），頁19-36。
267 許雪姬、黃自進訪問，丘慧君紀錄，〈吳憲藏先生訪問紀錄〉，《口述歷史》6（1995.7），頁222-224。

得博士學位。戰後當選第一屆臺中縣參議會參議員,因行醫與從政難以兼顧,卸任後乃絕從政之念。往後在光田醫院服務43年,又在沙鹿創設弘光護理專科學校,擔任校長前後20年。[268]

(2) 何金生:其經歷前已略為提及。他回臺後第一項工作是擔任臺中縣督學。當時是大臺中縣(包括往後的臺中、彰化、南投縣),縣府設於員林,他因北京話流利,在其兄好友李潢演(時任臺中縣政府地政科長)的介紹下,為臺中縣長宋增榘錄用為督學,以推行國語。誠如前曾提及,自滿洲國回來者有資格及不計年資的問題,幸得時任教育廳副長謝東閔解圍才取得派令。1948年2月,奉令往臺灣省訓練團接受三個月地方行政教育班的訓練,課程結束後,獲教育廳長許恪士召見,問其服務教育廳的意願,以家屬皆在臺中,婉辭。

臺中縣官派第四任(1949.6-1950.6)縣長于國楨,北平人,曾留學蘇聯莫斯科中山大學,1949年10月計畫騎單車巡視臺中縣57個鄉鎮,以他為首,一行七人,每人的單車上各插著兩塊政令宣傳版,于縣長以何金生為翻譯,成為七人「機動縣政府」之一人。有關于國楨,被認為是「名物怪人」,他在11月14日上午11時到達新社鄉公所巡視,當時在新社國民學校任職的〈劉福才日記〉有如下的記載:「他的做法是突襲出於人們的意料之外。是故,無論是什麼機關都很怕,自前般以來,就留意警戒之。他是簡單樸素之標本,服裝不潔、頭髮蓬茫,容積大的痲痕面,和現代縣長的觀念相差太遠。」[269]1951年臺灣開始實行縣市鄉鎮自治,臺中要選出縣長,國民黨中央黨部與臺灣省黨部本要提名何金生,但他認為陳水潭醫師早有布置,不欲攖其鋒,但當選者卻是霧峯林鶴年。第二屆縣長,黨部轉提名陳水潭,而提名何競選省議員,因而當選。任內擔任省黨部山地文化巡迴隊領隊,而走遍全臺山地,前後共三年(1954、1955、1957),留下日記,是瞭解原住民當時情形最好的資料,此外也留下不少照片,何金生還作了「山地文化工作隊歌」。[270] 省議員任期結束後,在黃啟瑞臺北市市長任內擔任民政局長(1957.10-1960.8),[271] 之後當選第四屆臺中縣縣長(1960.6-1964.6),任內致力於基層建設,首先舉辦農業展覽會,進行農地重劃工作;其次在學校推行愛的教育經驗報告,各取前幾名給獎;而梧棲港、達

---

268 許雪姬,〈王毓麟〉,收入許雪姬、楊麗祝、賴惠敏等編著,《臺中縣志(續修)卷九人物志》(豐原:臺中縣政府,2010),頁285-286。

269 劉福才,〈劉福才日記〉,第二冊,自三十三歲至四十九歲止(1933-1949),1949年11月19日。無頁數。臺灣史研究所檔案館典藏號,T1091-002。

270 何金生的三女何寧香等號稱何家班,於2005年將其父三年中的日記編成〈翻山越嶺三年汗〉,印製20份流傳,也贈送作者一份。2015年何家子女將其父1931-2003年間的日記、書信、相簿,捐贈給中央研究院臺灣史研究所,謹致謝意。

271 臺北市政府人事室編印,《臺北市各機關職員通訊錄》(臺北:臺北市政府人事室,1958),頁5。

見水庫、豐原高爾夫球場都是他在任上開始建設。[272] 原想蟬連第五屆縣長,卻因故[273] 未得黨部支持,遂告落選。之後在李煥介紹下到大同公司任副理。以後省黨部薛人仰請他去省黨部任第四組(宣傳)總幹事,從此擔任黨職。[274]

(3) 張芳燮:桃園人,前已敘及,回臺後曾任職臺灣省建設廳,1952年11月當選間接選舉臺灣省首屆臨時省議會議員,得到12票。1954年5月採直接選舉,也告蟬聯。1957年6月,當選桃園縣第三屆縣長,一直到1960年6月1日卸任。[275]

(4) 陳錫卿:南投人。戰後由上海回臺,先投資郭雨新將水果賣至中國大陸的生意,後被農林廳長徐慶鐘任命為機要秘書。1947年考試院舉辦唯一一次在臺灣舉辦的「臺灣省三十六年縣長考試」,[276] 考取第二名,被派任為彰化市長。1949年臺灣省行政區重劃,並實行地方自治,遂舉辦縣市長選舉。陳錫卿本欲回故鄉南投縣選,但因彰化地方人士慰留乃投入選舉,當選彰化縣長,[277] 前後任職12年。1960年卸任縣長後接任臺灣省政府委員兼民政廳長,前後六年半。1967年轉任中國國民黨中央委員會副秘書長(於1947年加入國民黨),1970年張寶樹任中國國民黨秘書長以後,以陳錫卿幫助違紀競選的林澄秋當選臺中市長、幫助彰化縣黨外當選的省議員蕭錫齡,乃予免職,陳也因此退出黨務系統,改任齊魯公司董事長兼臺灣省選舉委員會主任委員,最後以省政府、行政院顧問的身分退休。[278]

(5) 邱鳳儀:嘉義人,1907年臺灣總督府醫學校畢業。在滿洲時曾任奉天滿鐵病院醫員、奉天官立衛生院醫官。回臺後曾任嘉義縣鹿草鄉鄉長、臺南縣參議員。[279]

(6) 黃順記:戰後當選臺中縣參議員,並開設福民小兒科醫院。[280]

(7) 張丁誥(1923-2002.5):臺南人,1943年畢業於日本關東中學校,為了逃避被日本人徵調,乃於1944年到滿洲國,入牡丹江市公署建築課工作。戰後回臺,從事建築業。當選第五屆臺灣省議員。[281]

---

272 在縣長任內的作為一一筆之於日記,由何家班於2006年整理成〈百里侯掠影〉
273 當時競爭的對手有王地、林鶴年,雖已與林鶴年達成協議,但因林鶴年並未遵守,又出馬競選,何乃告失敗。
274 許雪姬訪問,何金生、鄭鳳凰紀錄,〈何金生先生訪問紀錄〉,頁208-218。
275 林黎,《臺灣名人傳》,頁145-146。
276 考試院秘書處,《考試院施政編年錄》(1946-1948年)(臺北:考試院秘書處,出版年不詳),頁310。11月19日國民政府令派魏道明為臺灣省三十六年縣長考試試務處處長、11月22日派丘念台為監試委員。
277 陳錫卿擔任彰化市長2年8個月後,官派為彰化縣縣長,四個月後投入第一屆民選縣長選舉。
278 許雪姬訪問、蔡說麗紀錄,〈陳許碧梧女士訪問紀錄〉,頁261-267。陳許碧梧為陳錫卿妻。
279 吳銅,《臺灣醫師名鑑》,頁205。
280 《臺灣省醫師名鑑》,頁89。
281 林德政採訪、盧淑美撰稿,〈在滿洲國牡丹江工作戰後目睹蘇聯兵暴行:省議員張丁誥先生口述

（8）吳深池：臺南人，曾在滿洲國牡丹江市從事代書業、建築業，並經營榻榻米店；回臺後曾當選第三屆臺南市議員，第四屆未參選，第五屆參選而未當選，遂不再競選。以後任國民學校教師、技術人員、臺南市農會理事，1956年任農會總幹事，嘉南大圳水利委員會委員。[282]

（9）謝報：彰化人，在滿洲國最後的職務是錦州省高等官試補，派在綏中縣辦事。回臺後先在基隆哨船頭開匡記報關行、協大行，專營與上海間的貿易，再開大發記營造廠。不久被故鄉彰化鄉親敦促回鄉競選彰化縣長、太太陳碧霞競選省議員，夫妻皆高票落選。經謝東閔介紹到宜蘭當教員，嗣後到新光人壽保險公司服務九年。之後又曾出馬競選省議員也告鎩羽而歸，直到1972年當選第一屆第一次增額國大代表，任職八年。[283]

（10）謝義：雲林人，日本中央大學法學部畢業，任職於滿洲國中央銀行，回臺後曾當上雲林縣議員。[284]

新化梁炳元醫師之妻梁許春菊、臺南陳嘉樹之妻陳高絃這兩名女性都曾出任民意代表。

（11）梁許春菊：1938年日本奈良女子高等師範學校家事科畢業，[285] 回臺後到母校臺南二高女（今臺南女中）任教，在與新化人梁炳元結婚後離職到滿洲國。戰後回臺，先在新化初中教書，而後辭去教職，開始擔任臺南縣婦女會理事長。1951年臨時省議會成立，省議員採間接選舉，因婦女保障名額當選。由於議事認真、服務到家，因此能連任六屆當18年的省議員。1969年臺灣區第一次立法委員增補選時，當選立法委員，成為終身免改選的立法委員，一直到中央民意代表退職時為止。1997年過世。[286]

（12）陳高絃：1931年畢業於彰化高女。[287] 結婚後隨夫陳嘉樹赴滿洲。回臺後在夫擔任臺中月眉糖廠廠長時，臺糖在縣議會每成箭靶。當時廠方認為若有人能進入縣議會，將有利於對廠的發展。於是在每縣重點支持一個議員，陳因之被推出競

---

史〉，收入林德政，《口述歷史採訪的理論與實踐：新舊臺灣人的滄桑史》，頁264-265。

282　林德政，〈日據時代臺灣人之海外經驗：以《安南區志》為例〉，收入王明蓀主編，《海峽兩岸地方史志地方博物館學術研討會》，頁79。

283　許雪姬訪問、吳美慧、丘慧君紀錄，〈謝報先生訪問紀錄〉，頁207-210；《聯合報》，1972年12月24日，第1版，〈當選人名單如下〉。

284　許雪姬訪問、鄭鳳凰紀錄，〈翁通逢先生訪問紀錄〉，頁114；《聯合報》，1955年1月17日，第1版，〈十縣三屆議員選舉　昨日順利完成〉；《聯合報》，1961年1月16日，第2版，〈臺灣全省二十一縣市　五屆議員當選名單〉。

285　國立大學法人奈良女子大學アジアジェンダー文化センター，《奈良女子高等師範學校とアジアの留學生》（奈良：國立大學法人奈良女子大學アジアジェンダー文化センター，2014），頁239。

286　引自〈梁府太夫人春菊訃告〉。

287　松本武男，《彰化高等女學校同窓會名簿》（彰化：彰化高等女學校同窓會，1938），頁31。

圖 8-7　謝報回臺後先經營貿易，1972 年當選第一屆第一次增額國大代表。
（謝報先生提供）

選而當選首屆縣議員,到第三屆時,因夫已遷離月眉,且非國民黨員,乃不再參選。[288]

### 6. 電信工程技術人員

臺人到滿洲讀旅順工科大學、新京工業大學的不少,而學生來源大半是臺北工業學校、臺南工業學校畢業者。有些在畢業後就留在滿洲國就職,臺北、臺南兩個工業學校的學生也有直接進入滿洲職場工作,取得豐富的經驗,戰後回臺投入建設的工作。由於臺北工業學校的畢業生已有部分為臺北市政府的「東北幫」,前已介紹,茲以臺南工業學校的畢業生,具滿洲經驗者為例以概其餘。

以下介紹臺南高等工業學校(簡稱臺南高工)的畢業生,在 1934 年起到 1941 年間前往滿洲,而在戰後有確定職務者:

(1)葉萬發:1934 年臺南高工機械系畢業,畢業後到日本神戶製鋼所任職,四年後被派往鞍山市加入該廠分公司的建廠(滿洲鑄鋼所)。[289] 工作完成後,自行開設興亞工務所及新興鐵工廠,業績不錯。戰後蘇聯軍、八路軍、國軍陸續進入鞍山,八路軍第一次到鞍山時,葉萬發被投獄 38 天,並險遭槍斃;第二次八路軍再來,只好放棄一切,和臺灣同鄉一起逃往瀋陽。回臺後歷任臺糖公司竹山、斗六、龍岩、虎尾各廠主任,前後 15 年,1962 年自願退休。之後擔任高雄「林商號合板廠」副廠長,三年後轉任林義興合板廠總工程師,1969 年因嚴重車禍而退休,之後從事社會服務工作。[290]

(2)方欽章:1934 年電機系畢業,在滿洲國電信電話株式會社工作,回臺後在母校臺灣省立工學院(今成功大學)服務。[291]

(3)傅慶騰(1912-2002):1934 年電機系畢業。戰前在阜新電廠工作已如前述。回臺後得同學周春傳介紹,與時任臺電總經理的劉晉鈺,協理黃煇、劉德玉,電機處長孫運璿見面後,1946 年 1 月 1 日被派為高雄火力發電所代理主任,主要工作為自留用日人手中接管該廠,使能運轉發電。該火力發電廠在二二八事件時成為軍、民爭奪的目標,幸而無事收場。以後任臺電發電股股長,任內解決北部火力發電廠發電機運轉過程發生振動故障事件;1951 年調任機電處火力課長兼南部發電廠副廠長;又自火力發電工程處深澳分處改調機電處副處長,仍兼深澳分處主任,

---

288 許雪姬訪問、蔡說麗記錄,〈陳嘉樹、陳高絃夫婦、陳正德先生訪問紀錄〉,頁 540-544。離開月眉乃因陳嘉樹在 1955 年調回臺糖總部任副總工程師。
289 嘉義中學校同窓會,《嘉義中學校同窓會報・附會員名錄》,第 13 號,頁 9。
290 葉萬發,〈自傳〉,2002 年,未刊稿,頁 1-4。葉萬發 95 歲(1907 年生)時所寫,並提供給作者,謹致謝意。
291 臺南工學院,〈(日治時期)畢業生調查表〉,頁 1。謄寫版。陽明交通大學洪紹洋教授提供,謹致謝意。

主持機組試運轉工作,由這一連串的工作,使傅有機會提供以前在東北體驗的發電技術。1967 年調為林口發電廠廠長。[292]

（4）陳永祥：1936 年電機系畢業。戰前服務於滿洲電信電話會社。戰後改任職交通部瀋陽電信局服務,[293] 到四平搶救載波設備而目睹國共內戰四平之役,旋被調往廣東服務,時為二等技術員,但未前往。陳在 1948 年回臺後,被臺灣電信局局長任命為工程師,在臺北機務控制段當段長,再轉到電信總局當工程師。1970 年 7 月陞任總工程師,後陞到副局長。1978 年調任臺北長途電信局局長,後轉任電信總局副總局長,1981 年退休。後進入亞太協會工作。[294]

（5）潘國慶：1937 年電機系畢業。戰前服務於滿洲電業株式會社,回臺後就職於臺灣電力公司。[295]

（6）林有丁：1937 年電機系畢業。戰前服務於滿洲電話電信株式會社,戰後在交通部東北錦州電信局服務。[296] 回臺後在臺灣電信管理局服務。[297]

（7）徐應勳：1937 年電機系畢業。戰前服務於滿洲電信電話株式會社,戰後任職交通部東北長春電信局。[298] 回臺後在臺灣電信管理局服務。[299]

（8）周漢揚：1938 年電機系畢業。戰前服務於滿洲電業株式會社,戰後在阜新發電所服務。[300] 回臺後先到高雄煉油廠服務,繼入中國石油公司臺北總分司服務。[301]

（9）施其華：1938 年電機系畢業。戰前曾任職滿洲電信電話株式會社,回臺後在臺灣電力公司線路課服務。[302]

（10）吳登貴：1939 年電機系畢業。戰前任職滿洲電業公司,回臺後在花蓮港臺灣電力公司服務。[303]

（11）林含鈴：1939 年電機系畢業。戰前曾在滿洲電信電話株式會社服務,戰

---

292　傅慶騰撰、高淑媛譯,〈傅慶騰回憶錄〉,頁 575-584。
293　臺南工學院,〈（日治時期）畢業生調查表〉,頁 3。
294　許雪姬訪問、王美雪紀錄,〈陳永祥先生訪問紀錄〉,頁 498-504。
295　臺南工學院,〈（日治時期）畢業生調查表〉,頁 4。
296　臺南工學院,〈（日治時期）畢業生調查表〉,頁 4。
297　傅慶騰撰、高淑媛譯,〈傅慶騰回憶錄〉,頁 574。
298　臺南工學院,〈（日治時期）畢業生調查表〉,頁 4。
299　傅慶騰撰、高淑媛譯,〈傅慶騰回憶錄〉,頁 574。
300　臺南工學院,〈（日治時期）畢業生調查表〉,頁 5。
301　傅慶騰撰、高淑媛譯,〈傅慶騰回憶錄〉,頁 574。
302　臺南工學院,〈（日治時期）畢業生調查表〉,頁 5。
303　臺南工學院,〈（日治時期）畢業生調查表〉,頁 5。

後在東北交通部電話公司服務、[304] 東北電政公司技術員。[305] 回臺後在臺灣電信管理局服務。[306]

（12）鄭清奇：1939年電機系畢業。戰前在滿洲電信電話株式會社服務，回臺後在臺光電業公司服務。[307]

（13）楊藏嶽：1939年化學系畢業。戰前在滿洲國大陸科學院電化研究室服務，回臺後先在母校服務，[308] 後到工礦公司電工業分公司第一廠第二製造課任課長、工業試驗所技正兼分析室主任，歷任臺灣電力公司高壓研究所化學組長、化學試驗所副所長、電力研究所副所長，而後退休，總共在臺電32年。退休後再到永恆機電公司服務12年。[309]

（14）王立財：1941年電機系畢業。戰前任職滿洲電業株式會社，戰後任東北電業公司技術員。[310] 回臺後在臺灣電力公司本處服務。[311]

（15）林料聰：1941年電機系畢業。戰前曾任滿洲電信電話株式會社，回臺後，在母校附設工業學校服務。[312]

（16）蔡謀泉：1941年電機系畢業。戰前在滿洲電信電話株式會社服務，回臺後任職於臺灣電力公司圓山發電所。[313]

（17）胡珠照：1941年化學系畢業。戰前在滿洲化學株式會社服務，回臺後先在基隆電化公司服務，[314] 後入臺塑任紙漿廠經理，是臺塑幾個元老經理之一。[315]

## 7. 從事文化工作者

郭輝、郭海鳴兄弟，新竹人，都畢業於臺北師範學校，自東北回臺後，郭輝在1950年代初任職臺灣省文獻會，參與《臺灣省通志稿》的編纂工作，並合作翻譯《巴達維亞城日記》（和程大學合譯）、《臺灣治績考》、《臺灣文化志》等。1953年應黃旺成之邀，任職新竹縣文獻編纂委員會，協修《新竹縣志》。

---

304　臺南工學院，〈（日治時期）畢業生調查表〉，頁5。
305　〈居住長春台灣省民名簿〉（1946年1月28日）。
306　傅慶騰撰、高淑媛譯，〈傅慶騰回憶錄〉，頁574。
307　臺南工學院，〈（日治時期）畢業生調查表〉，頁5。
308　臺南工學院，〈（日治時期）畢業生調查表〉，頁5。
309　許雪姬訪問、鄭鳳凰紀錄，〈楊藏嶽先生訪問紀錄〉，《日治時期在「滿洲」的臺灣人》，頁452-454。
310　〈居住長春台灣省民名簿〉（1946年1月28日）。
311　臺南工學院，〈（日治時期）畢業生調查表〉，頁6。
312　臺南工學院，〈（日治時期）畢業生調查表〉，頁6。
313　臺南工學院，〈（日治時期）畢業生調查表〉，頁6。
314　臺南工學院，〈（日治時期）畢業生調查表〉，頁6。
315　許雪姬訪問、蔡說麗紀錄，〈陳嘉樹、陳高絃夫婦、陳正德先生訪問紀錄〉，頁513。

他還譯成畢業歌「青青校樹，萋萋庭草……」。其弟郭海鳴也任職於臺灣省通誌館（即往後的臺灣省文獻會），與文獻會委員王世慶等人協力修纂《臺灣省通志稿》卷三〈政事志行政篇〉及卷十〈光復志〉，也協助編纂《臺北市志》。[316]

　　有滿洲經驗者，他們都在青壯年時前往滿洲，其後半生或多或少受到滿洲經驗的影響。陳永祥在接受訪問時就曾說：「我回臺後，把在滿洲未完成的工程在臺灣繼續努力——後來臺灣的長途電話差不多都是在我在任內完成的。」[317]葉萬發也說：「由於當年在滿洲鞍山市當工會常務理事及同鄉會會長，為同業同胞服務而奠定了對社會服務的一股熱忱。」[318]楊基振在1951年評論當時臺灣經濟建設中冗員過剩的情況時，也提到臺灣戰後的各種事業，實可參考滿鐵的經營方式。他說：

筆者多年在滿鐵服務，對其經營之合理，企業之經濟性，組織之科學化等，與今日在臺各種事業相比較，實有天地之別。僅僅以大連到長春七百公里的鐵道公司，經過艱難的奮鬥，後來發展到一萬二千公里的鐵路，其統轄下「滿洲」石炭公司等，擁有79大公司，並有30億的資本金，像這樣的經營事業，撇開政治性不談，其經營方法實可貢［供］很多的參考。[319]

　　有滿洲經驗者，很看重自己的滿洲經驗，並能以此經驗貢獻給臺灣。但過去沒有人理解到滿洲的臺灣人，更遑論所謂的「滿洲經驗」和有「滿洲經驗者」。

## 二、在政治事件中的受難者

　　戰後的政治事件，一是發生於1947年的二二八事件，二是從1949年到1991年的白色恐怖。有滿洲經驗的臺灣人面對這兩個事件，有些人被時代事件所沖刷，而成為受難者。所謂受難者指事件中死亡或遭牢獄之災者。一般而言，有中國經驗的，非自重慶（國民黨政府）回來的臺人，其成為受難者的比例，較一般無海外經驗者高，主要是有海外經驗者人際關係較為複雜，容易被牽連。其次是有機會在島外了解國民黨政府之腐敗，希望有所改革。

---

316　陳百齡，《石碑背後的家族史：新竹近代社會家族研究》（新竹：新竹市文化局，2015），頁77〈第四章西門外南勢的郭氏家族〉。
317　許雪姬訪問、王美雪紀錄，〈陳永祥先生訪問紀錄〉，頁502。
318　葉萬發，〈自傳〉，未刊稿，頁3。
319　楊基振，〈論臺灣經濟建設與就業問題〉，《旁觀雜誌》5（1951.3），頁16。

## （一）二二八事件中的滿洲經驗者

　　不論到滿洲的目的為何，誠如去滿洲的臺灣人第二代許文華說，去滿洲的臺灣人都是「親日的」，[320] 但也有例外。[321] 不論如何，在滿洲，他們有與中國人（不論滿、漢）接觸的經驗，也歷經蘇聯進犯滿洲、國共爭奪東北的內戰，辛苦地回到臺灣後，面對猝發的二二八事件，他們的想法、作為如何？過去官方在分析二二八發生的原因時常說自海南島、南洋回來的臺人響應二二八，[322] 是使二二八更加嚴重的原因之一，未及自東北回臺者。究竟二二八事件時有滿洲經驗者的看法、行動如何？又有哪些人因二二八事件被關？曾在滿洲新京工業大學任助手、回臺於 1945 年轉任職於皇民奉公會（國民義勇隊），因而認識蔣渭川，戰後加入與蔣渭川有關的臺灣省政治建設協會[323] 的陳登財，他認為二二八之所以發生，乃是國民政府來臺時缺乏妥善準備，來接收者無知，文化大抵相當低，因而招致民間的不滿所致。事件中他（任團長）正帶領著自組的 G.G.S.（Great Grand Show）歌舞團巡迴演出，他也是被逮捕的對象之一，因團長有駐守後台的傳統，而且有人通風報信而脫險。[324] 以上只是他個人的遭遇，其他人在二二八事件中的遭遇為何？且看下文。

### 1. 長春臺灣同鄉會會長郭松根發表二二八談話

　　二二八事件是在大半滯留東北者回臺不到半年即發生，而在島外有滿洲經驗的臺人，如已在北京的王溫石／韞石（謝介石妻舅）即欲號召臺人起而抗議，[325] 另有還未回臺在東北長春的臺人也要向中央軍借電台，對臺灣廣播，表示聲援，卻未被允許。[326] 尚未回臺的長春臺灣同鄉會會長郭松根曾在 1947 年 3 月 10 日（得知事件發生後翌日）發表談話，部分內容如下：

---

320　許雪姬訪問、蔡說麗紀錄，〈許文華先生訪問紀錄〉，頁 419。
321　但也有一部分具有反日傾向，如簡仁南參加過臺灣文化協會。見臺灣總督府警務局，《臺灣總督府警察沿革誌（III）》（東京：綠蔭書房，1986 年復刻版），頁 161。簡為文化協會有力會員。
322　柯遠芬，〈臺灣二二八事變之真像〉；彭孟緝，〈二二事變之平亂〉，收入中央研究院近代史研究所編，《二二八事件資料選輯》（一），頁 12、134-135。
323　蔣渭川與張邦傑所領導的為臺灣省政治建設協會，原稱協進會。會員多是日治時期臺灣民眾黨的成員，陳儀要解散此會，中國國民黨省黨部主委李翼中不同意，並派人輔導，乃登記為人民團體之組織，改稱建設協會。見李翼中，〈帽簷述事〉，收入中央研究院近代史研究所編，《二二八事件資料選輯》（二）（臺北：中央研究院近代史研究所，1992），頁 400。
324　許雪姬訪問、鄭鳳凰紀錄，〈陳登財先生訪問紀錄〉，《日治時期在「滿洲」的臺灣人》，頁 228-229。
325　許雪姬訪問、鄭鳳凰紀錄，〈許長卿先生訪問紀錄〉，頁 599。王溫石是謝介石妻王香禪弟，曾任滿洲國外務部科長。見賴子清，《臺灣詩醇》（嘉義：蘭記書局，1935），頁 354。
326　許雪姬訪問、鄭鳳凰紀錄，〈劉建止先生訪問紀錄〉，《日治時期在「滿洲」的臺灣人》，頁 18。

「……，臺灣與東北不同，既無共軍之擾亂，又未經蘇軍進駐，其復員工作並無障礙，較為易舉。但至今，接收已年餘，猷無眉目之可尋，僅以此點觀之，其治理之不善，達於如何程度，不言可喻。

　　夫臺胞性本誠實而溫順，教育普及文化尚能達於水準，故如能有公正廉明之官吏，則甚易治理。如　蔣主席所談：『模範省』之建設，亦不難實現。故本事件之解決根本方針，當由此點作起，不然，則姑息一時，徒自彌縫，又何濟於事。此次臺胞所要求之省政改革，乃屬當然，吾人深願支持，同時吾人以為此事件之動機，乃本於愛護臺省，亦即愛護祖國所致。既無赤化之背景，又非離叛祖國之妄動，更決非排斥外省人士之企圖，吾人願臺當局容納臺胞之要求。對於黑暗政治勵行改革，則臺胞幸甚，祖國幸福。

　　最後，更希望臺胞自重，萬不可輕舉妄動，宜平心靜氣，以合理方法與當局交涉，促其反省，從速削除弊害，革新治理之方針，此實為余之所切望者也。」[327]

　　12日又以「長春臺灣省同鄉會」名義，和臺灣省旅平同鄉會、臺灣省旅青同鄉會、[328]天津市臺灣同鄉會、瀋陽臺灣省同鄉會，一起發表宣言〈為臺灣二‧二八大慘案敬告全國同胞書〉。[329] 1948年二二八事件一週年時，長春和瀋陽的臺灣省同鄉會和臺灣省旅青同鄉會在「二‧二八殉難烈士追悼會」時致贈輓聯一對，如下：

　　有蓋天烈焰有沉海奇冤世事本難言慘史重談餘涕淚

　　為故國竭誠為蒼生請命斯人何罪臺疆萬古見精忠[330]

　　除上述同鄉會外，旅吉（林）臺省同鄉會也在1947年3月20日由理事長劉寬仁以及委員蔡興旺、陳三桂、吳心喜、陳廷立，致信臺灣省參議會長黃朝琴，指出此次臺省大慘案必須正確加以認識，共同打倒社會的黑暗，剷除貪官污吏，對流血臺胞加以支持，並對政府鄭重要求澈底實施「澄清吏治嚴懲貪污」。[331]

---

327　〈台胞在華北及東北二‧二八慘案發生後的活動經過概述〉，收入臺灣省旅平同鄉會、天津市臺灣同鄉會、臺灣省旅平同學會編印，《臺灣二‧二八大慘案華北輿論集》（北平：臺灣省旅平同鄉會等，1947），頁7。

328　旅青即旅居青島的臺灣人，部分集結到北平，等待返臺。如黃文仲（臺中人，在華北電影服務，1940年7月到青島）、林英南（屏東人，熊本藥專畢業，一九四二年到青島）、林超生（臺北人，茶商，一九四二年到青島）、林長燦（大溪人，青島醫專畢業，一九三八年到青島）等。見臺灣省旅平同鄉會，〈臺灣省旅平同胞名冊〉（第5冊），1946年1月。由於二二八發生已在一年後，上述諸人是否還在北平，待考。

329　臺灣省旅平同鄉會、天津市臺灣同鄉會、臺灣省旅平同學會編印，《臺灣二‧二八大慘案華北輿論集》，頁2。

330　臺灣省旅平同鄉會、天津市臺灣同鄉會，《二二八週年誌》（北平：臺灣省旅平同鄉會等，1948），頁5，〈輓聯〉。

331　侯坤宏、許進發編，《二二八事件檔案彙編》（九）（臺北：國史館，2002），頁294。〈旅吉臺省同鄉會向臺灣省參議會函對二二八事件的看法暨社會大眾應有的認識〉（民國36年3月20日）。但署名者皆未能找到其相關資料。

## 2.「滿洲經驗」者的集結與徐水德的「參與」

在臺北,由於陳亭卿在臺灣廣播電台服務,就受託廣播請自海南島回來、從東北回來者集合開會,故在3月8日東北回來者有30多人到中山堂開會,由徐水德當主席、陳亭卿當司儀,討論管理臺灣的問題,大家頗有發言,並預計隔天3月9日還要再開會。當晚陸軍整編第21師已在基隆登陸,但徐水德並不知情。他家住在萬華廣州街,隔天已有人被打死,當他來到廣州街、康定路角落,見一載鴨蛋出來賣的老人家被騎腳踏車的兵開槍。隔天早上5、6時徐依約定來到中山堂,奇怪街上沒有人、且都關上門,乃去敲在中山堂附近開店的王萬賢,問他不是要在中山堂開會,何以不見人影?王萬賢這才告訴他,昨晚已戒嚴,趕緊離開。

他也曾被推薦為臺灣青年幹部,大家分批去見陳儀。他和歐陽餘慶、黃炎生[332]同批。陳儀安撫他們,說他來臺灣是失敗者,他知道臺灣有這麼多旅外青年,他過去都聽流氓和御用紳士的,很想繼續留在臺灣。[333]

## 3. 顏再策率學生軍攻高雄火車站而犧牲

顏再策,高雄人,1944年高雄第一中學(以下簡稱雄中)畢業,[334] 建國大學新六期生。[335] 顏到新京就讀後,卻因腳水腫而回臺。據其嫂(顏再添妻)言,「疑似有心臟方面的疾病,無法適應當地嚴寒的生活條件與氣候,經過一段時間後,便因不適應而返回臺灣休養。」[336] 1946年8月5日考取臺灣行政長官公署教育處的「升學內地專科以上學校公費考試」:文科(30名),但需再經訓練三個月後,才正式分發到各大學,[337] 顏因「身體舊疾仍無法應付課業,訓練一個月後,便轉學至1946年才成立的臺灣省立師範學院。」[338] 之後在三民國校教書兼教北京語及翻譯。[339]

---

332 黃炎生,淡水人,一九二六年京都帝國法學部獨法學科畢業,一九二八年高等考試行政科、司法科皆及格,曾在日本任檢事、判事。一九三一年回臺任臺灣總督府法院判官,補臺北地方法院判官,一九三二年任臺中地方法院判官,一九三五年辭官擔任律師。見臺灣新民報社,《臺灣人士鑑》(臺北:臺灣新民報社,1937),頁121。

333 許雪姬訪問、鄭鳳凰紀錄,〈徐水德先生訪問紀錄〉,頁247-248。去見陳儀事當在3月9日前。

334 高中同窗會,《高雄州立高雄中學高中同窗會名簿》(不著出版地點:高雄中學高中同窗會,1983),頁106。

335 建国大學同窗會,《建国大學同窗會名簿》(昭和六十三年四月現在),頁108。

336 高雄市立歷史博物館研究部,〈顏陳秋霞女士口述訪談稿〉,《高雄文獻》7:3(2017.12),頁202。

337 《台灣新生報》,1946年8月9日,〈臺灣省行政長官公署教育處公告〉,致未漁署教字第13034號。

338 此亦為其嫂顏陳秋霞女士所報導,其中說他「考上了北京大學」,又說「便轉學至1946年才成立的臺灣省立師範學院就讀。」事實上1946年11月16日公布的名冊,就讀的大學已無顏再策之名,遑論考上北京大學。至於是否可以「轉學」到師範學院,仍需有進一步證據。見高雄市立歷史博物館研究部,〈顏陳秋霞女士口述訪談稿〉,頁202-203。

339 許雪姬訪問、吳美慧紀錄,〈顏再延先生訪問紀錄〉,收入許雪姬、方惠芳訪問,吳美慧等紀錄,《高雄市二二八相關人物訪問紀錄》(上),頁353-355。

當二二八事件蔓延至高雄已是 3 月 2 日，雄中因地近火車站乃成為當時反政府者的大本營。雄中學生為護校與保護外省人老師，而有高雄中學自衛隊的組成，由雄中第 21 屆的李榮河、陳仁悲分別為正、副隊長。[340] 3 月 5 日凃光明偕同雄中校友顏再添、顏再策兄弟兩人到高雄中學，希望和雄中自衛隊聯合，攻下被憲兵固守的火車站。由於火車站有憲兵在，因此南北鐵路交通全部中斷；且憲兵在二樓架設機槍，使民眾無法接近，糧食也無法運入高雄，種種不便；還聽說有些民眾被拘禁在車站地下道。於是雄中自衛隊決定當天進攻火車站、趕走憲兵，因此組成「決死隊」由副隊長陳仁悲率領，兵分三路，每路約十多人。第一路由雄中學生組成，要占領位在高雄火車站前、建國路上的「長春旅社」（日治時的「高丸旅社」）以壓制在二樓的憲兵；第二路由雄商、雄工學生組成，沿鐵軌前進，繞道車站後方俟機伏擊；第三路主力由陳仁悲率領，包括顏再添、顏再策兄弟等由建國路向前，占據高雄火車站右前方的公車站後，匍匐前進，伺機突襲車站正面。10 時陳仁悲發出攻擊令，但一、二路因武器不良、沒有經驗，沒有攻擊力。第三路的挺進為憲兵發現，遂連發步槍、機關槍向下掃射，顏再策肚子中彈，狀極痛苦。雙方對峙五、六小時，隊長李榮河乃央求與憲兵隊長交好的雄中父兄會會長陳啟清出面斡旋，不久憲兵撤到市政府與其他相關人員會合，再撤退到壽山高雄要塞司令部。學生們也趁隙撤回校園，並用推車送血流不止的顏再策到學校醫務室，到達時早已氣絕身亡，乃由其兄顏再添領回。[341]

　　顏再策之死，當場目睹的雄工教師潘作宏說，顏再策衝出去，但到一半路程即中彈倒地，鮮血直流，因憲兵的機關槍密集掃射，使其他學生無法前進，到能把他拖回時已斷氣，學生們將他放在雄中衛生室，[342] 與另一個目擊者雄中校友何聰明說法相同。[343] 至於家屬的看法則認為顏再策懂北京話，故由長春旅社衝出要和憲兵交涉，因而中槍倒地。[344]

---

340 兩人與陳田錨（陳啟清子）、郭拔山（郭國基子）、楊冠傑（楊金虎子）、林芳仁同班。見高中同窓會，《高雄州立高雄中學高中同窓會名簿》，頁 138-141。
341 高雄中學編，《改寫歷史：二二八高雄中學自衛隊座談會手冊》（高雄：高雄中學，2014），頁 53-56。有關此段史事，雄中自衛隊隊長陳仁悲等的證言減低顏再策所扮演的進攻角色，但一般接受訪談的高雄市民只知道有顏再策其人，完全不知有陳仁悲。
342 許雪姬訪問、曾金蘭紀錄，〈潘作宏、翁繡花夫婦訪問紀錄〉，收入許雪姬、方惠芳訪問，吳美慧等紀錄，《高雄市二二八相關人物訪問紀錄》（上），頁 423-424。
343 許雪姬訪問、吳美慧紀錄，〈何聰明先生訪問紀錄〉，收入許雪姬、方惠芳訪問，吳美慧等紀錄，《高雄市二二八相關人物訪問紀錄》（上），頁 408。
344 許雪姬訪問、吳美慧紀錄，〈顏再延先生訪問紀錄〉，收入許雪姬、方惠芳訪問，吳美慧等紀錄，《高雄市二二八相關人物訪問紀錄》（上），頁 355。

### 4. 林慶雲率領高雄學生軍

林慶雲，屏東人，臺南第二中學畢業，和黃山水、李水清考上滿洲建國大學第一期，在滿洲期間經常生病，1942 年到東京養病，1944 年被徵召當兵（關東軍）。[345] 戰後回臺在雄中擔任訓導主任，[346] 二二八事件發生後，據官方報導，3 月 4 日高雄的雄中、雄工、雄商組織高雄學生軍，分連絡組、治安組、交通組、糧食組、宣傳組、救護組，林慶雲是治安組組長。[347] 據「三月七日軍事法庭對涂光明、范滄榕、曾豐明的判決書」中，林慶雲的角色顯然比上述三人的角色吃重。判決書稱：

> 被告涂光明、范滄榕、曾豐明等，緣本身二二八事變發生，地方騷動，該被告等即乘機勾結叛逆林慶雲（省立高雄第一中學教務〔訓導〕主任）等，組織偽學生聯合軍，由林慶雲任偽總指揮，涂光明自任參謀長，曾豐明為參謀部聯絡官，范滄榕為軍醫官。[348]

但在不同的資料中林慶雲的記載也略有不同，如〈臺灣二二八臺民叛亂高雄區叛亂名冊〉中，林本身是處委會治安組組長，事件中組織市內學生負治安與交通之責；[349] 另一份名單則稱他又名林地〔池〕，[350] 是涂光明的黨羽，率領學生軍及爪牙威迫接收公共汽車。[351] 在另一份警察局的名單中則稱他是教員，率領學生參加暴動。[352] 事後逃亡，一度躲在建大同學李水清家，而後回故鄉，逃過二二八的逮捕。林慶雲在二二八的角色到底為何？訪問雄中的學生、老師，都未有人提到林慶雲其人。1948 年 10 月他到臺北建大同期生李水清家，參加其學弟賴英書從西伯利亞回臺的聚會。李水清在被訪談的紀錄中提到當天有「一期の同期生Hが紛れ込んでいる…」，[353] 此 H 即為林慶雲。李水清說他是被治安當局視為反政府活動中的人

---

345 許雪姬訪問，黃子寧、林丁國紀錄，〈李水清先生訪問紀錄〉，頁 17-18；建國大學同窓會，《建國大學同窓會名簿》（昭和六十三年四月現在），頁 26。
346 黃彰健，《二二八事件真相考證稿》（臺北：中央研究院、聯經出版事業股份有限公司，2007），頁 185，〈三月七日軍事法庭對涂光明、范滄榕、曾豐明的判決書〉。
347 《國聲報》，1947 年 3 月 5 日，號外。
348 黃彰健，《二二八事件真相考證稿》，頁 185。
349 侯坤宏、許進發編，《二二八事件檔案彙編》（十六）（臺北：國史館，2004），頁 160，〈張秉承（林頂立）呈報「二二八事變報告書」、「二二八事變叛逆名冊」、「二二八臺民叛亂高雄區叛亂名冊」〉。
350 林池是不是林慶雲？在臺灣南部防衛司令部審判長鄭瑞之對涂光明等人的判決書裏沒有說，但在上給彭孟緝的簽呈時卻又說林慶雲即林池，第一中學教務主任。若依上述〈二二八臺民叛亂高雄區叛亂名冊〉，則林池的職業是高雄市交通課長，在處委會擔任交通組長，罪名是「煽動暴動，攻警所等暴行」，顯然林池並不是林慶雲，判決書並未弄清楚。
351 中央研究院近代史研究所編，《二二八事件資料選輯》（六），頁 238。
352 中央研究院近代史研究所編，《二二八事件資料選輯》（六），頁 116，〈憲兵第四團第一營第一連高雄管區二二八首謀分子調查表〉。
353 三浦英之，《五色の虹：満州建国大学卒業生たちの戦後》（東京：集英社，2015），頁 242。本書獲得 2015 年第十三回開高健ノンフィクション賞。H 即日文はやし（Hayasi，林）的簡稱。

物,二二八事件後行蹤不明。此事一個月後,林慶雲等建大校友因「愛國青年會」案被捕。(後敘)

### 5. 廖行貴被捕

1947年2月17日廖行貴終於接任高雄工業學校校長,[354] 廖行貴,臺南人,二二八事件發生時,雄工學生在3月4日由高二學生前往雄中,並由高二導師潘作宏隨行,學生軍由雄中、雄工、雄商組成,分為治安組和糧食組,從事支援治安、排解糾紛的工作。3月5日參加第二路攻擊火車站,但因學生未受過軍訓,連手榴彈亦不知投擲方法,並未有攻擊效果。3月6日要在高雄市政府開會時,學生代表六名、老師代表三名:雄中林政忠,雄工王聯發、潘作宏。雄工學生與老師,駕駛雄工的實習車前往,但到中正路法院邊的高雄橋即熄火,雖經再發動,但不再前往開會而直接回學校,不到兩小時,高雄要塞司令部的兵即自山上攻下來。當軍隊下來時有一雄工史姓學生(曾當過日本海軍陸戰隊),拿著機關槍至往火車站必經之中山路抵抗,因寡不敵眾而犧牲,其他學生(約150餘人)眼見勢不能敵,乃各自逃生。[355] 由於雄工學生在二二八事件中的行動,廖行貴乃以「任工業學校學生聯絡團長,由警察局逮捕,解防衛部。」[356] 廖行貴往後的事蹟不詳。

### 6. 湯守仁率鄒族人下山援助攻陷紅毛埤、圍攻機場

湯守仁,關東軍少尉。前已敘及其在戰後被蘇聯軍俘虜至西伯利亞集中營,幾個月後才被釋放。回臺後到阿里山樂野國校代理過體育教師。[357] 3月2日二二八事件蔓延至嘉義時,嘉義士紳組織嘉義三二事件處理委員會,原想維持秩序並迫使政府做政治改革,不料事與願違,匯集自「光復」以來累積的憤怒,如潰堤之水,此情勢已非處委會所能控制,乃派人到山上請鄒族人下山維持秩序(另一說則是協助攻擊紅毛埤)。這時鄒族人的政治領袖吳鳳鄉鄉長高一生,已歡迎因謠傳有暴徒要進攻新營(臺南縣政府所在地)的消息而帶數十個公務員逃往阿里山求他保護的縣長袁國欽,要打動高一生讓族人下山並不容易。據武義德云高一生原不同意,[358] 最後高

---

354 《國聲報》,1947年2月21日,第3版。之所以說「終於」乃因原校長李鍾淵施展權謀,在廖尚未接任就已謠言滿天飛。見《國聲報》,1947年2月11日,第2版。而李鍾淵的行事,可參考《國聲報》,1947年1月14日,第3版。

355 許雪姬訪問、曾金蘭紀錄,〈潘作宏、翁繡花夫婦訪問紀錄〉,收入許雪姬、方惠芳訪問,吳美慧等紀錄,《高雄市二二八相關人物訪問紀錄》(上),頁422-424。

356 中央研究院近代史研究所編,《二二八事件資料選輯》(六),頁47,〈高雄市警察局逮捕二二八事件反動暴徒已處理及現押名冊〉。

357 鍾逸人,《辛酸六十年》(上)(臺北:前衛出版社,1993),頁507-508。

358 許雪姬訪問、江淑玲紀錄,〈武義德先生訪問紀錄〉,《口述歷史》5(1994.6),頁94。

乃先命湯守仁下山瞭解情況，覺得可以下山救援，才在3月2日由湯守仁率5、60個族人下山。[359] 沒料到下山除維持秩序外，第一件工作是攻紅毛埤，鄒族人原只帶派出所的槍和傳統的大弓下山，成為攻擊紅毛埤的武器。紅毛埤之所以重要，乃因此地方為僅次於鳳山軍械庫的第十九軍械庫，在經鄒族人的協助下，守庫士兵棄守，逃往水上機場。鄒族人因而取得不少武器，接著乃進而圍攻水上機場。

當鄒族人到水上機場時，包圍機場的民眾乃讓他們布防在水上機場門口，一共圍了三個晚上，民軍雖切斷機場水電，但卻只圍而不攻，準備與政府和談。當和談的消息由劉傳來傳給鄒族人後，湯守仁認為事情不妙，打電話和高一生商量，高一生認為有危險，下令回鄉。鄒族人乃連夜回到阿里山。事後有些平地人一起撤退到吳鳳鄉（今嘉義縣阿里山鄉）；又傳出陳篡地在國軍上岸後也逃到阿里山，想聯合高一生、湯守仁再次反抗；政府同時搜到由矢多一生（高一生）具名的傳單，內容是要原住民鄉每鄉派兩位代表到臺中霧社開會，以便組織高山族的行政機關，而遂行自治的目的。事後高等在袁國欽的勸告下，決定不和逃往山中潛匿的分子合作；高雄要塞司令彭孟緝也電長官公署，言高一生已悔過。似乎高一生等鄒族人的情緒受到安撫，政府也因此暫不處分高一生與湯守仁，但這並不表示政府不再追究。[360]

### 7. 黃信卿與二七部隊

黃信卿，臺北人，日本早稻田大學政經科畢業。[361] 日本關東軍陸軍少尉。1946年由大連被遣送回臺，在臺北與十數名同學秘密籌組「臺灣青年黨」，因事機不密為警總所通緝後，逃匿埔里外婆家。因聞臺北有變，而且已波及臺中，遂組織埔里隊，並被推選為隊長，[362] 成為二七部隊的組成分子之一。[363] 至於黃信卿在二七部隊中的表現不詳。據說他在1949年3月自花蓮美崙碼頭上船，逃往福建廈門。[364]

---

359 請阿里山部隊下山的一說是三青團的盧鈵欽；另一說是竹崎醫生林立。前者死於二二八、後者死於白色恐怖時期。據高一生之子高英傑說，高一生原來就認識許多嘉義地方人士，如盧鈵欽、潘木枝、張進通、許世賢等，因此有意協助嘉義地區秩序的安定。見許雪姬訪問、林建廷紀錄，〈高菊花、高英傑姊弟訪問紀錄〉，收入許雪姬主編，《獄外之囚：白色恐怖受難者女性家屬訪問紀錄》（下）（臺北：中央研究院臺灣史研究所、國家人權博物館籌備處，2015），頁39-41。

360 許雪姬，〈臺灣光復初期的民變：以嘉義三二事件為例〉，收入賴澤涵主編，《臺灣光復初期歷史》（臺北：中央研究院社會科學研究所，1993），頁187-189。

361 鍾逸人的說法，但查有關早稻田臺灣學生的相關資料均未見及。如林成市、劉傑編著，《留學生の早稻田－近代日本の知の接觸領域》（東京：早稻田大學出版部，2015），頁58-61，〈表5 戰前期早稻田大學臺灣人卒業生一覽〉；1957年《臺灣早稻田大學同學會會員通訊錄》共34頁，將肄業者皆放入，也未見其名。因此鍾逸人的說法必須保留。

362 鍾逸人，《辛酸六十年》（上），頁472。鍾逸人說黃信卿為其親信，亦有言其擔任二七部隊的參謀長。

363 賴澤涵總主筆，《二二八事件研究報告》（臺北：時報文化出版企業有限公司，1994），頁91。

364 李禎祥，《二二八的虐殺與逃亡》（臺北：玉山社出版事業股份有限公司，2021），頁207。

### 8. 涂南山來不及警告陳澄波造成遺憾

涂南山，建大肄業生，二二八事件發生翌日（3月1日）和建大第一期生李水清到衡陽路去觀看情勢，見一輛公家車被翻覆，並起火燃燒，李水清受過完整的軍事訓練，見狀判斷有危險性，表示必須儘速脫離現場，不應再看。據李的分析，這事件中臺人不能也沒有能力抵抗，主要是基隆、高雄兩港口仍被軍隊掌握，援軍得以登陸，如果援軍到來即無法抵抗。涂南山相信前輩的分析，乃趕回嘉義，想前往通知以前認識的陳澄波[365]躲避，因陳去開會而未晤；又去找過去的同學，見他們聚集在嘉義公會堂，上綁腿，一副準備有事之狀。

既找不到陳澄波，涂乃欲到鄉下二叔處去避鋒頭，他手提皮箱、箱內裝書，路人以為涂是外省人，不由分說將他捉走。涂向他們說出二叔、表舅的名字，經確認、解釋後才得脫身趕往二叔處。幾天後上街，才知陳澄波已在3月25日被槍殺，令他扼腕、激動不已。[366]

### 9. 林錦文「參與」二二八

林錦文醫生自滿洲回故鄉嘉義，尚未就業就遇上了二二八，那時有人號召臺灣人要站出來，林錦文也就跟著出去，一直到了鄉下覺得有異，才半路回來。此事隔年政府還在查，有一個人不知是否在探林的口風，來告訴林有問題，有人要來捉，如果真的有事得快走。究竟是該人的好意勸告，還是來試探，不得而知。林乃回說自己並未做什麼，沒有跑的理由，也沒有躲藏，以後也沒有事發生。[367]

### 10. 疑似金山鄉保安團團長的賴武明

戰後臺北縣金山鄉（今新北市金山區）約有一萬多住民（包括約160多名外省人），當地獅頭山有金包里砲台，駐有第二總台第一大台第一台的士兵十多人。由於向鄉長許海亮（死於二二八）借溫泉旅館新館居住而不知維護，再要借舊館便遭拒絕；再加上軍人素質不高常有欺壓百姓之事，因此二二八事件爆發時，當地也有所行動。先是駐地金山警察局警員逃逸一空，治安難以維持，乃由繼任鄉長賴崇壁之子賴武明為首，組成保安團約百餘人。[368] 3月2日起保安團先去接收警局的槍枝，再敲詐民

---

365 涂南山與陳澄波長子陳重光是嘉義中學的同學，據涂南山說：「（陳澄波）是一位油畫家。他一畢業就因熱愛祖國而去上海當油畫的教授，不用說他是一位非常激烈的民族主義者，他用畫表現他的民族思想！有一幅叫做『橋』的作品，它的意思是，臺灣人都在盼望臺灣海峽能有一座橋，若是有一座橋就能回到祖國的懷裡去了。我去建大時，他特地拍我肩膀鼓勵。因為有這緣份，二二八事件發生那天，我特地自臺北趕到嘉義，到他家裡去叫他要趕緊躲起來，以免遭到殺害。……」許雪姬訪問，鄭鳳凰、黃子寧紀錄，〈涂南山先生訪問紀錄〉，頁182。
366 許雪姬訪問，鄭鳳凰、黃子寧紀錄，〈涂南山先生訪問紀錄〉，頁143-144。
367 許雪姬訪問，王美雪紀錄，〈林黃淑麗女士訪問紀錄〉，頁148。
368 黃克武、洪溫臨，〈悲劇的歷史拼圖：金山鄉二二八事件之探析〉，《中央研究院近代史研究所

眾，3月3日準備攻占砲台，因砲台嚴密防備而未得手。翌日砲台台長孫經邁想派人向基隆要塞司令史宏熹告急，派出的人員卻為保安團逮捕。[369] 3月9日，該保安團尚發通知單召集鄉內青年加入。事實上3月8日當夜整編第21師已在基隆登陸，至少9日知悉金包里砲台已被圍數日的消息。許海亮是臺北縣參議員，想從中溝通，希望雙方放下武器而未果。3月10日下午2時起，國軍在金山鄉展開鎮壓的行動，賴武明等一干人被捕。事件中有14人喪生（包括槍殺、槍決、失蹤），其中包括前鄉長許海亮，根據許海亮之孫許炎廷受訪時稱，因賴武明到過東北，與吳三連相識，對中國政治有相當的瞭解，雖被逮捕，但趕緊找到有關人士送黃金給砲台台長，因此賴被帶到基隆後得到釋放。[370]

### 11. 張七郎、張宗仁、張果仁父子冤死

在第六章已提及，張七郎登記為滿洲國醫師，而他的三個兒子都到滿洲擔任醫師。戰後三子回臺，在父親的仁壽醫院看診。[371] 二二八事件發生後，花蓮成立二二八事件處理委員會，期間張七郎因病並未參加，但他先在1946年3月當選花蓮縣參議員，二二八事件後被地方推選為花蓮縣縣長候選人。4月1日國軍整編第21師獨立團第二營第五連開到花蓮綏靖，4月4日軍方逮捕張七郎父子四人，當晚除了張依仁外，父子三人被殺於鳳林鎮郊的公墓。[372] 但張依仁事後說，他如何逃過此劫也不清楚。[373] 依情治人員的調查，此事件係當時縣長張文成叫軍隊所下的毒手，[374] 但他們一家人都認為是中央派人來殺的，和臺灣，特別是花蓮縣長無關。[375] 父子三人同時遇難，誠如當時情治人員傳出的消息是，對於三人之死，尤其是父親

---

集刊》36（2001.12），頁14-16。
369 據賴崇壁事後向臺北縣政府的報告〈金山鄉二二八事變經過情形調查〉，稱該臺人員「竟被拘禁數名」，但黃克武等研究指出「曾有官長一員帶手槍一枝赴電報局打電話，卻音訊杳然。」頁31-32，但文中並未究明這名官長究竟是被捕、還是失蹤？
370 吳文星訪問、游重義紀錄，〈許炎亭先生訪問紀錄〉，《口述歷史》4（1993.2），頁253。由於未曾訪問到賴武明本人或其後代，因此不得不根據許海亮孫子的說法。而金山鄉人的說法，也導向許、賴間地方勢力的問題，模糊了國軍鎮壓之慘，這也是研究二二八時不得不小心謹慎之處。
371 張炎憲、曾秋美訪問，〈張依仁訪問紀錄〉，《花蓮鳳林二二八》（臺北：財團法人吳三連臺灣史料基金會，2010），頁54-55。
372 張炎憲主編，《二二八事件辭典》（臺北：國史館、二二八事件紀念基金會，2008），頁333-334，李筱峰，〈張七郎〉。
373 張炎憲、曾秋美訪問，〈張依仁訪問紀錄〉，頁63-64。
374 依保密局臺灣站鳳林通訊員沈清淵的報導：「二二八事變後，廿一師獨立團駐花蓮，開始綏靖工作，聞係由張縣長報請獨立團將張氏父子三人，由該團第五連連長董志成在其鳳林鎮郊外之番社執行密裁。」見許雪姬主編，《保密局臺灣站二二八史料彙編》（三）（臺北：中央研究院臺灣史研究所，2016），頁128-129，〈件名二：許靖東致電丁立仁報告張七郎父子三人遭密裁（民國36年6月6日）〉。
375 張炎憲、曾秋美訪問，〈張依仁訪問紀錄〉，頁65。

張七郎,「臺東參議員及地方人士頗感怨惜,並稱張氏被裁對於今後政府推行政令恐有所困難與阻礙。」[376]

### 12. 陳亭卿、陳嘉濱因臺灣廣播電台在事件中被占而追究責任

前已敘及,兩陳回臺後在臺灣廣播電台一任文書股總幹事、一任工程師,另有洪元定、林鳳麟之弟(名字不詳)也同在電台。兩陳與洪元定(徵收股長)、曾麒麟(播音員)四人,在1947年3月28日被警備總部第二處(處長為少將林秀欒)逮捕,罪名是「叛亂」。[377] 後經審判,四人都以「妨害秩序,訊明共同參與以犯罪為宗旨之結社,處有期徒刑一年六月,褫奪公權一年。」[378] 如徐水德言,陳亭卿有在電台呼叫集合隊伍之事,故有30多名自東北回臺之人集合開會,由陳亭卿當司儀之事。這是否也構成「犯行」之一?無從稽考。先被拘在軍法處內三個月,這期間被調出審問兩、三次,但未遭刑求。同難者有建國中學校長陳文彬、臺南醫師莊孟侯。陳與莊、陳兩人在獄中談論臺灣的現狀與未來,兩人各寫一首詩贈陳。被關期間,其妻即將臨盆,為此晴天霹靂,不得不為夫到處奔走。她經朋友介紹與軍法處長見面,而她解釋他們何以去東北?且到電台上班也不過兩星期,連薪水都還沒領到,到底哪裡犯罪了?雖經再三調查亦知無罪,仍必須軟禁,以懲罰未將電台管理好,致遭不法人士進入。9月才被釋放,但陳嘉濱之妻卻付了不少冤枉錢,損失最大。[379]

### 13. 高湯盤被捕獲無罪保釋

高湯盤回臺後在華南銀行當營業部副理。二二八事件中於3月28日被警總第二處逮捕,拘捕理由是暴動人犯。[380] 到6月22日以「罪嫌不足宣告無罪保釋」。[381] 保證人是徐水德。[382]

---

376 許雪姬主編,《保密局臺灣站二二八史料彙編》(三),頁133,〈件名五:張秉承致電言普誠說明張七郎係被國軍廿一師獨立團五連制裁(民國36年4月29日)〉。
377 中央研究院近代史研究所,《二二八事件資料選輯》(一),頁32,〈在押暴動人犯名冊〉。
378 中央研究院近代史研究所編,《二二八事件資料選輯》(六),頁428,〈前臺灣警備總司令部及本部直接受理二二八事變案件〉。但據陳的說法,陳後來被查明並無共產黨之傾向,仍以幫助、煽動民眾為罪名,判刑兩年。
379 許雪姬訪問、王美雪紀錄,〈陳亭卿先生夫人訪問紀錄〉,頁305-306。此指為使陳嘉濱早日出獄,而受騙錢財,損失最大。
380 中央研究院近代史研究所編,《二二八事件資料選輯》(一),頁329,〈奉電造送拘捕暴動人犯名冊等復請密核〉。
381 中央研究院近代史研究所編,《二二八事件資料選輯》(六),頁399,〈交保開釋二二八案犯名冊〉。
382 許雪姬訪問、鄭鳳凰紀錄,〈徐水德先生訪問紀錄〉,頁249。

### 14. 陳東興被指為謝雪紅二七部隊隊長

據〈台灣省「二二八事變」現在逍遙法外份子名冊〉所載，陳東興二二八時任警務處通訊員，參加事變，任謝雪紅廿〔二〕七部隊隊長。[383]

### 15. 被軍方槍決的劉家榮

前已提及（第五章），劉家榮有曾在新京、天津當巡迴講師的經驗，能說一口流利的北京話。二二八事件時被民眾請出與外省人溝通，為了避免竹東外省人被傷害，乃將外省人集中在竹東區署予以保護，事後卻被情治人員認為是煽動領導人物。他只好逃亡至峨嵋鄉岳父家躲避，3月20日被憲兵逮捕，在押途中於北埔鄉與竹東鎮稜界分水嶺路邊槍決，翌日由家人收屍，得年39歲，留下27歲的妻子及一雙兒女。[384]

### 16. 傅慶騰冒險維護供電並對公司財產保護有功

相對於上述在事件中「涉嫌」者，傅慶騰在高雄火力發電廠服務，任工程師。他在事件中指揮該廠員工維護配電工作，保護公司財產有功，而被記功一次，並給獎金與獎狀。[385]

有滿洲經驗者回臺的時間大半在二二八事件前，小部分在二二八事件後，即便在二二八事件前也不過一年多或甚至幾個月前。當二二八事件發生時，湯守仁、黃信卿都出面站在民眾一方，湯率鄒族人與漢人合攻紅毛埤第十九軍械庫、水上機場，黃信卿也加入二七部隊，湯、黃兩人是關東軍，而顏再策、林慶雲（亦入伍關東軍，在第一聯隊駐在間島）兩人是建國大學出身，都和高雄中學自衛隊站在同一線上。他們的大學長李水清卻判斷港口仍為國軍固守，可以自內地增援，臺灣人並沒有勝算。也有徐水德等2、30名有滿洲經驗者聚集，想討論管理臺灣的問題，可見他們相當關心國事。在事件中廖行貴、高湯盤、陳亭卿、陳嘉濱同樣在3月22日被捕，幸得被以無罪開釋或保釋。最可痛惜的是張七郎父子三人的枉死，但悲劇並不因此而終止，其中湯守仁和其他有滿洲經驗者在下一波白色恐怖的追殺中，又有些人慘遭滅頂。

---

383　侯坤宏、許進發編，《二二八事件檔案彙編》（二），頁429，〈台灣省「二二八事變」現在逍遙法外份子名冊〉。
384　臺灣省文獻委員會二二八事件文獻輯錄專案小組，《二二八事件文獻輯錄》，頁364-365。
385　侯坤宏、許進發編，《二二八事件檔案彙編》（十六），頁466，〈○三、臺灣電力公司獎賞二二八事變期間見義勇為愛護外省同仁之張明等職員（民國三十六年五月二十一日）〉；頁473，〈○五、臺灣電力公司經理劉晉鈺獎賞二二八事件期間維護工作冒險救護同仁之傅慶騰等人（民國三十六年七月二十四日）〉。

## （二）白色恐怖事件下滿洲經驗者的遭遇

　　所謂白色恐怖時期，係指 1945 年 8 月 15 日迄 1991 年 5 月 22 日止期間所發生的政治事件，稱為白色恐怖事件。亦即由國民政府統治臺灣開始，中經 1949 年 5 月 20 日實施戒嚴令，一般市民犯罪得以軍法審判，直到 1991 年 5 月 22 日修訂刑法 100 條才告結束。先是 1949 年 5 月 24 日立法院通過懲治叛亂條例，是基於刑法 100 條的特別法，其中第二條第一項內亂、外患罪為唯一死刑，即所謂令人聞之色變的「二條一」，迄至 1991 年 5 月 22 日才被修訂，因而促轉條例中，即以 1991 年 5 月 22 日為白恐中止日。亦即戰後到戒嚴期間所發生的政治案件也算在白恐事件中，以下要談的愛國青年會案／滿洲建大案就是其中之一。

　　由於有滿洲經驗者在二二八事件期間有所動作，經此事件之後已被列在監視的名單中，如林慶雲之例，當不難想像。除了上述的滿洲建大案牽涉好幾位建大生外，還有其他如涂南山的案子，此外還有黃溫恭、謝秋臨、鍾謙順、林恩魁等人涉案，以下分別介紹。

### 1. 滿洲建大案／愛國青年會等

（1）愛國青年會案／滿洲建大案

　　本案為臺南縣曾文警察局破獲，而送交臺灣高等法院檢察官偵查。據稱該會成立於 1948 年，是年即被破獲。依判決書，其被訴的「理由」如下：

　　本案被告等於本院審判中雖均矢口否認有上開不法行為，惟查被告陳玉震、陳正雄、黃鑽遂、楊明亮、曾明乾等，於臺南縣警察局曾文區警察所獲案之初，均經分別供認與被告林慶雲、韋建仁等共同組織愛國青年會，以臺灣自治與獨立運動為宣傳共產、吸收黨員之掩護，陰謀於共軍易侵臺灣時，以二二八暴動方式策應匪軍，赤化臺灣不諱。被告林慶雲為該會之首領，自任組織部長，設總部於李水清家內，被告陳玉震為臺南支部之支部長，負南部活動之全責，亦經同案被告曾明乾等分別互證屬實。被告李水清，固僅供認曾經閱讀被告林慶雲所給之《新民主主義》一書，但既自承被告常在其家膳宿，而於林慶雲所有之反動書籍及來往書信等件，又謂均在其家內為刑警當場所抄獲，且其家又為該會之總部，並經被告林慶雲在警所及本省警務處先後供明，該被告已受其言論之影響，其為林慶雲之黨徒及該會之重要份子實屬毫無疑問。被告黃山水，設非秘密參加活動，則其與被告林慶雲來往之書信，何竟內多隱語而不直道其詳，以所稱「但如有比教育更有意義工作需要弟擔任時，小弟欣然應命水火不辭」等語。益足證明其為該會在教育方面活動無疑，此有查獲之原函附卷可證。該被告等共同以組織愛國青年會宣傳共產，吸收黨徒，陰謀以暴

動策應匪軍，赤化臺灣，顛覆政府之罪證既臻明確，自應各就所犯酌情分別論處罪刑。至於被告游海清、孫順天、鄭寶來既均否認參與其事，縱令被告游海清於李水清被捕後以游生名義致函孫順天，囑勿再往李家，勿與通訊，以及被告鄭寶來屢將競選副鄉長之情形函告林慶雲，核係人情之常，尚難資為證罪之根據，此外又無其他確切之佐證足認該被告確有參與活動之行為，殊難令負刑責。

本案由孫德耕任審判長，其他兩位推事為周以文和邢匡，依刑事訴訟法第291條前後，刑法第28條、第101條第二項、第37條第二項，於1950年4月12日給予如下判決：

林慶雲（33歲，業商，住高雄旗山鎮）：共同陰謀意圖以暴動之方法顛覆政府，處有期徒刑5年、褫奪公權5年。

陳玉震（25歲，業工，住臺南大廟里）：共同陰謀意圖以暴動之方法顛覆政府，處有期徒刑3年、褫奪公權3年。

陳正雄（22歲，業農，住臺南官田鄉）、楊明亮（26歲，業農，住臺南朝英里）、黃鑽遂（27歲，業商，住臺南市民權路）、曾明乾（23歲，業農，住臺南官田鄉）、韋建仁（23歲，業商，住臺南{門珊}南門路）、李水清（33歲，業商，住臺北市中山北路）、黃山水（32歲，業教員，住臺南自強街）：共同陰謀意圖以暴動之方法顛覆政府處有期徒刑3年、褫奪公權2年。

游海清（33歲，業教員，住臺北市杭州南路）、孫順天（28歲，業商，住高雄市前金區）、鄭寶來（27歲，業副鄉長，住臺中溪州鄉）：無罪。[386]

由上述可知被判刑的是以林慶雲為中心交往的兩群人，一是李水清、黃山水、游海清、孫順天等建大校友；一是以臺南（包括臺中）為主的陳玉震等人。李水清在受作者訪談時說：「除了建大學生以外，有關係的人很多，但卻是我不認識的人，大家被關的地方也不一樣。」[387] 本案只針對與滿洲經驗者的來討論，故作者又稱此案為「滿洲建大案」。

①官方報告

據1948年11月26日官方的報告指稱，所謂「愛國青年會案」於1948年11月22日破獲，主要因11月14日晚上臺南縣曾文區官田鄉副鄉長陳恬熙家發生匪劫，臺南縣警察局於11月16日捕獲曾明乾、韋建仁、葉拖錠、楊明亮、黃鑽燧及

---

386 高等法院藏，〈臺灣高等法院刑事判決〉，民國三十九年度訴字第六號，國家檔案局藏，檔號A504000000F/0039/簿/122/1/039，〈林君等內亂案件〉。
387 許雪姬訪問，黃子寧、林丁國紀錄，〈李水清先生訪問紀錄〉，頁5。

教唆犯陳正雄等六人,發現這六人都有加入所謂「愛國青年會」,除了該搶劫案外,10月13日陳正雄與曾明乾、陳玉震、黃鑽燧等人還計議剽劫電船入海為盜。警務處研判,此案非純粹盜匪案,「判明其企圖仍在組織大規模之武裝別動隊形態」,乃於11月21日押曾到過李水清家(被官方認為是愛國青年會總部)的陳正雄到臺北,將在李水清家的林慶雲、賴英書與李水清逮捕。[388]

②林慶雲的供詞

據林慶雲的供詞,他在1947年底,已加入共黨組織,並由廖瑞發領導。並以愛國青年會為共黨的外圍組織,先由其滿洲建國大學的校友及相關人士為目標,勸導他們加入。首先是在十分寮工作的陳玉震,他是學弟陳金聲的弟弟,乃予吸收,而陳玉震也開始勸導上述被捕的五人入會。陳也向林慶雲表示有手槍一把可以出售,引林慶雲南下臺南;後陳將手槍賣給韋建仁、曾明乾兩人,而犯下搶案。林慶雲在他被捕後提供的文書中指出,愛國青年會被陳等弄到像一個暴力集團,陳玉震想利用此團體去佔別人的便宜。1948年10月臺灣博覽會開場,陳玉震帶有錢的陳正雄上臺北,到李水清家說此地為「愛青本部」,林慶雲就是本部長。陳玉震又騙曾明乾、韋建仁的錢,故這兩人搶錢被捕後,曾為了報復陳玉震,乃將他所知道愛青的事加油添醋地招供,以便害陳玉震。陳正雄被捕後就將警察帶到「愛青本部」,於是借住在李家的林慶雲、賴英書及李水清都被逮捕。[389]在李家時搜到一些左翼刊物和李水清往來信件,列出共40多位嫌疑份子,初步分析指出「**本案首要份子多係偽滿建國大學畢業**」,[390]因此不少建大校友被牽涉在內。

③據李水清本人的說法

1948年10月的某一天,建大二期生、戰後被蘇軍帶往西伯利亞的賴英書回到臺灣,建大校友十多人齊集李家開慶祝會,他看到一期的林慶雲也出現,就背脊發涼,因為林是被治安當局視為反政府活動的中心人物。當天無事終了。[391] 1948年11月28日因有人密報,刑警總隊帶人到李家搜查,搜到一些林慶雲放在李家的宣傳單。當時林慶雲、賴英書在李家,因此三人都被捕,送至刑警總隊前後約30天。在他等被捕後二、三天,建大生大部分被捕,包括同期的黃山水、第二期的游海清、第四期的陳金聲、紀慶昇,第五期的孫順天,第六期的吳憲藏、劉英州、黃進福,第八期的蘇大川。至於第二期的蔡傑川,一聞校友陸續被捕,乃藉劉明的關係,趕緊向日本逃走,以後一直住在神戶。[392]第八期的蘇大川在臺大退學後,將學生證

---

388　〈林君等內亂案件〉,頁105-119。
389　〈林君等內亂案件〉,頁213。
390　〈林君等內亂案件〉,頁117。
391　三浦英之,《五色の虹:滿洲建國大學卒業生たちの戰後》,頁241-243,第九章臺北。
392　蔡傑川,新竹人,1939年4月到滿洲國,入建國大學,曾任綏中縣青年訓練所主事。戰後來到北京。

交給林慶雲作為掩護,因而被捕。同樣八期的涂南山,因到李家時,看到李家被包圍,乃趕緊逃避。之後李等被送到保安司令部,待了 50 天,再轉到軍法處二星期,然後送到高等法院初審。開庭後建大生大部分都被釋放,也包括黃山水。[393] 因此高等法院判決時只有他和林慶雲被判刑。[394] 兩人不服立刻上訴,但維持原判。但李家家中則被搜括一空,趕走懷孕的太太和大兒子,太太只好帶著大兒子回娘家暫住,直到出獄後才向警備總部控告,取回被警察占住、沒收的房子。[395]

李水清在獄中還在上訴時,1949 年 5、6 月關在臺北監獄,原本未集中管理,後來因為發生「臺北監獄案」[396] 才將內亂犯關在一起。李和該案中的林如堉、吳朝麒被歸為一案,但內容不同。林、吳兩人後來都被槍決,[397] 李則是被誣告,說他在獄中以英文書信指揮外面。審判時,李表示自己英文程度有限,法官也找不到可做證據的英文信,因此在移監 40 天後,即 1951 年 4 月 17 日獲釋(在獄時間兩年半),[398] 但被吩咐此事不可以說出去。[399]

④吳憲藏的說法

據吳憲藏的 1953 年的「報告」指稱,他在 1947 年 10 月進入第一商業銀行城內分行工作,1948 年秋天,在銀行被警務處人員奉命帶往家中搜查,帶幾封信說要回去審查,被帶往警務處問話,不久見到前建大的本省籍同學都被陸續找來,其中五、六人在臺北做事,偶爾會遇到,其餘都好幾年沒有見面,沒人知道何以被找來。到下午才個別問話,他被問到有沒有參加集會,他回答,每年中秋節有個同學會,不一定都到。之後被送到第一分局拘留所約四星期,有次警務處處長來問話,內容和第一次相同。後來送到警備總司令部保安處接受詢問,前後拘留一個半月,

---

見臺灣省旅平同鄉會,〈臺灣省旅平同胞名冊〉(第 5 冊),1946 年 1 月,頁 22。

393 黃山水未被釋放,且判刑 2 年。見高等法院藏,〈臺灣高等法院刑事判決〉,民國三十九年度訴字第六號,國家檔案局藏,檔號 A504000000F/0039/ 簿 /122/1/039,〈林君等內亂案件〉。

394 李水清說他被以刑法 101 條第二項起訴,而他被判刑 2 年半。兩人馬上上訴,認為判決書上所控訴的罪名沒有一項是真的。刑期與判決書有異。

395 許雪姬訪問,黃子寧、林丁國紀錄,〈李水清先生訪問紀錄〉,頁 2-4。

396 所謂臺北監獄案,又稱「吳朝麒等匪諜案」,屬於再叛亂案。是指林如堉在臺北監獄(1949 年先因案被判刑 3 年半,服刑中),1950 年復以在獄中「組織『工作同志聯誼會』,繼續宣傳馬列主義,吸收李梓鼎參加」為由處死刑。見臺灣省保安司令部判決,(39)安潔字第 2592 號,國家檔案局藏,檔號 A305440000C/0040/273.4/343,《吳朝麒等匪諜案》。

397 林如堉肄業於東亞同文書院大學,回臺後任職於泰北中學。1948 年 10 月 21 日被捕,理由是吳思漢介紹李薰山加入中國共產黨,而李薰山再介紹林如堉入黨,被判刑 3 年 6 個月,褫奪公權 3 年。不料林在獄中 1 年餘又涉入「吳朝麒等匪諜案」,指林在獄中仍繼續宣傳匪黨言論,煽惑人心,藉組織團體吸收他人參加之手段,個別以非法之方法,意圖顛覆政府,已達著手之程度,殊為顯著,實屬怙惡不悛,故處以極刑,褫奪公權終身。見臺灣省保安司令部判決,(39)安清字第 2598 號,〈林如堉〉個人資料(檔案局受難者個人資料),案號 49090,國家檔案局藏,檔號 B3 750187701/0039/1571.3/1111/11/107,〈吳昊等判決書〉。

398 許雪姬訪問,黃子寧、林丁國紀錄,〈李水清先生訪問紀錄〉,頁 7-9。

399 〈林君等內亂案件〉,頁 45。

只訊問一次，內容大同小異；再移軍法處受審，開庭時由軍法官嚴格訊問，才知道是林慶雲犯治安事件，並和幾個強盜連在一起，以致被嫌疑有不法組織。在軍法處約三星期。再移送臺北監獄三星期，最後再開庭審問，判不起訴處分。[400] 不過 1954 年 2 月偵防組的谷正文，還在追索吳憲藏和林慶雲案的關係。[401]

（2）黃山水的東南醫院案

據李水清的說法，黃山水身陷囹圄不是為了「愛國青年會案」，亦即上述判決不及於黃山水，故黃山水係涉入另一案。他說黃得感冒，到臺北市政府對面的東南醫院看診，醫院被封鎖，要抓該院醫生，黃因此被困住。期間，黃因為自己身上有美金，怕被懷疑，就將美金悄悄地放入紙籠中，反而被發現、懷疑，就一併被捕。被公判時李和黃進福都去聽，[402] 結果在 1951 年 1 月 24 日判決，以「**黃山水共同預備以臺北監獄暴動之方法顛覆政府處有期徒刑三年、褫奪公權三年**」。[403] 論罪不以他在東南醫院的「罪行」判刑，反而追究其過去參加愛國青年會的事。黃山水不服而上訴，1952 年 9 月 26 日最高法院做出最後的判決（本院判決後，經最高法院第三次發回更審），加重刑期一年，以四年定讞，但褫奪公權仍維持三年。其理由如下：

……查被告林慶雲等共同組織之愛國青年會，其目的係俟共匪勢力侵入臺灣之際，採暴動方法策應赤化，業據已定讞之共犯陳玉震……等於警察獲案之初，分別供認無異。且林慶雲以首領地位常以共產書籍交其黨徒閱讀，使思想麻醉。該林慶雲在臺灣省警備總司令部亦不諱飾，並有在李水清家內抄獲宣傳赤化之書籍多種存案可稽，是所謂愛國青年會即屬共匪外圍組織，絕無置疑之餘地。雖被告否認參加是項組織，但查該被告與林慶雲、李清水［水清］過去同期同學，返臺後復交往頗密，而此項非法組織為林、李二人所主持，被告謂未曾參加，詎能置信。[404]

李水清一再糾正作者的論點，作者的看法是黃山水的案子仍是愛國青年會案，判決書已明示，他原先和李水清一樣判刑二年，上訴二次，第一次增加一年刑期為三年，第二次又增加一年刑期，故判刑四年，即根據如上的判決書。

黃山水原就有氣喘病，回臺後先到臺南長老教中學（長榮中學）任職，1954 年 3 月出獄後，無法再任教職，乃與妻舅經營新竹貨運公司。當建大第三期畢業的日本

---

400　〈林君等內亂案件〉，頁 242-243。
401　〈林君等內亂案件〉，頁 244。
402　許雪姬訪問，黃子寧、林丁國紀錄，〈李水清先生訪問紀錄〉，頁 5-6。
403　高等法院藏，〈臺灣高等法院刑事判決〉，民國四十一年一月二十四日度訴字第一號，國家檔案局藏，檔號 A504000000F/0039/ 簿 /24/1/055，〈黃君內亂案件〉。
404　臺灣高等法院四十一年（九月二十六日）度訴字第一號，國家檔案局藏，檔號 A504000000F/0042/ 簿 /219/1/001，〈黃君共同陰謀以暴動之方法顛覆政府〉。

人佃弘夫，在高雄加工出口區做烘衣機出口生意缺人時，李水清介紹黃去就職，不久就出車禍，以致癱瘓在床，72 歲過世。[405]

（3）林慶雲供出李培燦案

李培燦並未在「愛國青年會」案被捕，是林慶雲所供出的消息，[406] 後來在林正亨案中傅世明所留下的活頁名冊中出現李培燦的名字，遂於 1953 年被捕。兩人間的關係是李被傅世明吸收，[407] 有寫自傳參加組織，但曾受林慶雲領導教育（當時化名姓黃），每十日見一次面，借閱《社會發展史》、《社會與婦女》、《國家與革命》、《展望》，李表示和林在 11 月間失去聯絡。[408] 李原先辯稱之所以和林慶雲會晤是談合夥經商，但後來不否認與林慶雲的關係，[409] 李後被判有期徒刑 15 年、褫奪公權十年。[410]

林慶雲出事時，臺灣尚未戒嚴，以他是共黨又招人加入愛國青年會，若在戒嚴後必判死刑無疑。他的刑期只有五年，比李培燦判得輕，據李水清針對林所涉的案件，回答日本方面訪問時說：「我以三句話表達，第一、林慶雲犧牲性命也要掩護他背後的關係！二、建大學生全體忍痛掩護林慶雲！當時建大生大約有十多個人被冤枉連累抓進去，但都忍痛掩護林慶雲！第三、上蒼憐憫建大生，冥冥中護佑建大生！」[411]

（4）涂南山案

此案只一人，就是涂南山。前已述及涂回臺考入臺大土木系，後轉入經濟系。就學期間，建大生大約在每星期五會到前輩李水清家中聚會。李等被逮捕當天，他也到李家，見情勢不對急回臺大宿舍因而未被捕。涂在工學院時已加入讀書會，每四人一組，設有組長，然後像細胞般的向下分裂。當時學生對政府不滿，發生學運，首次策劃者即王超倫、陳挺旭、涂南山、簡文宣、楊斌彥等共六人成立自治會（判決書上稱「愛國青年會」），相約若有人被捕絕不牽連他人。當李水清等建大生被捕後，自治會成員知道危險，要涂不要再參與自治會的活動。涂一向認為當時的世界有一

---

405 黃雅秀申請，黃山水資料，財團法人戒嚴時期不當叛亂暨匪諜審判案件補償基金會，案號：5127；許雪姬訪問，黃子寧、林丁國紀錄，〈李水清先生訪問紀錄〉，頁 16。

406 桂永清參謀總長、陸軍一級上將周至柔上蔣總統，〈李培燦叛亂一案罪刑擬予改判，乞鑒核示遵〉，1955 年 5 月 11 日，國家檔案局藏，檔號 B3750347701/0043/3132356/356/1/001，〈檢呈李君叛亂案罪刑擬予改判〉。

407 同 406，傅世明後被判處死刑。見臺灣省保安司全部判決，（38）安潔字第 840 號，國家檔案局藏，檔號 B3750347701/0043/3132356/356，《李培燦案》。

408 這時林慶雲已被捕。

409 同 406，李培燦，〈受裁判事實陳述書〉，2000 年 12 月 12 日。

410 臺灣省保安司令部判決，（43）審三字第 20 號，國家檔案局藏，檔號 B3750187701/0039/1571/88228740/193/056，〈李培燦處有期徒刑十五年褫奪公權十年財產除酌留家屬必需生活費用外沒收〉。

411 許雪姬訪問，黃子寧、林丁國紀錄，〈李水清先生訪問紀錄〉，頁 7。

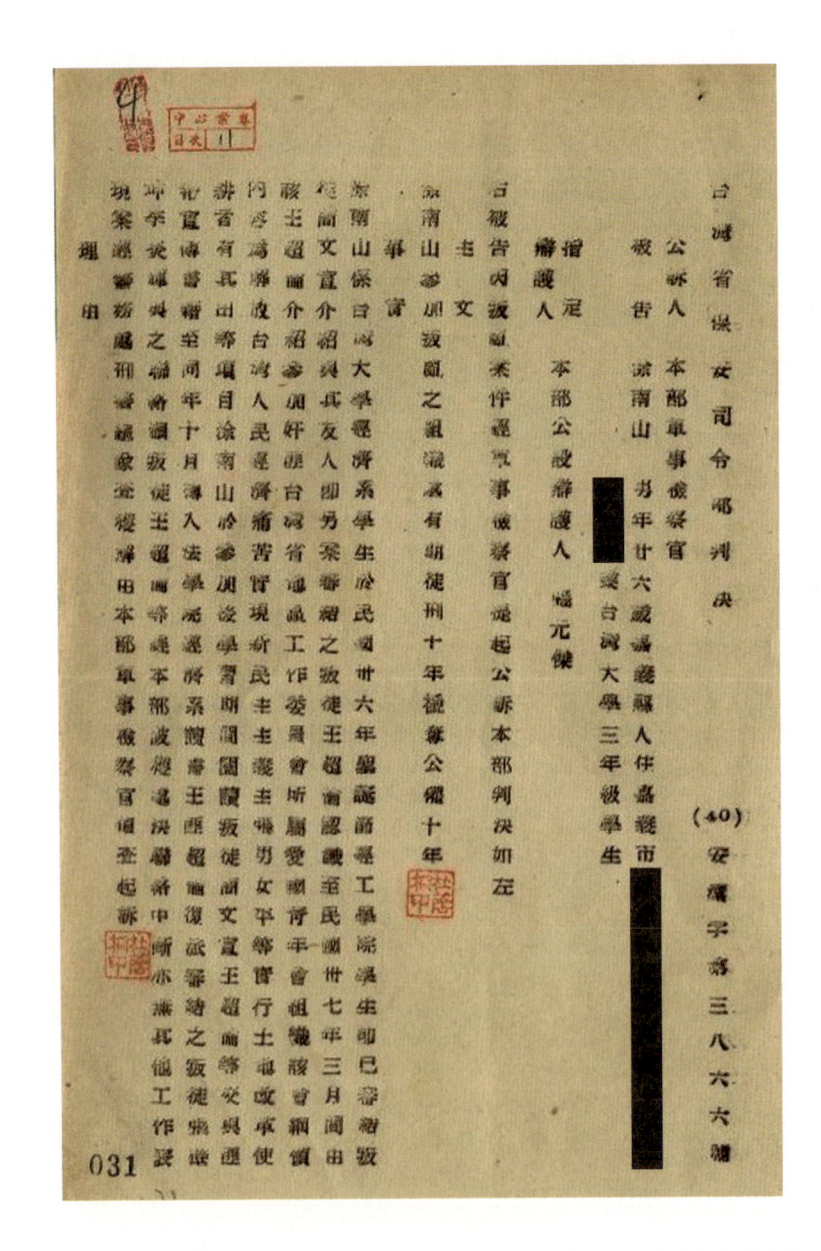

圖8-8　涂南山在臺大經濟系就讀期間被以「參加叛亂組織」為名，判處十年有期徒刑。
（涂南山先生提供）

半被赤化,因此有究明資本論及其他相關經典作品的必要,也必須澈底瞭解唯物辯證法,又因經濟系教授林一新開的「社會主義批判」課程,指定的參考書有《資本論》,但該書深奧難懂,所以乃借北畠澤譯日文版的《資本論》常置於桌上研讀。又在臺大教授陳茂源家中發現教授正在讀矢內原忠雄《マルクス主義と基督教》一書,乃將該書譯成中文做學習的途徑。由於他對經濟系的課程不滿,常向教授論難、未得答覆,乃將講義摔在桌上,逕自背書包離去,頗引人囑目,尤其是職業學生,因而於 1951 年 6 月 26 日被捕,被捕之時被刑警隊搜到《マルクス主義と基督教》一書的譯稿及《資本論》。[412] 依判決書所述理由,認定涂南山在王超倫、簡文宣的介紹下參加奸匪愛國青年會,並閱讀該會的綱領,而「該會綱領所列內容為解放臺灣人民經濟痛苦,實現新民主主義等項目大奮鬥,是已說明共匪叛國之方法與目的,況於王匪超倫說明填寫誓詞不過形式,實際上認被告已為奸匪同志,設未參加組織,即應報告政府檢舉叛徒為國除害,既不告密檢舉,復借閱左傾反動書籍而誣稱當面已向王匪表示拒絕,何能置信。……」因此以「參加叛亂組織」處有期徒刑十年、褫奪公權十年。[413] 判決書中的王超倫、簡文宣,王於 1950 年 1 月 29 日、簡於 1951 年 1 月 22 日被處決。[414] 據涂的判斷,他的被捕,是這六人小組中的王子英、陳挺旭、楊斌彥三人去自首所致。[415] 涂南山在獄中十年,翻譯矢內原忠雄《羅馬書講義》、《耶穌傳》,出獄後印製出版。此後以製作玻璃纖維釣竿為業,並與建大學長賴登漢之妹結婚。[416] 2015 年過世。

在前述林慶雲、涂南山、李培燦案的判決書中一再提出所謂愛國青年會,這會的性質到底是什麼?是何時、何人創的?長春臺灣同鄉會會長郭松根〈長春旅居省胞現狀〉,即提到臺灣愛國青年會[417]是否即「愛國青年會」?不得而知。據林慶雲的判決書:「愛國青年會以臺灣自治與獨立運動為宣傳共產、吸收黨員掩護,陰謀於共軍侵臺時以二二八暴動式策應匪軍,赤化臺灣。」涂南山的判決書則認為愛國青年會是中共臺灣省地區工作委員會所屬,其綱領為:「解放臺灣人民經濟痛苦,實現新民主主義,主張男女平等,實行土地改革,使耕者有其田。」李培燦的判決書則將讀書會視為「愛國青年會」,故認為該會「名稱雖有不同,但為匪幫組織則一。」另黃弘毅的判決書中指出,黃在就讀成功中學時(1947),由陳炳基介紹加

---

412 涂南山申請,涂南山資料,財團法人戒嚴時期不當叛亂暨匪諜審判案件補償基金,案號:0479。
413 〈張蕭傳(筱泉)等叛亂案〉。見臺灣省保安司令部判決,(40)安潔字第 3866 號,國家檔案局藏,檔號 B3750187701/0040/1571/11234425,《張蕭傳(筱泉)等叛亂案》。
414 林靜雯,《遲來的愛:白色恐怖時期政治受難者遺書》(新北:國家人權博物館籌備處,2014),頁 87、88。
415 許雪姬訪問,鄭鳳凰、黃子寧紀錄,〈涂南山先生訪問紀錄〉,頁 150。
416 許雪姬訪問,鄭鳳凰、黃子寧紀錄,〈涂南山先生訪問紀錄〉,頁 165-177。
417 〈長春旅居省胞現狀〉,《民報》,1946 年 3 月 16 日,3 版。

入中共,受董雨生領導,經常開會「研討共黨理論,閱讀匪黨書刊,奉命以愛國青年會名義於三十七年五月吸收已自首之蔡克成入會。……」[418] 可見政府認定「愛國青年會」是中共的外圍團體。據鍾逸人在《辛酸六十年》一書指出,愛國青年會除了建大學生參加外,還有兩個臺大政治系的學生周自新、許華江參加。[419] 同書的修訂版中則說明愛國青年會之所以組織,乃青年見二二八事件後政治並未改善,腐化依然,而清鄉期間,常有人莫名其妙地失蹤,於是一群剛由滿洲被遣返回臺的關東軍臺籍少壯軍官在憂國慨世之餘乃組織「愛國青年會」,欲藉此喚醒民眾,不料卻被一網打盡,[420] 他指的關東軍少壯軍人可能是鍾謙順、湯守仁、黃信卿等人。但這三人被捕,顯然與「愛國青年會」無關。

按「愛國青年會」,首見於在東北的臺胞團體之一,即臺灣愛國青年會,設立當時二二八事件尚未發生,已如前述。鍾逸人指出此由滿洲被遣返回臺的關東軍少壯軍人所組成,未必可信。林慶雲則稱,愛國青年會是蔡孝乾、廖瑞發所組的共產黨外圍組織之一。

(5) 建大生再被密告案

1954年游海清、紀慶昇、黃進福三個建大生被逮捕,聽說是被密告。李水清因朋友的關係找到承辦案子的李烈（新京法政大學畢業、赴日本京都大學深造,來臺後當法官）,再三營救,才在兩個星期後獲釋。[421]

如上可見建大生常被政府懷疑與共產黨有關,在1950年代前後,正是國府撤退來臺,政權風雨飄搖之際,絕不容許左翼思想的存在,對自海外回臺者多方顧慮是可以想見的。不過話說回來,政府亦有懷疑的理由,尤其是建大生在戰前已有投共者,如林慶雲、游禎德、呂芳魁、邱來傳。

(6) 邱來傳涉「臺大法學院葉城松案」

政府在判決書中指控,葉城松吸收其同學柯耀南參加,並領導鄭文峰、董雨生、許昭然、邱來傳等匪小組長。當過臺大法學院自治會長的邱來傳若被捕,必判死刑無疑,還好邱在二二八事件後,於1948年即逃往中國。[422]

---

418　臺灣省保安司令部判決,（42）年度第1056號,國家檔案局藏,檔號B3750347701/0041/3132269/269/1/002,〈判亂犯李君等三名業已執行死刑謹檢附執行照片及更正判決〉。黃弘毅於1953年1月20日被判處死刑。

419　鍾逸人,《辛酸六十年》,頁173。

420　鍾逸人,《辛酸六十年》,頁188。

421　許雪姬訪問,黃子寧、林丁國紀錄,〈李水清先生訪問紀錄〉,頁10。

422　國家安全局,《歷年辦理匪案彙編》第一輯（臺北:國家安全局,1959）,頁186-187;許雪姬訪問,黃子寧、林丁國紀錄,〈李水清先生訪問紀錄〉,頁25;胡慧玲、林世煜採訪紀錄,《白色封印:白色恐怖1950》（臺北:國家人權紀念館籌備處,2003）,頁83。

如果考察一下建大生共 27 名，除了朱子英、[423] 顏再策、呂芳魁過世，在中國的邱來傳、[424] 游禎德、[425] 在日本的蔡傑川、賴登漢、[426] 失蹤的董炳煌[427] 外，大半都有白恐的經驗。以＊示之。

　　一期：＊李水清、＊黃山水、＊林慶雲
　　二期：＊游海清、＊賴英書、＊蔡傑川（逃亡）
　　三期：呂芳魁（死亡）、朱子英（死亡）、游禎德（在中國／日本）
　　新三期：陳金聲、＊紀慶昇、賴登漢（旅居日本）
　　新四期：＊孫順天、劉杏林、劉文雄、邱德根
　　新五期：＊劉英州、＊黃進福、＊吳憲藏、董炳煌（失蹤）
　　新六期：＊邱來傳（亡命中國）、顏再策（亡於二二八）、蔡維鈞
　　新七期：賴寶琛
　　新八期：＊涂南山、＊蘇大川、賴翔雲[428]

　　所以滿洲建大案在白恐案件中算是相當特殊的例子。以下要介紹的是非建大生的滿洲經驗者在白色恐怖時期的經驗。

## 2. 白恐時期滿洲經驗者的遭遇

（1）鄒族元關東軍中尉湯守仁被清算

　　前已說明，在鄒族有一文、一武兩個領導人，在二二八時由一武湯守仁帶著鄒族人下山攻陷紅毛埤第十九軍械庫、圍攻水上機場，後見嘉義處委會有講和的趨勢，乃攜帶戰利品武器回山，政府表面上並未追究其責。1949 年夏天，據官方史

---

423　朱子英，高雄中學畢業。據說死於肺癆，李水清說「死於肺癆和營養不良」。見許雪姬訪問，黃子寧、林丁國紀錄，〈李水清先生訪問紀錄〉，頁 20-21；許雪姬訪問，鄭鳳凰、黃子寧紀錄，〈涂南山先生訪問紀錄〉，頁 174。

424　邱來傳，臺南二中畢業，成績優異。回臺後進入臺大就讀，曾任法學院自治會長，1948 年去中國大陸。他之所以離開，乃恐怕被逮捕。據云邱自己在建大時已加入共產黨，回臺後又介紹黃玉坤（臺灣省立師範學院）入共產黨。見沈懷玉訪問，曹如君紀錄，〈黃玉坤先生訪問紀錄〉，頁 239。中共文革時被關 3 年，後來在上海同濟大學教書，之後全家去了日本、歸化日籍，曾回來臺灣。見許雪姬訪問，鄭鳳凰、黃子寧紀錄，〈涂南山先生訪問紀錄〉，頁 25、175。

425　游禎德，宜蘭人，基隆中學畢業，建大案發生時人在上海經商，後在日本進行日中貿易。許雪姬訪問，鄭鳳凰、黃子寧紀錄，〈涂南山先生訪問紀錄〉，頁 174。

426　賴登漢，嘉義人，嘉義中學畢業。曾乘船要到蘇聯，因船沉傷到肺，從此身體變差。戰後未回臺去日本讀書，以研究關於原子能問題取得日本大阪大學工業博士學位，並擔任教授。之後回臺奔父親之喪，得了肺炎而過世。見許雪姬訪問，鄭鳳凰、黃子寧紀錄，〈涂南山先生訪問紀錄〉，頁 175-176。

427　董炳煌，嘉義中學畢業。在校（建國大學）時接到入營通知，可能要派到北滿洲，但此後音訊全無。見許雪姬訪問，黃子寧、林丁國紀錄，〈李水清先生訪問紀錄〉，頁 24-25。

428　許雪姬訪問，黃子寧、林丁國紀錄，〈李水清先生訪問紀錄〉，頁 11。

料稱,湯守仁由「自首叛徒」林良壽介紹而認識陳顯富,[429] 陳邀鄒族的另一領袖高一生、湯守仁與泰雅族的省議員林瑞昌、警察高澤照以及中共山地工作委員會的簡吉,前後在臺北川端町月華園聚會兩次,會中陳顯富指示組織高砂自治會,此會由林瑞昌任主席,負政治方面責任,湯守仁負軍事方面責任,「向山胞宣傳匪黨主義,並掌控山地青年,切實展開山地工作。另派民族自決代表,負責烏來及日月潭水源及電力之維護,以策應匪早攻臺。」[430] 政府於 1950 年 10 月偵破此案,之所以破案,乃中共臺灣省工作委員會負責人蔡孝乾被捕,供出所有下游組織所致。[431] 阿里山的地形可以建立游擊基地,湯守仁在 1949 年 12 月自首,交出部分武器,1950 年曾向政府提出自白書、悔過書、誓詞,表示願意肅清潛伏在山地所有的匪諜,[432] 此後湯守仁的一言一行都受政府監視,[433] 1952 年被撤去民政廳山地指導員之職,[434] 政府表示前此重用、利用湯守仁的時機已過,因此在蔡孝乾和盤托出與鄒族的關係時,政府就展開誘捕的行動。1952 年 9 月 9 日,由任職保安司令部保安處林秀欒少將(1949 年 10 月設置的阿里山奮起湖治安指揮所總指揮官),致電高一生、湯守仁等,[435] 要他們到達邦參加山地保安會議,影響往後鄒族發展的菁英乃先後被一網成擒。[436] 1954 年 2 月 23 日湯守仁等同案六人被處死刑,其餘諸人也各有量刑。[437] 此案被稱做「高山族匪諜湯守仁等叛亂案」,湯為案首,保密局對湯的「罪行」有如下的描述:「本案匪諜湯守仁、高一生等,原係自首分子。保安司令部曾特予自新機會,冀其真誠反省,為政府立功。乃湯等利用政府寬大,匪特不知圖報,反利用山胞特性,與山地特殊情形,處處與政府對立,怙惡不改,爰再由保安司令

---

[429] 陳顯富,嘉義人,臺南工業專門學校畢業,據稱 1948 年 8 月加入共產黨,在 1949 年 10 月建立的中共「山地工作委員會」任委員,負責南部工作。被控「意圖以非法之方法顛覆政府而著手實行」處死刑。見國家安全局,《歷年辦理匪案彙編》第二輯(臺北:國家安全局,1961),頁 72,〈匪山地工作委員會簡吉等叛亂案〉。
[430] 國家安全局,《歷年辦理匪案彙編》第一輯(臺北:國家安全局,1959),頁 86,〈案情摘要〉。
[431] 臺灣省文獻會,《臺灣戒嚴時期五〇年代政治案件史料彙編》(三)(南投:臺灣省文獻會,2001),頁 229,〈原住民菁英:高一生〉。
[432] 何鳳嬌編,《戰後臺灣政治案件 湯守仁案史料彙編》(一)(臺北:國史館、文建會,2008),頁 30-46。
[433] 何鳳嬌編,《戰後臺灣政治案件 湯守仁案史料彙編》(一),頁 121-526,〈貳、天羅地網的跟蹤報告〉。
[434] 何鳳嬌編,《戰後臺灣政治案件 湯守仁案史料彙編》(一),頁 379,〈二九、臺灣省警務處電臺灣省保安司令部為湯守仁被省政府免職情形報請鑒核由(民國四十一年四月廿二日)〉。
[435] 還包括樂野村村長武義德、衛生所兼嘉義縣議員杜孝生、達邦村村長方義仲。
[436] 陳素貞,〈雲山深處的勇者:臺灣早住民在白色恐怖時代的受難者〉,《臺灣文藝》152(1995.12),頁 103-106。
[437] 被判處死刑的還有林瑞昌、汪清山、方義仲、高澤照,武義德無期徒刑,杜孝生(高一生同母弟,醫生)15 年徒刑,廖麗川 12 年徒刑。

部加以逮捕審訊,移送軍法機關法辦。」[438] 在 1954 年 4 月 17 日被處決。

(2) 黃溫恭醫師由刑期十五年改判死刑

黃溫恭,高雄路竹人,日本齒科醫專畢業、滿洲國三江省醫師考試及格,長於處理創傷外科、口腔外科。戰爭後期才到滿洲,任鶴岡炭礦病院外科職員。[439] 回臺後在屏東春日鄉衛生所任職,他之所以牽涉到臺灣省工委會燕巢支部案,是因陳廷祥所致。據黃溫恭的南二中同學的翁通逢之看法,陳廷祥是原臺北建國中學校長陳文彬的侄子,陳文彬在二二八事件發生後被捕下獄,出獄後逃亡,故受牽連。[440] 據判決書說,黃溫恭在 1949 年春天由盧燦圭的介紹加入共產黨,先後吸收黃金清、馬玉堂、陳廷祥等人參加組織,1952 年黃溫恭向屏東國民黨縣黨部自首,但未說明曾吸收三人參加組織。陳廷祥加入組織後,積極吸收許土龍、陳清祈等燕巢同鄉加入,組成「臺灣南部解放同盟」。另燕巢鄉的陳萬琳、陳廷銓、蕭明發、陳萬壽等受到在逃陳文彬的影響,曾在 1947 年受其思想教育有關「新民主主義」之理論,呂碧全也因閱讀左派書籍而被牽連。

此案由調查局會同保安司令部偵破。由於陳廷祥被捕後供出黃溫恭,黃溫恭原被判處 15 年有期徒刑,本案送到蔣介石處,將黃溫恭改判處死刑。判決書稱,黃溫恭被捕後「不坦率自白,設詞狡展,顯屬自首不誠,希圖隱蔽組織、擴大叛亂,應即撤銷其自首,依叛亂之著手實行罪論處。」於 1953 年 5 月 20 日槍決。[441] 黃溫恭在被執行死刑前夕,給他的妻兒留下四封遺書,一直到 2011 年才交到家屬手中,父親死時還小的女兒黃春蘭,這才真正體認到來自父親的溫度,而因寫出賺人熱淚的文章〈父親黃溫恭的遺書〉。[442]

(3) 因學國語而坐牢 33 年的謝秋臨

謝秋臨,臺中大肚人,東京電氣高等工業學校畢業,被推薦到滿洲小豐滿發電廠工作二年多,戰後才回臺。先到大肚鄉公所當職員辦理戶籍,為了學國語而參加鄉公所主辦的講習會,老師是陳孟德。謝曾介紹黃焚柳來學國語,[443] 也被當成是介紹人加入組織,即官方所稱的「大肚鄉支部案」。據判決書稱這個支部的源頭是張伯哲,1930 年加入共產黨,1947 年奉命來臺活動,任職於臺灣省林業試驗所魚

---

438 國家安全局,《歷年辦理匪案匯編》第一輯,頁 87。
439 〈居住長春台灣省民名簿〉(1946 年 1 月 28 日)。
440 許雪姬訪問、鄭鳳凰紀錄,〈翁通逢先生訪問紀錄〉,頁 114。
441 臺灣省保安司令部判決,(42)年度字第 O 六九三號,國家檔案局藏,檔號 B3750347701/0042/3132299/299/1/002,〈叛亂犯陳君等業已執行死刑謹檢附執行照片及更正判決〉。
442 國家人權博物館籌備處,《走過長夜:政治受難者的生命故事,輯一 秋蟬的悲鳴》第一集(新北:國家人權博物館籌備處,2015),頁 260-294,黃春蘭,〈父親黃溫恭的遺書〉。
443 黃子寧、林丁國訪問、紀錄,〈謝秋臨先生訪問紀錄〉,《日治時期臺灣人在滿洲的生活經驗》,頁 185。

池分所，1948年與省工委會委員洪幼樵取得聯繫，由洪指派張與李喬松在臺中組織支部，擔任幹事，後擴大為南投區工委會，由張任工委，1949年成立臺中地區工委會，任書記，隨即在各地設立支部，大肚支部就在這情形下設立，陳孟德是領導，謝為其幹部。1950年3月21日謝秋臨被捕。此案稱為「匪臺中地區工委會張伯哲等叛亂案」，涉案者共64人，張伯哲是案頭、陳孟德是領導，被判處死刑，總計被判死刑的有八人，12個無期徒刑，其餘分別判刑12年、5年不等，黃焚柳判五年，只有一人無罪。[444]

　　謝先在保密局審訊，吃盡苦頭，被迫認罪，被送到高砂鐵工廠監禁後，再送軍法處判決，是為無期徒刑。定讞後被送到綠島新生訓導處，再遷泰源監獄、綠洲山莊，1983年減刑出獄，已坐了33年牢，在獄中妻子因車禍已於1971年過世，只有一個女兒。出獄後仍被管束十年，完全沒有自由，找工作很難，乃和獄友在臺北開豆漿店，而後到獄友開設於豐原的北龍鞋廠上班。[445]父女關係的重建並非易事，女兒謝淑慎道盡其中的心酸。[446]

　　（4）因主張臺獨三度坐牢共27年的鍾謙順

　　鍾謙順，桃園龍潭人，日本麻布獸醫學校畢業。戰後鍾在1946年9月起程回臺，得原任職滿洲國外交部的黃清塗，介紹其進入美商「新汽車輸入商及修理廠」任總務科長。[447]由於有滿洲經驗又滿懷建設家鄉之心，因此見不慣貪官污吏及國民黨的統治，二二八時乃到新竹領導自衛隊，在臺中的謝雪紅曾要其帶隊支援，但鍾因謝為共產黨員，並未同意。[448]事後為了推翻國民黨在臺的統治，在黃紀男的牽引下加入廖文毅建立臺灣共和國臨時政府之行列，並欲自組武裝軍隊，遂於1950年5月13日被捕。[449]被控的罪名是受黃紀男吸收，與盟員「意圖暴動搶劫暗殺，盜用埋藏日軍用物資……，又由廖文毅自香港密運四五law尺手槍兩枝，子彈四十二發與廖史豪，經廖史豪分藏鍾謙順、溫炎煌家待用」，而以「參加叛亂組織處有期徒刑五年，褫奪公權四年」；「圖自己犯罪之用而共同持有軍用槍彈」，被處有期徒

---

444　國家安全局，《歷年辦理匪案彙編》第二輯，頁54-64。

445　黃子寧、林丁國訪問、紀錄，〈謝秋臨先生訪問紀錄〉，頁196-208。

446　陳翠蓮訪問、蔡說麗紀錄，〈謝淑慎女士訪問紀錄〉，收入許雪姬主編，《獄外之囚：白色恐怖受難者女性家屬訪問紀錄》（中）（臺北：中央研究院臺灣史研究所、新北國家人權博物館籌備處，2014），頁275-280。

447　鍾謙順，《煉獄餘生錄：臺獨大前輩坐獄二十七年回憶錄》（臺北：前衛出版社，1999），頁74。

448　鍾謙順，《煉獄餘生錄：臺獨大前輩坐獄二十七年回憶錄》，頁104。

449　鍾謙順，《煉獄餘生錄：臺獨大前輩坐獄二十七年回憶錄》，頁192。

圖 8-9　謝秋臨涉及「臺中武裝工委會案」，被判處無期徒刑，在牢獄之災 33 年後，於 1983 年出獄又面臨十年的管束。
攝影：助理林丁國（作者提供）

圖 8-10　林恩魁醫師雖曾加入中共，但畢業後「無其他叛亂行為」，但因未「自首」仍被判處七年有期徒刑。
攝於「綠島大學」
（林恩魁先生提供）

刑五年，[450] 刑期合共七年、褫奪公權四年。1957 年出獄。[451]

據相關判決書指出，鍾出獄後仍與黃紀男、廖史豪等聯繫，繼續鼓吹臺灣獨立，並到黃紀男家中集合討論暗殺政府軍政首長，奪取政權計畫。1962 年 1 月 27 日第二次被捕，判刑十年。本案案首黃紀男、廖史豪則判死刑，用以逼迫當時在東京任臺灣共和國臨時大統領的廖文毅回臺。[452] 此次鍾謙順的罪名是「參加叛亂組織」，被審判時同案只有鍾謙順一人「在本庭仍直認不諱」。[453] 1971 年蔣介石特赦 30 名政治犯，鍾是其中之一，於 1971 年 10 月 22 日獲減刑出獄，時距其十年刑期只剩三個月，故特赦的實質意義不大。[454]

出獄後，鍾再經黃紀男介紹，認識彭明敏、謝聰敏，後來彭明敏逃亡海外、臺北美國銀行爆炸案、臺南美國新聞處爆炸案，以及受同案黃紀男的牽連，於 1972 年 6 月 28 日再度被捕，被判刑十年，[455] 對鍾謙順而言已是三進宮了。刑期中因病保外就醫，而於 1982 年 11 月 10 日刑期屆滿。[456] 鍾謙順一生為堅持臺灣獨立的主張而坐了 27 年牢，他是在審判時直認他參加臺獨組織不諱的勇者，後移民巴西。

(5) 林恩魁在學中加入共黨而未自首被判七年

林恩魁，高雄人，小時候隨在印尼經商的父母居住，11 歲回臺。東京帝國大學醫學部肄業，[457] 因躲避東京空襲，因此到滿洲避難，在吳昌禮介紹下，入厚生研究所（戰後改為衛生技術廠）工作。[458] 回臺後進入臺大就讀，畢業後先到高雄醫院，後到旗山醫院服務。他被控於 1947 年就讀臺大醫學院時，由中共臺灣學委劉沼光（後來逃到中國）介紹加入中共，組織臺大醫學院學委會進行活動。先後與劉漢湖，一起受劉沼光領導。1948 年 4、5 月間改由葉盛吉領導。以後劉漢湖自首，葉盛吉被捕並判死刑（1950 年 5 月 29 日被捕，11 月 29 日槍決），林也在 1950 年 10 月被捕，判刑 7 年。當時戡亂時期臨時條款業已公布，但他判刑較「輕」，主要考量的理由是：

---

450 臺灣省保安司令部判決，（39）安澄字第 834 號，國家檔案局藏，檔號 B3750187701/0039/1571.3/1111/7/079，〈檢呈黃君等案卷判〉。

451 臺灣省警備總司令部判決，（52）警案特字第 47 號，國家檔案局藏，檔號 B3750347701/0053/3132524/524/1/006，〈覆判黃某等叛亂一案〉；鍾謙順著、黃昭堂編譯，《台湾難友に祈る：ある政治犯の叫び》（東京：株式会社日中出版，1987），頁 48。

452 原先兩人被判死刑，凡軍事審判時被判死刑之案，就自動的再經國防部軍法局覆審，但只是書面資料審查，不再開庭。本案黃紀男、廖史豪、鍾謙順等九人也由軍法局提出「控訴申請理由書」，1965 年 11 月 29 日廖、黃兩人被減刑，其他人的案子被卻下。

453 臺灣省警備總司令部判決，（52）警察特字第 47 號，國家檔案局藏，檔號 B3750347701/0053/3132524/524/1/006，〈覆判黃某等叛亂一案〉。

454 鍾謙順，《煉獄餘生錄：臺獨大前輩坐獄二十七年回憶錄》，頁 355。

455 1973 年 9 月 19 日由臺灣省警備總司令部審判並判刑。

456 鍾謙順，《煉獄餘生錄：臺獨大前輩坐獄二十七年回憶錄》，頁 428。

457 〈居住長春台灣省民名簿〉（1946 年 1 月 28 日）。

458 許雪姬訪問、鄭鳳凰紀錄，〈翁通逢先生訪問紀錄〉，頁 106。

「查被告加入匪黨之時,匪黨尚未經政府宣傳其為叛黨,三十七年八月畢業離開臺大亦迄無其他叛亂罪行,審判中又深知悔悟,情節不無可憫。雖於懲治叛亂條例公布前未經聲明脫離匪黨,公布後又未自首,亦應依參加叛亂組織仍在繼續狀態中而予以減輕科處,以示矜卹。」[459]

林恩魁先被送到鳳山警察局,再送到臺北軍法處。判刑確定後,被送到新店軍人監獄,再送到綠島。在綠島期間,與其他同行如蘇友鵬、王荊樹、胡鑫麟、胡寶珍為牢友,為當地居民治病、開刀,傳為佳話。1957年獲釋,在獄期間最令他感動的是太太高雪貞是第一個到綠島探望的家人,而每次易監,太太總在第一時間就掌握,然後探監。出獄後在岡山執業,平生信仰基督教極深。曾用六年半的時間翻寫臺語漢字聖經,並奉獻版權;也曾作曲、填詞出版《謳咾的歌》,並寫回憶錄《我按呢行過變動的時代》。[460]

以上不論滿洲經驗者在二二八事件、白恐事件下的遭遇,都是臺灣人共同記憶中的一部分,現在因政府頒布的賠／補償辦法,而得以賠／補償及平反、恢復名譽,並在2019年成立促進轉型正義委員會(2022年5月結束),作為平反、救濟受難者的機關。換言之,政黨輪替後承認當時的不當審判或未經審判的錯誤,但這並不表示上述判決書上所言均非事實,如鍾謙順的回憶錄中表示他們確實採取了某些行動,因此政府對此威脅政權的作為不能漠視,有些犯行也在「愛國」的口號下自稱無罪,各自找到了下樓梯的平衡點。不過就以上所提的案件,亦可見羅織成案的斑斑事實、刑期之長的無奈、牢獄之災的痛苦,形成臺灣人共同的記憶,但願如此悲慘的事不再降臨到臺灣,甚或全世界。

## 三、再度離散

自1905年日本因樸資茅斯條約簽定,取得關東州,1906年關東都督府宣布大連為自由貿易港後,大連和臺灣直接通航,臺人長於經商,開啟了臺灣人前往滿洲的契機。另外有人在臺受到差別待遇求職、求學難,故受了日本宣傳的影響,視滿洲為王道樂土,即便臺灣與滿洲距離遠,氣候風土不同,前往者仍不絕如縷。他們在滿洲的地位僅次於日本人(有時等同於日本人)在朝鮮人、滿漢人、山東人之上。在大連則更複雜,在滿漢人之中再分出「關東州人」(1905年後就受關東州都督府管轄下的

---

459 臺灣省保安司令部判決書,(40)安潔字第0632號,國家檔案局藏,檔號B3750187701/0040/1571/72107761/171/050,〈林君參加叛亂之組織處有期徒刑七年褫奪公權三年〉。
460 許雪姬訪問,黃子寧、林丁國紀錄,〈林恩魁先生訪問紀錄〉,頁235-252。

圖 8-11　岸信介於 1957 年來臺訪問，前排左二岸信介。
後排左一楊蘭洲，左二陳重光，左三吳金川，左四陳文山，右一賴武明。
（陳復民先生提供）

中國人），[461] 臺灣人在滿洲享受特別待遇，薪水又比在臺灣高，因此去滿洲成為有為者亦若是之道。筆者向有滿洲經驗者進行訪談時，已垂垂老矣的他們談到青壯年時在滿洲的生活，大半覺得在那個遙遠的地方，他們擁有美好的過去，誠如張琁女士所言：「我覺得我很幸福，在很年輕的時候，有機會到滿洲接觸到世界各國不同的人種和文化，加上滿洲四季分明的大陸性氣候，讓我時時享受季節更迭的快樂。」[462] 然而1945年8月9日蘇聯軍入侵滿洲，驚醒了臺灣人的滿洲夢。在歷經戰亂，又顧及當時周遭不友善的環境，除了少數例外，人人都做歸計。而他們回到臺灣，才是他們辛苦的開始。期間有哪些在滿洲結成的地緣、學緣、業緣，在回到臺灣後繼續發揮作用？在面臨國府的統治、臺灣的長期戒嚴產生了違和感，以及臺灣的天地不夠寬廣的情形下，這些滿洲經驗者不是前往前殖民母國日本，就是到美國、加拿大，做另一次的離散，終究成為日本人、美國人。以下做進一步探討。

## （一）戰後滿洲經驗與日臺人間之聯繫

1. 「陳構想」的創出：所謂陳構想即岸信介曾在1936年任滿洲實業處處長，當時的滿洲是所謂的「次長政治」，因此實際上是部長。在他任內，於1937年指導重要產業法的制定，展開第一次五年計畫。1938年與鮎川義介的日本產業合作，各出資一半，成立滿洲重工業開發株式會社，加強滿洲經濟的統制，與軍需工業的體制化，[463] 這段期間和在滿洲實業部任職的臺人都有一定的接觸。戰後岸以A級戰爭犯罪人、嫌疑者被逮捕，1948年12月獲釋，1952年解除其公職追放。1957年因首相石橋湛山辭職，而由時任外相的岸繼任，是為第一次岸內閣（1957.2.25-1958.6.12）。[464] 當時東南亞各國對二次大戰期間日本的侵略仍不能釋懷，日本要向東南亞推銷其產品有困難，有滿洲經驗的陳重光[465] 乃俟機對岸進言，由日臺合作，日本提供臺灣產業原料、技術，將原料運到臺灣，由臺灣製成MIT（Made in Taiwan）再外銷東南亞。岸信介認為「陳構想」有實現的可能，乃邀陳到日本國會演講，以後日本商社、廠商紛紛來臺與臺灣工商業界合作，合併企業、設立分行，這些都在「陳構想」下完成。[466] 換言之，共同的滿洲經驗拉近了臺人與日人的距離。又，

---

461　郭瑋，〈大連地區建國前的臺灣人及其組織狀況〉，《大連文史資料》6（1989.12），頁61-62。
462　許雪姬訪問，許雪姬、張英明紀錄，〈張琁女士訪問紀錄〉，《日治時期臺灣人在滿洲的生活經驗》，頁269。
463　臼井勝美等，《日本近現代人名辭典》（東京：吉川弘文館，2001），頁336，三坂圭治，〈岸信介〉。
464　日本近現代史辭典編輯委員會，《日本近現代史辭典》，頁792，〈附錄6 歷代內閣一覽〉。
465　陳重光，1932年到新京做貿易，而後往平、津、滬各地經商，戰後回臺。見許雪姬訪問、蔡說麗、吳美慧紀錄，〈林坤鐘先生訪問紀錄〉，《口述歷史》5（1994.6），頁68-69。
466　許雪姬訪問、吳美慧紀錄，〈吳金川先生訪問紀錄〉，頁140-141。

岸信介首相於 1957 年到緬甸、泰國、印度、錫蘭、中華民國訪問,曾與蔣介石會談兩次,[467] 蔣介石設宴款待時,建國大學的大先輩李水清受邀參加。[468]

2. 各種同學會的成立:臺灣青年前往滿洲國,除了求職外,最重要的是求學,各校都有同窗會的設立,戰後有些廢校(如大同學院、建國大學),有些改名,但都無法切斷所謂的學緣,因此同窗會名簿、會員名簿,仍續有出版,提供了畢業後同學的行蹤與職業。先以滿洲醫科大學為例,該大學的同窗會名為「輔仁會」。戰後滿洲醫科大學改為國立鐵路醫院,再改為國立瀋陽醫學院(今為中國醫科大學)。戰後輔仁會於 1951 年出版《滿洲醫科大學四十周年記念誌附業績集》、1953 年出版《滿洲醫科大學史》、[469] 1978 年出版《滿洲醫科大學輔仁會會員名簿》。後者除了專門部第十二回到十四回缺畢業生名單之外,[470] 是一本具有相當價值的會員名簿。此書刊載校歌(附樂譜)、沿革、會則、特別會員(包括大學、預科、藥專、學友、事務技術關係人員)、南滿醫學堂(14回)、醫科大學(24回)、專門部(9回)、藥學專門部(9回)、看護婦(49回)及索引。大學部除名單外包括現址、科別、職業、電話,而且分成生存、物故者、遺族及不明者。列入「遺族名單」,可以突顯歡迎未亡人、子女繼續加入。至於專門部只有姓名不及其他,主要是專門部原先為了醫療所需而設計給中國人(汪政權及日本控制地區下的中國人)讀的,在當時的環境下無法做有效的調查,其中臺灣人少數有附地址的,是黃順記所知道的少數幾位。1986 年滿洲醫科大學成立七十五周年紀念會在日本東京舉行,部分臺灣畢業生前往參加,翌年日本同學來臺接受在臺校友歡慶,每次的會都以校歌的合唱為收場。[471] 在臺灣的滿洲校友(包括本、外省)也製作了通信名簿,並將已故者名單放入,總共收入 126 人。[472] 在臺的畢業校友之間尚有親密的往來,有的還成為兒女親家,如黃深智(大學部,開設仁慈醫院)和施義德(大學部,開設義德醫院);[473] 楊金涵(專門部,開設明德醫院)、王

---

467　日本外務省外交史料館藏,A,1,5,1,3,5,〈岸總理第一次東亞アジア訪問關係一件會談錄 6. 中華民國〉,1957 年 6 月 3 日。

468　許雪姬訪問,鄭鳳凰、黃子寧紀錄,〈涂南山先生訪問紀錄〉,頁 173。

469　滿洲醫科大學輔仁會,《會員名簿》,〈滿洲醫科大學、專門部附屬薬學專門部、附屬看護婦養成所沿革略〉,不著頁數。

470　第一回到第十一回專門部的名字是由在臺中開業的黃順記醫師提供。該書在編輯時若能參考《滿洲醫科大學一覽》,頁 166-174,則不須由黃順記醫師提供。第十一回畢業於 1940 年,而後因 1941 年太平洋戰爭爆發,到滿洲的臺灣人很少。以 1941 年《滿洲醫科大學一覽》,頁 172-173 來看,1941 年 3 月畢業的 56 人中只有高進紀 1 名臺人。

471　許雪姬訪問、鄭鳳凰紀錄,〈劉建止先生訪問紀錄〉,頁 15。校歌有三節歌辭,都因沒有時間而只唱一節。

472　本名單為 2000 年 1 月我訪問劉建止醫師時他所提供,原資料沒有名稱,姑稱之為「通信名簿」。

473　許雪姬訪問、紀錄,〈施義德先生訪問紀錄〉,《日治時期在「滿洲」的臺灣人》,頁 11。然據其〈訃聞〉後所附汪清恭撰的〈懷故人、憶生平〉一文,言其次女婿為美國人。

圖 8-12　1981 年 11 月 21 日大同學院創立五十週年紀念大會，攝於會場東京日本青年館前。
臺灣籍學生亦前往東京參加，最左端是林永倉。
（林永倉先生提供）

大樹（大學部，開設錦生醫院）。⁴⁷⁴

施義德是大學部第 15 屆畢業生，這一屆畢業生自組「火群會」，畢業後每年有一次集會，或在東京、或在九州、或在京都，施大半都會前往，以重敘年輕時的歡樂。這一屆每年出版一期《火群》（ほむら）作為精神食糧。1992 年正值畢業 50 年，恰好出到 25 期，因此命名為「卒業五十周年記念特集號」。⁴⁷⁵ 這一屆臺灣人中除施義德外尚有張登川，雲林斗六人，畢業後先任滿洲醫科大學附屬醫院婦產科醫師，再在大連開業大連產婦人病院，回臺後在北投開安生醫院。⁴⁷⁶ 而後赴日開婦產科，前後十多年，因病開刀，回臺養病。另一位是專攻外科的陳永福，臺中龍井人，畢業後先在北京行醫六年，又在上海行醫六年，之後到丹麥取得醫學博士，然後赴美，行醫六年後，到日本關西，在長野市創立一所醫院，⁴⁷⁷ 最後因胃癌過世。⁴⁷⁸ 這班同學規定，只要有人過世，即致送遺屬日幣五萬元為奠儀。當 1999 年張登川回臺養病前，日本同學即託張登川帶回施義德的「奠儀」，因為同學都已 80 多歲。2000 年 4 月我去訪問施義德時，不知他已得肺惡性腫瘤，⁴⁷⁹ 他笑哈哈地對我說：「我這五萬元香奠恐怕已經用完了吧！」⁴⁸⁰ 言猶在耳，他就在當年 10 月過世，作者特地到南投參加他的葬禮。

大同學院並非正式的學校，比較類似公務人員訓練所，也是一所不可能再增加會員的同窗會，因此格外珍惜中、日、韓、臺間同窗的情誼。該院建於 1932 年，前後共 19 期，有 4,000 多人畢業。1960 年大同學院同窗發起，在建校 35 週年要編寫出有關同窗為了建設滿洲國所做的努力以及體驗，故成立編纂委員會，經過五年的時間，最終在 1966 年出版《大いなる哉 滿洲》一書。這本書的作者或資料提供者都是日系，他們對滿系、蒙系、鮮系、臺灣系、白俄系的同學除一小部分外，無從得知其蹤跡。⁴⁸¹ 當時中國、臺灣的政治情勢多少限制戰後的再聯繫。到了設院 55 年時的 1986 年，大同學院同窗會為了彌補上一本沒有其他系的同窗的書寫，由中國、朝鮮地區的同學來描述他們在滿洲國時期的經驗，編成一部小書即《友情の

---

474　許雪姬訪問、劉芳瑜紀錄，〈何處是鄉關？流轉的臺灣認同：楊正昭醫師訪談紀錄〉，《記錄聲音的歷史》，頁 227-228。
475　許雪姬訪問、紀錄，〈施義德先生訪問紀錄〉，頁 10。
476　吳銅，《臺灣醫師名鑑》，頁 31。
477　楊逸舟著、張良澤譯，《受難者》（臺北：前衛出版社，1990），頁 161-162。
478　許雪姬訪問、紀錄，〈施義德先生訪問紀錄〉，頁 10。
479　〈（施義德先生）訃聞〉。
480　許雪姬訪問、紀錄，〈施義德先生訪問紀錄〉，頁 11。
481　大同学院史編纂委員会，《大いなる哉 滿洲》（東京：大同学院同窓会，1966），頁 1-3，宮澤次郎〈序〉；頁 4-6，田中鈞，〈編者者のことば〉，本書共 699 頁。

架橋—海外同窓の記錄》，[482] 可惜這時臺灣還未解嚴，故沒有一個臺灣人寫下他的滿洲經驗。好不容易到了 1998 年終於由米沢久子編出《大同學院同窓會名簿》[483] 內容包括特別會員、正會員（包括姓名、服務單位、現在住址、電話，也把消息不明者、物故者都列入，尤其物故者的死亡年月日，及遺族代表的聯絡資訊）。從第八期起，就陸續看到臺灣人的姓名，如被列入消息不明，其實早已死亡的王銘勳。[484] 此外還有研究所、中堅指導者、自治指揮部訓練所相關人員名單。大同學院有供滿系、漢系就讀的第二部，即高等中學畢業者即可投考的，如果就《滿洲國政府公報》公布的名單來看，缺少第二部第六期（1937.12）的周文進、葉炳煌，第二部第七期（1938.6）陳東興，新制第二部第二期生（1933.1.20-1933.4.19）吳福興。

　　建國大學是戰後一所不被日本、中國、臺灣承認學歷的學校，也是一所不可能增加會員的學校，因此反而使同學之間形成更強的紐帶，跨越國界互相幫忙。建大創立於 1936 年，1945 年 8 月 23 日廢校。1954 年 5 月就已出版《建國大學同窓會名簿》，而且前後編過多次，分別是 1972 年、1976 年、1982 年、1985 年、1988 年，2000 年則完成最後一次，內有 1,400 人資訊的同窓會名簿。[485] 較為頻繁地修訂，顯示會員的變動大，更顯示彼此間的互動多。2010 年 6 月建大生在東京開了最後一次同窓會，共有 120 人參加。[486] 除了同窓會名簿外，在 1966 年出版了「建大史資料」創刊號，但真正稱做資料的只有湯治万蔵於 1975 年編的第 6 號，而湯治賈其餘勇，耗了十多年的時間編成《建國大學年表》，共 570 頁，於 1981 年出版作為第 6 號的補遺。[487] 本書利用 60 多種資料所編成，其中有一小部分與臺灣人有關，[488] 然正如編者所說，這本年表只是日系生所編的，畢竟只能代表建國大學歷史的一部分，希望日系以外的建大生說出來，並看比編成正史，而後表現出內面的歷史、野史。[489] 2007 年李水清的「東北八年回顧錄」由建國大學同窓會出版。[490] 2016 年亦出版一

---

482　創立五十五周年記念出版委員会編，《友情の架橋—海外同窓の記録》（東京：大同学院同窓会，1986）。共 206 頁。

483　米沢久子編集，《大同學院同窓会名簿》（東京：大同學院同窓会，1998）

484　米沢久子編集，《大同學院同窓会名簿》，頁 60。

485　建國大學同窓会，《建國大學同窓会名簿》（昭和六十三年四月現在），不著頁數，〈建國大學同窓会規約〉；三浦英之，《五色の虹：滿州建国大学卒業生たちの戦後》，頁 27。

486　三浦英之，《五色の虹：滿州建国大学卒業生たちの戦後》，頁 20、24。

487　湯治万蔵，《建國大學年表》（東京：建國大學同窓会、建大史編纂委員会，1981），不著頁數，阪東勇太郎，〈序〉。

488　如李水清的畢業題目論文為〈滿洲鉄工業的建設〉；又如作田莊一〈建國大學的四年〉一文中提到 1938 年時在探討萬一發生大東亞戰爭時哪一系的學生最值得擔憂，答案是滿系。至於臺灣出身的學生，都是優秀青年，不必擔心。見湯治万蔵，《建國大學年表》，頁 423、89。

489　湯治万蔵，《建國大學年表》，頁 570，湯治万蔵，〈あとがき〉。

490　本書的中文版為〈附錄：東北八年回憶錄（1938 年 4 月 -1946 年 4 月）〉，已收入《日治時期臺灣人在滿洲的生活經驗》，頁 31-118。而其撰此文乃因筆者於 1994 年前往訪問李先生所致。

本對建大生的訪談紀錄《五色の虹：滿州建国大学卒業生たちの戦後》一書，建大第一屆的臺灣人人李水清也在訪問之列，本書在日本得了獎項。[491]

我自 1994 年開始訪問建大學生，先是吳憲藏，由他介紹李水清受訪，以此為始，陸續訪問建大生或其親人，2000 年訪問到涂南山，李、涂兩人都經兩階段的訪談、不斷修訂後，才在 2014 年出版。在訪問中理解到建大人回臺後，即以大前輩李水清為中心，每星期有集會，校友中亦有左翼思想者，因此遭到當局的注意，遂因而有如上所敘的愛國青年會白色恐怖事件發生，即使如此，他們彼此仍互相支援和關切。如李水清為同學黃山水介紹工作並關懷其後代，聘學弟陳金聲到自己開的貿易行工作，再安排去蘇澳同榮水產加工公司任經理；到日本時去探望學弟賴登漢、邱來傳，輾轉介紹劉英州做大阪的農藥代理，家提供給涂南山、蘇大川住很久；幫涂南山當借款保人，誠如李水清說的：「我們在學生時代就時常互相幫忙，以後也一直如此，互相幫忙的程度超過一般朋友，彼此都很信任。」[492]建大的臺灣校友如邱來傳，他在 1948 年怕被當局逮捕而亡命中國大陸，在文革時被關三年，而後以教授身分前往日本交流時，留在日本，幸得日本建大同學照顧，取得日本籍，要回臺時仍怕政府找麻煩，因此由建大同學陪同回來。[493] 和韓國的建大同學、校友亦有交流。韓國的校友，學歷被承認，而且有三位任官，如第三期的朴重潤任陸軍大學校長，曾來臺灣做軍事交流；新三期的姜英勳曾任韓國總理，曾來臺找同學陳金聲；新三期的閔幾植當過參謀總長。[494]

新京醫科大學圭泉會未詳設立於何時，分成六個支部，每年發行一次會誌，每四年出一次《名簿》。名簿內容包括特別會員、正會員（自 1935 年至 1938 年共五班，1939 年第六班起算第一期，到第七期 1945 年為止，再加上在學生八至十一期），此外還有特修科，最後是 50 音別、府縣別、國別索引。[495]新京醫大的臺灣畢業生依《名簿》所示，有 19 人，其實只有八人，[496]其他的是 1949 年來臺的外省人。

大陸科學院作為滿洲國最重要的研究單位，其發行會報可能始自 1980 年，詳細時間則不清楚。此一會報大致上包含三部分，一是會務報告‧寄附明細，二是寄せ書き，三是會員名簿。此院已不存在，故不可能有新會員參加。臺灣人有四個，翁通楹（機械）、何芳陔（生物）、楊藏嶽（電化）、林耀堂（有機）在名簿內。[497]

---

491 三浦英之，《五色の虹：滿州建国大学卒業生たちの戦後》，頁 223-247。
492 許雪姬訪問，黃子寧、林丁國紀錄，〈李水清先生訪問紀錄〉，頁 16-26。
493 許雪姬訪問，鄭鳳凰、黃子寧紀錄，〈涂南山先生訪問紀錄〉，頁 175。
494 許雪姬訪問，黃子寧、林丁國紀錄，〈李水清先生訪問紀錄〉，頁 20；許雪姬訪問，鄭鳳凰、黃子寧紀錄，〈涂南山先生訪問紀錄〉，頁 174。
495 大田豊正，《新京醫科大學圭泉會名簿》。
496 這 8 人中，葉步嶽尚未畢業。其餘是陳振茂、陳銘斌、余錫乾、陳寶琛、葉鳴岡、董延葭、陳正乾。
497 不著編人，《大陸科學院の会：会報と名簿》，1995 年，頁 30、31、45。

圖 8-13　張登財家族的再次離散到美國

張琔 95 歲生日全家福（攝於美國加州，2012 年）

後排孫輩，中排自左至右：長女張美惠、大女婿李進修、張琔（張登財妻，二排中坐）、兒子張英明、次女張芳惠、二女婿陳學潛、前排曾孫輩

（張琔女士提供）

新京工業大學校友在1948年10月已在日本設立同窗會，平均每年開會一次，其中有兩次在臺灣召開。另外土木學科在1973年成立杜友會，建築學科在1974年成立建築會，應用化學科於1972年成立化人會，甚至還出版《化人》會刊。在中國於1996年由長春工業大學（前身為新京工業大學）校友編輯出版《長春工業大學中國校友記事》，其中特別介紹了在臺灣、在日本的校友。[498]

　　除了以學校、研究院為主的同窗會外，也有以滿洲電信電話株式會社為中心所組成的「載波會」，此會亦無新加入的會員。曾在電電服務的陳永祥對其過去的課長小泉吉郎（旅順工科大學畢業）念念不忘，若到日本旅行時一定會前往拜會。[499]在滿鐵工作過的也組成龐大的「財團法人滿鐵會」，以與原滿鐵有關者為中心組成，還有依日本行政區劃在各地組成的滿鐵會，但遺憾除了鄭瑞麟外，沒有其他臺人名單。[500]即使是臺人第一個考入滿鐵的楊基振[501]也未列名。

## （二）「東北會」的設立

　　所謂「東北會」，就是日治時期「旅居東北的臺灣人回臺後的聯誼組織」，[502]由楊蘭洲發起設立。我在陳許碧梧的介紹下在1993年去「參加」東北會，以便物色訪問的對象，當時在收發處取得一紙名單，姑且稱為「日治時期曾赴中國東北的臺灣人名單」，當天雖頗為熱鬧，但已見名單中有被劃掉者，以及電話資訊錯誤者，可知已無過去的盛況。而後楊蘭洲過世，易以林永倉主持，但已每下愈況了。主要原因似乎是林永倉沒有楊蘭洲的人面寬廣，但真正的原因在於老成凋零、[503]第二代彼此不認識，[504]終至結束。其實「東北會」的成立及以後的活動，時常在政府的監督中，誠如楊蘭洲所言：「……有一點令我覺得很不滿意的是，回臺以後，政府懷疑我們這些從滿洲回來的人，尤其成立東北會以後，因我是發起人，又是會長，

---

498　長春工業大學校友會，《長春工業大學中國校友記事》（長春：長春工業大學校友會，1996），頁72-74，附錄一是臺灣校友；頁75-79，附錄二是中日師生友誼。

499　許雪姬訪問、王美雪紀錄，〈陳永祥先生訪問紀錄〉，頁503。

500　財團法人滿鐵會，《會員名簿》（東京：財團法人滿鐵會，1998），頁265-275，均無楊基振之名。

501　楊基振於1934年3月通過一、二次考試，加上口試合格，進入在大連的滿鐵總公司任職，一直到1945年3月31日升上參事才辭職，共在滿鐵服務12年。見許伯埏著、許雪姬監修，《許丙‧許伯埏回想錄》（臺北：中央研究院近代史研究所，1996），頁289-290，〈臺灣出身者の人事問題—楊基振、張水蒼、簡萬銓の場合〉；黃英哲、許時嘉編譯，《楊基振日記：附書簡‧詩文》（下），頁805-806，〈一、年譜簡編〉。

502　許雪姬訪問、吳美慧、曾金蘭紀錄，〈楊蘭洲先生訪問紀錄〉，頁160。

503　許雪姬訪問、鄭鳳凰紀錄，〈林更味女士訪問紀錄〉，頁400。

504　許雪姬訪問、蔡說麗紀錄，〈許文華先生訪問紀錄〉，頁420。

圖 8-14　黃榮泰家再度離散到美國，2004年妻子（1970年赴美依親）當選模範母親，合照於紐約喜來登二樓。左一孫女Nancy、左二妻楊藍銀、右一長女黃滿玉。

（黃瑞玉女士提供）

因此常被帶到保密局約談,深受嫌疑之苦。」[505]

臺灣人參與了滿洲國的歷史,而這一段歷史,目前不論是中國、日本、臺灣都有意忽視或予污名化,遂使這段歷史淹沒。然而有滿洲經驗者,畢竟當時是同學、同事,是一起讀書、工作的夥伴,因此在戰後政治情勢和緩後,不論日、臺、中、鮮、白俄、蒙的校友、同事,莫不重新架起友誼的橋,賡續舊的、尋找新的友誼。

## (三) 回歸後的再離散

1. 再度離散的原因:戰後在滿洲的臺灣人,除少數外,大半都做歸鄉之計,有的是自從去滿洲後尚未回過故鄉;有的是對在滿洲的生活不再抱希望。回臺後,固然有不少人進入公職體系,或者繼續行醫、經商,但卻因在滿洲年資不算,以及開始對國民黨統治下的臺灣產生反感,在工作上又不盡人意,因此再度尋求另一個「王道樂土」,日本、美、加等地方就在選項之內。其次,自1949年國府軍被共產軍進逼,以臺灣為撤退地,因此是年5月開始戒嚴,白色恐怖時期正式開始,如果加上在此之前,1947年發生二二八事件,臺灣的政權相當肅殺,尤其有滿洲經歷者是「準漢奸/戰犯」,不知何時被清算,更何況同樣有滿洲經驗的,也有因二二八和白恐而受難者,為了不被污名化,也為了脫出中華民國的戒嚴體制,因此只好往外國再度離散。第三、中華民國自1971年被迫退出聯合國後,臺灣局勢岌岌可危,不知何時中共會跨海侵攻臺灣,再加上日、美等國先後和臺灣斷絕外交關係,[506] 臺灣失去大部分在國際發展的空間,因此在這段時間移民的較多。第四、與滿洲相比,臺灣雖物產豐富、氣候溫暖,但比起廣大的滿洲天地,天差地別,因此前往更廣闊的天地、追尋沒有政治干擾又可以找到好職業的空間,也是另一種正面考量。[507]

2. 再離散的地區:滿洲第一代的首選自然是日本,不僅完全沒有語言的隔閡,還有人脈,可何況日本尚有偏遠的無醫村向臺灣醫生招手。其次是美國,美國是當代最強的國家,也是不分種族移民者的天堂,滿洲第二代到美國留學後,留在當地,取得公民權後,將雙親、弟妹接往新大陸。其他國家則有加拿大、巴西、阿根廷和紐西蘭,但為數沒有日、美多。當然這些移民離散出去,並非從此與臺灣一刀兩斷,往往在取得公民權後,來往兩地;也有的加入臺灣同鄉會,為臺灣的存在向國際發

---

505 許雪姬訪問,吳美慧、曾金蘭紀錄,〈楊蘭洲先生訪問紀錄〉,頁160。
506 日本與中華民國斷交在1972年12月22日、美國則在1979年1月1日。
507 葉彩屏的丈夫劉海,回臺後找不到適合的工作,一有不如意就說:「また滿洲かえる」(再回滿洲去)。見許雪姬訪問、紀錄,〈葉彩屏女士訪問紀錄〉,頁133。這是說,臺灣人稱地狹缺少位置,還不如回到廣大的滿洲去。

圖 8-15　林欽明（左二）及夫人（左三），與堂兄林肇周（右二）都在日本無醫村當醫師。
（林正南先生提供）

聲。

　　**3. 離散的現象**：要移民，不僅要有謀生的技能或可以維生的資產，也必須符合各國的移民法規，但此非本書重點，不再深入探討。以下以滿洲醫科大學、臺南工業學校、建國大學為例予以說明，之後再以四個實例來敘述。

　　（1）滿洲醫科大學：以劉建止醫師所提供的滿洲醫科大學在臺的 126 個名單為例加以分析，126 個人中有三個籍貫不詳外，外省人 50 個（多半來自東北）、臺灣人 73 個，外省人中有 14 個移民國外，美國有 12 個（大半移民到紐約州）、加拿大 1 個、香港一個。臺灣人中有 13 個移民，其中王洛、林欽明都先在日本然後在美國逝世；楊元統先到巴西，後至阿根廷；[508] 楊金涵、林肇周 [509] 移民加拿大；到美國終老的有王洛、林欽明、鍾柏卿、陳松齡共四人；至於在日本執業的有楊崑松、洪禮峰、洪鴻儒、張登川、王洛、林欽明、陳有德、陳永福，共八人。移民的有 27 人，約五分之一的人移民海外，還不包括來來去去的施義德（紐西蘭），以及如張登財在故世後，後來全家都遷到美國；或者在上述名簿製作後才移民的。

　　（2）臺南高等工業學校：有滿洲經驗的有 23 人，其中第四屆的潘國慶、第五屆的周漢揚、第六屆的吳登貴、第八屆的王立財都移民美國。[510]

　　（3）建國大學：建大學生共 27 名，其中呂芳魁在中國因公殉職、顏再策死於二二八、朱子英死於肺病、劉文雄失蹤、邱德根不知去向、董炳煌失蹤，將這六人扣除，還有 21 人。這些人中有五人再度移民，蔡傑川在日本神戶、賴登漢在日本大阪，劉杏林在臺大醫學院畢業，後來去美國，又因車禍過世。邱來傳自中國到日本定居，蘇大川則可能去美國。[511]

　　由上的例子，約略可以算出約一成五左右有滿洲經驗的人，由臺灣再度離散到海外，在短短 100 年間（由 1905-2005）有滿洲經驗的第一代、第二代兩度離散，前次較類似經濟性的離散，後者則偏重政治性的離散。以下介紹三個不同的遷移例子。

　　①林欽明先到日本無醫村行醫，最後在美國安享天年：林欽明自滿洲回臺後，長年在臺中開業，1973 年到日本無醫村行醫。何謂「無醫村」？乃 1958 年日本頒布新的國民健康保險法，等於是「全民健保」，1959 年起實行。由地方自治體自行籌備醫療設施，但偏僻地區面臨沒有醫生的困境，稱為無醫村（半徑 4 公里之內無醫

---

508　楊元統在滿洲醫科大學輔仁會，《會員名簿》，頁 59，說他在巴西，但在劉建止給的名單中寫著移民到阿根廷布誼諾斯艾利斯。
509　林肇周後隨子移民加拿大。見許雪姬訪問，林建廷、劉芳瑜紀錄，〈滿洲、臺灣、日本，伴夫行醫半世紀：林江金素女士訪問紀錄〉，《記錄聲音的歷史》，頁 168-174。
510　傅慶騰撰、高淑媛譯，〈傅慶騰回憶錄〉，頁 573-574。
511　許雪姬訪問，黃子寧、林丁國紀錄，〈李水清先生訪問紀錄〉，頁 15-26；許雪姬訪問，鄭鳳凰、黃子寧紀錄，〈涂南山先生訪問紀錄〉，頁 173-177。

療機關，而且居住在50人以上而不易獲得醫療之區域），[512]因向日本之外的醫生招手。據吳建興的研究，當時在臺灣50歲上下、半退休的醫師面臨年輕同業的競爭，也有意前往日本無醫村服務。[513]事實上去無醫村的醫生也有60歲者，並非懼怕年輕同業的競爭，反而是因不喜歡臺灣的政治環境，而且自幼受日本教育，不僅無語言障礙，何況無醫村醫師的薪資和獎金（三個月）都優渥，因此具有相當的吸引力。

林欽明在日本無醫村前後十年：林欽明先到九州五島中的黃島行醫六年多，再到大分縣中津的耶馬溪行醫三年，前後十年，到1988年才離開日本轉往兒女們居住的美國華盛頓州的Spokan。一家人中長女先到美國加州讀研究所，接著一家人陸續移民美國。[514]

②林肇周在日本長崎平戶大島村就職：大島村在1959年2月8日設立大島村國民健康保險診療所，到1980年因白川直衛醫師年紀大而廢業，該診所乃對外招募醫師，契約一年，先是朴祐鐘醫師（韓國籍）應募，之後則是林欽明的堂兄林肇周繼任。[515]據推測任職約在1981-1982年間。[516]

③楊正昭醫師移民加拿大溫哥華，是另一個例子。楊正昭，畢業於臺大醫學院，是楊金涵醫師長子。1950年以學術交流名義到美國留學，1964年移民加拿大，因該國對移民更加開放和自由。1966年正式在加拿大執業婦產科。1967、1969年母親和父親年紀將近60歲即卸下臺灣的工作，移民至加，而其弟和妹，也分別移民日本和美國。[517]

如上可知滿洲第一代先培養子女赴美、加，然後再前往依親。至於第二代移民到國外的也不少，不贅。

---

512　大島村鄉土誌編纂委員会，《大島村鄉土誌》（長崎：大島村教育委員会，1989），頁255-256；范燕秋，〈戰後臺灣醫師赴日本行醫之研究：從「帝國視野」到「國際視野」〉，2018，未刊稿，頁8-9。本文初稿由已故（2021年8月24日）范燕秋教授提供。
513　吳建興，〈日本無醫村裡的太上皇：臺灣醫師〉，《杏園》24（1977.3），頁94-95。
514　許雪姬訪問，林建廷、劉芳瑜紀錄，〈滿洲、臺灣、日本，伴夫行醫半世紀：林江金素女士訪問紀錄〉，《記錄聲音的歷史》，頁176-177。
515　大島村鄉土誌編纂委員会，《大島村鄉土誌》，頁256。
516　有關林肇周在日本無醫村的相關資料為中央研究院臺灣史研究所博士後研究簡宏逸所提供，謹致謝意。除了上述兩位外，還有游紹陳，在青森縣北郡市市浦村任無醫村的醫師，他是1960年代後期青森縣因缺醫生，轉向聘請臺灣人醫生，是日本全國招聘外國醫師的先行者。
517　許雪姬訪問、劉芳瑜紀錄，〈何處是鄉關？流轉的臺灣認同：楊正昭醫師訪談紀錄〉，《記錄聲音的歷史》，頁204。

## 四、留在東北者的遭遇

中共「解放」東北後仍留在東北的臺灣人，他們往後的情況如何？由於在中共的統治下政治事件不斷，要能不受影響的臺灣人幾乎沒有，在中共尚未改革開放前，有海外關係的臺灣人有被認為是「日本帝國幫兇」、「國民黨的特務」的嫌疑，亦即有了原罪，一旦改革開放、對臺灣展開統戰，就給予臺灣人種種優待，以至於在中國受訪的臺灣人，或許是對過去不堪回首，沒有人願意說出過去的辛酸；第三者在談及這段歷史則有「美化」、「為政治服務」之嫌，因此要瞭解、澄清這段歷史很難，然而再不研究，以後要瞭解真相更難。

誠如張泉在描述板橋林本源家族二房訓眉記掌門人林爾嘉在中國留下的家人時說：

他們在無數次慘烈的運動和你死我活的鬥爭中渡過了童年、少年、青年以至中年：五一年鎮反、五二年三反五反、五六年肅反、五七年反右、五九至六一年三年自然災害、六四年四清、六六至七六年文革，運動接二連三、此起彼伏、一次比一次慘烈、殘酷。常人都自身難保，更何況那些有「海外關係」的家屬。[518]

由於資料有限，故僅能就目前所見，簡要介紹，以略窺一斑。

1. 簡仁南醫師之死：簡仁南如前所述，在共軍入大連後一度被捕。當時在大連大部分的臺灣人醫師都陸續返臺，但簡因仁和醫院和相關事業都在大連，故未做歸臺之計。據郭瑋的報導：

大連解放後，簡仁南熱愛人民的事業，主動將個人所辦醫院的設備和房產獻給政府，本人積極參加大連市的衛生行政領導工作。1946 年被聘為大連醫學院的解剖學、外科教授。1948 年在解放戰爭中，參加遼南軍區手術隊，任小隊長，活躍在前方。[519]

1947 年 11 月 12 日謝雪紅等人於香港成立臺灣民主自治同盟，中共建政後，於 1950 年 4 月成立的臺盟旅大特別支部中，簡仁南擔任主任委員，[520] 1954 年 12 月在中國第一屆全國人民代表大會第一屆第一次會議召開後，稍後開第二次全國政

---

518 張泉，〈林本源後人林爾嘉子孫群芬譜〉，《臺灣文獻》，68：2（南投，2017.6），頁 244。
519 郭瑋，〈大連地區建國前的臺灣人及其組織狀況〉，頁 71。
520 臺盟史略編委會編，《臺盟史略》（北京：台海出版社，1997），頁 13。

協會議,簡仁南當選為政協委員,出席會議。[521] 這是簡仁南出現在《臺盟史略》中的記載。在文化大革命期間,於1969年4月25日「因病……逝世」。[522] 另在《遼寧省衛生志》,對他的遭遇有如下的描述:「1957年被錯劃為"右派份子",從此遭到許多不公不正的待遇。"文化大革命"中又被打成"特務",受到殘酷迫害,不幸於1969年4月20日過世,終年72歲。1978年中共第十一屆三中全會以後,徹底平反昭雪,恢復了名譽。」[523]

面對中國方面的說法,在臺灣簡仁南的妻舅盧昆山卻有不同的描述:

當日本投降後,東北有臺灣後援會,協助護送臺灣人回臺。……姊夫(簡仁南)因所有的事業都在東北,放不下,無法回臺。共產黨奪得大陸政權後,先是接收了姊夫的醫院,改成公立醫院,並令姊夫在該醫院負責外科醫務。一開始共產黨還算很重視姊夫,讓他擔任大連市衛生課長兼法醫。百花齊放時期,姊夫發表文章,不為共產黨接受,遭到批鬥,下鄉勞改了好幾年,在不堪其苦之下吃藥自殺。當時姊夫的產業中除先前遭接收的醫院外,其他如員工宿舍、日本料理店、別墅、自用車也都遭到沒收。

其遺孀盧淑賢,臺南二高女畢業,婚後與簡仁南到大連。簡仁南過世後,盧在醫院擔任保健員(護士長)一直到退休。[524] 盧在戰後初期協助由撫順來大連的梁宰之日本夫人,在局勢混亂、梁家無法接濟時,都由盧幫忙照顧。[525]

**2. 孟天成失去博愛醫院**:孟孟天成在大連的博愛醫院小崗子本院,在奧町設有分院,又在大華、盛德街設有門診,每日診療量達二、三千人,是除滿鐵大連醫院外大連最大的醫院。據郭瑋的報導:

大連解放後,孟天成將醫院交給了政府,并繼續擔任該院院長。[526]

《遼寧省衛生志》也有如下記載:

解放後,為解決旅大人民及公安幹警就醫問題,公安總局於1946年派人同孟

---

521　臺盟史略編委會編,《臺盟史略》,頁21。
522　臺盟史略編委會編,《臺盟史略》,頁37-38。
523　遼寧省衛生志編纂委員會編,《遼寧省衛生志》(瀋陽:遼寧古籍出版社,1997),頁649-650。
524　許雪姬訪問、蔡說麗紀錄,〈盧昆山、李謹慎夫婦訪問紀錄〉,頁288-289。自殺身亡此一事件,楊蘭洲在同上書,頁156指出:「最悽慘的是那些沒有回來的人,如簡仁南,他在大連有間醫院及一間旅館,後為中共迫害,自殺身亡。」
525　許雪姬訪問、蔡說麗紀錄,〈梁金蘭、梁育明姊弟訪問紀錄〉,頁319。
526　郭瑋,《大連地區臺灣人組織狀況》,頁70。

磋商，1946年5月25日，孟與其妻日冲希娜（日籍）在《人民呼聲報》上發表啟事：
"鄙人將本院所屬宏濟街的舊館、新館、新起街宿舍2處和甘井子分院、奧町分院、聖德街一町目、伏見町各一處房地產及藥品、資料、情願貢獻給公安總局，為警士治療，更將鄙人一切精力與技術，貢獻給大連人民"。[527]

1946年6月博愛醫院更名為市公安總局醫院，任孟為院長。1954年公安醫院移交給市衛生局，孟天成被調到解放軍215醫院任院長。[528]

據孟天成的故鄉方志《臺東縣史‧人物篇》所載，則有不同的視角。孟天成在戰後為中共所捕，被監禁一個月，出獄後被迫交出所有醫院給公安總局，1946年醫院改名為公安總局醫院，他雖仍為名義上的院長，但薪水極低，個人行動受到控制，院務也由他人操控。1954年醫院移交旅大衛生局，孟天成被調為中國人民解放軍二一五醫院院長，1967年病逝，享年84歲。[529]

**3. 梁育明的天生醫院遭接收**：梁宰於1946年過世後，家屬大半回臺，獨子梁育明因滿洲醫科大學學業未完成而仍留在瀋陽。梁宰在撫順的天生醫院院長由其侄梁松文接任，但其侄於1948年8月隨在最後一批離開大連的隊伍回臺。這一年前後，大連地區日本腦炎大流行，撫順一地死了不少人，此病高燒昏迷，若儘速治療尚可恢復，否則有變呆的後遺症，甚至因高燒而致死。梁育明因治好日本腦炎而頗有名氣，聲譽直追乃父。這年秋天，國共間開始了錦州爭奪戰，梁育明即使有心回臺，情勢上也不可能。尤其是年11月瀋陽為共軍解放後更不可能；而偌大天生醫院的業務亦需有人管理，梁育明只好留下來，不再做歸計。

中共建政後，號召成立聯合醫院，1951年天生醫院與其他五個診所合併為聯合醫院，梁育明被任命為聯合醫院副院長。1956年又與市立醫院合併。文革開始後，在醫院體系中，院長、科主任等一級主管都得下去當工友，但並未全部下放，若一級主管群眾關係良好又沒有架子，則在文革期間較為好過。在文革時期資淺醫生無法替病人看病時，就會去找工友—資深的大夫（高級醫師）看病，這樣顛倒錯亂的情況，大致持續了一年。梁育明因平時御下不苛，故在文革時期得以順利渡過，在一年後就由工友恢復為醫生，1967年才恢復為副院長。1981年出任撫順衛生局局長，直到退休。1985年才首次到日本和臺灣去的家人見面，更在三年後第一次回臺探親。1993年回臺時接受我的訪問。

梁醫師的人生因為會日語而遭受麻煩，以致在中共建政後20多年內不敢說日語。直到1967年任副院長時政治情況已有改善，才恢復看日文雜誌的習慣，並要

---

527　遼寧省衛生志編纂委員會編，《遼寧省衛生志》，頁647。
528　王勝利等編，《大連近百年史人物》（瀋陽：遼寧人民出版社，1999），頁187，韓悅行，〈孟天成〉。
529　王河盛等纂修，《臺東縣史‧人物篇》（臺東：臺東縣政府，2001），頁76。依《大連近百年史人物》寫卒年為1966年。

圖書館買日文書。以後院方鼓勵學外語,還規定主治醫師得學外文,否則不能升級,此時梁育明方得展現其日文能力,還當了一年多業餘日語教師。1980年代以後隨著中國與日本恢復邦交,常有滿洲醫科大學校友到東北交流,需要接待;日本外賓來時,梁能直接溝通,日語對他不再是負數而是正數。[530]

**4. 石林玉燦的人生**:石林玉燦醫師一家戰後回到臺灣後,輾轉在幾個地方開業,後來在上海的臺灣醫師王麗明鼓吹下,和楊陵祥(蔡培火女婿)、賴姓醫師在上海合開「臺灣醫院」,但自1947年開張到1949年上海「解放」前,營業情況一直不好,於是結束營業。楊、賴回臺,石林乃到海軍醫院任職,工作了九個月,而這之前上海已「解放」。解放後軍醫院被解放軍接管,於是石林與呂江水醫生一面診療,一面帶醫務人員(包括上課、實習),1956年加入中國共產黨。石林之妻侯金魚,也由家庭主婦變成職業婦女。文革時,石林夫妻倆安然過關,石林玉燦於1981年過世。[531]

**5. 黃永盛妻一度入獄**:黃永盛畢業於滿洲醫科大學,臺南人,父黃仁宗也是醫生,在臺南開業。[532] 黃於1939年3月畢業後,又留校專修病理學,1941年取得滿洲國醫師資格,[533] 此後在瀋陽開業。戰後如前所述,行蹤不明。其妻為日本人,亦是醫師,戰後在瀋陽開婦產科醫院,有一段時間因醫療糾紛而被拘禁,出獄後遂在婦嬰醫院服務,在1970年前後過世。[534]

**6. 被劃為「右派」的齒輪專家王銘勳教授**:嘉義人,臺南高等工業學校畢業,1937年大同學院第一部第八期畢業,1937年為民生部高等官試補,任哈爾濱工科大學高等官試補,[535] 歷任助教、副教授、教授,開機構學、製圖、材料力學、機械工學及機械設計等課程。自1940年始,在教學之餘,集中精力鑽研齒輪的基本理論和精密齒輪的設計與製造。1943年3月被哈工大派往日本東京工業大學精密機械研究所深造,從事齒輪形的研究,期間所發表的學術論文,[536] 得到日本有關學界的重視。1945年5月返回哈工大任教。中共建政後,哈工大暫時停辦,為了謀生,擔任家教和哈爾濱三中教員。1946年3月,參加「革命工作」,先在賓縣

---

530 許雪姬訪問、蔡說麗紀錄,〈梁金蘭、梁育明姊弟訪問紀錄〉,頁316-318。
531 據侯金魚說:「文革時,都是下面起來鬥上面的,對以前的歷史都要交待的,可是他一張大字報沒有,他人很好,對人很好,所以威信很高,大家都很尊敬他。文革時,我也沒有什麼事,我先生沒有受到批判,醫院裡主任以上都戴高帽,而他一個都沒有,他們底下這些人到現在還說:『石林院長最偉大!』」見許雪姬訪問、王美雪紀錄,〈侯金魚女士訪問紀錄〉,《日治時期在「滿洲」的臺灣人》,頁93-96。石彌婧,〈懷念我們的父親:石林玉燦〉,收入上海市臺灣同胞聯誼會編,《滬上台灣人》II(上海:該會,2005),頁16-19。
532 《滿洲醫科大學檔案》,JD24,43,〈滿洲醫科大學昭和十四年學籍簿〉。
533 國務院總務廳編,《滿洲國政府公報》,第2635號,康德10(1943)年3月13日,頁379。
534 許雪姬訪問、蔡說麗紀錄,〈梁金蘭、梁育明姊弟訪問紀錄〉,頁317。
535 國務院總務廳編,《滿洲國政府公報》,第1976號,康德7(1940)年11月25日,頁504。
536 在《機械學會論文集》上,發表〈給定接觸點軌跡的齒形曲線與滑動率〉、〈變位齒輪的一方式〉。

東北軍醫大學任數理教員，不久調至中國醫科大學擔任預科物理課教員，翌年又改任出版科科長兼教員。1949 年隨著中國醫科大學遷瀋陽，擔任該校教務科科長兼數理系系主任。翌年 8 月，為使其發揮齒輪研究的專長，被調到瀋陽工學院（東北工學院前身），任教師黨支部書記並擔任機械系的教學工作，講授機構學、齒輪切製等課。1950 年代初，為呼應中共中央號召學習蘇聯經驗，進行教學改革，相繼開出機械原理、公差及技術測量兩門新課，領導設立公差實驗室，在教學和研究上都做出貢獻。

在研究方面，他是中國第一位研究齒輪幾何學的專家，從 1954 到 1956 年在《機床與工具》雜誌，陸續發表相關《變位齒輪》的專論 22 篇；此外還發展〈蝸桿與蝸輪的接觸線〉、〈變位齒輪形系數的計算〉、〈圓錐齒輪形與接觸線的關係〉、〈變位齒輪的干涉〉、〈變位系數選擇〉、〈V-X 齒輪是什麼樣的齒輪〉等文。其所研究之變位齒輪到達國際水準。1958 年王銘勳的專著《變位齒輪》一書出版，受到國內外學術界很高的評價，此書仍為目前研究齒輪原理的重要參考文獻。

在他學術生活最充實的 1955 年，擔任東北工學院機械系主任，翌年當選中國共產黨瀋陽市委員會候補委員。但到了 1957 年在中共整風反右的活動當中，王銘勳被劃為右派分子，從此被送到農村勞改，渡過他最後的日子。1959 年在勞動中病故，得年 41 歲，這不啻是學界的損失。1961 年他被摘掉右派的帽子，到 1979 年才被徹底改正，恢復黨籍。[537]

**7. 黃啟章任大連醫院院長**：黃啟章，1922 年生，彰化人，1944 年畢業於旅順醫學專門學校。戰後參加籌備旅順市立醫院。歷任瀋陽鐵路局大連醫院副院長兼外科主任、院長、名譽院長，曾撰寫醫學論文 36 篇。在政治、社會方面，擔任中華人民共和國第七屆政協常委、臺灣民主自治同盟中央常務委員、[538] 遼寧省臺灣同胞聯誼會會長、中華醫學會大連分會名譽會長、中國癌症基金會大連分會會長，大連市海外聯誼會副會長。[539] 其在文革期間的遭遇則不得而知，梁育明認為：「雖然現在看來，擔任高職位的，如教授一級的臺灣人不少，但在未開放（1976）以前臺籍人士的發展不順遂。」[540] 而黃啟章能在 1976 年就已任等同衛生局局長的大連鐵路醫院副院長，是件非比尋常的事。

**8. 蔡啟運為台盟的要員**：蔡啟運為蔡法平之子，1939 年東京第一高等學校特

---

537　不著撰人，《瀋陽文學院校教育人物匯編》（上）（遼寧：遼寧教育出版社，出版年不詳）。本文為王銘勳之女王光華女士（住瀋陽）所提供，謹致謝意。
538　仝祥順，《臺灣民主自治同盟》（河北：河北人民出版社，2001）。頁 312-315。黃啟章任臺灣民主自治同盟第二、三屆理事，第四、五屆中央常務委員。
539　台灣同胞在大陸畫冊編委會編，《台灣同胞在大陸》（福州：海風出版社，1993），頁 75。
540　許雪姬訪問、蔡說麗紀錄，〈梁金蘭、梁育明姊弟訪問紀錄〉，頁 317。

設高等科畢業，[541] 日本東京帝大農學士，1942 年 9 月 14 日被滿洲國任命為衛生技術廠高等官試補，在北安省立克山國民高等學校辦事，領四級俸。[542] 戰後一直在吉林工作，後來擔任長春大學副校長，並任吉林省委員。1976 年中共改革開放後，於 1981 年起擔任吉林省臺灣民主自治同盟委員、1983 年起任臺盟理事、中央常委（1983-1992），[543] 負責接待臺灣去的人。

**9. 楊希榮重返臺灣**：楊希榮在就讀滿洲醫科大學一年後，因九一八事件發生而轉入南京中央大學醫學院（後改名上海大學）。[544] 1938 年畢業後分到到蘇州博習醫院實習，三年後因日軍兵臨城下而撤退到貴州，參加紅十字會。以後在貴陽當醫師。戰爭結束後，楊希榮回上海，在上海醫科大學張維教授的介紹下到上海的 UNRRA 醫務工作處服務，從事國、共藥品分配的工作，也協助在東北的臺人返臺。不久以助理名義隨調任上海衛生局長張維到上海。原無意長久從事行政工作，在張維介紹下任浙江諸暨當地的醫院院長，據云董事長為蔣鼎文，副院長為上海警備司令宣鐵吾。往後隨著國民黨軍的兵敗，諸暨縣經「解放」，當時國民黨官員要楊一起撤退，楊為醫師不能置病人於不顧，遂未撤退。

中共進入諸暨後，楊聲稱是臺人，但經翻查楊的資料寫的是福建人；又被認為楊必與蔣鼎文關係密切才能當院長，片面斷定楊必是軍統派到諸暨臥底的情治人員，無論楊如何解釋全不採納，於是判楊希榮勞改十年。勞改的地點在浙、贛之交，靠近嘉興的十里風，這是浙江最大的勞改營，楊所屬的隊有五、六萬勞改犯，分成數個大隊。由於楊是政治犯，常被疲勞審問，主要是將楊劃在地主買辦階級，抗日只在國民黨底下抗，愛的是國民黨的中國，沒有聽楊說過「愛勞動人民的中國」，是反共產黨的，這樣的罪名令楊百口莫辯。

在勞改營內仍可行醫，但行動被限制，到隔村都要路條，伙食很差，通信要檢查，如此過了十多年的勞改生活。在勞改過程中，其妻（原為護士，後升為醫生）在文革期間被鬥爭而死。原因是文革期間，中共先鬥地主、再鬥生意人，之後認為醫師有錢，因此楊被追究錢藏於何處。楊本無積蓄，又被勞改下放，無法回答，乃轉而逼迫楊妻，最後被批鬥而死。楊尚不知其妻已死，不斷去信妻的服務單位，該單位在半年後才告知楊其妻已亡。楊最後經特赦而出獄時已是 60 多歲。之後繼續行醫，1989 年才回臺定居。[545] 其弟楊希聯，東京東洋醫學院畢業，與翁通逢同學，1944

---

541 一高同窓會，《會員名簿 昭和二十七年四月十五日現在》，頁 341。
542 國務院總務廳編，《滿洲國政府公報》，第 2500 號，康德 9（1942）年 9 月 17 日，頁 207。
543 台盟史略編委會，《台盟史略》（北京：台海出版社，1997），頁 108-109。
544 先入理科之醫科先修班從頭唸起，四年後才入位於上海的醫學院，主攻外科。見許雪姬訪問、曾金蘭紀錄，〈楊希榮先生訪問紀錄〉，1994 年 9 月 11 日，於中央研究院近代史研究所研究大樓四樓會議室，未刊稿。
545 許雪姬訪問、曾金蘭紀錄，〈楊希榮先生訪問紀錄〉，未刊稿。

圖 8-16 廖泉生伉儷於 2000 年返回母校滿洲醫科大學（已改名中國醫科大學）參訪
資料來源：廖泉生，《乘願藥師如來：廖泉生回憶錄》，頁 24。

年一起到滿洲、1946 年又一起回到臺灣，[546] 在鹿港開設明德診所。[547]

**10. 楊藏德一家留在東北**：臺南大內楊家六個兄弟中有四個有滿洲經驗。老大楊藏興、老二楊藏德、老五楊藏鋕都畢業自滿洲醫科大學，老六楊藏嶽任職於大陸科學院。老大戰前即回臺，1940 年老五在撫順天生醫院任職時過世。老六戰後回臺。老二在吉林當「警察醫」，因娶當地人為妻，故戰後並未回臺，1966 年過世，育有五女一男。一直到 1989 年臺灣的親人才與楊藏德的後人聯絡上。[548]

**11. 袁柏雄**：袁錦昌的兒子（由弟袁永昌之子過房），戰後未回臺，1992 年曾任台盟吉林省委。按吉林省委創立於 1981 年 8 月。[549]

---

546 許雪姬訪問、紀錄，〈楊希聯先生訪問紀錄〉，1994 年 9 月 11 日，於中央研究院近代史研究所研究大樓四樓會議室，未刊稿。
547 吳銅，《臺灣醫師名鑑》，頁 206。
548 許雪姬訪問、鄭鳳凰紀錄，〈楊藏嶽先生訪問紀錄〉，頁 439、448-449、454-455。
549 台盟史略編委會，《台盟史略》，頁 115。

12. **吳昌仁**：日本遞信省官吏練習所畢業，曾任滿洲國交通部技佐。戰後曾加入長春臺灣同鄉會，並登記要回臺，[550] 但並未回臺。

13. **謝秋涫及其子女**：日本敗戰後，謝在新京有四家百川醫院，四個兒子、兩個女兒都是醫生，連兩個女婿、一個媳婦也是。謝認為改朝換代是他事業的另一個契機，而且在東北的國共內戰中，他押寶國軍不久會驅逐蘇〔共〕軍，於是在這個時期大量購買土地。有朋友忠告他，飛機票已由原來的黃金一兩漲到二兩，而且共軍在廣播中說，如果解放長春，第一個清算的對象就是謝秋涫。他因此不再置地，但手邊的黃金已不多。1948年長春對外通路已全被共軍切斷，謝秋涫這時才決定逃出長春，此時飛機票已是每張十兩黃金。他與西山鈴、三子文煥夫婦飛到北平，以寶石易現金，在北平的北池子置產，前面為三子夫婦診所，後半作為住家。其大哥謝春池，曾去信叫他速回臺灣以東山再起。1949年傅作義軍隊投降，北平被解放，謝不敢回長春，1950年過世。謝秋涫的正室傅謙與長、次子謝文燦、謝文炫，他們原有回臺的打算，後來既未隨謝秋涫去北平，也未回臺，留在長春買下三道子百川醫院的產權，繼續行醫。由於謝秋涫早將全家由日籍改為中國籍，因此在動亂時並未受到迫害。中共建政整頓醫療體系時，謝文燦被徵調到四平街的人民醫院，次子謝文炫留在長春的人民醫院，一直工作到退休。至於兩兄弟各自擁有的百川醫院，除自己使用的部分外，都交由當地房產處分配給他人居住，百川醫院也成為絕響。

至於在北京的謝文煥夫婦，1950年代初期被征調到清華大學醫務所擔任校醫，1966年文革爆發，謝文煥一家遭受很大的衝擊。謝文煥的長子被判定出身不好，不僅不能再升學，並被送到寧夏農園插隊。謝文煥則被鬥爭，在文革期間含恨而終。幸而西山鈴未被波及，而且在中共、日本建交後得以在1990年末回到日本探親，並與在臺灣行醫的女兒謝久子見面。謝文煥妻張瑞霽則在文革結束後，藉著平反恢復臺灣籍，將兒子爭取回北京並繼續升學。

四子謝文火，戰爭結束時人在日本讀醫科，1950年代其姊謝久子勸其來臺，將資助其創業，他因想念在北京的母親西山鈴，而回到北京，被安排在天津市公安醫院。[551]

14. **黃演桂**：1939年畢業於哈爾濱醫科大學後，留學日本東京齒科專門學校深造。之後到達北京，歷任北京大學醫學院牙學系教授、北京市口腔醫院醫務主任及主任醫師、中華醫學會會員等職，在口腔矯形專業方面有高深的造詣，曾獲北京市科學研究成果特等獎。1969年過世。[552]

---

550 〈居住長春台灣省民名簿〉（1946年1月28日）。
551 謝東漢等著，《徘徊在兩個祖國》（上）（臺北：自刊本，2016），頁174-180。
552 黃五常族譜續編輯委員會，《黃五常派族譜續編》，頁88。

圖 8-17　滿洲醫科大學校友相聚（一）
左一廖泉生、左三林肇基、左四劉光業
資料來源：廖泉生，《乘願藥師如來：廖泉生回憶錄》，頁 32。

圖 8-18　滿洲醫科大學校友相聚（二）
前排左二林肇基、左三黃順記、左四寺田文治郎教授，後排左三林欽明、左五林肇周、左七劉建止、
右一廖泉生、右二謝久子
（林正南先生提供）

1976年中國改革開放後,亦有臺人想回東北,設法取得當時不得不捨棄的房地產,但都有困難。楊燧人醫生之妻留有當時財產的地號憑證,其子曾到大連調查,並向當局詢問,得到的答案是,有些財產仍然在楊燧人名下,市府表示財產只能要回地上權,還要追繳不少稅,遂不敢要回。[553] 傅元煊醫師在大連的房子有四、五十人居住,全被充公,令傅醫師極為傷心,連舊地重遊的心情亦無。[554] 在瀋陽開仁愛醫院的廖泉生,2000年到故居探訪,該地已改為「瀋河婦嬰乳腺醫院」。[555]

# 小結

　　當日本戰敗、滿洲國覆滅、蘇聯侵攻、國共內戰、1948年11月東北「淪陷」,儘管有些臺灣人仍留在東北,但臺灣人最終的選擇是回臺。回到臺灣後面臨到的問題是過去在「偽滿」的高考資格不算、公務員年資不算、建國大學學歷不承認、其他大學畢業者需經甄審才被承認。1947年二二八事件發生的那一年10月,國府公布辦理臺灣省考試注意事項,對臺人曾任偽職者,或在收復區域或東北地區專科以上的學生要報名時,必須繳交甄審及格書,若甄審不及格則考試成績無效。雖然有如上的規定,但自滿洲回來的臺人仍不懼挑戰,未大學畢業者投考臺大、臺灣省立師範學院,取得學位;去滿洲的臺人或第二代入大、中、小學就讀,起初雖不太能適應,但終於克服困難完成學位。以往在滿洲國的大學或大陸科學院任職的菁英,大半進入臺大任教,也有任高中、職校長的,如何芳陔、林耀堂、翁通楹、郭松根、黃春木、黃演淮、廖行貴等,他們和回自北京的林朝棨、洪耀勳、在臺灣的林茂生、杜聰明等人,成為臺灣大專院校少數的臺灣人教授,具有重要的意義。除了在教育界外,由於在滿洲國具有不少行政經驗,因此陸續進入各級政府部門工作。如臺北市政府在吳三連任市長時期被重用,因此一時有14名自東北回臺者任職,被稱為「東北幫」。在醫師方面,由於東北遠,回臺較晚,一些較重要的職缺不多;又因缺少自行開業的資本,往往先屈就衛生所再徐圖;或一面開業,終究得以安身立命。在金融業上,有滿洲中央銀行、興業銀行經驗者,也都任職銀行,較有名的是在彰化銀行任職,最後當到董事長的吳金川;當到華南銀行總經理的高湯盤。回臺經考試或競選當上地方父母官的如何金生（臺中縣長）、張芳燮（桃園縣長）、陳錫卿（彰化市長、彰化縣長）、邱鳳儀（鹿草鄉長）,也有當選省議員、立法委員的梁許春菊,當選國大代表的謝掁,當選臺中縣參議員的王毓麟、臺中縣議員的陳高絃。畢業自臺

---

553　許雪姬訪問、蔡說麗紀錄,〈許文華先生訪問紀錄〉,頁421。
554　許雪姬訪問、紀錄,〈施義德先生訪問紀錄〉,頁11。
555　方玉珍、郭紫筠,《乘願藥師如來:廖泉生回憶錄》,頁6,附錄一、〈東北尋根之旅〉。

北工業、臺南工業學校者到滿洲或就讀工科大學，或進入職場求取工作經驗，回臺後成為臺灣電力公司或臺灣電信管理局重要的角色。他們可說把在滿洲未完成的工程在臺灣繼續努力，對臺灣做出貢獻。

如上，大半有滿洲經驗的臺人，均能回臺找到安身立命之處，但也有一些人捲入了政治事件。臺灣戰後的兩大政治事件，都有他們的影子。二二八事件時，有滿洲經驗者集結開會，想要討論管理臺灣的問題，但因3月9日已戒嚴而未再度開會。但事件中顏再策與高雄中學學弟想要趕走在火車站的憲兵不幸罹難；任雄中教師的林慶雲被指控組織學生軍；同樣在高雄，事件前才剛當上高雄工業學校校長的廖行貴，被指控任該校學生聯絡團長，不僅被捕，也喪失了教職；有關東軍經驗的湯守仁，率鄒族人下山攻陷紅毛埤並圍困水上機場。至於金山鄉保安團的賴武明曾一度被逮捕，花蓮張七郎父子三人因縣長張文成的教唆，而被國軍殺害；陳亭卿等人任職臺灣廣播電台，因結社、妨害秩序而被判刑；高湯盤也被視為暴動人犯在被捕後，因罪嫌不足而開釋。白恐時有所謂愛國青年會案，要角是林慶雲，於1948年被破獲，被入罪的理由牽強，應是算二二八加上滿洲建大生的賬，所以我稱之為「滿洲建大案」。這個案子有延續性，黃山水、涂南山、游海清等人陸續遭到逮捕。除了建大生外，湯守仁因欲「策應匪早攻臺」，1954年被判死刑；黃溫恭醫師由刑期15年被蔣介石改為死刑、謝秋臨被判無期徒刑坐牢33年才出獄；鍾謙順主張臺獨，坐牢三次，共27年；林恩魁在學中加入共黨未自首，被判刑7年。

1970年代，臺灣內有戒嚴、白色恐怖的威脅，外有被迫退出聯合國的困境，復因臺灣天地不如過去「滿洲國」寬廣，因此這些有滿洲經驗的第一代、第二代又準備做第二次的跨境，他們再度瞄準的「王道樂土」之首選為沒有語言障礙的日本，先到日本無醫村當醫生是一條終南捷徑，其次是美國、加拿大，往往由第二代前往美國留學，取得居留權後將全家移民美國，最少有一成五的人選擇再度離散。

至於留在東北沒有回臺的，歷經中華人民共和國一次又一次慘烈的政治運動，很少人不被折磨，如醫院全被接收，房子被分配給不相干的人居住，更重要的是文革期間受到的迫害，一直要到1976年中共改革開放後政治較為鬆綁，而且為了統戰開始優待臺人，對於過往的困苦，如今還在東北的臺人，無人願意說明當時受到的迫害。而中國相關記載往往將中共的迫害沒收，說成是「捐獻」，本文遂依據其在臺親戚的證言與說法予以說明，而非憑空捏造。

有滿洲經驗者在戰後不論決定留在東北或回到臺灣，都有他們選擇的原因，雖然回臺也面對二二八和白恐，但至少不是人人遭殃，還有選擇再離散的權力。

無論如何，在滿洲的臺人大半是菁英，因此其在滿洲的經驗對戰後醫界、學界、工業界、政界與財經界，有一定的影響，亦即將滿洲經驗帶回臺灣做具體的實踐，這也是不能不研究在滿洲的臺灣人的主要原因。

第九章
結論

一、我為什麼研究在滿洲的臺灣人：研究臺灣人到滿洲並非容易之事，因為研究「滿洲國」的歷史，本身就是相當沉重的壓力，主要在研究的意識和立場的問題，在中國方面有來自民族主義、反殖民主義下用「偽滿」作為統一的研究口徑；在日本方面又分為「皇國史觀」、「自虐史觀」兩種不同的視野，作為清朝棄民、曾被日本殖民的臺灣人，他們到滿洲這件事應當如何看待？臺灣人雖是漢人，除極少數改籍者外，並無中華民國國籍，而且在滿洲國存在的 1932-1945 年間是日本籍，這一段短短 15 年的歷史過程中，原本可以視而不見，但臺灣人在滿洲的活動，是臺灣人海外活動的一部分，其自中國東北帶回來的「滿洲經驗」仍然影響著戰後臺灣史，不可不研究。截至 2022 年 12 月為止，研究這個主題者仍然不多。其次是資料不足。由於日人將滿洲國的相關檔案做有意的銷毀，如今只能看到「紙灰檔」，再加上戰後國府利用懲治漢奸條例、戰犯審判條例審判在「偽」政權服公職的臺灣人，也不採計過去具滿洲國考試及格之資格的公職經歷，甚至非經甄審不承認其在「淪陷區」、「占領區」完成的學位；更不承認滿洲國最高學府建國大學的學歷，為了逃避臺灣總督府對其之差別待遇，跟隨日本人的腳步到了當時所謂的「王道樂土」滿洲，才剛打下基礎就面臨日本戰敗，之後便如喪家之犬，九死一生逃回臺灣後，乃有意遮蔽在滿洲的經歷，而且有滿洲經驗的臺灣人只留下一些簡單的紀錄，如陳章哲的《養生之道》、盧昆山《七十回憶》、徐水德〈光復日記〉、黃清舜《一生的回憶》，除了《七十回憶》、《一生的回憶》外，內容相當有限，因此不能不借助口述訪談，留下他們重要的人生經驗。但直到 1987 年解嚴，才能從事的口述訪談，卻因老成凋零，失去研究的黃金時間，致使這段歷史一直被埋沒，而使臺灣人滿洲經驗者成為無史之人，寧非史家的失職。

　　那麼何以臺灣人在滿洲的歷史值得研究？一是人數相對的多。比起在重慶政府任職的臺灣半山不過百來人，卻被國府百般重視、研究，在滿洲的臺灣人至少有 3,000 人，光是人數就不能忽視這群人。而這群人中當上高等官的就有 57 名，醫生有 200 多名，在外交部有任總長、科長、總領事、領事館一等書記；有教授、研究人員、工程人員（電力、電信）、導演，更有商人將臺灣水果、大甲帽蓆賣到滿洲，換回大豆、豆餅、漢藥，這些情況未曾被研究。二、菁英多：比起在重慶、北京、上海、南京、廈門一帶的臺人，有不少值得重視的人物。尤其在東北、華北任教的人，回臺後進入大學任教的有七人，比原即在臺的臺籍教授，數目還多，雖然比起自大陸來臺的教授數目瞠乎其後，但在臺灣的大學教育史上具有重要的意義。三、在戰後的二二八、白色恐怖等政治事件有些人遇難，有些案子和在滿洲的經驗直接相關，如「愛國青年會案」有一半的人是滿洲建國大學的畢肄業生；亦有有滿洲經歷的人，參與了二二八事件，如受難的顏再策以及被通緝的林慶雲，但在研究戰後政治事件時，卻未曾被提及。四、因日本戰敗不得不回臺的「滿洲經驗」者，在戰

後東北，如何歷經蘇聯進攻、國共內戰的局面，而步上漫漫的歸鄉路！這是除了有滿洲經驗者外，其他臺灣人很難有的經驗，和在臺灣的戰爭經驗截然不同。至於回臺後如何重新適應臺灣的生活，面對新的環境，以及往後彼此間的聯繫，最後至少有一成五的人選擇再離散，去尋找心目中的新王道樂土。利用口述將在滿洲臺灣人的經驗訴說出來，得以豐富臺灣史的內容。

基於上述四個原因故進行相關研究。

二、Diaspora 概念的實際運用：本文先回顧離散觀念的起源，說明 1991 年 William Safran 以猶太人離散作典型提出其六項特質。2008 年 Robin Cohen 則主張離散概念必須超越猶太離散的典型傳統，予以延伸運用，並和這六項特質對話，也在此基礎上加入幾項擴張性的解釋，如離散原因除了傳統性質的被迫遷移之外，應涵蓋殖民性或自願性的遷徙；離散除了傳統的創傷受難意涵外，應納入離散移民富有生產力及傑出表現的正面性意涵。Cohen 因而提出三種類型的離散，即帝國型、勞力型、商業貿易型。另外他又提出在帝國型、商貿型離散之間的輔助型離散，指出與殖民者相異的族群，隨著殖民政府的擴張，而在異地展開商貿，對當地人而言，這些被殖民者更像是與殖民政府合作的「外國人」，當然合作或輔助的角色不只是商業貿易，有時是加入其行政或軍隊。也因此輔助型離散群體居於異地，與殖民政府、當地人民的特殊關係，促使殖民統治結束時，必須面對是否歸化、回鄉，還是被原殖民母國解救這三種選擇。John McLeod 同年也討論離散、家鄉、認同等問題，提出離散可能有的世代差異，就是第一代與未經歷離散的第二代，對家鄉會有認同的差異，因為他們面臨的困境不太相同。第二代可能對家鄉產生格格不入的感覺，但當地人仍視之為外來者，而處在夾縫中。然而不一定被任何一方認可，反而是一種契機。認清認同是構築於片段及不完整之上，從而對於自身的存在與想像更為願意賦予新的可能性與創造力，對於過去、現在、未來的串連敘述與想像，因而由「根」變成「路」。

基於對離散理論的理解，並以 Cohen 所謂「輔助型離散」作為尋找資料和撰寫的脈絡。在尋找資料時就滿洲的臺灣人不同的職業、前往的時間、與殖民者日本官員、同事、鄰居間的關係，同是日本外地朝鮮人與當地滿洲人之間的關係等方向搜集；又能注意及他們在滿洲國下發揮的能力及傑出表現；再觀察第一代與第二代對故鄉臺灣、新故鄉滿洲的認同有否異同。當戰爭結束，殖民者以戰敗收場，滿洲人恢復其作為滿洲這塊土地的主人；而作為輔助性存在的臺灣人，失去國家的保護，面對仇日的當地人，除非與當地人結婚，否則臺灣人只有集結自保、盡速還鄉。再加上戰後面對的不只是當地滿洲人，還包括中華民國政府。國府也將在滿洲的臺灣人任高官者視為有漢奸／戰犯嫌疑，同時也希望臺灣人能回到臺灣，因此臺灣人除了回鄉外，幾乎沒有選擇。當然也有大學學業未完成者，留在當地，也因未能及時

離開東北,而被關入鐵幕,直到中國改革開放後。回到臺灣的第二代面臨陌生的環境(去滿洲後沒有機會回到臺灣),有一番適應的過程;較晚回鄉的第一代,面對創業、求職兩難的狀況,還要照顧家庭老小,幸而他們大半是有能力的,因而在一番努力後都能得到職位發揮所長。由於他們回到的故鄉不再是在日本政府統治下,而是換成另一個外來政權,而且不久即陷入國共隔海對峙的局面。為了鞏固政權,國府發布戒嚴令、懲治叛亂條例等,臺灣進入白色恐怖時代,這期間滿洲最高學府建國大學的畢、肄業生不幸遭到羅織,前後有三個案件,也有非建大者,遭判死刑、甚至無期徒刑者。由於政治環境不佳,又面對對岸的中國日漸強大,國府面臨嚴重的挑戰,有些家族乃利用各種管道移民國外。1970年代中國取代中華民國在聯合國的代表權、安全理事會的常任理事國席次,臺灣的情勢令人不安,於是有所謂的移民潮。有部分滿洲經驗者,展開第二次的離散,第一代藉著醫術和與日本過去的關係,到因實行全民健保而缺少醫生的無醫村,進行退休後的移民;另方面第二代大學畢業後到美、日等國留學,畢業後找到工作就將父母、兄弟姊妹拉拔到美國,形成一生中第二次的離散。這樣的離散,不再是輔助型的離散。有關這部分,則是有滿洲經驗的臺灣人由離散異鄉、回歸故鄉後的再離散,亦即第二次離散,而有一些是第一代、第二代一起進行的。有關這部分是西方研究離散學者所未曾提出的,主要因為在短短十多年的時間做兩次離散的經驗,是特例,因而較少被注意。

　　除了用離散、回歸再離散的概念來分析有滿洲經驗的臺灣人外,另一個研究滿洲國很有名的日本京都大學教授山室信一,他提出大日本帝國對其境內包括滿洲的統治原則是「統治模式的遷移與統治人才的周流」。其「統治模式的遷移」,誠如加納久夫指出的日本在臺的統治方法和制度,有滿洲國可以效法之處;「統治人材的周流」的說法,蔡慧玉在其2007年的大文中已指出,所謂統治人材的周流「多半只限在派任地和日本內地之間流動」,而且只是少數幹部和技術人才才有,並不具有區域循環的活動現象。山室、蔡慧玉較注目於日本內地人,如果就日本外地人臺灣人來說,作為被殖民者,除了極少數在殖民母國任職、一些在臺灣任職外,較少有機會到另一殖民地任官,即使任官,也以中低級官員為多。由於日本帝國人才有限,其勢力範圍滿洲國又極需人才,因此臺灣人才有機會到滿洲國任職,此外,到汪政權(包括南京、湖北、福建、廣東)、華北政務委員會(北京)任職也不少,如《滿華職員錄》的相關名單可以窺見。雖然臺灣人才在日本帝國下周流的範圍有限,但確有此現象。且被殖民者因周流,而得以受到相當的訓練,回臺後其行政經驗有利於戰後臺灣的建設。

　　三、臺灣人為何、何時去滿洲:早在清代,當時的臺灣人已經對遼東、遼西有所認識,在方志中亦有記載,但較多臺灣人到滿洲卻是到了1932年滿洲國建國前後。由於1895年清朝將臺灣割讓給日本,臺灣人遂在日本帝國統治下,歷經1905

第九章　結論　｜　633

年日本帝國取得關東州租借地、1910年日韓併合、1932年滿洲國建立，乃隨著日本人的腳步前往滿洲，這是時代的大背景所致。可以將臺灣人到滿洲的時間分成三期來看，一是1895-1905年，這段期間到滿洲的十分有限，只有「旅券下付返納表」中的零星紀錄，包括1897年最早到營口的林子生等五人；二是1906-1931年，漸漸可以在「海外旅券下付返納表」中看到一些人前往，謝介石即在1907年前往吉林；三是1932-1945年。1938年後臺灣人到滿洲國或汪記中華民國政府者，學生或團體成員只需申請渡航證明（視同在國內移動）即可，就可看出，1932年已有44人到滿洲，1933年就有280人，數量增加不少。何以1932年前後不少臺灣人前往滿洲？除了上述外，還有以下幾個普遍性的因素，即受殖民者的臺灣人到了滿洲，能以日本籍的身分享受特權，甚至進入官僚體系成為統治者，這是重要的原因之一；其次，滿洲國的皇帝溥儀是前清的皇帝，去滿洲國的臺灣人有些是懷著「故國之思」去的，謝介石、陳文山等人，在溥儀住天津時期尤其保持密切的聯繫，可視之為「勤王」的舉動；第三滿洲國設立後，其弘報處宣傳該地為王道樂土、五族協和之處，當時去滿洲似為日本本土的流行，滿洲國成了文人、報界謳歌，令人憧憬、嚮往之新天地。臺灣的報紙《臺灣民報》於1930年1月開始報導謝春木所寫的滿洲，以及在當地的臺灣人。尤其滿洲國成立後，臺、滿間的貿易量日益增加；臺灣人在滿洲成功的例子，不斷地被傳回臺灣，再加上謝介石在1935年10月以滿洲國駐日全權大使身分衣錦還鄉，更使前往滿洲的臺人絡繹不絕。第四有看板人物謝介石、孟天成、梁宰成功案例以及始政四十周年臺灣記念博覽會「滿洲館」的設置，和「滿洲日」的吸引，若再加上在臺灣的日本官僚的從中引介，都是促使臺人前往滿洲的原因。除了大背景外，個人到滿洲的原因有五：即求學、求職、經商、依親與脫離在臺灣的日本統治；此外在1942-1945年到滿洲的臺灣人，乃為了躲避空襲、糧食不足、回臺不得，所以由日本到滿洲的臺灣人為多。

　　1938年以前要到關東州視同到日本，可以自由前往，但到滿洲國則必須申請旅券，即海外旅券或叫渡華旅券。1921年時，申請的手續費由3円增加到10円。在臺、滿航線未開前，臺灣人到滿洲，必須先坐船到日本，再由門司航向釜山，再搭火車經朝鮮，越過鴨綠江，直到滿洲境內。1923年命令航線中的華北線，自高雄起航，經基隆、福州、青島、大連，到達天津，一個月航行一次，船可容納100人；1925年華北線增為一個月航行二次，也多停了上海；1928年起可航到大連的有二線，一是前華北線改為高雄天津線，航行的船增為三艘，班次也增加，二是臺灣鮮滿線，是由基隆起行到仁川、大連等地，是聯絡臺滿鮮三地的重要航線。上述現象到1935年增加由大連汽船會社開航的高雄大連線有二艘船航行，一年航行24次，由高雄開航經基隆到大連，此線為臺灣直通大連的路線，用來因應自1932年以後臺灣人的需求；此外還有高雄仁川線，前半航程和天津、大連線同，之後經鎮南埔、

仁川再回駛；第三條線為高雄天津線，只比大連線多停了天津。之後到 1940 年止，停泊的港口只有小變化，本年高雄大連線航行的次數增為 36 次，共有四艘船航行。1942 年隨著前一年太平洋戰爭爆發，停了高雄仁川線，高雄大連線改由 3,000 噸的船隻航行，高雄天津線則只剩下一艘船每月航行一次。以後日本戰事日益吃緊，海上航行不安全，民間人士申請海外旅券的很少，到 1943 年航路只能航行臺灣沿海。

除了定期的船班可以到滿洲國外，日本帝國還提供良好的交通環境，如由臺灣鄉下出發到滿洲各地，可以一票到底，而且自起站託運行李，到終點再行領取，相當方便。1941 年初時一個由豐原出發的旅客，車船票價 30.2 円，2 月 7 日在基隆出發，2 月 10 日下午就到大連。為了確保航行安全，並避免有問題人物登船，在旅行途中都有特務隨行，不停詢問乘客的相關事情，一些被列入「要視察的人」都有在船中被盤查的經驗。

當時去滿洲的臺人，乘船不一定由臺灣出發，也可由日本前往；而由臺灣搭船到中國後，再由陸路或海路前往；而到了滿洲的臺人也不一定就一直在滿洲，直到二戰結束。有些人不能適應當地的天候、風土，一有機會就往北京、上海遷移。

到底曾經有多少人去了滿洲？據戰後長春臺灣同鄉會會長郭松根的估計，戰前在滿洲的臺灣人有 3,000 人，因此如何找到相關資料、建立名單可說十分重要。旅券資料無疑是最重要的，但使用旅券資料也有盲點，如去滿洲只為了觀光、探親，或考察商業、或參加入學考試，只短暫停留，這類人並非本書研究的重點，但旅行目的寫著就職、歸任的人就是本研究的對象，但沒有足夠的資料做進一步的研究，只得放棄部分名單；其次，1934 年 4 月以後的外國旅券下付表，日本外交史料館在 2018 年才開放，幸好 2019 年 3 月中央研究院臺灣史研究所趕到東京該史料館補充相關史料。第三，如上所述，由中國、日本去滿洲國的，都不在臺灣總督府發給的外國旅券之內，亦即日本各地領事館亦可發給旅券，這部分的資料直到 2019 年 12 月才取得，幸好去滿洲國的不多。有如上的狀況，因此必須參考其他重要資料，才能建立名單，作為研究的基礎。目前主要的名單來自旅券、〈居住長春台灣省民名簿〉、大學一覽、同窗會名簿、《滿洲國政府公報》、人士鑑等，建立一千多人的名單，方能進行研究。有關個人在滿洲國的經驗，則採用口述訪談的成果，由受訪者口中還可問出無法自上述資料取得的人名，以及這些人中彼此的業緣、學緣、地緣與親緣，對研究助益頗多。

四、在滿洲地區受教育的臺灣子弟：日本統治下的臺灣呈現出所謂殖民性與現代性，以教育而言，引進新式教育、師範教育、職業教育，各級學校也陸續設置，1928 年中國在南京設立中央研究院，臺灣總督府在臺北設立臺北帝國大學，都是劃時代的事，顯現其現代性的一面。不過，在受教育機構中明顯地設小學校與公學校給日、臺學生就讀，設中學校給日本小學畢業生升學，臺人則要靠自己的財力才

能設置全臺第一家的臺中中學校。1922年號稱日臺共學,其實對能共學的臺人也有諸多限制,殖民性十足。以臺北帝大來說,1944年入學學生277人中,臺灣學生只有四成,可見一斑。為了接受中、高等教育,臺灣學生和家長有四種選擇,一是赴日留學,日本學校多、選擇性多,甚至為了確保讀好大學,不惜自小學、中學就赴日就讀;二是赴日本在朝鮮、滿洲、中國各地所設的學校就讀。到上述這兩類型的學校就讀,較無差別待遇,但學費高,大半是有錢人的子弟才可以進學。三是到學校多、名校不少的中國各省就讀,不僅學費少,而且有學習中文的機會,前往就讀者大半較具民族意識,或是較窮困人家的子弟。不過在中國就讀也有風險,在中國民眾抗日時,常遭波及,故為了自身的安全,往往用祖籍如福建、廣東,甚至其他省份作為籍貫;若與中國學生太親近甚或參加反日、抵制日貨等活動,也會被在地日本領事館偵知、逮捕,有的被送回臺灣監禁。四是到學校不少且有優待的滿洲學校,其中有的學校有固定名額給臺灣學生,又有的可申請助學金,迨畢業就職後攤還;若有對「中國」(指汪政權)學生學費減免、入學名額優待,那就更吸引臺灣人冒籍前往就讀。在旅券中往往可以看到要到滿洲國者,申請的理由用的是「試驗ノタメ」(為了考試)或「留學」。

　　滿洲在張學良統治時期已設大學,九一八事變後大半閉鎖,而日本在關東州的旅大已設有知名的滿洲醫科大學、奉天工業大學、旅順工科大學。1933年滿洲國陸續設有公、私立大學,往後甚至將工業、法政學校、醫學校都升格為大學,比較有名的有18所。日治時期臺灣人最嚮往的三種職稱分別是醫師、律師、教師,其實應該再加上技師,而培養這些師的學校,除了教師、技師相對較多外,培養醫師的只有醫專、臺北帝大,法律系則未設置,因此滿洲、新京、哈爾濱醫科大學、開拓醫院,令臺灣學生趨之若鶩;新京法政大學也是選項之一。至於工科大學則是僅次於醫科大學的熱門學校,如哈爾濱、新京、奉天工業大學都有人就讀。先以醫科大學來說,臺灣學生畢業自南滿醫學堂(滿洲醫科大前身)的有六位,畢業自醫學部的有38位,還有攻讀該醫大博士學位的有四人。至於專門部則有41人,若加上戰後畢業的學生,大概有100位。如果由學籍簿及大學一覽等資料所見,畢業生所登記的籍貫臺灣的並不多,有幾個原因,一是不用臺籍而用祖籍;二是專門部在1925年成立,到1931年因故中止,之後因滿洲流行病發生,當局為了應付不足的醫生人數,到1933年再開。就讀者只要是滿洲籍、中國籍者學費全免,臺灣人的冒籍就是為了免學費,到1935年10月,學費只免一半;而學校當局也發現臺灣學生的取巧,乃給以開除學籍的處罰,到1938年4月取消學費優待,臺灣學生已無冒籍的必要。這在1939年的臺灣學生五人,籍貫填寫「臺灣」,可以看出端倪。除了醫學部外還有藥學部,共有11個畢業生,其中有一名女藥劑師林青娥(原姓謝)。滿洲醫大除了醫學部、專門部外,還有研究科和專修科,申請進入的12人,

分別進入病理、藥理、法醫、解剖學。新京醫科大學1932年設立,七個臺灣學生畢業於1944年12月,其餘尚有八名未畢業,有的回臺在臺大醫學院完成學業。哈爾濱醫科大畢業的臺灣學生有四人。滿洲開拓醫學院,1940年開設,畢業的臺灣學生有七人,此外畢業於陸軍軍醫學校三人、旅順醫學專門學校的有二人;哈爾濱軍醫學校一人、新京順天醫院一人,總共滿洲為臺灣培養了至少120個醫師。

至於工業大學的畢業生,新京工業大畢業生有十人,部分是臺北工業學校畢業生,也有考上而未就讀的三人,未畢業即回臺者一人。旅順工科大學的畢業生有五人。至於就讀自奉天工業大學前身的奉天工礦技術院者,畢業者有四人,其餘在《滿洲國政府公報》看見有六個被推薦入學,一個考試入學。臺灣人在滿洲相關工業大學畢業的有18人。至於畢業於新京法政大學的有四人。商業學校,畢業於大連商業學校的有二人。

全滿洲最高學府的建國大學,創於1938年,雖然招生條件、學術地位,都是全滿洲第一,但是卻是採用軍訓管理的一所具有濃厚政治色彩的學校,每年招收150人,是唯一一所給臺灣人2%錄取名額的學校,臺灣人前後共有27人被錄取,但直到1945年只有三個人畢業。原因是這學校前期三年、後期三年,共六年,因此畢業生少。戰後日本和中華民國都不承認其學位,有的回臺後再考大學,有的進入中學校教書或投入商界。由於建大畢、肄業生,受到嚴格的訓練,凝聚力強,戰後不免成為被注目的對象,因而有些人成為二二八、白色恐怖下的犧牲者。

滿洲為臺灣培養100多名醫師以及工業、法政方面的人才,臺灣人如何回饋滿洲?

五、在滿洲的臺灣人醫師:在滿洲,不論服公職或在私人機關服務或自行經商,其人數都不如當醫師的多,這是在滿洲臺灣人職業的特色之一。過去研究臺灣人醫師的不少,但較少聚焦於在海外開業的醫師。在滿洲國的臺灣醫師前後不下於200多人,以目前所建立的名單一千多人計之,約有二成的人是醫師。臺灣人醫生到滿洲的原因是,廣大的滿洲缺少西醫,其次是臺灣總督府解決了臺灣總督府醫學校畢業醫師在滿洲行醫的資格問題,第三是一個家如果有一個以上的醫師,第一個回到故鄉開業,但第二個的開業地就非在故鄉之外不可,滿洲成為一個重要選項。1936年11月滿洲國公布「醫師法」,翌年開始實行,在醫學校畢業者、考試及格者、在外國醫學校畢業或認可為醫師者,經申請被認許則予以登錄。臺灣醫師大半依第一、第三款登錄,考試及格者目前所知僅有李天受,高雄州人;張依仁,花蓮港廳人;熊澤東,臺中州人等。

在滿洲國開業的醫師以畢業於滿洲醫科大的為多,但畢業於臺北醫學校、醫學專門學校、帝大醫學部以及在日本、朝鮮取得學位的也不少。最早到滿洲的醫師是1908年應關東州等地日本官衙團體的招聘到營口同仁醫院任職一年九個月的謝唐

山，其次則是謝秋涫、謝秋濤兩兄弟，前者走開業醫路線，曾在大連醫院任職，而後在齊齊哈爾、新京開業直到戰後。謝秋濤則走研究和醫學行政路線。1914年臺東人孟天成受滿鐵大連醫院之邀而到滿洲。1917年開始在大連小岡子開博愛醫院，以醫術精良、收費低廉、和藹可親知名，往後在寺兒溝設新院，又在奧町、甘井子設分所。其醫院各科皆有，宛如當今的綜合醫院。院內醫師大半是臺人，如徐銀格、陳英、林龍生、葉英生、葉蔡治等，據稱在醫院鼎盛期，每日門診量達二、三千人，其規模在大連地區僅次於滿鐵醫院。他也致力培養產婆，在醫院設產科女學堂，在每次關東州助產士考試中均名列前茅，獲得當地政府肯定，往後畢業自該校者即取得助產專業的資格，前後培養數百名助產士。臺南新化人梁宰在1914年到滿洲，先到滿鐵醫院磨練醫術，再到撫順開設天生醫院，以服務撫順炭礦中的華工為主，其親切、醫術頗有口碑。天生醫院也是一所綜合醫院，院中臺灣醫師最多，大半是梁家子弟、親戚，連護士也來自故鄉，由姪女梁金蓮、姪女婿楊澄海在鞍山設天生醫院。彰化人陳章哲在臺灣總督府醫學校畢業後，於1909年即到滿洲，1917年在宏濟善堂醫院服務，以醫術精良稱譽大連一帶。而後開仁濟醫院，1930年因身體因素讓出醫院。由於開業成功，累積將近一億元的資產。戰後失去一切，回臺後重做馮婦，享年90餘歲。臺南人簡仁南的仁和醫院，也是大連的著名醫院，本院在監部通，分院設在大山通，院中亦多用親戚擔任醫師、護士。上述這些醫師開業成功，透過報紙報導和鄉親流傳，滿洲成為臺灣醫生大顯身手的「王道樂土」。

臺灣醫師出名的還包括溥儀的私人醫師黃子正，而其堂弟黃樹奎一度為滿洲國外交部的特約醫師，前者因陪溥儀坐牢、死於鐵嶺，因此更富神祕色彩。且說黃子正和堂弟原在上海執業，1931年上海事件醫院毀於炮火，乃到長春開大同醫院。滿洲國建立後，該院成為外交部的特約醫院，黃本身則在謝介石介紹下成為宮內府的特約醫師，與溥儀來往密切。1945年8月9日蘇軍進攻滿洲國，溥儀選了9人一起往南逃，準備前往日本，黃子正赫然在列。19日在瀋陽機場時，被蘇軍逮捕，此後陪溥儀坐牢12年，1957年在撫順獲釋，由於舉目無親，乃在刑務所設的鐵嶺醫院行醫兼治病，直至終老。

後期在滿洲的醫師以在大連開業的最多，如傅元煊（大同醫院）、劉萬（仁生醫院）、王祖堦（同德醫院）等，加上博愛醫院、仁和醫院、民生醫院（楊燧人設立）、普愛醫院（陳英設立），大概至少有12家醫院。在奉天及其附近的有吳大杉、張登財（中山醫院、康德醫院）、廖泉生（仁愛醫院）；在開原開業的黃順記兄弟（博愛醫院）；在旅順開業的洪頂霖、林棋煌；在錦州開業的王大樹（錦生醫院）、李德彰（錦西醫院）；在本溪湖開業的吳振茂（健民醫院）、詹德明（天生醫院）；在瓦房店開業的盧昆山（慈愛醫院）。在四平開業的有牙醫王桂霖、楊毓奇（信愛醫院）。至於在新京開業的有袁錦昌及其叔父袁樹泉的錦昌醫院；謝秋涫在新京有4所百川醫院，供兒子，女兒和

女婿執業；張嵩山、張泰山兩人的真人醫院；林元晁也在新京開業。林清南在營口，黃東尚（牙醫）在哈爾濱，楊藏德在吉林，楊澄海、張宗田在鞍山，楊金涵在鐵嶺開業。除了開業醫以外，岡山人石林玉燦自1936年到滿洲後，先在哈爾濱鐵路醫院阿什河、阿城診療所服務，1938年任哈爾濱醫院位於吉林的德惠診療所。

以教學、研究、醫療行政為主要工作而未開業者也有，如前述的謝秋濤。郭松根有日、法兩個醫學博士學位，1939年起任新京醫科大學教授，戰後任國立長春大學（原新京醫科大學）醫學院院長兼附設醫院院長及長春市立第一醫院院長。彭春水畢業於滿洲醫科大後，入哈爾濱軍醫學校任教官，再升為教授兼耳鼻喉科教室主任副手兼醫員。後被派赴日本陸軍醫大耳鼻科留學兩年，回軍醫學校後擔任教官，亦曾任哈爾濱醫科大學教授。王洛（王世恭），在滿洲醫科大學以優秀的成績畢業後，在該校法醫學教室任副手，前後八年，後任奉天警察廳衛生科保健股長。1941年到日本國立公共衛生院研究一年，回新京後任厚生部技正，一生發表最多論文，角度多樣。吳昌禮1934年在滿洲醫大畢業後任職興安西省公署保健科，到1940年擔任省技佐升任省理事官，1942年被派到東京厚生科學研究所研究兩年，1944年升技正，1945年1月任厚生研究所副研究官。楊金涵1934年滿洲醫科大學畢業後，入奉天看守所醫務科，1935年任司法部保健技佐，1939年任奉天省衛生廳技佐，翌年任滿鐵衛生課長，11月辭官。以上六人中，謝秋濤（第四屆）、王洛（第六屆）得「科學盛京賞」以表彰兩人從事衛生行政的貢獻。

在到滿洲國臺灣醫師身上，最容易看出不少可稱為醫師世家的家族，如豐原謝家，新化梁家、楊家，臺北洪家，雲林張家，彰化黃家，在所開的大醫院中任用的醫師大半是臺籍，甚至護士，也都來自臺灣，可為一大特色。

臺灣人醫師（200餘人）在滿洲習得的醫療經驗，戰後回到臺灣貢獻給臺灣的醫學界，甚至有人往後到日本的無醫村，照顧偏遠小島居民的醫療。

六、滿洲官僚體系下的臺籍官員：滿洲國建於1932年3月1日，10日正式向列國宣布獨立，溥儀就執政位，設執政府、國務院，下設民政、外交、財政、軍政、實業、交通、司法、文教部和興安總局。1934年溥儀由執政改為皇帝，是為滿洲帝國，中央官制屢有變革，國務院下設九部、四局及總務廳，1937年為了行政「簡素強力化」改為六部三局，另有大同學院、建國大學、大陸科學院、地政總局、官需局、建築局等，1940年設六部七局，外加總務廳、大同學院、建國大學、大陸科學院。至於地方官制，經1934、1937、1939年不斷改革後，由10省、16省、18省最後改為19省。省設省長，下設次長、廳長、參事官、理事官、技正、秘書官、事務官、警正、視學官、屬官、警佐、技士、警尉等職員，省下設市、縣、旗。除省外，尚設有特別市，以新京、哈爾濱（後解除）為特別市。

臺灣人之所以能在滿洲國擔任官員，主要是因滿洲國初建，需要中下階層的官

員，其次是滿洲建國時，日方曾堅持日、滿的官僚比例為一比三，後在財政部總長熙洽等人反對下改為一比四，即日系官員以占二成為原則。為了維持以滿洲官員為主的假象，大凡國務廳長，各部總長，都由滿洲官員擔任，日本官員只有國務院總務廳廳長、各處處長、各部總務司長、各省總務廳下，作為各部總長、各省長的輔佐，但實際上主導權掌握在日本官員手中。因此，政府的政策並非由國務院總理決定，而是總務廳廳長主持每週星期二召開的「火曜會」中決定，一旦案件通過，即使國務院、參議府，甚至溥儀都無法更改。

日本人並沒有謹守二成的承諾，在總務廳、國都建設局日系官員占七成，財政部、實業部占六成，民政部占三成，至於地方公署則占二成，到省、縣、旗則大半是滿系官員。由於國家新設，合格的行政官員不足，乃在1932年7月設立大同學院，招考高等專門學校以上畢業者中，經考試及格，入大同學院接受訓練後，直接採用，是為第一部，專門訓練日系（日本、朝鮮、臺灣人），使成「中間指導者的養成機關」。第二部設立於1935年，招收不通日語、中學畢業的滿系子弟，僅辦七期，在1941年結束，是所謂舊二部。第二部、第三部的設立，都已在1938年文官令發布後。文官令旨在設立高等文官考試，以採用考試、適格考試的方式來增加官員人數。由於需用日文作答，因此考取者有七成是日系。《滿洲國史 各論》一書中，一再強調日人迄滿洲國崩潰前仍嚴守日系官員二成的規範並非事實，而且決策權全在日系官員手中。

臺灣人在滿洲任官，既占日系也有滿系的缺，日系缺主要因具日本籍，滿系缺則因臺人變更為中國籍，或入滿洲國的民籍。如謝介石能任外交部總長，主要因其改籍；又如王洛醫師則改籍為奉天省瀋陽縣。有此了解，對於大同學院第二部也有臺籍人士出現，就不會覺得唐突。臺灣人考上大同學院，或建國大學畢業者，都必須在大同學院受訓，共有25人，而第二部畢業的有4人，都進入滿洲國的官僚體系。

臺灣人在滿洲任公職的約140人，以在國務院任職的為多，在各省的較少，省方面則以在奉天省、錦州省、吉林省的為多，此外在滿洲軍任職的有17人。在國務院任職的，以在經濟部、外交部的為多，而在大陸科學院、各大學做研究或任教者也有。依1934年滿洲國帝制後的規定，特任，簡任一、二等，薦任一至八等為高等官，臺灣人共有57名，包括行政官27名、技術官19名、司法官4名、教官7名。特任官有謝介石（卸任時為滿洲國駐日本大使），簡任二等有兩位，一是謝秋濤（奉天醫科大學附屬醫院長），一是蔡法平（尚書府秘書官），至於薦一的有楊蘭洲（滿洲國駐泰國公使館一等書記官）、郭松根（新京醫科大學教授），薦二到薦八的有45人。另有待升高等官的高等官試補6人。如果以在滿洲的臺人官員和在汪政權內的臺人官員相比，不論就在臺人中的比例和素質，都要來得高，滿洲也是臺灣人海外經驗中較特殊的地區。過去研究日本時代通過高考的臺灣人，都只注意在日本舉行的，而未注意在滿

洲國高等考試及格者。

　　七、非官員在滿洲就業的臺灣人：去滿洲如果未在官僚系統，可以選擇的職業就是滿洲的國營會社或在特殊會社以及準特殊會社任職，此外也可經商或從事生產活動或教書。所謂國營會社指的是該會社最大的股東是政府，以遂行政府的相關政策為主，在滿洲國有兩個，一是 1906 年創立的南滿洲鐵道株式會社，日本大藏省持股最多，二是 1937 年創立的的滿洲重工業開發會社，由滿洲國政府和日本產業株式會社各持股一半。前者經營鐵路、礦業、水運、電氣、倉庫業等，後者則經營製鐵、輕金屬、自動車、金屬、煤礦、特殊金屬工業、機械工業，到 1943 年有總公司（設在新京）及子公司 38 家。至於特殊會社、準特殊會社，則是滿洲國經濟統治下產物，為配合滿洲產業開發五年計畫而陸續成立，以一行業一會社為原則，如滿洲國中央銀行為特殊會社，而滿洲航空株式會社則為準特殊會社。

　　臺灣人要進入如上會社，都經考試錄取才能進入。在滿鐵的首推周連之助，1929 年進入的鄭瑞麟，在大連本社任職，第三位是楊基振，在早稻田大學就讀時即通過滿鐵考試，畢業後在 1934 年進入滿鐵，1938 年華北交通株式會社成立後，轉任天津鐵路局，而後任大石橋車站副站長，1945 年 3 月離職。此外柯子彰、張星賢、林酒信也陸續加入滿鐵。在滿洲中央銀行任職的首推吳金川，之所以能進入特殊會社，主要經日本老師推薦所致，他的工作先是研究採用銀管理本位政策的主張，其次是 1934-1936 年間被派至上海任駐在員，最後任職該行營業部、調查部。在中央銀行任職的還有許建裕（調查科）、王萬賢（國庫科）、高湯盤、侯震東、涂榮慧、劉啟盛、蔡金泉、謝義、蕭秀淮（佳木斯分行）。滿洲興業銀行於 1936 年底設立，以統合日本方面在滿洲國的銀行為主，也是特殊會社，高湯盤曾任通化銀行經理，在中央銀行時任吉林銀行行長，再任興農金庫支店長。江呈麟則任銀行職員。

　　電信電話株式會社設立於 1933 年，在此工作的有任秘書的彭華英，以及畢業於臺南高等工業學校的陳永祥、林有丁、徐應勳、林含鈴，畢業於廣島高等工業學校的陳嘉濱，獲得當時較先進裝置長途電話的技術。1934 年成立的滿洲電業株式會社，主要目的在用國家的力量發展滿洲國的電業，進入的人和電電一樣，以臺南高等工業的畢業生為多，開路先鋒是第一屆的傅慶騰，他設計過阜新火力發電所、渾河火力發電所，最後在阜新火力發電所任職；緊接著的是黃榮泰、宋賢清、王立財、周漢揚；臺北工業學校畢業的有林有伍，任職於鏡泊湖水力發電所。亦成立於 1934 年的滿洲炭礦株式會社，有三人，沈技英在營子城炭礦，陳老尾、翁通楹在鶴岡煤礦任職員。新京纖維公社任職的臺人有七個，其中值得注意的是女性職員孫雪，畢業於臺南高等工業學校。

　　滿洲映畫協會是臺灣人就業的另一不同性質的工作，有導演張天賜，臺北人，1937 年到任，先被派到日本東寶映畫會社當助導演，學導演技術，1941 年開始當

導演也寫劇本,「雪夜」、「夜未明」為其所執導。除了導演外,在滿映的臺灣人有的在片場,有的送片,大半經由日本人介紹,以任技術員和職員為多。

除了就職於會社外,也有在專門收容清代皇族子弟進行特別教育的私立維城中學(在奉天)擔任教師的何金生。在新聞界服務的有王甲寅,1930 年以前已到滿洲擔任《滿洲報》的記者,1933 年因公殉職。另有在《滿洲日報》任職的陳一鶚、劉椿煇。

在滿洲經商的臺灣人亦有,主要是賣茶。當臺灣茶因世界經濟不景氣以及南洋茶市場的衰退,臺灣茶葉公會會長陳清波乃於 1931 年進入滿洲,調查各大城市的茶市場,認定滿洲會是個好的茶市場,雖進口關稅過高,但經臺灣總督府向滿洲國交涉乃降低關稅,有利於臺灣茶在滿洲的銷售。以 1932 與 1938 年茶外銷滿洲的數量相比,約增加 200 倍,臺茶在滿洲市場的所得,足以彌補在南洋市場的損失。王添灯的文山茶行設有大連支店,南興茶行、松柏茶行等約五、六家都在大連設了分店。除了茶也賣水果、大甲帽蓆、筍乾,並將大豆和漢藥賣回臺灣。經營工廠的也有,如高雄楠梓人李清漂在奉天開日新工廠,專做車床,有員工一、兩百人,其中有少數的工人是臺灣人。豐原人謝秋汀則開被服廠,在蘇軍進入瀋陽後又開燈泡廠、啤酒廠。彰化和美人黃海南則在新京開雜貨店。

在滿洲帝國協和會也有臺灣人的足跡。協和會是滿洲未建國前的協和運動而來,成立自治指導部和民間協和會,是和滿洲建國同時成立唯一永久、舉國一致的實踐組織體,1932 年 7 月 25 日成立。該會組織網遍及全滿洲,各地設有分會,會員很多。謝介石卸任駐日大使後,就任協和會中央事務局長,鳳山人林金殿任四平市協和會事務長,復轉職於哈爾濱協和會。建大畢業生李水清任熱河省圍場縣協和會下的青年訓練所所長兼青年組組長,其同學黃山水則在承德縣上板城青年訓練所任職。

以上為臺灣人在滿洲擔任公職、各種會社社員、協和會職員及經商、任記者等情形。看來有相當的發展,但 1945 年 8 月 15 日日本戰敗投降、8 月 18 日滿洲國滅亡後,上述一切歸零。回到臺灣後,所有在滿洲國的資歷均不算,要在臺灣生存得從頭來過。

八、臺灣人在滿洲的戰爭・回鄉經驗:有異於日治時期在海外臺灣人回歸時,未受到戰後新戰爭所帶來的回鄉阻礙,在滿洲的臺灣人面對的則是蘇聯在 8 月 9 日的侵攻滿洲,以及國共在東北的內戰,因此對他們而言,戰後面對的情勢是險惡的。先是日本為怕雙面作戰與蘇聯簽定中立條約,但仍以蘇聯做最後的假想敵,因此關東軍在 1941 年 7 月舉行「關特演」,一舉將關東軍的數目增加到 70 萬,共有 14 個師團、71 個飛行中隊(1942 年關東軍司令部升級為總司令部,下面配屬 3 方面軍,一時被稱為大關東軍)。12 月 8 日珍珠港事件發生,美國加入同盟國,日軍一意揮師南洋以

取得戰略物資，為了加強戰力，自1942年起關東軍不斷被調離滿洲，對蘇聯之戰不得不轉攻為守。1944年7月美國直接空襲滿洲，滿洲也漸漸成為戰場。1945年4月5日蘇聯外相已通知日本不延長中立條約，5月8日德國投降，蘇聯為了洗刷日俄之戰敗於日本之恥，又怕日本對盟軍投降喪失對日本動武的藉口，因此積極備戰，向滿蘇邊界增兵，因此在美軍於廣島投下第一顆原子彈後，蘇聯就決定8月8日對日宣戰、8月9日四路向滿洲進攻。反觀日本方面雖在5月30日決定一旦蘇軍入侵，即逃往南方只堅守新京、圖們、大連這個三角地帶，故積極加強防禦工事，後以防新京、四平、奉天擴大防守圈，再加上誤判蘇軍機械化部隊的速度，因此在蘇軍侵攻下，關東軍幾無抵抗一路南撤，溥儀代表的中央政府也奉關東軍之命遷往大栗子。8月9日長崎遭美軍投下原子彈，8月15日日本無條件投降，16日關東軍下令停戰、繳械，18日溥儀宣布退位，19日關東軍向蘇軍投降，8月22日蘇軍全面占領東北。國民政府在8月14日和蘇聯簽訂「中蘇友好同盟條約」，8月31日設東北行營於長春，分設政治、經濟兩委員會準備接收。不料蘇軍不只不撤兵，並暗助中共，因此為了接收國共展開內戰，1946年國共四平之戰，雖國民黨軍獲勝，但1947年夏季共軍加強攻勢，林彪軍成為主力，1948年9月東北野戰軍司令官林彪發動遼瀋之役，11月全面取得東北。

　　在此一動盪的時期，被迫急於返鄉的臺人卻苦於路途遙遠，又沒有交通工具，多待一天經濟情況差似一天，這對一向受日本保護的臺人而言，既要躲避蘇聯軍的暴行，復要在國共戰爭的間隙找到返鄉之路，實為艱難。因應之道，先是搬離日本住宅區，以免遭東北人報復，接著是向都市集中、鄉親盡可能住在一起互相照應，再來是組織臺灣同鄉會向行政長官公署陳情，請派輪船載回；這期間的生活由領得退休金的同鄉先拿出錢支應，再設法做小生意謀取小利，在臺灣方面無法協助下，乃在長春、瀋陽分別向聯合國善後救濟總署、行政院善後救濟總署求援。在得到回鄉車資、糧食的補助後，臺人乃分批由陸、海二路到達天津、上海，在1946年下半年迄1947年6月間大半平安返鄉。最後返鄉者大半在東北有大事業捨不得放棄，或是和東北人結婚而想留在東北，有的甚至先在北京待機等待國軍奪回東北。如果未在1948年11月離開東北的，歸鄉就要等到中國改革開放、臺灣解除戒嚴後，真的是迢迢歸鄉路。在到滿洲後，好不容易在滿洲立足，卻因戰敗，不得不歸鄉，臺灣人在這過程中，失掉了所有的不動產，維持生活困難，復親見日本人、朝鮮人被報復之慘，面對蘇軍搶劫、強暴的威脅，又或被蘇軍命令協助拆遷水電廠的設備、重工業機械，以便運回蘇聯，或者被當成日本人捉往西伯利亞，這種種的心酸並非歸鄉即可緩解，他們在臺灣必須做另一種適應。

　　九、「滿洲經驗」者回到臺灣重新出發：回到臺灣面對生活，第一代忙著找職業，第二代忙著適應和滿洲截然不同的風土，以及不同的教育語言與制度。由於東

北遠,回臺時間比一些前往華北、華中、華南、日本,甚至東南亞的臺人來得晚,因此求職困難。幸好大半到滿洲國的臺人素質不差,幾經努力,重新站穩了在臺灣的舞台。但是到滿洲國這一傀儡國家的印記不容易消除,在二二八事件後政府發布,即便考上高考,但是曾在收復地區偽組織或其所屬機關擔任職務者、經依懲治漢奸條例判有罪者、或未經該條例判罪但確有擔任偽職者,即使考上也要被撤銷及格資格,除非取得中央主管機關或地方最高級行政機關證明有協助國府抗日事實,咨送考試院,才得免除此項限制;又,所有在滿洲國政府機關任職者,年資一律不算。

雖然政府明文規定,但因執行不力,並非每個人在求職路上都不順。進入教育界的,尤其是大學,因當時人才不足,故有任職的機會,如任職大陸科學院副研究官的何芳陔,回臺後在臺大農學院食品化學系任教授;先任職新京工鑛學院,後任北京大學地質系教授林朝棨,回臺後任臺大理學院教授;林耀堂先任大陸科學院副研究官,後任職北京師範大學,回臺後進入臺大化學系當系主任;翁通楹在大陸科學院任職,回臺後到臺大機械系任講師;郭松根回臺後任臺大醫學院教授兼教務主任;在新京法政大學任教授的黃演淮,回臺後任臺中家職校長;在新京工業大學任教的黃春木,回臺後先在臺中師範教書,後到臺大機械系任教。有些人進入中學教書,如建大肄業生的最愛是延平中學、泰北中學,是「想留著吃飯維生的學校」,也有在開南商工、長榮中學教書者。至於進入公務機關工作者,以臺北市政府的「東北幫」較出名。這和吳三連 1950 年後擔任臺北市長有關。先是戰後吳任天津臺灣同鄉會會長,協助自東北回臺、路過天津的同鄉,因而彼此認識,至是提拔有滿洲經驗者進入臺北市政府。自東北回來者,既有公務經驗,又懂中、日文,因此楊蘭洲等共 14 人先後進入。在各地衛生所任職的醫師初步估計有 35 人;其他進入公務系統的有蔡西坤等 15 人;在銀行業者有 12 人,其中吳金川進入彰化銀行,在董事長任內退休;陳寶川在第一商業銀行董事長任內退休。當各級民意代表和縣市首長的也有,何金生曾任省議員和第四屆臺中縣縣長;張芳燮曾任首屆臨時省議會議員,桃園縣第三屆縣長;陳錫卿先因縣長考試及格被派任為彰化市長,並當 12 年彰化縣長;電信工程人員至少有 21 人在臺電或電信局服務。

當上述滿洲經驗者在戰後很快找到合適的工作,繼續發揮其能力,並組織「東北會」做進一步的聯誼,但也有人生失敗組,在政治事件中受難。如二二八事件期間,尚滯留東北、北京的臺人即發表談話,支援臺人,並和在北平、上海的臺人連手。事件中陳亭卿在臺灣廣播電台工作,受託廣播請自海南島回來、東北回來者集合開會,事後被捕,關了半年。顏再策是小學老師,事件中帶領雄中學弟進攻高雄火車站,想要趕走在該地、妨礙交通的憲兵,不幸中彈,救回時已亡故。林慶雲時任高雄中學教師,被政府指為「組織偽學生聯合軍」、「任偽總指揮」,而遭通緝。

廖行貴在事件中擔任高雄工業學校校長，因雄工學生在事件中從事支援、排解糾紛的工作，廖被指為該校「學生聯絡團長」而被捕，喪失校長的職務。原關東軍少尉、鄒族人湯守仁，在漢人的邀請下帶族人下山，攻陷紅毛埤，取得不少武器，又包圍水上機場，但因見嘉義士紳欲談和，乃率族人回山，雖當時政府未追究，但往後死在白恐時期。花蓮張七郎在滿洲國登錄為醫師，但未前往開業，倒是其子宗仁、依仁、果仁三兄弟在東北行醫，1947年4月，除依仁外，父子三人為軍隊所殺。二二八之後是白恐時期，建大前後屆學生多人被涉入，稱為愛國青年會案，我又稱之為「滿洲建大案」，李水清、林慶雲等被判刑。涂南山就讀臺大經濟系，參加讀書會被判刑十年，另一個是被密告案，前後三個案子被牽連到建大校友共12人。黃溫恭則因當局認為他加入共產黨，也介紹人入黨，雖經自首，卻未吐實情，原判15年，蔣介石批示「死刑」，留下四封給妻兒的遺書，賺人熱淚。謝秋臨因學國語，被視為加入共黨而被判無期徒刑，坐牢33年出獄。鍾謙順主張臺獨，坐牢三次共27年；林恩魁在臺大時加入共黨，但因畢業後已不參加活動，遂被判7年。

上述臺灣政治肅殺的空氣，再加上1970年代後，中華民國被迫退出聯合國，各國紛紛與臺灣斷交，臺灣情勢岌岌可危，不少家族移民海外，有滿洲國經驗者又有再離散的現象，如投奔原來的殖民母國，或新王道樂土美、加，往往第二代大學畢業後出國留學，取得居留權後，將父母兄弟移民海外，做人生中的第二次離散。以滿洲醫科大學畢業、在臺的126個名單來看，除三個籍貫不詳外，外省人50個，臺灣人73人，外省人有14個人移民，到美國的12人、加拿大1人、香港1人；臺灣人有13個人移民，在日本執業的有8人，2人移民加拿大，在日本退休後在美國終老的有4人。這個例子並未包含迄今移民的正確數字，但再度離散的情況已相當明顯。

討論了回到臺灣者的遭遇，似乎也可看看留在中國大陸者，他們在共產體制下，沒有私有財產，而且很難躲過歷次的政治鬥爭，尤其在文革期間的受苦，目前在東北者尚噤不敢言，所能理解的也是由這些人在臺的親戚所報導，之外資料不多，令人遺憾。

十、滿洲經驗的研究與特色：本書旨在以1932-1948年在滿洲的臺灣人為研究主軸，兼及1895-1931年以及1945年以後。用輔助型離散這一概念來觀察這一短暫的離散現象，除分析其到滿洲國的原因外，也大量蒐集資料、建立名單，介紹其到滿洲所就讀的學校，指出滿洲人的大學為臺灣培養了120多名有用的人才；而臺灣去的200多名醫師，為滿洲的醫療衛生盡力；臺灣人在滿洲國貢獻一己的力量，也習得了滿洲經驗，戰後回臺有助於戰後臺灣的復元。戰前臺灣人投奔滿洲，戰後東北人（如立法委員梁肅戎、齊世英）為避共禍投奔臺灣，兩者間關係的密切，以往的研究，只注重其在海外的活動和遭遇的困難，雖也探討返鄉，但較少全面探討返鄉

後的適應。

如果就日治時期臺灣人在海外的活動,不論在華南、華中、華北、南洋,就人數而言在滿洲的不算最多,就前往的時間來者,要到 1930 年代以後往才有較多人前往,但就素質來說在滿洲的臺灣人可能較高,如在當地並未有如華南的「黑幫」臺人出現,刑事案件少,和當地民眾相處和睦,官公吏比例高,加上醫師、技師等專業人士也多,並開有出名的大醫院,結集臺灣人醫師、護士成為當地著名的醫院,而為當地人所熟知,如大連人即留下戰前該地臺灣人醫師多、醫院大,但戰後大半回臺灣的記憶,滿洲人甚至將臺灣說成是「醫生島」其來有自。戰後臺灣人因漢奸、戰犯被捕送審的只有謝介石、吳左金兩位,謝介石家屬認為他不是因「漢奸」之故;駐汪政權濟南總領事的吳左金,在獄中一年以無罪釋放。這些有滿洲經驗的臺灣人,以當到滿洲國外交部總長、第一任駐日大使的謝介石為最高,外交部歐美科的科長林景仁,出身板橋林家,翻譯了第一本法文有關滿洲國的著作《極東舞臺滿洲國》,其他廁身外交的還有吳左金,參加過滿、蒙邊界諾門坎事件的國境確定談判,擔任文書工作;楊蘭洲擔任駐泰國公使館一等書記官,任內也服務旅居泰國的臺灣人。可能是第一位臺灣人法醫的王洛、在衛生行政上表現出色,因而得到科學盛京(時報)賞;拿到日本、法國雙料博士的郭松根到新京醫科大學任教,並代表滿洲醫界到日本開會,戰後被推選為長春臺灣同鄉會會長帶領臺灣人由長春分批安抵臺灣。不到 30 歲就被任命為滿洲里病院院長的李晏,往後被中國政府任命為駐國際聯盟的衛生代表,並被國聯派在歐洲各國視察衛生環境,是另一個日、法雙料醫學博士;在大連開設僅次於滿鐵大連醫院規模的孟天成博愛醫院、梁宰開於撫順的天生醫院、簡仁南在大連的仁和醫院、謝秋涫在新京的百川醫院、袁錦昌在新京的錦昌醫院、王大樹在錦州的錦生醫院,都是當時知名的醫院。在早稻田大學期間即考上滿鐵,當過大石橋站副站長的楊基振,可能是當時鐵道界職位最高的臺灣人;擔任滿洲國「法典制定委員會及民事法典起草委員會」委員,主修滿洲國法典,負責民事法典編纂工作的林鳳麟。通過滿洲國高等文官考試技術官的謝久子醫師,出生於新京,是謝秋涫的女兒,她是臺灣人中最早(1942)考上高考的女性。曾發明「漢字電報速譯機」得到日本、滿洲國兩國特許的郭輝。上述這些人的事蹟在學界很少被提及,在本研究得以被彰顯。

臺灣人在滿洲其正面的意義固然應予重視,但他們在滿洲生活的困境,要適應和臺灣截然不同的風土,離家鄉遠,備援系統欠缺,回臺一次不易,必須忍耐思親、思鄉之苦,也應予以理解;尤其在日本投降後,在滿洲的臺人猶如棄兒,日本已戰敗無暇顧及、國府亦無力支援,臺人必須自力救濟或向 UNRRA 求援,才能渡過艱辛的回臺路,當他們回憶起如何藏匿黃金,有的熔入雨傘把、有的放在殘障女兒身上,如何搭上船又受船老大勒索才要開船,有船已到了滬尾,因天候未能停泊,心

急下泗水而為波臣，令人慨歎再三，這些辛苦，若非經由口述，外人無由了解。還好，他們在滿洲並未假借日本人之力，魚肉當地民眾，因此在返鄉的路上不僅未受當地人的報復，反而得其幫助，受訪者特別感念他們的愛心，並指出無由回報是為最大的遺憾。他們的特別經驗是戰後還經歷蘇聯的侵攻和國共內戰，使1946年5月四平之役未結束前，在長春的臺灣人無法南下。在回鄉的路上唯有靠同鄉的互相扶持，UNRRA和行政院善後救濟總署，北平、天津、上海臺灣同鄉會的協助才能安然返鄉。

過去研究臺灣史或對臺灣史的書寫，較少提及在海外的臺灣人，似乎未將其在海外的事蹟當成臺灣史的重要部分，如在臺灣有些學者研究日治時期臺灣人有哪些人考上高考，只在窮究其名單的正確，往後事蹟的完整性，以及當時在臺灣政壇的角色，往往忽略在滿洲有一批臺灣人，為了能在滿洲生存，努力考進大同學院、考過高等文官考試，而得以進入滿洲國的官僚體系，甚至洊升至高等官。57個高等官儼然存在，以及往後在臺的表現，就可知道他們的存在不容忽視。

本書利用大量的口述歷史參以檔案資料，盡量描繪曾在滿洲的臺人事蹟，由離散回歸再離散來看大時代的背景下，個人如何因應由二戰前到二戰後，不只描寫其靜態的工作，而在於其如何去到滿洲又回到臺灣，部分人又做第二次離散，而這群有滿洲經驗者，經由學緣、地緣、血緣而互相認識，回到臺灣的挑戰，再度離散的經過。留在東北的臺灣人又如何挺過政治的播弄，再度與臺灣恢復聯繫。上述發生在個人、家族的小故事，匯成的這本書，讓有滿洲經驗者的後代能夠透過這本書，重新了解他們的先人這一段十分特別的經歷，則為作者所期待。

本書不在研究滿洲國史，但因研究在滿洲的臺灣人，因此也涉入一些滿洲國的歷史；本書以臺灣人在日治時期的海外活動來進行有關臺灣人離散到滿洲、回歸到臺灣，甚至第二次離散的經過，以記錄前輩的身影，不在追究其政治立場，也不想陷入「偽滿洲國」不值得研究、在滿洲國任官沒有什麼好誇耀的這一命題，只在意是否能及時補完這一不久、不遠，其實是很久、很遠的歷史，看似不重要，其實是很重要的一段歷史。

寫完這本書，心中百感交集，自30年前開始，作者對有滿洲經驗的前輩訪問時，許下了寫書的承諾，如今前輩們大半已歸道山才寫完，雖然遲來，畢竟完成了，仍請前輩諒解，這是一本由我和有滿洲經驗的臺灣人以及助理們共寫的歷史，希望能描述這一段空白的歷史，留下前輩重要的事蹟，並使之豐富臺灣史的內容。

# 參考書目

## （一）檔案、史料

〈李母佐竹文子女士訃告〉（2012年2月28日）。由其長子李博信先生提供。

〈林朝崧日記〉，未刊稿，林家後人提供。

〈林嘉總、張宗田翁婿書信集〉，1938-1939年。郭双富先生提供。

〈黃繼圖先生日記〉，1967年10月26日，中央研究院臺灣史研究所檔案館藏，典藏號：T0765_04_02_18。

〈電鹿場山林場該場職員彭德明二二八事件遇難損害統計單應依通知表式填列〉，識別號：LW2_03_016_0003，中央研究院臺灣史研究所檔案館，「臺灣史檔案資源系統」，http://tais.ith.sinica.edu.tw/sinicafrsFront/index.jsp。

〈臺灣省立嘉義醫院職員錄〉（民國三十九年 春季）。稿本，1950，不著頁數。郭双富先生提供。

《聖徒盧昆山長老告別禮拜》，2000年12月30日。由盧妻李謹慎女士提供

《滿洲醫科大學檔案》，JD24,112，〈滿洲醫科大學藥專十六年四月入學生徒身上調書〉。

《滿洲醫科大學檔案》，JD24,116-1，〈滿洲醫科大學昭和十年五月至十四年五月休學及退學の文件〉。

《滿洲醫科大學檔案》，JD24,119-1，〈滿洲醫科大學研究所昭和十七年七月至十九年一月入學、退學文件〉。

《滿洲醫科大學檔案》，JD24,119-2，〈滿洲醫科大學研究所昭和十年六月至十九年一月入學、退學文件〉。

《滿洲醫科大學檔案》，JD24,128，〈滿洲醫科大學民國卅六年畢業生登記表〉。

《滿洲醫科大學檔案》，JD24,13，〈南滿醫學堂畢業生名簿〉。

《滿洲醫科大學檔案》，JD24,24，〈滿洲醫科大學昭和七年學籍簿〉。

《滿洲醫科大學檔案》，JD24,3，〈南滿醫學堂卒業生學籍簿〉。
《滿洲醫科大學檔案》，JD24,35，〈滿洲醫科大學昭和八年學籍簿〉。
《滿洲醫科大學檔案》，JD24,38(14)，〈滿洲醫科大學昭和十年學籍簿〉。
《滿洲醫科大學檔案》，JD24,38(24)，〈滿洲醫科大學昭和十年學籍簿〉。
《滿洲醫科大學檔案》，JD24,38，〈滿洲醫科大學專門部昭和十三年卒業生學籍簿〉
《滿洲醫科大學檔案》，JD24,41，〈滿洲醫科大學昭和十三年學籍簿〉。
《滿洲醫科大學檔案》，JD24,43，〈滿洲醫科大學昭和十四年學籍簿〉。
《滿洲醫科大學檔案》，JD24,45，〈滿洲醫科大學昭和十五年學籍簿〉。
《滿洲醫科大學檔案》，JD24,47，〈滿洲醫科大學昭和十六年學籍簿〉。
《滿洲醫科大學檔案》，JD24,51，〈滿洲醫科大學專門部昭和十二年學籍簿〉。
《滿洲醫科大學檔案》，JD24,52，〈滿洲醫科大學昭和十九年學籍簿〉。
《滿洲醫科大學檔案》，JD24,54，〈滿洲醫科大學專門部昭和十二年學籍簿〉。
《滿洲醫科大學檔案》，JD24,54，〈滿洲醫科大學專門部昭和十三年卒業生學籍簿〉。
《滿洲醫科大學檔案》，JD24,54，〈滿洲醫科大學專門部昭和四年至十年學籍簿〉。
《滿洲醫科大學檔案》，JD24,56，〈滿洲醫科大學專門部昭和八年三月至十年九月學籍簿〉。
《滿洲醫科大學檔案》，JD24,57，〈滿洲醫科大學專門部昭和八年三月至十年九月學籍簿〉。
《滿洲醫科大學檔案》，JD24,57，〈滿洲醫科大學專門部昭和十二年學籍簿〉。
《滿洲醫科大學檔案》，JD24,59，〈滿洲醫科大學專門部昭和十四年學籍簿〉。
《滿洲醫科大學檔案》，JD24,60，〈滿洲醫科大學專門部昭和十五年學籍簿〉。
《滿洲醫科大學檔案》，JD24,62，〈滿洲醫科大學專門部昭和十七年卒業生學籍簿〉。
《滿洲醫科大學檔案》，JD24,62，〈滿洲醫科大學專門部昭和十七年學籍簿〉。
《滿洲醫科大學檔案》，JD24,78，〈滿洲醫科大學藥學專科昭和十五年度成績原簿〉。
《滿洲醫科大學檔案》，JD24,79，〈滿洲醫科大學藥學專科昭和十六年度成績原簿〉。
《滿洲醫科大學檔案》，JD24,80，〈滿洲醫科大學藥學專科昭和十七年度成績原簿〉。
《滿洲醫科大學檔案》，JD24,83，〈滿洲醫科大學藥學專科昭和十五年至十九年試驗成績原簿〉。
《滿洲醫科大學檔案》，JD24,93，〈滿洲醫科大學藥學專科昭和十五年至二十年卒業名簿〉。
《滿洲醫科大學檔案》，JD24,93、112，〈滿洲醫科大學藥學專科昭和十六年四月入學生徒身上調書〉。
《臺灣總督府公文類纂》，T0797_01_008_0170，大正二年永久保存（進退），第一門秘書，1913年1月1日，第五二冊第三十六件，〈三等郵便局長楊松任臺中廳通譯〉。
《臺灣總督府公文類纂》，文件號：00132-14，甲種永久保存，第五門外交門，海外旅行，12卷，1897年，〈旅券發給及現在數報告〉。
《臺灣總督府公文類纂》，文件號：00132-18，甲種永久保存，第五門外交門，海外旅行，

12卷，1897年，〈海外行旅券面清國地名記載方 通達〉。

《臺灣總督府公文類纂》，文件號：00417-01，乙種永久保存，第十七門教育學術，學校，49卷，1899年。

《臺灣總督府公文類纂》，文件號：00532-04，永久保存（追加），第五門外交，旅券，8卷，1900年，〈臺灣住民海外旅券發給 內務省通牒〉。

《臺灣總督府公文類纂》，文件號：00818-09，永久保存，第一門皇室儀典，旅券，17卷，1903年，〈滿洲旅行者ニ發給スル旅券面記入事項ニ關シタル各廳長ノ通牒〉。

《臺灣總督府公文類纂》，文件號：00818-09，永久保存，第五門外交，旅券，17卷，1903年，〈海外旅券事務取扱方ノ義稟申〉。

《臺灣總督府公文類纂》，文件號：00969-01，永久保存，第五門外交，旅券，42卷，1904年，〈外國旅行券面旅行地記入ニ關スル件〉。

《臺灣總督府公文類纂》，文件號：01048-07，永久保存（追加），第五門外交，旅券，16卷，1904年，〈宜蘭廳訓令第三號發布ニ關スル照會〉。

《臺灣總督府公文類纂》，文件號：01282-11，永久保存，第四門外事，通商及海外渡航，12卷，1907年，〈內地人ノ清國及香港旅行者旅券攜帶隨意ニ關シ照會及通知ノ件（在福州領事外二十七箇所）〉。

《臺灣總督府公文類纂》，文件號：02359-04，永久保存，三門警察門，行政警察，19卷，1915年〈林季商國籍喪失ニ關スル件照復（廈門領事）〉（1915年4月1日），典藏號：00002359004。

《臺灣總督府公文類纂》，文件號：10062-65，甲種永久保存，1930年，〈三宅福馬一級俸下賜〉。

《臺灣總督府公文類纂》，文件號：10068-94，甲種永久保存，1932年，〈三宅福馬賞與〉。

《臺灣總督府公文類纂》，文件號：10227-45，甲種永久保存，1930年，〈竹本節藏（囑託；勤務）〉。

《臺灣總督府公文類纂》，文件號：5450-17，十五年保存，三卷三門十類，1912年，〈醫學校醫師資格ノ義ニ体照會〉。

《臺灣總督府公文類纂》，文件號：5450-17，十五年保存，三卷三門十類，1912年，〈醫學校醫師資格具申〉。

《臺灣總督府職員錄》，大正十四年版。

《臺灣總督府旅券下付及返納表》（T1011），1897年4-6月—1939年4-6月〈外國旅券下付表〉，中研院臺史所檔案館數位典藏。

上海市檔案館藏，社、團、會全宗彙集，〈新臺灣同志會上海特別分會〉「新臺灣同志會入會申請書」，Q130-63-6(4)。上海市檔案館藏。

上海市警察局新市街分局，〈總局訓令：為關於臺民及財產之處置應照軍委會伐東令二宮三

代電之規定辦理仰知照由〉，Q153-2-20，上海市檔案館藏。

中國第二歷史檔案館，〈居住長春台灣省民名簿〉。南京：中國第二歷史檔案館藏，1946年1月28日。

日本外務省外交史料館藏，《外務省紀錄》，4,3,2,2-2，不逞團關係雜件　臺灣人ノ部，大正14（1925）年6月8日關東廳警務局長，〈臺灣人有力者一行來往〉。

日本外務省外交史料館藏，《外務省紀錄》，A,1,5,1,3,5，〈岸總理第一次東亞アジア訪問關係一件會談錄6.中華民國〉，1957年6月3日。

日本外務省外交史料館藏，《外務省紀錄》，A,5,3,0,3，臺灣人關係雜件，〈謝春木ノ經營スル華聯通訊社ノ捏造反日記事ニ關スル件〉。

日本外務省外交史料館藏，《外務省紀錄》，A,5,3,0,3，臺灣人關係雜件，在上海總領事石射猪太郎給外務大臣廣田弘毅電報，昭和9年12月13日，東亞局機密第1427號。

日本外務省外交史料館藏，《外務省紀錄》，A,5,3,0,3，臺灣人關係雜件，自昭和2年至昭和17年，中警祕特第13310號，昭和6年11月2日，臺中州知事太田吾一轉給總督府警務處處長，〈共產主義者程守傳ノ身柄救出願出ニ關スル件〉。

日本外務省外交史料館藏，《外務省紀錄》，A,5,3,0,3，臺灣人關係雜件，自昭和2年至昭和17年，在福州總領事守屋和郎致外務大臣伯爵內田康哉，昭和8年8月12日，〈國光日報ノ記事並李爐己ノ動靜ニ關スル件〉。

日本外務省外交史料館藏，《外務省紀錄》，A,5,3,0,3，臺灣人關係雜件，自昭和2年至昭和17年，在福州總領事守屋和郎致外務大臣伯爵內田康哉，昭和8年8月12日，〈國光日報ノ記事並謝龍闊ノ動靜ニ關スル〉。

日本外務省外交史料館藏，《外務省紀錄》，A,5,3,0,3，臺灣人關係雜件，自昭和2年至昭和17年，亞細亞局第三課永井次官致臺灣總督府總務長官，昭和6年6月20日，〈臺灣籍民程守傳救護方ニ關スル件〉。

日本外務省外交史料館藏，《外務省紀錄》，A,5,3,0,3，臺灣人關係雜件，自昭和2年至昭和17年，亞細亞局機密第21號，在奉天總領事代理森島守人致外務大臣犬養毅，昭和7年1月13日，〈臺灣籍民程守傳ノ身柄救出ニ關スル件〉。

日本外務省外交史料館藏，《外務省紀錄》，A,5,3,0,3，臺灣人關係雜件，自昭和2年至昭和17年，廈第381號，廈門駐在太田直作致臺灣警務處保安課長小林長彥，昭和6年12月25日，〈莫斯科中山大學ヨリノ歸途哈爾濱ニシテ支那軍監禁セラレタル程守傳ノ動靜ニ關スル件〉。

日本外務省外交史料館藏，《外務省紀錄》，H,4,3,0,2-5，東亞同文書院關係雜件，〈卒業者及成績關係〉，羅振麟。

日本外務省外交史料館藏，《外務省紀錄》，I,4,5,2,2-2-2，〈要視察人關係雜纂　本邦人ノ部 臺灣人關係〉，昭和2（1927）年。

日本外務省外交史料館藏，《外務省紀錄》，I,4,5,2,2-2-2，〈要視察人關係雜纂 本邦人ノ部 臺灣人關係〉，頁334，1932年4月6日，特處繹秘第518號，〈臺灣人ノ動靜ニ關スル件〉。

日本外務省外交史料館藏，《外務省紀錄》，I,4,5,2,2-2-2，〈要視察人關係雜纂 本邦人ノ部 臺灣人關係〉，機密公第482號，〈要注意臺灣人ノ動靜ニ關スル件〉。

日本外務省外交史料館藏，《外務省紀錄》，L,1,3,0,2-6-1，外國元首並皇族本邦訪問關係雜件 滿洲國ノ部 溥儀皇帝御來朝ノ件，〈訪日扈從員順序名簿〉。

日本外務省外交史料館藏，《外務省紀錄》，L,1,3,0,2-6-1，東亞局外密第1144號，昭和10（1935）年5月1日，由警視總監小栗一雄提取，〈滿洲国皇帝陛下ノ御動靜並警衛問題等ニ關スル件〉，別記（二），滿洲国陛下扈從官略歷（特任及簡任官）。

日本外務省外交史料館藏，《外務省紀錄》，L,3,3,0,12-1，各國派使節本邦ヘ派遣關係雜件 滿洲國ノ部，（1）滿洲國答禮使節謝介石，1932年9月；文書課發送，外務省人事課長1932年10月12日起草。發信人內田外務大臣、收信人木宮內大臣，件名：滿洲國特使謝介石氏略歷送傳ノ件。

日本外務省外交史料館藏，《外務省紀錄》，M,2,50,3-43，在本邦各國外交官領事官及館員動靜關係雜纂 滿洲國ノ部，外秘第1535號，昭和10年9月9日，大阪府知事安井英二，〈滿洲国駐日大使館商務官大阪辦公處員ノ退職ニ關スル件〉。

日本外務省外交史料館藏，《外務省紀錄》，M,2,50,3-43，在本邦各國外交官領事官及館員動靜關係雜纂 滿洲國ノ部，外發秘第1502號，昭和12（1937）年5月29日，警視總監橫山助成，〈駐日滿洲帝國全權大使ノ動靜ニ關スル件〉。

日本外務省外交史料館藏，《外務省紀錄》，M,2,50,3-43，在本邦各國外交官領事官及館員動靜關係雜纂 滿洲國ノ部；外発秘第207B'，昭和10（1935）年6月29日，呈轉知事湯澤三千男，〈駐日滿洲國大使來往ニ關スル件〉。

日本外務省外交史料館藏，《外務省紀錄》，M,2,52,3-43，各國駐劄帝國大公使任免關係雜纂 滿洲國ノ部，秘警高秘甲第20307號，昭和10（1935）年10月3日，臺灣總督府警務局長石垣倉治，〈謝介石滿洲國大使來臺ノ件〉。

日本外務省外交史料館藏，《外務省紀錄》，檔：I,4,5,2,2-2-2，〈要視察人關係雜纂 本邦人ノ部 臺灣人關係〉，頁334，1932年4月6日，特處繹秘字第405號，〈要視察臺灣人視察ニ關スル〉。

日本外務省外交史料館藏，《外務省紀錄》，檔號：I,4,5,2,2-2-2，〈要視察人關係雜纂 本邦人ノ部 臺灣人關係〉，頁546，1935年6月24日，東亞局機密字第989號，〈要視察臺灣人陝西省旅行歸來談ニ關スル〉。

日本外務省外交史料館藏，《外務省紀錄》，檔號：I,4,5,2,2-2-2，頁170，1930年9月2日，公領機第628號，〈容疑臺灣人行動視察方ノ件〉。

日本外務省外交史料館藏《外務省紀錄》，L,3,3,0，各國特派使節本邦ヘ派遣關係雜件　滿洲國ノ部，12-1(1) 滿洲國答禮使節謝介石，人事課長三谷，〈滿洲國特使一行敘勳ニ關スル件〉，這是 10 月 20 日三谷人事課長向式部職山縣外事課長所呈遞的。

日本外務省外交史料館藏《外務省紀錄》，L,3,3,0，各國特派使節本邦ヘ派遣關係雜件　滿洲國ノ部，12-1(1) 滿洲國答禮使節謝介石，昭和 7（1932）年田中總領事代理致內田外務大臣。

日本外務省外交史料館藏《外務省紀錄》，L,3,3,0，各國特派使節本邦ヘ派遣關係雜件　滿洲國ノ部，12-1(1) 滿洲國答禮使節謝介石，昭和 7（1932）年 10 月 7 日發，田中總領事代理致內田外務大臣，第 685 號，一、「往電第六六七號謝介石ノ言上書左ノ通訂正方外交部ヲリ申越シタルニ付、右可然御取計アリ度シ」。

日本外務省外交史料館藏《外務省紀錄》，L,3,3,0，各國特派使節本邦ヘ派遣關係雜件　滿洲國ノ部，12-1(1) 滿洲國答禮使節謝介石，昭和 7（1932）年 10 月 22 日，宮內大臣一木喜德郎呈外務大臣伯爵內田康哉，〈物品下賜ニ關スル件〉。

何金生，〈百里侯掠影〉。何金生三女何寧香等（何家班）提供。

何金生，〈翻山越嶺三年汗〉。何金生三女何寧香等（何家班）提供。

李元白即李晏，〈參加革命前後主要經歷（包括學習）〉，1958 年 9 月 11 日填。李定山先生提供。

李培燦申請，李培燦資料，財團法人戒嚴時期不當叛亂暨匪諜審判案件補償基金會，案號：5792。

杜聰明著，〈杜聰明日記〉，1937 年 8 月 16 日迄 9 月 4 日記，中央研究院臺灣史研究所檔案館藏，典藏號：T1108。

汪清恭，〈懷故人、憶平生〉，收於「故施義德訃聞」。

林惠撰，〈林氏族譜〉，修於 1958 年，未刊本。由林建寅侄孫女林孟兒提供。

長春臺灣省同鄉會會長郭松根，〈為呈請指定輪便接回東北台胞由〉（1946 年 2 月 23 日），南京：中國南京第二歷史檔案館藏。

范燕秋，〈戰後臺灣醫師赴日本行醫之研究：從"帝國視野"到"國際視野"〉，2018，未刊稿，頁 8-9。本文初稿由范燕秋教授提供。

涂南山申請，涂南山資料，財團法人戒嚴時期不當叛亂暨匪諜審判案件補償基金會，案號：0479。

國家檔案局藏，檔號 A305440000C/0040/273.4/343，《吳朝麒等匪諜案》。

國家檔案局藏，檔號 A504000000F/0039/ 簿 /122/1/039，〈林君等內亂案件〉。

國家檔案局藏，檔號 A504000000F/0039/ 簿 /24/1/055，〈黃君內亂案件〉。

國家檔案局藏，檔號 A504000000F/0042/ 簿 /219/1/001，〈黃君共同陰謀以暴動之方法顛覆政府〉。

國家檔案局藏，檔號 B3750187701/0039/1571.3/1111/11/107，〈吳君等判決書〉。
國家檔案局藏，檔號 B3750187701/0039/1571.3/1111/7/079，〈檢呈黃君等案卷判〉。
國家檔案局藏，檔號 B3750187701/0039/1571/88228740/193/056，〈李培燦處有期徒刑十五年褫奪公權十年財產除酌留家屬必需生活費用外沒收〉。
國家檔案局藏，檔號 B3750187701/0040/1571/11234425，《張蕭傳（筱泉）等叛亂案》。
國家檔案局藏，檔號 B3750187701/0040/1571/72107761/171/050，〈林君參加叛亂之組織處有期徒刑七年褫奪公權三年〉。
國家檔案局藏，檔號 B3750347701/0041/3132269/269/1/002，〈叛亂犯李君等三名業已執行死刑謹檢附執行照片及更正判決〉。
國家檔案局藏，檔號 B3750347701/0042/3132299/299/1/002，〈叛亂犯陳君等業已執行死刑謹檢附執行照片及更正判決〉。
國家檔案局藏，檔號 B3750347701/0043/3132356/356，《李培燦案》。
國家檔案局藏，檔號 B3750347701/0053/3132524/524/1/006，〈覆判黃某等叛亂一案〉。
國家檔案局藏，檔號 B5018230601/0034/013.81/4212/1/001（35.4-36.1），〈彭華英戰犯嫌疑〉。
國家檔案局藏，檔號 B5018230601/0036/013.81/7529.2，〈陳卓乾等戰犯審理案〉（一）。
張麗俊，〈張氏族譜〉，未刊本，張德懋先生提供。
許益超編，〈澎湖瓦硐呂氏族譜〉，未刊稿。
許益超編，〈澎湖瓦硐戴姓族譜〉，未刊稿。
許雪姬訪問、紀錄，〈洪智默先生訪問紀錄〉，2000 年 6 月 18 日訪問，未刊稿。
許雪姬訪問、紀錄，〈謝白倩先生訪問紀錄〉，2006 年 7 月 23 日，於中國北京石佛營東星謝宅，未刊稿。
許雪姬訪問、徐紹剛紀錄，〈林省三先生訪問紀錄〉，2016 年 3 月 17 日，於臺北市士林區林宅，未刊稿。
許雪姬訪問、曾金蘭紀錄，〈楊希榮先生訪問紀錄〉，1994 年 9 月 11 日，於中央研究院近代史研究所研究大樓四樓會議室，未刊稿。
許雪姬訪問、鄭鳳凰紀錄，〈林張耀先生訪問紀錄〉，2001 年 6 月 18 日，於臺北市遼寧街，未刊稿。
陳怡如、胡向賢訪問，〈胡寶和先生訪問紀錄〉，2013 年 4 月、2014 年 3 月、2015 年 5 月、2017 年 2 月，訪談於臺北市胡宅。陳怡如、胡向賢伉儷提供。
楊威理（陳威博），〈台湾人、中国人、日本人の三国人に生きる―自叙伝〉，約於 2003 年完成，未刊稿。此未刊稿由何義麟教授提供。
葉萬發，〈自傳〉，2002，未刊稿。葉萬發先生提供。
臺南工學院，〈（日治時期）畢業生調查表〉，頁 1。謄寫版。陽明交通大學洪紹洋教授提供。
臺灣省旅平同鄉會，〈臺灣省旅平同胞名冊〉（1946 年 1 月）。本名冊為北京台灣同胞聯誼

會會長汪毅夫先生提供,轉中央研究院院士黃樹民帶回臺灣。
劉福才,〈劉福才日記〉,第二冊,自三十三歲至四十九歲止(1933-1949)。無頁數。臺灣史研究所檔案館典藏號,T1091-002。
顏滄波,〈顏滄波回憶錄〉。稿本,1987。

## (二) 報紙、公報

《台灣新生報》
《民主報》
《民報》
《偽滿洲國政府公報》/《滿洲國政府公報》
《國聲報》
《盛京時報》
《臺灣日日新報》
《臺灣民報》
《臺灣省議會公報》
《臺灣總督府報》
《興南新聞》
《聯合報》

## (三) 專書

### 1. 中文部分

不著撰人,《瀋陽文教學院校教育人物匯編》(上)。遼寧:遼寧教育出版社,出版年不詳。王銘勳之女王光華女士提供。
不著編人,《東京工業大學卒業者名簿》。東京:東京工業大學,1942。
不著編人,《臺灣私法商事編》,臺灣文獻叢刊第91種。臺北:臺灣銀行經濟研究室,1961。
中央研究院近代史研究所口述歷史編輯委員會編,《口述歷史》第15期。臺北:中央研究院近代史研究所,2020。
中央研究院近代史研究所口述歷史編輯委員會編,《日據時期台灣人赴大陸經驗》,《口述歷史》第5期。臺北:中央研究院近代史研究所,1994。
中央研究院近代史研究所口述歷史編輯委員會編,《日據時期台灣人赴大陸經驗》,《口述歷史》第6期。臺北:中央研究院近代史研究所,1995。

中央研究院近代史研究所編，《二二八事件資料選輯》（一）。臺北：中央研究院近代史研究所，1992。

中央研究院近代史研究所編，《二二八事件資料選輯》（六）。臺北：中央研究院近代史研究所，1997。

中村孝志著、卞鳳奎譯，《中村孝志教授論文集：日本南進政策與臺灣》。臺北：遠流，1994。

中央檔案館編，《偽滿洲國的統治與內幕：偽滿官員供述》。北京：中央檔案局，2000。

中國人民政治協商會議吉林省委員會，《吉林文史資料》。長春：吉林人民出版社，1987。

中國歷史博物館編、勞祖德整理，《鄭孝胥日記》（第1冊）。北京：中華書局，1993。

中國歷史博物館編、勞祖德整理，《鄭孝胥日記》（第4冊）。北京：中華書局，1993。

中國歷史博物館編、勞祖德整理，《鄭孝胥日記》（第5冊）。北京：中華書局，1993。

卞鳳奎，《日治時期臺灣留學日本醫師之探討》。臺北：博揚文化，2011。

文　斐編，《我所知道的偽滿政權》。北京：中國文史出版社，2005。

方玉珍、郭紫筠，《乘願藥師如來：廖泉生回憶錄》。臺中：財團法人仁愛綜合醫院，2000。

王必昌，《重修臺灣縣志》，臺灣文獻叢刊第113種。臺北：臺灣銀行經濟研究室，1961。

王河盛等纂修，《臺東縣史‧人物篇》。臺東：臺東縣政府，2001。

王國璠，《板橋林本源家傳》。臺北：林本源祭祀公業，1987。

王勝利等編，《大連近百年史人物》。瀋陽：遼寧人民出版社，1999。

王詩琅譯，《臺灣社會運動史：文化活動》。臺北：稻鄉出版社，1988。

王學新，《日本對華南進政策與臺灣黑幫籍民之研究（1895-1945）》。南投：國史館臺灣文獻館，2009。

王艷華，《"滿映"與東北淪陷時期的日本殖民化電影研究：以導演和作品為中心》。吉林：吉林大學出版社，2010。

丘樹屏，《偽滿洲國十四年史話》。長春：長春市政協文史和學習委員會，1998。

仝祥順，《臺灣民主自治同盟》。河北：河北人民出版社，2001。

台高會，《台高會名簿》。臺北：臺高會，1982。此書為蔡錦堂教授所提供。

台盟史略編委會，《台盟史略》。北京：台海出版社，1997。

台灣同胞在大陸畫冊編委會編，《台灣同胞在大陸》。福州：海風出版社，1993。

司法行政部編，《戰時司法紀要》。南京：司法行政部，1948。

司法院解釋編輯委員會，《司法院解釋彙編》（第四冊）。臺北：司法院祕書處，1976。

司法院解釋編輯委員會，《司法院解釋彙編》（第五冊）。臺北：司法院祕書處，1976。

外務省情報部編纂，《現代中華民國滿洲帝國人名鑑》。東京：財團法人東亞同文會，1937。

田健治郎著、吳文星等主編，《臺灣總督田健治郎日記》（上）。臺北：中央研究院臺灣史研究所籌備處，2001。
田健治郎著、吳文星等主編，《臺灣總督田健治郎日記》（中）。臺北：中央研究院臺灣史研究所，2006。
田健治郎著、吳文星等主編，《臺灣總督田健治郎日記》（下）。臺北：中央研究院臺灣史研究所，2009。
石方、高凌、劉爽著，《哈爾濱俄僑史》。哈爾濱：黑龍江人民出版社，2003。
伊原澤周編注，《戰後東北接收交涉記實：以張嘉璈日記為中心》。北京：中國人民大學出版社，2012。
合庫六十年誌編輯委員會，《合庫六十年誌》。臺北：合作金庫商業銀行，2006。
曲尾、李述笑主編，《哈爾濱猶太人》。北京：社會科學文獻出版社，2004。
朱金元、陳祖恩，《汪偽受審紀實》。杭州：浙江人民出版社，1988。
朱真一，《府城醫學史開講》。臺北：心靈工作坊文化事業股份有限公司，2013。
池志徵等，《臺灣遊記》。南投：臺灣文獻館，1996。
考試院秘書處，《考試院施政編年錄》（1946-1948年）。臺北：考試院秘書處，出版年不詳。
行政院體育委員會編，《中華民國建國一百年體育專輯：體育人物誌》。臺北：行政院體育委員會，2011。
行政院體育委員會編，《臺灣世紀體育名人傳》。臺北：行政院體育委員會，2002。
何鳳嬌編，《政府接收臺灣史料彙編》（下冊）。臺北：國史館，1993年再版。
何鳳嬌編，《戰後臺灣政治案件 湯守仁案史料彙編》（一）。臺北：國史館、文建會，2008。
余文儀，《續修臺灣府志》，臺灣文獻叢刊本第121種。臺北：臺灣銀行經濟研究室，1962。
吳三連口述、吳豊山撰記，《吳三連回憶錄》。臺北：自立晚報社文化出版部，1992年1版4刷。
吳文星，《日據時期臺灣社會領導階層之研究》。臺北：五南出版社，2008。
吳茂仁編，《在華中臺灣同胞寫真年鑑》。上海：東洋美術社，1943。
吳密察、若林正丈著，《臺灣對話錄》。臺北：自立晚報文化出版部，1989。
吳新榮著、張良澤總編輯，《吳新榮日記全集4》（1940）。臺南：國立台灣文學館，2008。
吳銅，《臺灣醫師名鑑》。臺中：臺灣醫藥新聞社，1954。
吳濁流，《無花果》。臺北：前衛出版社，1993。
吳巍主編，《南臺灣人物誌》。臺中：東南文化出版社，1956。
呂訴上，《臺灣電影戲劇史》。臺北：銀華出版社，1980年再版。
呂靈石，《民報家庭寶典》。臺北：臺灣新民報社販賣部，1937。

李天生口述、黃志明編著，《天星回憶錄》。李錦姬女士複製贈送。

李昭容，《文化的先行者：嘉義文協青年的運動與實踐》。臺南：國立臺灣文學館，2020。

李國雄口述、王慶祥撰寫，《隨侍溥儀紀實》。北京：東方出版社，1999。

李國澤編，《臺南市私立長榮中學校友芳名錄》。臺南：臺灣省臺南市私立長榮中學，1955。

李筱峰，《二二八消失的臺灣菁英》。臺北：自立晚報社文化出版部，1990。

李遠輝、李菁萍編，《北郭園的孔雀園：劉玉英的故事》。新竹：新竹市立文化中心，1999。

李騰嶽，《臺灣省通志稿‧政事志衛生篇（一）》。臺北：臺灣省文獻會，1952-1962。

杜淑純編，《杜聰明博士世界旅遊記》。臺北：財團法人杜聰明博士獎學基金會，2012。

杜聰明，《回憶錄》。臺北：財團法人杜聰明博士獎學基金會，1982年再版。

杜聰明，《杜聰明言論集》（第1輯）。臺北：財團法人杜聰明博士獎學基金會，2011年再版。

杜聰明編輯、發行，《臺灣歐美同學會名簿》。臺北：臺灣歐美同學會，1941。

汪乃文、吳振乾編，《一五〇年來吳葛親族》。屏東：吳氏家族自印，1990。

汪榮祖編，《地方史研究集》。嘉義：國立中正大學臺灣人文研究中心，2007。

周婉窈，《海行兮的年代：日本殖民統治末期臺灣史論集》。臺北：允晨出版有限公司，2003。

周婉窈編，《臺籍日本兵座談會紀錄并相關資料》。臺北：中央研究院臺灣史研究所籌備處，1997。

周鍾瑄，《諸羅縣志》，收入臺灣銀行文獻叢刊本第141種。臺北市：臺灣銀行經濟研究室，1962。

東北淪陷十四年史總編室、日本殖民地文化研究會編，《偽滿洲國的真相：中日學者共同研究》。北京：社會科學文獻出版社，2010。

松本武男，《彰化高等女學校同窓會名簿》。彰化：彰化高等女學校同窓會，1938。

林玉茹、植野弘子、陳恒安主編，《南瀛歷史、社會與文化：社會與生活》。臺南：臺南市政府文化局，2016。

林吉崇，《臺大醫學院百年史》（上）。臺北：國立臺灣大學醫學院，1997。

林志宏，《民國乃敵國也：政治文化轉型下的清遺民》。臺北：聯經出版文化事業公司，2009。

林佛國著、林文岑編，《長林山房吟雜》。臺北：林珮真自刊本，1984。

林忠勝編著，《廖欽福回憶錄》。臺北：前衛出版社，2005。

林明玉，《屏東縣楓港國民小學創校百年誌》。屏東：該校，2002。

林知淵，《政壇浮生錄：林知淵自述》，收入福建文史資料第22輯。福州：中國人民政治協商會議福建省委員會文史資料委員會，1989。

林恩朋編，《林朝棨（載門）先生紀念文輯》。臺北：自刊本，1989。

林進發，《臺灣人物評》。臺北：赤陽社，1929。

林瑛琪，《日治時期臺灣體壇與奧運》。臺北：五南出版社，2014。

林德政，《口述歷史採訪的理論與實踐：新舊臺灣人的滄桑史》。臺北：五南圖書出版股份有限公司，2018年2版1刷。

林靜雯，《遲來的愛：白色恐怖時期政治受難者遺書》。新北：國家人權博物館籌備處，2014。

林聲主編，《九・一八事變圖志》。遼寧：遼寧人民出版社，1991。

林雙不，《安安靜靜臺灣人》。臺中：晨星出版有限公司，2000。

林藜，《臺灣名人傳》。臺北：新亞出版社，1976。

林獻堂著、許雪姬、周婉窈主編，《灌園先生日記（五）一九三二年》。臺北：中央研究院臺灣史研究所籌備處、近代史研究所，2003。

林獻堂著、許雪姬主編，《灌園先生日記（七）一九三四年》。臺北：中央研究院臺灣史研究所籌備處、近代史研究所，2004。

林獻堂著、許雪姬主編，《灌園先生日記（十四）一九四二年》。臺北：中央研究院臺灣史研究所、近代史研究所，2007。

林獻堂著、許雪姬主編，《灌園先生日記（十九）一九四七年》。臺北：中央研究院臺灣史研究所、近代史研究所，2011。

林獻堂著、許雪姬主編，《灌園先生日記（二十）一九四八年》〉。臺北：中央研究院臺灣史研究所、近代史研究所，2011。

近藤正己著、林詩庭譯，《總力戰與臺灣：日本殖民地的崩潰》。臺北：國立臺灣大學出版中心，2014。

邱上林，《影像寫花蓮：花蓮人的老相簿》。花蓮：花蓮縣立文化中心，1999。

邱旭伶，《臺灣藝妲風華》。臺北：玉山社，1999。

長春工業大學校友會，《長春工業大學中國校友記事》。長春：長春工業大學校友會，1996。

長春市政協文史和學習委員會，《回憶偽滿建國大學》。長春：長春文史資料編輯部，1997。

侯坤宏、許進發編，《二二八事件檔案彙編》（九）。臺北：國史館，2002。

侯坤宏、許進發編，《二二八事件檔案彙編》（十六）。臺北：國史館，2004。

南滿洲教育會，《滿洲新史》。大連：大連社團法人滿洲文化協會，1934。

姜念東等，《偽滿洲國史》。長春：吉林人民出版社，1980。

姜念東等，《偽滿洲國史》。瀋陽：大連出版社，1991。

胡慧玲、林世煜採訪紀錄，《白色封印：白色恐怖1950》。臺北：國家人權紀念館籌備處，

2003。

郁永和,《神海紀遊》,臺灣文獻叢刊第44種。臺北:臺灣銀行經濟研究室,1959。

徐英祥、許賢瑤,《臺北市茶商業同業公會會史》。臺北:臺北市茶商業同業公會,2000。

桂恒彬,《1946-1950國共生死決戰全紀錄 喋血四平》。北京:長城出版社,2014年3刷。

秦孝儀總編纂,《中國現代史辭典 人物部分》。臺北:近代中國出版社,1985。

財團法人滿鐵會,《會員名簿》。出版地不詳:該會,1998。

馬越山,《九一八事變實錄》。瀋陽:遼寧人民出版社,1991。

高雄中學編,《改寫歷史:二二八高雄中學自衛隊座談會手冊》。高雄:高雄中學,2014。

高雄縣文化中心,《鍾理和全集》。高雄:高雄縣立文化中心,1997。

國家人權博物館籌備處,《走過長夜:政治受難者的生命故事・輯一 秋蟬的悲鳴》第一集。
　　新北:國家人權博物館籌備處,2015。

國家安全局,《歷年辦理匪案彙編》第一輯。臺北:國家安全局,1959。

國家安全局,《歷年辦理匪案彙編》第二輯。臺北:國家安全局,1961。

國家清史編纂委員會編譯組,《清史譯叢》(第5輯)。北京:中國人民大學出版社,
　　2006。

張力,《國際合作在中國》。臺北:中央研究院近代史研究所,1999。

張水木總編輯,《吳金川・吳楊湘玲女士金婚紀念集》。臺北:實財企業股份有限公司,
　　1990。

張玉法、沈松僑訪問,沈松僑紀錄,《董文琦先生訪問紀錄》。臺北:中央研究院近代史研
　　究所,1986。

張利民等編,《近代環渤海地區經濟與社會研究》。天津:天津社會科學院出版社,2003。

張秀蓉、江東亮著,《永遠的陳拱北》。臺北:財團法人陳拱北預防醫學基金會,2016。

張炎憲、曾秋美主編,《花蓮鳳林二二八》。臺北:財團法人吳三連臺灣史料基金會,
　　2010。

張炎憲主編,《二二八事件辭典》。臺北:國史館、二二八事件紀念基金會,2008。

張星賢著,杉森藍、王淑容譯,《我的體育生活:張星賢日記及書信》。臺南:國立臺灣歷
　　史博物館,2020。

張星賢著,鳳氣至純平、許倍榕譯,《我的體育生活:張星賢回憶錄》。臺南:國立臺灣歷
　　史博物館,2020。

張晴川,《臺北商工協會會報第二十一號》。臺北:臺北商工協會,1939。

張福英著,葉欣譯,《娘惹回憶錄》。臺南:國立臺灣文學館,2017。

張維斌,《空襲福爾摩沙》。臺北:前衛出版社,2015。

張麗俊著,許雪姬、洪秋芬、李毓嵐編纂・解讀,《水竹居主人日記(二)一九〇八至
　　一九一〇》。臺北:中央研究院近代史研究所、豐原:臺中縣立文化中心,2000。

張麗俊著，許雪姬、洪秋芬、李毓嵐編纂・解讀，《水竹居主人日記（三）一九一一至一九一四》。臺北：中央研究院近代史研究所、豐原：臺中縣立文化中心，2001。

張麗俊著，許雪姬、洪秋芬、李毓嵐編纂・解讀，《水竹居主人日記（五）一九一七至一九二二》。臺北：中央研究院近代史研究所、豐原：臺中縣立文化中心，2002。

張麗俊著，許雪姬、洪秋芬、李毓嵐編纂・解讀，《水竹居主人日記（六）一九二三至一九二六》。臺北：中央研究院近代史研究所、豐原：臺中縣立文化中心，2002。

張麗俊著，許雪姬、洪秋芬、李毓嵐編纂・解讀，《水竹居主人日記（七）一九二六至一九二九》。臺北：中央研究院近代史研究所、豐原：臺中縣立文化中心，2004。

張麗俊著，許雪姬、洪秋芬、李毓嵐編纂・解讀，《水竹居主人日記（八）一九二九至一九三二》。臺北：中央研究院近代史研究所、豐原：臺中縣立文化中心，2004。

張麗俊著，許雪姬、洪秋芬、李毓嵐編纂・解讀，《水竹居主人日記（九）一九三二至一九三五》。臺北：中央研究院近代史研究所、豐原：臺中縣立文化中心，2004。

曹景文、馬宏坤編輯，《哈爾濱醫科大學》。哈爾濱：哈爾濱醫科大學，2001。

梁華璜，《臺灣總督府的「對岸」政策研究》。臺北：稻鄉出版社，2001。

第三戰區金廈漢奸案件處理委員會編輯，《閩台漢奸罪行紀實》。廈門：江聲文化出版社，1947。

莊永明，《臺灣醫療史》。臺北：遠流出版事業股份有限公司，1998。

莊國土，《中國封建政府的華僑政策》。廈門：廈門大學出版社，1989。

許伯埏著、許雪姬監修，《許丙・許伯埏回想錄》。臺北：中央研究院近代史研究所，1996。

許雪姬、王麗蕉主編，《葉盛吉日記（三）1942-1943》。新北、臺北：國家人權博物館、中央研究院臺灣史研究所，2018。

許雪姬、楊麗祝、賴惠敏等編著，《臺中縣志（續修）卷九人物志》。豐原：臺中市政府，2010。

許雪姬、劉素芬、莊樹華訪問，丘慧君紀錄，《王世慶先生訪問紀錄》。臺北：中央研究院近代史研究所，2003。

許雪姬主編，《保密局臺灣站二二八史料彙編》（三）。臺北：中央研究院臺灣史研究所，2016。

許雪姬主編，《獄外之囚：白色恐怖受難者女性家屬訪問紀錄》（中）。臺北：中央研究院臺灣史研究所、國家人權博物館籌備處，2014。

許雪姬主編，《獄外之囚：白色恐怖受難者女性家屬訪問紀錄》（下）。臺北：中央研究院臺灣史研究所、國家人權博物館籌備處，2015。

許雪姬主編，《臺灣歷史的多元傳承與鑲嵌》。臺北：中央研究院臺灣史研究所，2014。

許雪姬訪問，許雪姬等紀錄，《日治時期在「滿洲」的台灣人》。臺北：中央研究院近代史

研究所，2002。

許雪姬等訪問、藍瑩如等紀錄，《日治時期臺灣人在滿洲的生活經驗》。臺北：中央研究院臺灣史研究所，2015年初版二刷。

許雪姬等訪談，賴永祥、鄭麗榕等紀錄，《坐擁書城：賴永祥先生訪問紀錄》。臺北：遠流出版事業股份有限公司，2007。

許雪姬編，《「戒嚴時期」政治案件專題研討會論文暨口述歷史紀錄》。臺北：戒嚴時期不當叛亂暨匪諜審判案件補償基金會，2003。

許雪姬編著，《霧峰林家相關人物訪談紀錄》（下厝篇）。臺中：臺中縣立文化中心，1998。

許雪姬總策畫，《臺灣歷史辭典　別冊》。臺北：行政院文化建設委員會、中央研究院近代史研究所、遠流出版事業出版股份有限公司，2005年3版1刷。

許雪姬總策畫，《臺灣歷史辭典》。臺北：行政院文化建設委員會、中央研究院近代史研究所、遠流出版事業出版股份有限公司，2005年3版1刷。

許鐘榮編，《仁者壽：恭賀爸爸（阿公、阿祖）八十晉四華誕》。臺北：自刊本，1997。

許鐘榮編，《她的價值勝過珍珠：祝賀媽媽（阿媽、阿祖）八十華誕》。臺北：自刊本，1998。

連橫，《臺灣通史》，臺灣文獻叢刊第128種。臺北：臺灣銀行經濟研究室，1962。

郭廷以，《中華民國史事日誌》（第3冊）。臺北：中央研究院近代史研究所，1984。

郭廷以，《中華民國史事日誌》（第4冊）。臺北：中央研究院近代史研究所，1985。

郭衛東主編、劉一皋副主編，《近代外國在華文化機構》。上海：上海人民出版社，1993。

陳力航，《零下六十八度：二戰後臺灣人的西伯利亞戰俘經驗》。臺北：前衛出版社，2021。

陳三井、許雪姬訪問，楊明哲紀錄，《林衡道先生訪問紀錄》。臺北：中央研究院近代史研究所，1992。

陳永發等訪問、陳逸達等紀錄，《臺灣蛋白質化學研究的先行者：羅銅壁院士一生回顧》。臺北：中央研究院近代史研究所，2016。

陳百齡，《石碑背後的家族史：新竹近代社會家族研究》。新竹：新竹市文化局，2015。

陳春木，《臺南地方鄉土誌》。臺北：常民文化事業公司，1998。

陳美玲，《百年彰基院史文物史料紀錄》。彰化：財團法人彰化基督教醫院史文物館，2000。

陳郁秀總策畫、呂鈺秀等主編，《臺灣音樂百科辭書》。臺北：遠流出版事業股份有限公司，2008。

陳祖恩，《上海日僑社會生活史（1868-1945）》。上海：上海世紀出版股份有限公司、上海辭書出版社，2009。

陳國柱，《臺灣省醫師名鑑》。臺北：國際文化服務社，1958。
陳淑均，《噶瑪蘭廳志》，臺灣文獻叢刊第 160 種。臺北：臺灣銀行經濟研究室，1963。
陳章哲，《養生之道》。自刊本，出版年不詳。陳章哲外孫女王愛惠、陳章哲外孫女王愛真婿楊正昭提供。
陳逢源，《溪山煙雨樓詩存》。臺北：自刊本，1980。
陳運棟，《內外公館史話》。出版地不詳：自刊本，1994。
陳榮一，《二崁漢藥風雲調查・研究》。澎湖西嶼：中華民國保存澎湖縣西嶼鄉二崁村聚落協進會，2007。
陳翠蓮、范燕秋纂修，《續修臺北市志・卷九・人物志・政治與經濟篇》。臺北：臺北市文獻委員會，2014。
陳儀深主編，《記錄聲音的歷史：臺灣口述歷史學會會刊 第十期》。臺北：臺灣口述歷史協會，2019。
陳寶川口述，卓遵宏、歐素瑛訪問，歐素瑛紀錄整理，《陳寶川先生訪談錄》。臺北：國史館，1999。
傅錫祺編，《櫟社四十年沿革志略》。臺北：莊垂勝發行，1943。
景福基金會，《國立台灣大學景福校友通訊錄》。臺北：景福基金會，1992。
曾汪洋，《臺灣交通史》，臺灣研究叢刊第 37 種。臺北：臺灣銀行經濟研究室，1955。
曾迺碩總編纂，《臺北市志 卷三：政制志行政篇》。臺北：臺北市文獻委員會，1987。
黃五常族譜續編輯委員會編，《黃五常派族譜續編》。臺中：黃五常族譜續編委員會，1995。
黃克武等，《戒嚴時期臺北地區政治案件相關人士口述歷史》第二輯。臺北：中央研究院近代史研究所，1999。
黃叔璥，《臺海使槎錄》，臺灣文獻叢刊第 4 種。臺北：臺灣銀行經濟研究室，1957。
黃旺成著、許雪姬主編，《黃旺成先生日記（八）一九二一年》。臺北：中央研究院臺灣史研究所，2012。
黃旺成著、許雪姬主編，《黃旺成先生日記（十九）一九三三年》。臺北：中央研究院臺灣史研究所，2018。
黃旺成著、許雪姬主編，《黃旺成先生日記（二十）一九三四年》。臺北：中央研究院臺灣史研究所，2019。
黃紀男口述、黃玲珠執筆，《黃紀男泣血夢迴錄》。臺北：獨家出版社，1991。
黃美娥編，《魏清德全集 肆：文卷》。臺南：國立臺灣文學館，2013。
黃英哲，《漂泊與越境：兩岸文化人的移動》。臺北：國立臺灣大學出版中心，2016。
黃英哲、許時嘉編譯，《楊基振日記：附書簡・詩文》（下）。臺北縣：國史館，2007。
黃烈火口述、賴金波紀錄整理，《學習與成長：和泰、味全企業集團創辦人 黃烈火的奮鬥

史》。桃園：黃烈火福利基金會，2006。
黃得時等，《臺大畢業同學錄》。臺北：臺大同學會，1952。
黃清舜，《一生的回憶》。澎湖：澎湖縣立文化局，2019。
黃彰健，《二二八事件真相考證稿》。臺北：中央研究院、聯經出版事業股份有限公司，
　　2007。
愛新覺羅・溥傑著、葉祖孚執筆，《溥傑自傳》。北京：中國文史出版社，2001。
楊逸舟著、張良澤譯，《受難者》。臺北：前衛出版社，1990。
楊肇嘉，《楊肇嘉回憶錄》。臺北：三民書局股份有限公司，2007 年 4 版 2 刷。
楊學為總主編、劉芃副總主編、劉昕主編，《中國考試史文獻集成 第 5 冊：第 7 卷（民國）》。
　　北京：高等教育出版社，2003。
楊蘭洲編，《楊公鵬搏字雲程遺墨》。臺北：楊蘭洲自刊本，出版年不詳。
毓嵒，《我跟隨溥儀二十年：末代皇子回憶錄》。北京：紅旗出版社，1993。
毓嶦，《末代皇帝的二十年：愛新覺羅毓嶦回憶錄》。北京：中國社會科學出版社，2000。
葉家子孫恭印，《葉公在淵百年忌紀念》。南投：自刊本，1989。
葉榮鐘等，《臺灣民族運動史》。臺北：自立晚報出版社，1971。
葉龍彥，《日治時期臺灣電影史》。臺北：玉山社，1998。
解學詩，《偽滿洲國史新編》。北京：人民出版社，1995。
滿洲國史編纂刊行會編、東北淪陷十四年史吉林編寫組譯、趙連泰校譯，《滿洲國史・分
　　論》。長春：東北淪陷十四年史吉林編寫組，1990。
滿洲國通信社編，《滿洲國現勢：康德五年版》。新京：滿洲國通信社，1938。
滿洲醫科大學，《滿洲醫科大學一覽》。奉天：滿洲醫科大學，1941。
滿洲醫科大學輔仁會，《會員名簿》。東京：滿洲醫科大學輔仁會，1978。
福建檔案館，《閩台關係檔案資料》。廈門：鷺江出版社，1992。
臺北市文化局，《二次大戰下的臺北大空襲》。臺北：臺北市文化局，2007。
臺北市政府人事室編印，《臺北市各機關職員通訊錄》。臺北：臺北市政府人事室，1953。
臺北市政府人事室編印，《臺北市各機關職員通訊錄》。臺北：臺北市政府人事室，1955。
臺北市政府人事室編印，《臺北市各機關職員通訊錄》。臺北：臺北市政府人事室，1957。
臺北市政府人事室編印，《臺北市各機關職員通訊錄》。臺北：臺北市政府人事室，1958。
臺北市政府人事室編印，《臺北市各機關職員通訊錄》。臺北：臺北市政府人事室，1959。
臺北市政府人事室編印，《臺北市各機關職員通訊錄》。臺北：臺北市政府人事室，1960。
臺北市政府人事室編印，《臺北市各機關職員通訊錄》。臺北：臺北市政府人事室，1961。
臺北市政府人事室編印，《臺北市各機關職員通訊錄》。臺北：臺北市政府人事室，1964。
臺北市政府人事室編印，《臺北市各機關職員通訊錄》。臺北：臺北市政府人事室，1965。
臺北市政府人事室編印，《臺北市各機關職員通訊錄》。臺北：臺北市政府人事室，1968。

臺北市政府人事室編印,《臺北市各機關職員通訊錄》。臺北:臺北市政府人事室,1969。

臺北市政府人事室編印,《臺北市政府暨所屬各機關學校職員通訊錄》。臺北:臺北市政府人事室,1963。

臺北市政府人事室編印,《臺北市政府暨所屬各機關學校職員通訊錄》。臺北:臺北市政府人事室,1965。

臺南縣文化中心,《劉吶鷗全集‧日記集》(上)。臺南:臺南縣文化局,2001。

臺灣早稻田大學同學會,《臺灣早稻田大學同學會會員通訊錄》。臺北:臺灣早稻田大學同學會,1957。

臺灣省文獻委員會二二八事件文獻輯錄專案小組,《二二八事件文獻輯錄》。南投:臺灣省文獻委員會,1991。

臺灣省文獻委員會編,《重修臺灣省通志 卷八:職官志文職表篇武職表篇》(第二冊)。南投:臺灣省文獻委員會,1993。

臺灣省文獻會,《臺灣戒嚴時期五〇年代政治案件史料彙編》(三)。南投:臺灣省文獻會,2001。

臺灣省旅平同鄉會、天津市臺灣同鄉會、臺灣省旅平同學會編印,《臺灣二‧二八大慘案華北輿論集》。北平:臺灣省旅平同鄉會等,1947。

臺灣省醫師公會印行,《臺灣省醫師公會所屬各縣市局醫師公會會員名冊》。高雄:臺灣醫界社,1966。

臺灣總督府,《臺灣統治概要》。臺北:臺灣總督府,1945。

劉杰等,《超越國境的歷史認識:來自日本學者及海外中國學者的視角》。北京:社會科學文獻出版社,2006。

劉煥宇編,《國立臺灣大學法學院畢業同學通訊錄》(臺北:自刊本,1950)

劉鳳翰、何智霖訪問,何智霖紀錄整理,《梁肅戎先生訪問紀錄》。臺北:國史館,1995。

潘國正,《天皇陛下の赤子:新竹人‧日本兵‧戰爭經驗》。新竹:新竹市立文化中心,1997。

蔡英文,《洋蔥炒蛋到小英便當:蔡英文的人生滋味》。臺北:圓神出版有限公司,2011年4刷。

蔡盛琦、陳世局編輯,《國史館現藏民國人物傳記史料彙編》。臺北:國史館,2014。

蔡雅祺,《製造戰爭陰影:論滿洲國的婦女動員1932-1945》。臺北:國史館,2010。

蔡慧玉編著、吳玲青整理,《走過兩個時代的人:臺籍日本兵》。臺北:中央研究院臺灣史研究所籌備處,1997。

鄭麗玲採訪撰述,《臺灣人日本兵的「戰爭經驗」》。臺北:臺北縣立文化中心,1995。

盧昆山,《七十回憶》。臺南:豐生出版社,1979。

賴子清,《臺灣詩醇》。嘉義:蘭記書局,1935。

賴澤涵主編，《臺灣光復初期歷史》。臺北：中央研究院社會科學研究所，1993。

賴澤涵總主筆，《二二八事件研究報告》。臺北：時報文化出版企業有限公司，1994。

遼寧省衛生志編纂委員會編，《遼寧省衛生志》。瀋陽：遼寧古籍出版社，1997。

戴朋久，《皇帝出獄：末代皇帝溥儀獲釋前後》。北京：解放軍出版社，1999。

戴朋久，《皇帝出獄》。北京：新華書店，1992。

謝氏大族譜編輯委員會，《謝氏大族譜》。臺中：謝氏大族譜編輯委員會，1991年重修版。

謝汝銓，《雪漁詩集》，臺灣先賢詩文集彙刊第2輯。臺北：龍文出版社，1992。

謝東漢等著，《徘徊在兩個祖國》（上）（下）。臺北：自刊本，2016。

鍾淑敏，《日治時期在南洋的臺灣人》。臺北：中央研究院臺灣史研究所，2020。

鍾逸人，《辛酸六十年》（上）。臺北：前衛出版社，1993。

鍾謙順，《煉獄餘生錄：臺獨大前輩坐獄二十七年回憶錄》。臺北：前衛出版社，1999。

鍾鐵民編，《鍾理和全集1》。高雄：高雄縣立文化中心，1997。

鍾鐵民編，《鍾理和全集2》。高雄：高雄縣立文化中心，1997。

韓石泉，《六十回憶》。臺南：韓石泉先生逝世三週年紀念會專輯編印委員會，1966。

簡永彬，《凝視時代：日治時期臺灣的寫真館》。新北市：左岸文化出版、遠足文化發行，2019。

藍鼎元，《東征集》，臺灣文獻叢刊第12種。臺北：臺灣銀行經濟研究室，1958。

顏新珠編著，《嘉義風華：嘉義縣老照片選集（1895-1945）》。嘉義縣：嘉義縣立文化中心，1997。

蘇寶藏，《我的回憶錄》。未著出版地：作者自刊，1998。

顧明義等，《日本侵占旅大四十年史》。瀋陽：遼寧人民出版社，1991。

顧維鈞，《顧維鈞回憶錄》（第1冊）（第2冊）。北京：中華書店，1983。

## 2. 日文部分

NHK取材班編，《「満州国」ラストエンペラー》。東京：角川書店，1995。

NHK取材班編，《魔都上海　十万の日本人》。東京：角川書店，1995。

クリスティー著、矢內原忠雄譯，《奉天三十年》。東京：岩波書局，1938年第1刷，1982年特裝版。

一高同窗會，《會員名簿昭和二十七年四月十五日現在》。東京：一高同窗會，1952。

入江曜子，《貴妃は毒殺されたか―皇帝溥儀と關東軍參謀吉岡の謎》。東京：新潮社，1998。

三浦英之，《五色の虹 満州建国大学卒業生たちの戦後》。東京：集英社，2015。

上村健堂，《臺灣事業界中心人物》。臺北：新高堂書店，1919。

久松龍遠，《屏農會雜誌》。出版地不詳：屏東農學校，1940。

大田豊正，《新京醫科大學圭泉會名簿》。大阪：新京醫科大學圭泉會本部，1991。
大同學院史編纂委員會，《大いなる哉滿洲》。東京：大同學院同窓會，1966。
大同學院同窓會編，《大同學院同窓會名簿》。新京：大同學院同窓會，1942。
大同學院圖書部委員編，《滿洲國各縣視察報告》。新京：大同學院，1933。
大沢貞吉，《臺湾縁故人名錄》。橫濱：愛光新聞社，1959。
大阪每日新聞社、東京日日新聞報社，《每日年鑑》。東京：東京日日新聞社，1940。
大阪每日新聞社編，《日本人名選・附滿支人名選》。大阪：大阪每日新聞社，1941。吳文星教授提供。
大島村郷土誌編纂委員会，《大島村郷土誌》。長崎：大島村教育委員会，1989。
大連滿洲書院，《滿洲國年鑑一九三三》。大連：大連滿洲書院，1933。
大陸科學院編，《大陸科學院要覽》。新京：滿洲國國務院，1943。
大場則雄，《會員名簿》。臺北：臺北工業學校校友會，1941。
大園市藏，《板橋林本源家》。東京：日本殖民地批判社，1930。
山本有造編著，《満洲―記憶と歴史》。京都：京都大学学術出版会，2007。
山本禮子，《殖民地台湾の高等女学校研究》。東京：多賀出版株式会社，1999。
山室信一，《キメラ―満洲国の肖像》。東京：中央公論社，1997。
山根幸夫，《建国大学の研究―日本帝国主義の一斷面》。東京：汲古書院，2003。
山崎庄作，《大連高等商業學校一覽》。大連：大連高等商業學校，1943。
川北幸壽，《株式會社臺灣銀行》。臺北：川北幸壽發行，1919。
不著撰人，《東京醫學專門學校南瀛會名簿》（會誌第6刊）。東京：東京醫學專門學校，1941。
不著編人，《大陸科學院の会―会報と名簿》。出版項不詳，1995。
不著編人，《同窓會名簿》。臺北：臺北第二中學校同窓會，1941。
不著編人，《奉天藥劑師養成所同學錄》。奉天：奉天藥劑師養成所，1943。
不著編人，《臺北師範學校卒業及修了者名簿》。臺北：臺北師範學校創立三十周年紀念祝賀會，1926。
不著編者，《同窓会名簿》。臺北：臺北第二中學校同窓会，1943。
中西利八編著、金丸裕一監修、解說，《中國紳士錄》（上）（下）。東京：株式会社ゆまに書房，2007。
中西利八編纂，《滿洲人名辭典》。東京：日本圖書センター，1989年重印。
中西利八編纂，《滿洲紳士錄》。東京：滿蒙資料協會，1940。
中西利八編纂，《滿華職員錄》。東京：滿蒙資料協會，1942。
中島力，《同窓会名簿》。臺北：臺北第二中學校同窓会，1943。
中島利重，《米寿の語り》。東京：中島利重先生の米寿を祝う會，1984。

中袴田熊吉編輯，《あきら第52號彰化第一公學校創立四十周年記念》。彰化：彰化第一公學校，1938。

中溝新一編輯，《滿洲年鑑》（五）。大連：滿洲文化協會，1933。

中溝新一編輯，《滿洲年鑑》（一）。大連：滿洲文化協會，1933。

中溝新一編輯，《滿洲年鑑》（四）。東京：日本圖書センター，1999。

井上茂治，《卒業生名簿》。臺北州：基隆中學校友會，1938。

井上茂治，《卒業生名簿》。臺北州：基隆中學校友會，1941。

井上茂治，《卒業生名簿》。臺北州：基隆中學校友會，1942。

今村俊三等，《滿洲國人傑紹介號》。東京：日支問題研究會，1936。

內尾直昌編，《滿洲國名士錄：康德元年版》。東京：株式會社人士興信所，1934。

內藤力，《化友會誌創刊號》。不著出版地：臺北帝國大學理農學部化學教室內化友會，1938。

太平洋戰爭研究會，《図説滿洲帝国》。東京：河出書房新社，1996。

日本近現代史辞典編輯委員会，《日本近現代史辞典》。東京：東洋經濟新報社，1990，第6刷。

加納久夫，《臺灣から滿洲へ》。臺北：臺灣から滿洲へ發行所，1932。

古屋哲夫編，《滿洲國人事法令年表—大同元（1932）年：康德二（1935）年》。京都：京都大学人文科学研究所，1992。

外務省情報部，《現代中華民國‧滿洲帝國人名錄》。東京：財團法人東亞同文會，1937。

平井新，《嘉義中學校同窓會會報‧附會員名簿》。嘉義：嘉義中學校同窓會，1940。

本田六介編著，《日本醫籍錄》。東京：醫事時論社，1940年15版。

田中總一郎編輯，《滿洲年鑑》。大連：滿洲日日新聞社，1939。

矢口良忠編輯，《臺北商業學校同窓會會員名簿》。出版地不詳：出版單位不詳，1937。

吉田靜堂，《臺灣古今財界人の橫顏》。臺北：經濟春秋社，1932。

寺林伸明、劉含發、白木沢旭児編，《日中両国から見た「滿洲開拓」：体験‧記憶‧証言》。東京：御茶の水書房，2014。

松本於菟男編，《滿洲國現勢》。新京：滿洲弘報協會，1937。

早瀬晋三，《フィリピン行き渡航者調査（1901-39年）：外務省外交史料館文書「海外渡航者名簿」より》。京都：文部省科学研究費補助金重点領域研究「総合的地域研究」総括班，1995。

江口圭一，《昭和歷史—十五年戰爭の開幕》（四）。東京：小學社，1988。

米沢久子編集，《大同學院同窓会名簿》。東京：大同學院同窓会，1998。

臼井勝美，《滿洲事變戰爭と外交》。東京：中公新書，1986年7版。

臼井勝美等，《日本近現代人名辭典》。東京：吉川弘文館，2001。

西澤泰彥，《図說「満洲」都市物語—ハルピン・大連・瀋陽・長春》。東京：河出書房新社，2006增補改訂版。

西澤泰彥，《図說満鉄—「満洲」の巨人》。東京：河出書房新社，2005年3刷。

佐藤四郎，《滿洲國政府職員錄》。大連：滿洲書院，1932。

佐藤定勝編，《最新滿洲國大觀》。東京：誠文堂新光社，1937。

李相哲，《満州における日本人経営新聞の歴史》。東京：凱風社，2000。

沖縄女性史を考える会編，《沖縄と「満洲」—「満洲一般開拓団」の記錄》。東京：明石書店，2013。

赤木猛市，《滿洲國と臺灣》。臺北：臺北市役所，1933。

里見甫編，《滿洲國現勢—康德三年版》。新京：滿洲國通信社，1936。

阪口直樹，《戰前同志社の台湾留学生—キリスト教国際主義の源流をたどる》。東京：白帝社，2002。

岩川隆，《孤島のさとなるとも—BC級戰犯裁判》。東京：講談社，1995。

岩波書店編集部，《近代日本總合年表》。東京：岩波書店，1968。

松井孝也編集，《日本植民地史2　満洲—日露戰爭から建国・滅亡まで》。東京：每日新聞社，1978。

松本俊郎，《「満洲国」から新中国へ—鞍山鉄鋼業からみた中国東北の再編過程1940-1954》。名古屋：名古屋大学出版会，2000。

林えいだい，《証言　台湾高砂義勇隊》。東京：株式会社草風館，1998。

林成市、劉傑編著，《留学生の早稲田—近代日本の知の接觸領域》。東京：早稲田大学出版部，2015。

武藤富男，《私と満洲國》。東京：文藝春秋，1988，4刷。

花村一平（林正光），《中國革命の舞台裏—北京・宮元公館》。東京：原書房，1973。

芳賀登等編，《日本人物情報大系》第二回滿洲篇。東京：株式会社皓星社，1999。

近藤正己、北村嘉惠、駒込武編，《內海忠司日記1928-1939—帝国日本の官僚と植民地臺湾》。京都：京都大学学術出版会，2012。

金丸精哉，《滿洲風雲錄》。東京：六人社，1941。

金永哲，《「満洲国」期における朝鮮人滿洲移民政策》。京都：昭和堂，2012。

青島醫學專門學校同窓會、青友會，《青友史》。橫濱：青友會事務局，不著出版年月。

南滿洲鐵道株式會社總務部人事課，《職員錄》。大連：南滿洲鐵道株式會社總務部人事課，1933。

南滿洲鐵道株式會社總務部人事課，《職員錄》。大連：南滿洲鐵道株式會社總務部人事課，1937。

建國大學同窓会，《建国大学同窓会名簿》（昭和六十三年四月現在）。東京：建國大学同窓会，

1988。

柏崎才吉編,《滿洲國現勢—康德八年版》。新京：滿洲國通信社,1941。

杤倉正一,《滿洲中央銀行十年史》。新京：滿洲中央銀行,1942。

宮本孝,《玉蘭庄の金曜—台湾に生きる日本人妻たちの戦後50年》。東京：展転社,2007。

徐焰著、朱建榮譯,《一九四五年滿州進軍—日ソ戦と毛沢東の戦略》。東京：株式会社三五館,1993。

旅順工科大學,《旅順工科大學一覽　大正15年4月至大正16年3月)》。旅順：旅順工科大學,1926。

旅順工科大學,《旅順工科大學一覽　昭和18-19年》。旅順：旅順工科大學,1944。

神田正雄,《動きゆく臺灣》。東京：海外社,1930。

神阪京華僑口述記錄研究會編,《聞き書き・関西華僑のライフヒストリー》,第6號。神戶：神戶華僑歷史博物館,2015年4月。

秦郁彥,《戦前期日本官僚制の制度・組織・人事》。東京：東京大學出版會,1981。

茶園義男,《BC級戰犯中國・仏國裁判資料》。東京：不二出版株式会社,1992。

高中同窓会,《高雄州立高雄中学高中同窓会名簿》。不著出版地點：高雄中學高中同窓会,1983。

高野義夫,《臺灣人名辭典》。東京：日本圖書センター,1989。

高橋那周,《朝鮮實狀要覽(附—滿洲臺灣)》。東京：東洋時報社,1924。

高橋勇八,《滿洲商工名鑑：附諸官廳錄》(上、下冊)大連：大陸出版協會,1938。

國立大學法人奈良女子大學アジアジエンダー文化センター,《奈良女子高等師範学校とアジアの留学生》。奈良：國立大學法人奈良女子大學アジアジエンダー文化センター,2014。

梶浦智吉,《スタリンとの日—「犯罪社会主義葬送譜」》。國分寺：武藏野書房,1993。

荻野富士夫,《特高警察体制史—社会運動抑圧取締の構造と時態》。東京：せきた書房,1984。

陸軍省調査班,《滿洲國の容相—第一續編》。東京：陸軍省調査班,1933。

鹿又光雄,《始政四十周年記念臺灣博覽會誌》。臺北：始政四十周年記念臺灣博覽會,1939。

創立五十五周年記念出版委員会編,《友情の架橋—海外同窓の記錄》。東京：大同學院同窓会,1986。

富永孝子,《大連・空白の六百日—戰後、そこで何が起ったか》。東京：株式会社新評論,1999。

朝日新聞社編,《朝日人物事典》。東京：朝日新聞社,1990。

森川義金編,《大連醫院誌》。大連:財團法人大連醫院,1945。
植民地文化学会、中国東北淪陷一四年史総編室編,《〈日中共同研究〉満洲国とは何だったのか》。東京:小学館,2008。
椎野八束,《別冊歷史読本　第79(178)号　満洲国最期の日》。東京:株式会社新人物往來社,1992。
渡邊諒,《大いなる流れ　満洲終戰實記》。東京:大いなる流れ刊行会,1956。
湯治万藏,《建国大学年表》。東京:建國大学同窓会、建大史編纂委員会,1981。
菅武雄,《新竹州の情勢と人物》。新竹:出版單位不詳,1938。
貴志俊彥等編,《二〇世紀滿洲歷史事典》,東京:吉川弘文館,2012。
開南同窓會,《會員名簿》。臺北:開南同窓會,1941。
黃竹堂,《新興滿洲國見聞記》。臺北:「新興滿洲國見聞記」發行所,1933。
黑田源次編,《滿洲醫科大學二十五年史》。奉天:滿洲醫科大學,1936。
塚瀨進,《満洲の日本人》。東京:吉川弘文館,2004年2刷。
愛新覺羅浩,《流転の王妃の昭和史》。東京:株式會社新潮社,1997。
楊逸舟,《台湾と蔣介石―二・二八民变を中心に》。東京:三一書房,1970。
楊蓮生,《診療秘話五十年――台湾医の昭和史》。東京:中央公論社,1997。
萬代賢平,《彌榮第二號》。臺南:長榮中學校,1941。
鈴木千代吉,《彰化高等女學校同窓會同窓生名簿(1942年12月)》。彰化:彰化高等女學校同窓會,1943。
嘉義中學校同窓會,《嘉義中學校同窓會會報‧附會員名錄》,第13號。嘉義:嘉義中學校同窓會,1942。
滬友会,《東亞同文書院大学史》。東京:滬友会,1955。
滿洲國史編纂刊行會,《滿洲國史各論、總論》。東京:財團法人滿蒙同胞援護會,1970-1971。
滿洲國法人名錄編,《滿洲國法人名錄》。新京:新京商工公會,1940。
滿洲國國務院文教部總務司編,《滿洲帝國文教關係職員錄》。東京:滿洲國國務院文教部總務司,1936。
滿洲聯合齒科醫學會,《本會所屬各齒科醫師會會員名簿》。新京:滿洲聯合齒科醫學會,1943。
滿洲醫科大學,《滿洲醫科大學一覽》。奉天:該校,1961。
緒方武歲,《臺灣大年表》。臺北:臺灣經世新報社,1938。
臺中州役所,《臺中州管內概況及事務概要》(五)。臺北:成文出版社,1985;據昭和七(1932)年版影印。
臺中商業學校同窓會,《臺中商業學校同窓會會報》(1937年)。臺中:臺中商業學校同窓會,

1937。

臺北工業學校校友會，《臺北工業學校會員名錄》。臺北：該校，1941。

臺北州七星郡士林同窓會，《開校四十週年紀念誌》。臺北州：臺北州七星郡士林同窓會，1937。

臺北州立臺北工業學校內大安工業俱樂部，《會員名簿》。臺北：該部，1941。

臺南市私立長榮中學，《校友芳名錄》。臺南：長老教中學校，1933。

臺南第一中學校同窓會，《臺南第一中學校同窓會員名簿》。臺南：臺南第一中學校同窓會，1940。

臺灣日日新報社編，《臺灣總督府文官職員錄》。臺北：臺灣日日新報社，1908。

臺灣日日新報社編，《臺灣總督府文官職員錄》。臺北：臺灣日日新報社，1910。

臺灣日日新報社編，《臺灣總督府文官職員錄》。臺北：臺灣日日新報社，1912。

臺灣商專同窓會，《會員名簿》。臺南：臺灣商專同窓會，1939。

臺灣新民報社，《臺灣人士鑑》。臺北：該社，1937。

臺灣總督府，《臺灣總督府事務成績提要》。臺北：臺灣總督府，1897。

臺灣總督府，《臺灣總督府事務成績提要》。臺北：臺灣總督府，1902。

臺灣總督府，《臺灣總督府事務成績提要》。臺北：臺灣總督府，1908。

臺灣總督府，《臺灣總督府事務成績提要》。臺北：臺灣總督府，1912。

臺灣總督府，《臺灣總督府事務成績提要》。臺北：臺灣總督府，1921。

臺灣總督府臺南高等工業學校，《臺灣總督府臺南高等工業學校一覽》。臺南：臺灣總督府臺南高等工業學校，1934。

臺灣總督府醫學專門學校，《臺灣總督府醫學校一覽》。臺北：該校，1914。

臺灣總督府醫學專門學校，《臺灣總督府醫學校一覽》。臺北：該校，1924。

臺灣總督府警務局，《臺灣總督府警察沿革誌（Ⅲ）》。東京：綠蔭書房，1986年復刻版。

樺山小學校三三期同期会編，《思い出のあの日から　はや六〇年―臺北大空襲の記録―一九四五（昭和二〇）年五月三一日》。日本：樺山小学校三三期同期会編集部，2004。

興南新聞社，《臺灣人士鑑》。臺北：興南新聞社，1943。

戴榮輝，《商工學校同窓會會員名簿》。臺北：開南同窓會，1939。

磯江清，《同窓會誌創刊號》。臺中：臺中師範學校同窓會事務所，1939。

舉國社編，《大滿洲帝國名鑑・昭和九年版（康德元年版）》。東京：舉國社，1934。

不著編人，《大滿洲帝國年鑑》。奉天：滿洲帝國通信社，1944。

謝春木，《台湾人は斯く観る》。東京：龍溪書舍，1974。

鍾謙順著、黃昭堂編譯，《台湾難友に祈る―ある政治犯の叫び》。東京：株式会社日中出版，1987。

豐田要三、滿洲事情案內所編纂，《滿洲帝國概覽》。新京：滿洲事情案內所，1942。

櫻井一夫，《旭ケ丘通信》。出版地不詳：臺灣總督府臺南師範學校校友會，1937），頁13。

鷹取田一郎，《臺灣列紳傳》。臺北：臺灣總督府，1916。

### 3. 英文部分

John McLeod. *Beginning Postcolonialism*, New York: Manchester University Press, 2000.

Lori Wat. *When Empire Comes Home: Repatriation and Reintegration in Postwar Japan*. Cambridge, Mass.: Harvard University Asia Center: Distributed by Harvard University Press, 2009.

Louise Young. *Japan's total empire: Manchuria and the Culture of Wartime Imperialism*. Berkeley, California: University of California Press, 1998.

Ming-Cheng M. Lo. *Doctors within Borders: Profession, Ethnicity, and Modernity in Colonial Taiwan*. Berkeley, California: University of California Press, 2002.

Prasenjit Duara. *Sovereignty and Authenticity : Manchukuo and the East Asian Modern*, Lanham; Oxford: Rowman& Littlefield Publishers, c2003.

Rana Mitter. *The Manchurian Myth: Nationalism, Resistance and Collaboration in Modern China*. Berkeley: University of California Press, c2000.

Robin Cohen. *Global Diaspora: An Introduction*. Second edition, London: Routledge, 2008.

Thomas David DuBois. *Empire and the Meaning of Religion in Northeast Asia: Manchuria 1900-1945*, London: Cambridge University Press, 2017.

Yuka Hiruma Kishida, *Kenkoku University and the Experience of Pan-Asianism*, London and New York: Bloomsbury Academic,2020.

## （四）論文（英、日、中文）

〈嘉義市出身の洪氏滿洲國砲兵中尉として北支で奮戰中〉，《まこと》296 號（1937 年 12 月），頁6。

《臺法月報》

James Clifford. "Diasporas", Cultural Anthropology 9:3(Aug., 1994), pp.302-338.

Louise Young."Book review," The Journal of Asian Studies, 63:2(May, 2004), pp. 473-475.

Stuart Hall, "Cultural Identity and Diaspora", in Jonathan Rutherford (ed.), Identity: Community, Culture, Difference, London: Lawrence and Wishart, 1990,pp.222-237.

William Safran. "Diasporas in Modern Societies: Myths of Homeland and Return", Diaspora 1:1(1991), pp.83-99.

大沼總次，《大地》（第七號）。臺中：東勢農林國民學校，1937。

山本生，〈滿洲で活躍の臺灣關係者〉，《臺灣實業界》第五年第9號，1933年9月，頁2-5。

山室信一，〈第五章　植民帝國、日本の構成と滿州國—統治樣式的遷移と統治人材の周流〉，收入ピーター・ドウス、小林英夫編，《帝国という幻想—「大東亜共栄圏」の思想と現実》（東京：青木書店，1998），頁155-202。

川島真著、鍾淑敏譯，〈日本外務省外交史料館館藏臺灣人出國護照相關資料之介紹（1897-1934）〉，《臺灣史研究》4：2（臺北：1999年6月），頁133-147。

不著撰者，〈高等工業教育を受けたる本島人の青年技術者〉，《臺灣》第七號，頁71-72。

中村孝志著，李玉珍、卞鳳奎譯，〈大正南進期與臺灣〉，《臺北文獻》直字132（臺北：2000年6月），頁195-263。

中國第二歷史檔案館，〈偽滿大學教育實況及抗戰勝利後整理意見（一）〉，《民國檔案》（南京）。南京：中國第二歷史檔案館藏，2001年2月。

中國第二歷史檔案館，〈偽滿大學教育實況及抗戰勝利後整理意見（二）〉，《民國檔案》（南京）。南京：中國第二歷史檔案館藏，2001年3月。

中國第二歷史檔案館，〈偽滿大學教育實況及抗戰勝利後整理意見（三）〉，《民國檔案》（南京）。南京：中國第二歷史檔案館藏，2001年4月。

卞鳳奎，〈臺灣義勇隊在華南地區的抗日活動〉，《臺灣文獻》53：4（南投2002年12月），頁183-224。

尹虎，〈「滿州国」における在滿朝鮮人指導方針と「民族協和」〉，《国際日本学論叢》6（2009年3月），頁57。

尹輝鐸著、金蘭譯，〈滿洲國的「流浪者（nomad）」在滿朝鮮人的生活和認同〉，《臺灣史研究》22：1（臺北：2015年3月），頁81-112。

王育民，〈論蘇聯出兵東北〉，《上海師範大學學報（哲學社會科學版）》3（上海：1980年9月），頁136-142。

王政文，〈臺灣抗日團隊在大陸地區之活動（1937-1945）：以臺灣義勇隊為個案研究〉，嘉義：國立中正大學歷史研究所碩士論文，2000。

王柏懷，〈孟天成與博愛醫院〉，《大連文史資料》7（大連：1990年12月），頁46-49。

朱惠足，〈帝國下的漢人家族再現：滿洲國與殖民地臺灣〉，《中外文學》37：1（臺北：2008年3月），頁153-194。

吳建興，〈日本無醫村裡的太上皇：臺灣醫師〉，《杏園》24（臺中：1977年3月），頁96-99。

李心怡，〈獨盟秘書長王康厚　全心全意珍愛臺灣〉，《新臺灣新聞週刊》601（臺北：2007年9月），頁52-55。

李盈慧，〈戰爭與族群互動：太平洋戰爭中的華僑、臺灣人和東南亞原住民〉，《國史研究通訊》10（臺北：2016 年 6 月），頁 64-71。

李恩涵，〈九一八事變前後日本對東北（偽滿洲國）的毒化政策〉，《中央研究院近代史研究所集刊》25（臺北：1996 年 6 月），頁 269、271-310。

沈佳姍，〈日本在滿洲建立的免疫技術研究機構及其防疫〉，《國史館館刊》45（臺北：2015 年 9 月），頁 103-152。

林ひふみ，〈満州国の台湾人と日本人その戰後董清財、吉崎ヨシ夫婦の足跡〉，《明治大學教養論集》通卷 441（2009 年 1 月），頁 1-38。

林明德，〈偽滿洲國與反滿抗日運動〉，《中央研究院近代史研究所集刊》17 下（臺北：1988），頁 195-210。

林知淵，《政壇浮生錄：林知淵自述》，《福建文史資料》第 22 輯（福州：中華人民政治協商會議福建省委員會文史資料委員會編，1989 年），頁 41-44。

林迺信，〈硫黃這件東西〉，《旁觀雜誌》，第一期（臺北：1951 年 1 月），頁 17-20。

林滿紅，〈「大中華經濟圈」概念之一省思：日治時期臺商之島外經貿經驗〉，《近代史研究所集刊》29（臺北：1998 年 6 月），頁 47-101。

林滿紅，〈日本政府與臺灣籍民的東南亞投資（1895-1945）〉，《中央研究院近代史研究所集刊》32（臺北：1999 年 12 月），頁 1-56。

林滿紅，〈臺灣與東北間的貿易（1932-1941）〉，《中央研究院近代史研究所集刊》24（下）（臺北：1995 年 6 月），頁 653-696。

林德政，〈日據時代臺灣人之海外經驗：以《安南區志》為例〉，收入王明蓀主編，《海峽兩岸地方史志地方博物館學術研討會》（南投：臺灣省文獻委員會，1999），頁 75-88。

林德政，〈抗戰期間臺籍人士在重慶的活動〉，收入中華民國史料研究中心編，《中國現代史專題研究報告（二十二）：臺灣與中國大陸關係史討論會論文集》，（臺北：中華民國史料研究中心，2001），頁 765-820。

林德政，〈戰時旅居重慶的臺籍人士：以《東南海雜誌》的言論與影響為中心〉，《臺灣文獻》53：4（南投：2002 年 12 月），頁 49-64。

近藤正己著、許佩賢譯，〈對異民族的軍事動員與皇民化政策：以臺灣軍夫為中心〉，《臺灣文獻》46：2（南投：1995 年 6 月），頁 189-223。

長戶毅，〈許敏信さんを偲んで〉，收入東京工業大學硬式網球部，《蔵前テニスクラブ會會誌》27（2001 年），頁 3。

范燕秋，〈從臺灣總督府檔案看日治時期的公共衛生〉，收入國史館編著，《臺灣史料的蒐集與運用研討會論文集》（新店：國史館，2000），頁 151-197。

栗原純著、鍾淑敏譯，〈臺灣籍與國籍問題〉，收入臺灣省文獻委員會整理組編，《臺灣文獻史料整理研究學術研討會論文集》（南投：臺灣省文獻委員會編印，2000），頁 423-

450。

高丕琨，〈在蘇聯戰俘營〉，《文史月刊》1（山西：2014年1月），頁60-71。

高雄市立歷史博物館研究部，〈顏陳秋霞女士口述訪談稿〉，《高雄文獻》7：3（高雄：2017年12月），頁198-204

張建俅，〈田園將蕪胡不歸？戰後廣州地區臺胞處境及返籍問題之研究〉，《臺灣史研究》6：1（臺北：2000年9月），頁133-167。

張建俅，〈迢迢歸鄉路：戰後港澳地區臺胞返籍始末〉，收入港澳與近代中國學術研討會論文集編輯委員會編，《港澳與近代中國學術研討會論文集》（臺北：國史館，2000），頁548-580。

張泉，〈林本源後人林爾嘉子孫群芬譜〉，《臺灣文獻》，68：2（南投：2017年6月），頁197-266。

張慧文，〈日治時期女高音林氏好的音樂生活研究：一九三二—一九三七〉，臺北：國立臺灣大學音樂學研究所碩士學位論文（2003）。

梁宰，〈一新條蟲驅除藥「雷丸」ニ就テ〉，《滿洲醫誌》20：1（1936）。

梁華璜，〈日據時代臺民赴華之旅券制度〉，《臺灣風物》39：3（臺北縣：1989年9月），頁1-49。

許及訓，〈醫界怪傑郭松根〉，《旁觀雜誌》3（臺北：1951年2月），頁26-27。

許佩賢，〈臺灣近代學校的誕生：日本時代初等教育體系的成立（1895-1911）〉，臺北：臺灣大學歷史研究所博士論文，2001。

許雪姬，〈1937-1947年在上海的臺灣人〉，《臺灣學研究》13（臺北：2012年6月），頁1-32。

許雪姬，〈1937-1947年在北京的臺灣人〉，《長庚人文社會學報》1：1（桃園：2008年4月），頁33-84。

許雪姬，〈二戰前後在漢口的臺灣人〉，《臺灣史研究》26：1（臺北：2019年3月），頁113-164。

許雪姬，〈日治時期赴華南發展的高雄人〉，收入鄭水萍編，《高雄研究學報：（2000）高雄研究研討會論文集》（高雄：春暉出版社，2001），頁369-403。

許雪姬，〈日治時期臺灣人的海外活動：在「滿洲」的臺灣醫生〉，《臺灣史研究》11：2（臺北：2004年12月），頁1-75。

許雪姬，〈日治時期澎湖瓦硐籍的醫生〉，收入紀麗美編，《澎湖研究第一屆學術研討會論文輯》（馬公：澎湖縣文化局，2002），頁396-417。

許雪姬，〈另一類臺灣人才的選拔：1952-1968年臺灣省的高等考試〉，《臺灣史研究》22：1（臺北：2015年3月），頁113-152。

許雪姬，〈在「滿洲國」的臺灣人高等官：以大同學院的畢業生為例〉，《臺灣史研究》19：3（臺北：2012年9月），頁95-150。

許雪姬，〈東亞同文書院大學（1900-1945）的臺灣學生〉。《臺灣史研究》，25：1（臺北：

2018年3月),頁137-182。

許雪姬,〈林獻堂著《環球遊記》研究〉,《臺灣文獻》49:2(南投:1998年6月),頁1-33。

許雪姬,〈是勤王還是叛國:「滿洲國」外交部總長謝介石的一生及其認同〉,《中央研究院近代史研究集刊》57(臺北:2007年9月),頁57-117。

許雪姬,〈臺灣史上一九四五年八月十五日前後:日記如是說「終戰」〉,《臺灣文學學報》13(臺北:2008年12月),頁151-178。

許雪姬,〈澎湖的人口遷移:以白沙鄉瓦硐村為例〉,收入張炎憲主編,《中國海洋發展史論文集》(三)(臺北:中央研究院中山人文社會科學研究所,2002),頁61-93。

許雪姬,〈戰後京滬、平津、東北等地臺灣人團體的成立及在二二八事件中的對臺聲援〉,收入許雪姬主編,《七十年後的回憶:紀念二二八事件七十週年學術論文集》(臺北:中央研究院臺灣史研究所、財團法人二二八事件紀念基金會,2017),頁91-141。

許雪姬著、杉本史子譯,〈日本統治期における台湾人の中国での活動:満洲国と汪精衛政権にいた人々を例として〉,愛知大学現代中国学会編,《中国21》36(名古屋:2012年),頁97-122。

郭瑋,〈大連地區建國前的臺灣人及其組織狀況〉,《大連文史資料》6(大連:1989年12月),頁67-74。

陳力航,〈日治時期在中國的臺灣醫師(1895-1945)〉,臺北:國立政治大學臺灣史研究所碩士論文,2012。

陳力航訪談、紀錄,〈陳以文先生訪談紀錄〉,《宜蘭文獻雜誌》87/88(宜蘭:2011年6月),頁137-156。

陳永發、沙培德,〈關於滿洲國之建構〉,《中央研究院近代史研究所集刊》44(臺北:2004年6月),頁177-194。

陳姃湲,〈放眼帝國、伺機而動:在朝鮮學醫的臺灣人〉,《臺灣史研究》19:1(臺北:2012年3月),頁87-140。

陳柏棕,〈若櫻的戰爭足跡:臺灣海軍特別志願兵之部署與戰後復員(1944-1946)〉,《臺灣國際研究季刊》8:2(臺北:2012年6月),頁35-67。

陳素貞,〈雲山深處的勇者:臺灣早住民在白色恐怖時代的受難者〉,《臺灣文藝》152(臺北:1995年12月),頁102-106。

游鑑明,〈日據時期臺灣的產婆〉,《近代中國婦女史研究》1(臺北:1993年6月),頁49-89。

湯熙勇,〈烽火後的同鄉情:戰後東亞臺灣同鄉會的成立、轉變與角色(1945-1948)〉,《人文及社會科學集刊》19:1(臺北:2007年3月),頁1-49。

黃克武、洪溫臨,〈悲劇的歷史拼圖:金山鄉二二八事件之探析〉,《中央研究院近代史研究所集刊》36(臺北:2001年12月),頁1-44。

黃呈聰，〈支那渡航旅券制度の廢止を望む〉，《臺灣》三年九號，大正十一年十二月。

楊奎松，〈一九四六年國共四平之戰及其幕後〉，《歷史研究》4（北京：2004年8月），頁132-152。

楊基振，〈論臺灣經濟建設與就業問題〉，《旁觀雜誌》，第五期（臺北：1951年3月），頁16。

壽山，〈本省人地質專家林迺信〉，《旁觀雜誌》，第十五期（臺北：1985年11月）。

劉恆興，〈大道之行也：「滿洲國」大同時期王道思想及文化論述（1932-1934）〉，《漢學研究》30：3（臺北：2012年9月），頁297-329。

劉恆興，〈王道之行，始於齊家：「滿洲國」大同時期家庭倫理思想論述〉，《漢學研究》32：2（臺北：2014年6月），頁231-364。

劉素芬，〈日治初期大阪商船會社與臺灣海運發展（1895-1899）〉，收入劉序楓主編，《中國海洋發展史論文集》（第九輯）（臺北：中央研究院人文社會科學研究中心，2005），頁377-435。

蔡慧玉，〈日治時期臺灣行政官僚的形塑：日本帝國的文官考試制度、人才流動和殖民行政〉，《臺灣史研究》14：4（臺北：2007年12月），頁1-65。

鄧野，〈東北問題與四平決戰〉，《歷史研究》4（北京：2001年8月），頁57-71。

鄧野，〈南京談判與第二次國共合作的終結〉，《歷史研究》2（北京：2002年4月），頁67-83。

鄭麗玲，〈不沉的航空母艦：臺灣的軍事動員〉，《臺灣風物》44：3（臺北縣：1994年9月），頁51-89。

穎川生，〈新京特別通信―臺灣人で成功して居る者は誰れか〉，《臺灣實業界》第11年第12號，1939年11月，頁31。

戴國煇，〈殖民地的傷痕〉，收入氏著，《臺灣結與中國結：睪丸理論與自立・共生的構圖》（臺北：遠流，1994），頁223-288。

鍾淑敏，〈二戰時期臺灣人印度集中營拘留記〉，《臺灣史研究》24:3（臺北：2017年9月），頁89-140。

鍾淑敏，〈日本外交史料館所藏「臺灣籍民」關係檔案介紹〉，《近代中國史研究通訊》16（臺北：1993年9月），頁210-215。

鍾淑敏，〈日治時期臺灣人在廈門的活動及其相關問題，1895-1938〉，收入走向近代編輯小組主編，《走向近代》（臺北：東華書局，2004），頁399-452。

鍾淑敏，〈南方進行曲：日治時期臺灣總督府的南進政策〉，收入蔡美蒨總編輯，《臺灣學系列講座專輯第五集》（臺北：國立中央圖書館臺灣分館，2012），頁69-92。

鍾淑敏，〈望鄉的鐵鎚：造飛機的臺灣少年工〉，《臺灣史料研究》10（臺北：1997年12月），頁117-131。

鍾淑敏，〈臺灣總督府的「南支南洋」政策：以事業補助為中心〉，《臺大歷史學報》34（臺北：2004 年 12 月），頁 149-194。

鍾淑敏，〈臺灣總督府對岸政策與鴉片問題〉，收入臺灣省文獻委員會整理組編，《臺灣文獻史料整理研究學術研討會論文集》，南投：臺灣省文獻委員會，2000，頁 223-254。

鍾淑敏，〈戰前臺灣人英屬北婆羅洲移民史〉，《臺灣史研究》22:1（臺北：2015 年 3 月），頁 25-80。

簡笙簧，〈光復前後政府接運旅日臺胞返籍之探討〉，收入中華民國史專題討論會秘書處編輯，《中華民國史專題第三屆討論會論文集》（臺北：國史館，1996），頁 1171-1190。

羅久蓉，〈抗戰勝利後教育甄審的理論與實際〉，《中央研究院近代史研究所集刊》22 下（臺北：1993 年 6 月），頁 205-231。

# 索引

**俄文**

Александр Михайлович Василевский（瓦西列夫斯基） 464

Михаил Прокофьевич Ковалев（科瓦廖夫） 469

Родион Яковлевич Малиновский（馬利諾夫斯基） 464

Кири́лл Афана́сьевич Мерецко́в（梅列茨科夫） 464

Максим Алексеевич Пуркаев（普爾卡耶夫） 464

**日文**

ヂヤムサロン 216

ボラターノ 216

カルロフ（Карлов）少將 469

スタンケビツチ（Каптон Станковић） 469

**C**

Clifford, James 014-015

Cohen, Robin 008, 014-019, 632

Christie, Dugald（施督閣、杜格爾德・克里斯蒂）385

**D**

Duara, Prasenjit 033

DuBois, Thomas David（杜博思） 033

**H**

Hall, Stuart 018

**G**

Gregory, Theodor Emanuel 302

**M**

McLeod, John 008, 017, 632

Mitter, Rana 032

**K**

Keynes, John Maynard（凱因斯） 302

**S**

Safran, William 014-015, 632

## U

UNRRA（聯合國善後救濟總署，聯總） 009, 038, 046, 452, 478, 505-506, 508, 515, 517-518, 521, 527, 529, 535, 550, 623, 643, 646-647

## W

Watt, Lori 038
White, F. Norman（懷愛德） 384

## Y

Young, Louise 032-033

## 二劃

丁士源 211
九一八事變（滿洲事變） 032, 034-035, 037, 056, 061, 063, 076-077, 079, 102, 108-109, 155, 172, 207, 209, 256, 267, 269, 322, 329, 332, 452, 474, 498, 502, 636
二七部隊 583, 587
二二八（二二八事件） 006, 025, 040, 042, 046, 094, 281, 283, 288, 449, 494, 524, 539-540, 546, 548, 551, 557, 565, 567, 573, 576-578, 580-582, 584-588, 595-597, 599-600, 603, 614, 616, 627-628, 631, 644-645
二條一 588
八田繁 440
八路軍 114, 264, 419, 477, 498, 501, 518, 573

## 三劃

三民主義青年團 203, 507, 514
三宅福馬 062
上妻秀雄 438
久米正雄 063

于沖漢 172, 207
于國楨 569
口述歷史 006-008, 010, 026, 028, 042, 045, 171, 261, 462, 534, 647
土肥原賢二 207
大川周明 176
大正海上火災保險會社 323
大同學院 008, 024, 042, 046, 085, 148, 156, 158, 165-166, 171-183, 186-187, 189, 191-195, 201, 203, 205, 220, 222, 234, 237-238, 240, 243, 245, 256, 259-265, 273-274, 278-290, 332, 355, 364, 366, 472, 486-487, 513, 539, 564-565, 567, 606-609, 621, 639-640, 647
大同醫院（黃子正，新京） 062, 088, 412, 415, 638
大同醫院（傅祖宗、傅元暄，大連） 139, 417, 451, 638
大阪商船株式會社 078-079
大邱醫專 107, 457
大島浩 176
大島節哉 438
大島義昌 113, 152, 271
大連汽船株式會社 079, 326, 634
大連高等商業學校 155
大連滿鐵醫院分院同壽醫院（同壽醫院） 130, 395, 409, 560
大連臺灣協會 359, 394, 404
大連滿鐵醫院（滿鐵大連醫院） 072, 113, 116, 130, 143, 383, 388-389, 391, 411, 417-419, 451, 560, 619, 622, 638, 646
大陸科學院 042, 085, 147, 166, 244, 246-248, 260, 276, 311, 348, 355, 358, 482, 504, 508, 540, 542, 545, 575, 610, 624, 627, 639-640, 644

大瀧重直 034
小豐滿發電廠（水豐水庫） 178, 484, 599
山下泰藏 126
山本ヒサエ 417
山本有造 009, 037
山田乙三 464, 481
山成喬六 062, 303
山村章 069
山室信一 009, 030, 036, 045-046, 633
山崎寅雄 212
川島真 039, 074
工藤喬三 130
弘報部 060, 102

## 四劃

中山醫院 419, 479, 481, 524, 638
中日國民協會 206
中央工業試驗所 504
中目俊平 300
中村大尉事件 057
中村孝志 020-022, 377
中國第二歷史檔案館 007, 041, 462
中國銀行 411, 504
中國醫科大學（原滿洲醫科大學） 007-008, 040-041, 072-073, 085, 090-091, 093, 100, 108-110, 112-121, 123-126, 128-133, 136, 144, 162, 205, 243, 283-284, 339, 354, 379, 382-383, 385-386, 389, 394, 398, 400-402, 411, 416-419, 421-422, 425-426, 430, 433-436, 440, 442-444, 446-448, 450-456, 514-515, 521, 523-525, 527, 552, 555, 557-560, 562, 568, 606, 608, 616, 620 624, 626, 636, 639, 645
中蘇友好同盟條約 465, 643

五族協和 013, 029, 031, 060, 102, 159, 170, 174, 180, 346-347, 634
仁生醫院 417-418, 523, 560, 638
仁和醫院 009, 141, 409-411, 418, 425, 453-455, 486, 560, 618, 638, 646
仁愛醫院（在奉天） 041, 421, 489, 500, 627, 638
仁愛醫院（在臺中） 421, 452
內田康哉 209
內地渡航證 039, 084
公醫 120, 380, 384-386, 407, 412, 431, 452, 454, 561
升學內地專科以上學校公費考試（留學考試） 006, 520, 527, 543, 579
卞鳳奎 026
天生醫院（梁宰，撫順） 009, 084, 111, 116, 120, 130-131, 133, 359, 395-398, 400-402, 423, 447, 452, 454-455, 481, 497, 501, 557, 560, 620, 624, 638, 646
天生醫院（吳連芳，嘉義） 402
天生醫院（詹德明，本溪湖） 423, 425, 638
天生醫院（楊澄海，鞍山） 141, 423, 425, 559, 638
天津臺灣同鄉會 515, 517, 519, 531, 548, 578, 644
太平洋戰爭 028, 080, 103, 272, 635
太田政弘 382
太田美智子 440
孔祥熙 504
尹輝鐸 035, 497
巴勵（法國人） 214
方丙申 266
方清輝 087, 261
方欽章 573

方瑞壁　407, 437, 457
日本外務省外交史料館 007, 039
日本南進政策　020-023
日本植民地文化学会　030
日本郵船株式會社　078
日本福昌華工株式會社　340
日本駐奉天領事館　070, 078
日沖飛郎（日沖飛娜）　392, 396, 453
日俄戰爭　055, 065, 069, 102, 271, 379
日滿商事股份有限公司　321
木田青　477
水上機場　583, 587, 597, 628, 645
水戶事件（水戶）　076, 267, 273
火曜會　169, 640
牛光祖（張慶璋）　567
王七雄　331
王大樹　009, 093, 100, 112, 117, 359, 403-407, 416, 422, 445, 454, 456, 478, 521, 527, 606, 638, 646
王子英　595
王子敬　377
王天賞　548
王氏式　088
王氏采薇　089
王氏金治　096
王氏淑貞　458
王氏腰　096
王水柳（臺北）　095, 128
王水柳（鹿港）　128
王火炎　121, 123, 126, 130, 402, 445, 456
王世恭（王洛）　009, 117, 121, 125, 130, 171, 266, 435, 442-444, 454-456, 550, 553, 555, 616, 639-640, 646
王世慶　576

王必昌　051
王永宗　261
王永芳　443
王甲寅　275, 322, 642
王立財　314, 318, 575, 616, 641
王江村　517
王冷佛　502
王長勝　092, 099
王前西　267
王柏懷　378
王炳麟　297, 321, 567
王美木　092
王香禪（王罔市、王香嬋）　226, 237, 355, 357
王振淮　366
王書麟　205, 507
王桂庭（王桂）　267, 269, 277
王桂霖　425-426, 458, 638
王祖派　445
王祖楷　121, 418, 445, 456, 638
王祖熺　445
王祖檀（王通明）　445
王荊樹　603
王得祿　297, 321, 567
王添灯　095, 323, 333, 642
王連生　333-334
王勝利　378
王博雅　087
王朝坪　155, 252, 276
王森井　187, 235, 260, 275, 287
王超倫　593, 595
王進益　323, 333
王順風　447
王愛真　405-406, 445

王愛惠 405-406
王毓麟 457, 568, 627
王瑞琪 072
王萬賢 087, 303, 565, 579, 641
王葆青 072
王道書院 109
王道樂土 009, 030, 034, 060, 102, 312, 366, 495, 539, 603, 614, 628, 631-632, 634, 638, 645
王漢亭 445
王熙宗（王國珍） 261
王銘勳 254, 256, 260, 274-276, 284, 609, 621-622
王標 112, 116, 416, 456
王學新 022
王聯發 582
王鍾麟 297, 321
王韜石（王蘊石） 226
王麗明 621
王鐵相 226, 267

**五劃**

丘逢甲 387
丘樹屏 034
加納久夫 042, 633
加藤信平 437
北京大學 006, 085, 246, 252, 520, 545, 625, 644
北京協和醫院（協和醫院） 114, 395
北京臺灣同鄉會 025, 527
北畠澤 595
北滿學院 109-110
古有桂 328
古海忠之 469
史宏熹 585
史金泉 097

史衡 093
司法官 183, 186-187, 193, 200, 242, 258-261, 274, 640
四平之戰 466-467, 534, 643
外國旅券規則 065-066, 069
平壤醫學專門學校 107, 288
本庄繁 169, 207
民生醫院 412, 476, 638
民籍法 059
田中義一 056
田健治郎 070, 268
白川直衛 617
白仁武 380
白色恐怖（白恐、白色恐怖時期） 008-009, 040, 046, 152, 496, 539, 576, 587-588, 597, 603, 610, 614, 628, 631, 633, 637, 645
矢內原忠雄 595
石林玉燦 343, 383, 423, 431-432, 457, 510, 531, 621, 639
石原莞爾 056, 161
石塚英藏 382
石橋湛山 605

**六劃**

任新銘 175
再度離散 009, 045-046, 603, 613-614, 616, 628, 645, 647
吉岡安直（吉岡） 414-415
吉林法政學堂 072
吉林師道大學 109, 171
同仁會 027
同仁醫院（營口） 072, 387, 637
同愛醫院 417, 558
同德醫院 418, 638

索引 | 685

回生醫院（江塗龍） 131, 416-417
回生醫院（羅福嶽） 401, 560
回歸熱 385, 409, 455, 481, 501, 514
地政員工訓練所 471, 510
宇垣一成 056
守中清 131, 440
安生醫院 419, 608
安東南滿醫院 416
寺田文治郎 131, 452, 626
朱子英 160, 597, 616
朱叔河 062, 206, 222, 275
朱阿西 095, 332
朱昭陽 548
朱惠足 034
朴重潤 610
朴祐鐘 617
江合興 324
江金素（林江金素） 007, 042, 418, 531, 555-556
江呈麟 311, 566, 641
江金全 340
江善慧 179
江塗龍（江文峰） 090, 117, 130-131, 416, 456
池田勝三 139
百川醫院 008-009, 111, 355, 388-389, 416, 429-430, 454, 521, 555, 625, 638, 646
竹本節藏 062, 302
米沢久子 609
自治會（學生自治會） 544, 593, 596
自治會（治安維持會） 172
行政官 183, 186-187, 193, 243, 258-261, 265, 274, 640
行政院善後救濟總署（行總） 506, 508, 643, 647
西山鈴 127, 388-389, 448, 521, 625

**七劃**

佃弘夫 593
佐久間（佐馬太臺灣總督） 042
佐野熊翁 437
佐藤佐 063, 283
佐藤尚武 463
何芳陔 246, 260, 276, 504, 545, 610, 627, 644
何金生 081, 257-258, 326-327, 350, 365, 506-508, 514, 517, 524, 529, 562-563, 569, 627, 642, 644
何敏璋 239, 275
何聰明 580
何舉帆 541
余文奎 143, 456
余逢時 135-136, 228, 267, 275, 352, 355, 383
余錦華 269
余錫乾 135-136, 352, 383, 445, 456, 502, 518, 529, 531
吳三連 515, 517, 523, 531, 548-550, 554, 566, 585, 627, 644
吳大杉 111, 121, 126, 419, 456, 638
吳天得 147
吳太郎 312
吳心喜 578
吳文中 226
吳氏秀霞 099
吳氏彩秀 100
吳氏瓊英 100
吳左金 189, 206, 214-220, 259, 275, 347, 353, 362-363, 508, 520, 533-534, 646
吳石頭 072

吳杜火 238

吳谷喬 204, 487, 542

吳佩元 090

吳昌仁 240, 275, 625

吳昌禮 041, 121, 125, 187, 189, 204-205, 250, 259, 275-277, 283, 435-436, 456, 487, 496, 542, 551, 555, 602, 639

吳松興 099, 259, 263, 275, 277

吳泗輝 394

吳炎烽 321, 504

吳金川 062, 077, 087, 100, 161, 234, 282, 302-303, 324, 502-504, 509, 512, 535, 566, 604, 627, 641, 644

吳金雨 088

吳金獅（島崎純一） 326

吳長興 312

吳俊陞 409

吳建興 617

吳振茂 136, 423, 456, 638

吳振輝 006, 100, 300

吳桂春 092

吳國楠 151

吳國楨 550

吳深池 041, 045, 329, 339-340, 342, 350, 431, 475, 477, 497, 571

吳清煥 087

吳連芳 401, 457

吳連慶 340, 475, 512

吳朝麒 591

吳森炎 237, 266

吳登貴 314, 320, 574, 616

吳新春 090

吳新榮 063

吳裕興 237

吳道源 447

吳福興 233, 259, 275, 290, 509, 562, 609

吳慶輝 139, 456

吳慶懷 139, 456

吳憲藏 007, 159-160, 345, 347, 351, 356, 525-526, 568, 590-592, 597, 610

吳濁流 071

吳濯合 323-324

吳鴻裕 244

吳鴻澤 439-440

吳豐貴 309

吳寶春 095

吳耀輝 324

吳蘭香 100

呂天欽 457

呂天爵 313

呂江水 621

呂西智 312

呂奇立 269

呂芳魁 160, 596-597, 616

呂梅英 447

呂碧全 599

呂震妙 115-116

呂耀唐 072, 115-116, 130, 379, 416, 445, 447, 456

宋子文 504

宋美齡 466, 530

宋喜祥 095

宋增槳 566, 569

宋賢清 314, 316, 318, 641

宏濟醫院 391, 521

尾畏薰 383, 391, 409

志願兵制度（志願兵） 028, 265, 273, 383, 494

技術官　148, 183, 186-187, 193, 243, 246, 258-261, 263, 274, 366, 640, 646
李己財　095
李友邦（李肇基）　075
李天生　097
李天來　377, 449
李天受　458, 555, 637
李文富　151
李氏葉　089
李水清　007, 160-162, 178, 221-222, 260, 274-275, 287-288, 331, 404, 474, 493-494, 502, 527, 531, 548, 581, 584, 587-593, 596-597, 606, 609-610, 642, 645
李永清　206, 220, 259, 275, 282
李如琨　237, 258
李定山　408
李征昌　265
李招治　450
李金英　450
李金榜　094
李金鐘　095
李長壽　096
李厚基　076, 267
李香蘭　063
李恩涵　034
李晏　407-409, 445, 457, 646
李烈　596
李能斌　089
李訓忠　248, 254, 275, 358, 361, 540
李國雄　414-415
李培燦　593, 595
李清漂　334, 359, 507-508, 554, 642
李喬松　600
李景林　206

李朝舟　238
李朝欽　440
李發　266
李焜　075
李煥　570
李頓調查團　057, 208
李嘉驥　206
李榮河　580
李德彰　087, 121, 125, 422, 456, 478, 638
李潢演　569
李謀華　146, 148-151, 200, 203, 275, 346, 358
李賽珍　405
李璧　451
李謹　450
李謹慎　354, 524
李麒麟　312
李爐己　043, 076-077, 267, 277
李顯本　097
村上勝美　439-440
杜慶祥　090, 141, 456
杜聰明　009, 040, 081, 091, 262, 404, 627
汪振銘　517
汪記中華民國政府（汪政權、汪精衛政權）　025, 046, 057, 071, 096, 216, 415, 508, 534, 606, 633-634, 636, 640, 646
沈文華　237
沈水鎔　457, 555
沈技英　310, 641
沈怡　465
沈武英　265, 277
沈瑞麟　211
沈萬年　152
沈耀宗　324
沖繩縣立農林學校　036

沙培德 033
赤十字社奉天病院 130, 144, 426, 557
赤木猛市 042
赤司初太郎 325
辛得祿 474
辛嵩地 518
邢匡 589
里見正義 071
阮氏尾 089
阮振鐸 108, 212
近藤正己 027-028

**八劃**

亞細亞號 080, 353
京城醫學專門學校 107
京都大學人文科學研究所 037
佳木斯醫科大學 109-110, 133, 385
依託生 134
兒玉源太郎（兒玉） 055, 474
具鳳會 175, 180
協和會 008, 031, 141, 157-158, 174, 176, 193, 224, 287-288, 321, 331-332, 446, 469, 477, 492, 502, 642
取締外國人入國規則 064
周文進 274, 288, 609
周氏招治 102
周氏緣 089
周以文 589
周自新 596
周佛海 086, 112, 244, 279
周咏華 326
周武昌 458
周春傳 573
周桃 239

周連之助 297, 641
周塗樹 335
周義輝 252, 260, 276
周萬清 128-129, 562
周壽灶 128-129, 562
周壽源（周松坡） 117, 119, 446-447, 456, 520, 524-525
周漢揚 309, 314, 318, 482, 574, 616, 641
奉天工業大學 109-110, 145, 151, 162, 636-637
奉天交通株式會社 096, 328
奉天赤十字社醫院 402
奉天農業大學 109-110, 365
奉天維城中學 081, 562
奉天醫科大學 250, 254, 262, 276, 385, 391, 640
奉天藥劑師養成所 109-110, 144, 162
奉天護士養成所 144
始政四十週年臺灣記念博覽會 062, 102, 212, 227, 415, 634
孟天成 008, 102, 117, 359, 378, 383, 391-395, 397, 402, 409, 412, 425, 437, 448-449, 453-457, 501, 514, 619-620, 634, 638, 646
孟慶恩 512
岡田英二 430, 451
岡隆一郎 298
岡雄一郎 316
岸田由香 160
岸信介 227, 604-606
明石元二郎 339
東北民主聯軍 467
東北行政委員會 057, 207, 269
東北行政會議 054
東北會 006-007, 041, 552, 612, 644

東北幫 548, 550, 554-555, 573, 627, 644
東亞同文書院 107, 236
東南亞 016, 019-020, 022-024, 036, 039, 046, 605, 644
東洋協會專門學校 071, 206
松本彰 130
松江豐滿水力發電廠（豐滿水庫） 178, 318
松岡洋右 208, 298
松壽 206
板垣征四郎（板垣） 056, 208
板橋林家 199, 213, 646
林一新 595
林丁財 089
林子生 066, 634
林才 273
林仁潭 266, 457
林允 401
林元文 089, 337-339, 356, 358
林元晃 121, 125, 338-339, 383, 430, 445, 456, 639
林天意 457
林天賜 458
林文龍 266
林氏好 331, 508
林氏治 092, 099
林氏彩霞 440
林水旺 091
林冬桂 203, 205, 275
林正中 556
林正南 124, 153, 556, 593, 615, 626
林永倉 146, 148-149, 172, 187, 189, 240, 260, 274-275, 286, 347, 472, 486, 509-510, 551-553, 607, 612

林永賜 341
林伏濤 541
林如垺 591
林如璋 092
林有丁 309, 520, 574, 641
林有伍 087, 200, 203, 320, 641
林汝霖 093
林老銓 093, 121, 125, 456, 555
林伯輝 115-116, 379, 416, 456
林佛國 214
林克宏 112, 152-153
林含鈴 309, 574, 641
林呈東 312
林呈祿 506
林志宏 034, 045, 462
林更味 231, 330, 343-344, 347-348, 355, 360-362, 427, 532
林秀英 339
林秀梯 117, 119, 447, 456
林秀模 117, 119, 447, 456
林秀欒 586, 598
林良壽 598
林邦光 092
林佳湧 326
林和忍 092
林季商 170, 268
林宗慶 092
林宗輝 121, 456
林宜萊 151
林庚甲 096
林延琛 196
林昌德 112, 117, 398-399, 401, 447, 456, 521
林明德 034
林炎星 324

林金殿　331, 477, 492, 517, 554, 642
林冠英　066
林建寅　040, 087, 268, 277
林思漢　075
林政忠　582
林省三　042
林茂　447
林茂生　506, 627
林家鎮　341
林恩魁　250, 276, 436, 457, 498, 544, 588, 601-603, 628, 645
林料聰　309, 575
林益修　087
林迺信　299, 562, 641
林迺恭　226
林啟徽　142, 456, 561
林張耀　268
林彩雲　339
林彪　467, 502, 643
林淑貞　556
林淑卿　556
林添木　090
林清　087
林清月　437
林清南　121, 430, 456, 639
林船維　091
林景仁　040, 206, 213-214, 259, 275, 646
林景星　321
林景修　142, 456
林朝清　089
林朝榮　086, 230, 252-253, 260, 329, 344, 351, 361, 527, 545, 547, 627, 644
林朝槐　092
林棋煌　638

林欽明　007, 121, 123-124, 418, 426, 448, 456, 524, 531, 555-557, 615-617, 626
林雲山　091
林雲川　091
林新振　457
林新埤　093
林楊梅　152
林溪土　093
林煥星　252, 254
林瑞西　094
林瑞騰　268
林痴仙　389
林祺煌　093, 431, 458
林嘉總　092, 365
林滿紅　020, 022-024, 333
林漢　112, 116, 130, 416, 456
林熊徵　196
林爾嘉　213, 618
林福老　552
林維喬　141, 456
林肇周　073, 111, 121, 123, 448, 456, 524, 555, 615-617, 626
林肇基　121, 123, 128, 425-426, 448, 456, 555, 557, 626
林鳳麟　083, 200-203, 242, 250, 259, 275-276, 345, 356, 470, 566, 568, 586, 646
林寬明　090
林德旺　075
林德政　025, 045, 462, 497
林慶雲　160, 272, 287, 473, 508, 548, 581-582, 587-593, 595-597, 628, 631, 644-645
林澄秋　570
林蔭福　089
林樹枝　242, 259, 275, 277

索引　691

林樹敏　117,456
林錦文　083,383,448,457,514,557,584
林龍生　395,457,638
林麗川　268
林麗松　089
林獻堂　040,075-076,088,155,222,225,268,341,389,433,555
林耀堂　085,246,260,276,504,527,545,547,610,627,644
林顯宗　335
武田浩吉　440
武義德　582
武裝移民團　057
武藤信義　057,199,209,382
治外法權　020-021,056,074
牧千代吉　069
直木倫太郎　244
邱來傳　160,544,596-597,610,616
邱昌河　187,189,233-234,259,275,285,470,512
邱昌麟　430,458
邱明山　409
邱金波　143,456
邱阿琳　087
邱炳　089
邱欽堂　097,232,260,275,351,562
邱華忠　494
邱雲興　092
邱魁琥　328
邱魁煌　328
邱魁鳳　328
邱魁龍　095,328
邱鳳儀　457,570,627
邱德金　075

邱德根　160,597,616
邱德章　091
邱興才　092
邱瓊雲　409
邱寶雲　409
金大哥　036
金山善行　440
金包里砲台　584-585
金永哲　035
金良　206,333
金源　414
長谷川一夫　063
長春工業大學　042,148,151,612
長春臺灣同鄉會　041,084-085,473,505-506,509,513,519,532,534,542,577,595,625,635,646
長濱重磨　314
阜新火力發電所　316,490,641
青木文雄　543
青島醫學專門學校　107,458

## 九劃

侯全成　363,407,409,411,417,457
侯金魚　343,432,510-512,531,621
侯震東　303,566,641
促進轉型正義委員會　603
俄國人　037,351,422
信愛醫院　426,452,638
冒籍　019-020,040,120-121,123,636
涂光明　580-581
南次郎（南總督）　175,196
南投區工委會　600
南洋　019,022-024,028-029,052,078-079,082,213,230,250,261,271,273,332-333,377,

380, 404, 433, 452, 454, 461-463, 577, 642-643, 646
南洋郵船會社 079
南滿洲工業專門學校 081
南滿洲鐵道株式會社 055, 113, 152, 170, 201, 295-296, 385, 641
南滿醫學堂 040, 072, 107, 109, 113-116, 162, 385, 456, 606, 636
南滿鐵道工程學院 109
哈爾濱外國語大學 006
哈爾濱高等工業學校 109, 254
哈爾濱基督教青年會專門學校 110
哈爾濱農科大學 109
哈爾濱醫科大學 040, 090, 109-110, 113, 133-134, 139, 141, 162, 382, 385-386, 392, 411, 425, 430, 435, 451-452, 456, 625, 636, 639
城與熊 071
姜英勳 498, 610
建國大學 006-008, 041, 082, 085, 109, 111, 113, 156-158, 160-162, 166, 244, 254, 274, 287-288, 303, 327, 331, 345, 347, 350-352, 356, 365, 414, 471, 473, 491, 493, 525, 548, 567-568, 579, 581, 587, 590, 605, 609, 616, 627, 631, 633, 637, 639-640
後藤新平 034, 055, 212, 382
施世傳 128
施其華 309, 574
施春雨 447
施春裕 447
施家振 312
施家福 312
施義德 117-119, 446-447, 456, 606, 608, 616
星野直樹 318
春華醫院 417-418

查某嫺 046, 363
柯子彰 299-300, 641
柯田 324
柯明點 445, 454, 457
柯保羅 300
柯隆礎 313, 341
柯雲鳳 121, 457
柯鴻允 313
柯耀南 596
柳氏錦蓮 100
柳金發 093
柳條湖事件 057
段祺瑞 206
洪ミツノ 129
洪元定 586
洪月嬌 358
洪火舜 090
洪火煌 243, 276
洪台岩 313
洪幼樵 600
洪玉輝 309-310
洪兆漢 224
洪在明 199, 321-322, 343, 345, 349, 351, 353-354, 358
洪利澤（洪公川） 199, 241, 259, 262, 276-277, 280, 470, 564
洪金川 269
洪恩得 313
洪習定 321
洪頂霖 422, 457, 638
洪智默 322, 340, 343, 552
洪源福 139, 456
洪維新 226, 275
洪慶昌 262

索引 | 693

洪適安　234, 275

洪學優　527

洪鴻福　147

洪鴻儒　117, 456, 616

洪禮卿　121, 448, 456, 552, 555

洪禮峰　121, 123, 136, 448, 456, 616

洪禮照　136, 139, 456

洪禮憲　136, 448, 456

洪蘭　088, 392, 448

畑生武男　316

紀慶昇　160, 548, 590, 596-597

紅毛埤　582-583, 587, 597, 628, 645

胡季麟　388

胡珠照　320, 575

胡素和　341

胡森林　089

胡嗣瑷　199

胡煥奇　256

胡寶和　341

胡寶珍　603

胡鑫麟　603

若林正丈　020

范姜萍　092

范滄榕　581

范燕秋　377

郁永和　051

限地醫　239, 380, 385, 419, 423, 425, 429, 431, 449, 453-454

韋建仁　588-590

香椎浩平　196

國際聯盟　057, 208, 383, 409, 646

## 十劃

原亨　130

唐中山　494

唐景崧　387

孫中山　076

孫木筆　322

孫崧芳　111, 121, 123, 130, 456

孫雪　322, 509, 641

孫博元　414

孫順天　160, 548, 589-590, 597

孫傳芳　412

孫經邁　585

孫運璿　573

孫德芳　437, 457

孫德耕　589

宮元利直　267

差別待遇　070-071, 102, 107-108, 120, 148, 159, 162, 254, 274, 316, 334, 346, 453, 603, 631, 636

徐千田　433

徐文枝　097

徐文炳　089

徐文書　257

徐月玉　144

徐水德　040, 187, 189, 234-235, 259, 275, 280, 282, 285, 364, 470, 498, 504, 507, 509, 512-513, 518, 530, 535, 564, 579, 586-587, 631

徐先佑　156

徐先華　477

徐守益　092

徐晉海　309

徐焰　483

徐裕增　117, 119, 456, 557

徐榮　404, 417, 457

徐福安　119

徐誦明　114

徐銀格　395, 457, 638

徐德龍　117

徐應勳　309, 574, 641

旅券　007-008, 020, 023, 039-041, 045-046, 051, 063-074, 079-080, 084, 086-087, 089-090, 092-100, 103, 226, 258, 261, 401, 412, 431, 634-636

旅順工科大學　040, 081, 085, 109, 152-153, 162, 314, 573, 612, 636-637

栗原純　020

株式會社昭和製鋼所　313, 489

株式會社滿洲映畫協會　086, 312

泰源監獄　600

涂南山　082, 159-160, 347, 350, 365-366, 473-474, 491, 498, 501, 527-528, 543, 584, 588, 591, 593-595, 597, 610, 628, 645

涂炳恒　323

涂榮慧　303, 530, 566, 641

涂慶楨　321

特殊會社　008, 046, 174, 176, 193, 295-296, 301, 310, 313-314, 321, 324, 342, 366, 641

特務　075-076, 082, 087, 207, 222, 261, 265, 267, 285, 308, 365, 471, 478, 492, 618-619, 635

真人醫院　430, 450, 454, 639

真崎甚三郎　196

神尾弌春　063, 283

神阪京華僑口述記錄研究會　462

神岡彬夫　440

秦義松　340

秩父小太郎　148

紙灰檔　008, 631

翁廷尉　239, 277

翁其鴻　238, 275

翁通逢　063, 082, 248-250, 276, 323, 345, 355, 377, 383, 426, 429, 454, 457, 482, 487, 496, 509, 545, 550, 553, 599, 623

翁通楹　082, 248-249, 276, 310-311, 322, 345, 348, 482, 507-508, 518, 530, 545, 610, 627, 641, 644

翁澤生　075

荒井靜雄　415

袁世凱　055

袁柏偉　313, 544

袁柏雄　624

袁柏濤　313

袁國欽　582-583

袁湘昌　429, 449, 457, 470, 557

袁鈺昌　139, 456

袁碧雯　429

袁碧霞　429, 448, 454, 458

袁樹泉　111, 139-140, 429, 449, 470, 513, 523, 557, 638

袁錦昌　040, 093, 099, 230, 313, 351, 426-430, 448, 454, 457, 470, 513, 523, 544, 558, 624, 638, 646

袁櫻雪　111, 139-140, 449, 523

郝連增　329

郝錫增　041

配給制度　159

馬氏文銀　088

馬占山　262, 409

馬玉堂　599

馬光甫　527

高一生　272, 582-583, 598

高木友枝　380

高玉樹　551

高再得　409

高金堆　093

高垣寅次郎 302

高砂自治會 598

高砂義勇隊 027, 029, 461

高崎達之助 504

高雪貞 603

高富子 135

高森時雄 384

高湯盤 062, 087, 135, 311, 518, 566, 586-587, 627-628, 641

高等文官考試（高等考試） 008, 024, 036, 046, 096, 158, 165, 174-175, 180-184, 186, 193, 195, 200-201, 226, 228, 233, 235, 244, 246, 250-251, 274, 279, 282, 285, 287, 289, 366, 539, 567-568, 640-641, 646-647

高等官 008, 024, 046, 085, 148, 158, 165, 172-174, 181-183, 186-191, 193, 196, 205-206, 220, 222-223, 225, 229, 233-235, 237-238, 240, 242-243, 246, 256-261, 263-264, 274, 278, 280, 283-288, 290, 331, 366, 382, 539, 545, 571, 621-623, 631, 640, 647

高等官登格考試 182

高等官試補 024, 148, 158, 172, 181-183, 186, 205-206, 220, 222, 233- 235, 237-238, 240, 242-243, 256-257, 260-261, 263-264, 278, 280, 283-288, 331, 571, 621, 623, 640

高進紀 087, 121, 130, 402, 456

高雄大連線 079-083, 102, 634-635

高雄仁川線 079-080, 634-635

高雄天津線 079-080, 082-083, 634-635

高雄第一中學 006, 579, 581

高萬安 320

高夢雄 111, 121, 126, 456

高銘芳 089

高橋信吉 439

高澤照 598

**十一劃**

國家科學委員會 009

國家檔案管理局 040

國際聯盟衛生委員 383

國營 008, 213, 295-297, 298, 301, 308, 342, 366, 641

執政 057, 060, 074, 102, 165, 169, 188, 196-197, 199, 207-208, 211, 639

婉容 053

康德醫院 419, 638

張丁誥 045, 265, 340, 431, 474-475, 488, 497, 512, 570

張七郎 449, 457, 585-587, 628, 645

張大長 425, 458

張川銘 147

張仁石 322

張天賜 312-313, 641

張少基 117, 456

張文成 585, 628

張文伴 394

張氏懷謹 099

張世城 085, 088, 099, 230-231, 275, 329-330, 343-344, 359-362

張世添 096

張正一 322

張江水 313, 355

張伯哲 599-600

張作霖 052, 055-056, 061, 262, 407, 440

張吳氏旺妹 325

張依仁 425, 449, 458, 585, 637

張宗仁 045, 423, 425, 449, 457, 585

張宗田 363, 365, 423, 453, 457, 639

張宗池　121, 453
張忠　040, 407
張忠道　541
張果仁　425, 449, 585
張芳夑　518, 564, 570, 627, 644
張阿屘　089
張建侯　206, 222, 259, 275
張建俅　007, 038
張政宏　139, 456
張星賢　040, 098, 299, 358, 641
張春茂　102
張春鐘　102
張泉　618
張振芳　458
張泰山　112, 121, 430, 450, 639
張海藤　380
張海鵬　207
張彩鶯　099, 230
張添來　324
張清來　151
張琔　007, 042, 363, 420, 453, 486, 500, 605, 611
張莘夫　491
張喜榮　045, 070-071, 328, 340, 565
張景惠　135, 156, 207, 211, 247
張朝邦　092
張登山　363, 453
張登川　117, 419, 453, 456, 608, 616
張登財　117, 419-420, 453, 456, 479, 486, 524-525, 611, 616, 638
張華山　112, 117, 120, 430, 450, 456
張進通　445, 457
張傳生　439, 440
張塞門　096
張嵩山　112, 121, 430, 447, 450, 454, 456, 639

張煜南　213
張瑞霽　447, 625
張鼓峰　216
張嘉璈　246, 282, 465, 502-504, 512-513, 535, 566
張榮宗　094
張漢戊　324
張福英　213
張維　623
張德州　099
張德賢　099
張毅　268
張勳　060, 072, 206
張學良　056-057, 109, 466, 636
張學思　466
張燕卿　199, 227
張錦昌　325
張錦源　156
張蹈仁　425
張麗俊　040, 071, 099, 230, 389
張繼　075
張顯貴　323-324
教官　130, 176, 183, 186-187, 192-193, 203, 230, 258, 261, 263, 274, 280, 289, 389, 434-435, 473, 639-640
梁丁山　034
梁大東　447
梁生　401
梁成　112, 121, 130, 400, 447, 456
梁育明　117, 120, 396, 399, 447, 451, 456, 521, 620-622
梁良造　139
梁松文（梁川清）　097, 099, 111-112, 117, 119, 400-401, 447, 456, 521, 525, 557, 620

索引　697

梁金菊　093, 400, 445, 447, 454
梁金蓮（楊梁金蓮）　093, 423, 445, 447, 454, 457, 559, 638
梁金蘭　111, 396, 399, 401, 521
梁炳元　084, 117, 125, 131, 354, 401, 445, 447, 456, 480-481, 571
梁宰　009, 084, 091, 093, 111, 116, 119-120, 130-131, 133, 359, 395-399, 400-402, 404, 447, 451, 454-455, 457, 481, 497, 501, 513-514, 521, 525, 557, 560, 619-620, 634, 638, 646
梁許春菊　006, 042, 131, 354, 400, 423, 425, 480-481, 484, 571, 627
梁肅戎　645
梁華璜　020
梁園　396, 399, 521, 525
梁道　084, 093, 395, 397, 400-401, 423, 445, 447, 454
梶浦智吉　471
淺井徹　439
清水昌夫　240
清水組　340
盛京賞　009, 440-443, 454, 639
盛京醫科大學　109-110
章榮秋　090, 121, 450, 456
章榮基　087, 117, 119, 130, 450, 456
章榮熙　090, 117, 119, 433, 450-451, 454, 456, 514
第二代　007, 010, 014, 017, 019, 042, 045-046, 086, 443, 499, 529, 539, 542, 577, 612, 614, 616-617, 627-628, 632-633, 644-645
第二次的離散　633
第十九軍械庫　583, 587, 597
第三民族　019
莊氏端　089

莊孟侯　586
莊金城　111, 121, 123, 125, 456
莊垂慶　086
許士龍　599
許尹堂　066
許文華　010, 344, 365, 496, 500, 516, 543, 553, 577
許氏姐　102
許氏淑蘋　006, 100
許氏碧雲　440
許丙　196-197, 199, 227, 272, 298, 492, 550
許伯昭　236, 259, 275
許何氏指　100
許卓然　077, 269
許坤元　234, 260, 275-276, 285, 509, 513
許炎廷　585
許長卿　333-334, 359, 383, 488, 498, 510, 544
許長雄　321, 482, 530
許雨亭　092
許建裕　062, 303, 517, 566, 641
許恪士　569
許昭然　596
許海亮　584-585
許能春　092
許敏信　272, 277, 492
許華江　596
許進來　238, 261, 274-275, 288
許開新　445
許楊柳　440
許溢悟　006
許達財　335
許論潭　066
許燦淵　117, 456
許寶衡　199

698　離散與回歸：在滿洲的臺灣人（1905-1948）／下

許耀輝 152
許鶴年 229, 275, 334-336, 344, 359, 364, 477, 500, 502, 515-517, 543, 554
通譯 023, 025, 071, 076, 206, 222, 225, 228, 269, 488, 492
連雅堂 072, 075, 200
連震東 075
郭斗指 239, 272, 275
郭氏鳳交 088, 412
郭生利 243, 276
郭仲舟 139, 456
郭竹春 087
郭廷俊 061
郭良 262
郭明欽 257
郭松根 046, 138-140, 161, 250, 258, 260, 274, 276, 433-434, 437-438, 454-455, 457, 462, 505-506, 509, 519, 532, 534, 546, 577, 595, 627, 635, 639-640, 644, 646
郭松齡 055
郭阿傭 333
郭雨新 570
郭炳煌 266, 275
郭英啟 117, 456
郭海鳴 230, 259, 275, 277, 360, 471, 487, 575-576
郭教 309, 324
郭琛 364
郭登洲 230
郭進木 214, 392, 395, 437, 457
郭毓文 128
郭瑋 363, 366, 378, 419, 618-619
郭輝 229-230, 519, 575, 646
郭曉鐘 517, 553

陳一鶚 322, 642
陳力航 027, 377
陳三桂 578
陳三財 095
陳大江 093
陳大棋 224
陳仁悲 580
陳介臣 391, 395, 453
陳天助 334
陳文山（陳悟） 060, 102, 267-268, 270, 277, 305, 355, 413, 604, 634
陳文彬 586, 599
陳氏玉葉 100
陳氏姐 339
陳氏金井 102
陳氏阿雲 100
陳氏春妹 089
陳水潭 569
陳火周 092
陳火碑 550
陳以文 273, 493
陳以專 450
陳正乾 139, 456
陳正雄 588-590
陳正德 319, 529-530
陳永祥 306-309, 358, 500, 502, 507, 520, 529, 574, 576, 612, 641
陳永發 033
陳永福（竹田健一） 117, 450, 456, 608, 616
陳玉震 588-590, 592
陳生（陳全生） 242
陳光渠 324
陳再來 265, 440
陳守仁 117, 119, 456, 558

索引 | 699

陳安慶 450
陳有德 117, 439-440, 456, 616
陳老尾 147, 310, 641
陳西庚 450
陳君愷 445
陳宋舫 139, 456
陳廷立 578
陳廷祥 599
陳廷銓 599
陳卓乾 040
陳和貴 092, 226
陳妵溲 026-027, 377
陳孟德 599-600
陳宗惠 445
陳東海 117, 456
陳東興 260, 264, 277, 289, 564, 587, 609
陳松齡 117, 130, 456, 616
陳波雲 363, 531
陳金占 093
陳金聲 160, 498, 590, 597, 610
陳長章 096, 458
陳阿輝 087
陳亭卿 062, 147, 172, 187, 189-190, 205, 243, 259, 275-276, 283, 349, 359-360, 470, 498, 504, 506, 510, 512, 519, 567-568, 579, 586-587, 627, 644
陳威博（楊威理） 112, 520
陳建勳 092
陳春生 341, 475, 512
陳柏棕 028
陳炯霖 439-440
陳炳基 595
陳英 392, 395, 453-454, 457, 638
陳英豪 095

陳茂成 457
陳茂源 595
陳茂經 242, 260, 277, 284, 500, 567-568
陳重光 240, 281, 335, 339, 604-605
陳振茂 111, 128-129
陳挺旭 593, 595
陳栢青 092
陳祖恩 461
陳高絃 319, 349, 360, 363, 571, 627
陳捷步 148
陳清 088, 332, 599, 642
陳清祈 599
陳章哲 040, 091, 100, 347, 402, 404-405, 407, 437, 445, 454, 457, 521, 558, 631, 638
陳粒 334
陳許碧梧 006, 045, 092, 179, 245, 360, 541, 612
陳逢源 041, 061, 214
陳欽梓（陳欽子） 112, 300, 477, 519
陳登科 439
陳登財 148, 254-255, 276, 343, 577
陳登連 457, 558
陳進財 300
陳傳標 471, 567
陳滄水（陳倉水） 239, 276, 458
陳瑞山 319
陳瑞南 450
陳萬琳 599
陳萬壽 599
陳誠 515
陳達仙 248, 276
陳嘉淯 205, 275
陳嘉樹 205, 231-233, 259, 275, 319-320, 349, 359-360, 363-364, 472, 500-501, 510, 529, 564, 571

陳嘉濱　205, 310, 564, 586-587, 641
陳夢懷　458
陳夢蘭　092
陳碧霞　479, 571
陳福松　094
陳維誠　090
陳遠堂　458
陳鳳飛　092
陳儀　462, 505, 509, 535, 539, 579
陳增雄　273
陳澄波　584
陳錦立　458
陳錫卿　045, 086, 092, 136, 179, 189, 194, 243, 245, 259, 275-277, 279, 347, 359-360, 540-541, 558, 570, 627, 644
陳鴻基　334
陳豐祥　034
陳瓊珠　403, 405-406
陳寶川　155, 250-251, 276, 568, 644
陳寶琛　060, 136, 138, 456, 558
陳繼亨　324
陳顯富　598
陳顯義　254, 276
陸軍軍醫學校　113, 130, 143, 162, 456, 637

## 十二劃

傅元煊　315-316, 417, 451, 457, 523, 627, 638
傅元熾　093
傅世明　593
傅仰敦　088, 144, 458
傅宏成　117, 120, 451, 456
傅秋煌　430, 458
傅祖宗　139, 417, 456
傅傳欽　313, 318, 565
傅慶騰　277, 314-315, 318, 417, 482, 484, 490, 500, 510, 512, 530, 573, 587, 641
傅謙　127, 389, 448, 625
博愛醫院　022, 027
博愛醫院（王祖堦，板橋）　418
博愛醫院（吳大彬，奉天）　419
博愛醫院（吳振茂，新竹）　423
博愛醫院（孟天成，大連）　008, 378, 391-395, 402, 409, 412, 425, 448-449, 454-455, 619, 638, 646
博愛醫院（林本源，臺北）　387
博愛醫院（張宗田，鞍山）　363, 365, 423
博愛醫院（張海藤，廈門）　380
博愛醫院（黃順記，開原）　119, 130, 422, 451, 454, 638
博愛醫院（黃演敏，臺中）　451
博愛醫院（熊澤東，臺中）　423
富士貞吉　437-438
彭孟緝　583
彭明敏　602
彭春水　087, 121, 130, 276, 434, 456, 639
彭華英　040, 093, 304-305, 641
復辟　057, 060, 072, 206
惠仁醫院　417
普愛醫院　395, 454, 638
曾氏換治　100
曾先林　465
曾昌興　314
曾明乾　588-590
曾森林　117, 120, 456, 558
曾煥章　341
曾煥鎮　299-300
曾厲水　092
曾德裕　239

曾慶福 075

曾豐明 581

曾麒麟 586

朝鮮 009, 026-027, 035-036, 038, 040, 051, 059, 062, 076-080, 082-083, 091, 107, 113, 142, 148, 157-160, 167, 174-175, 178, 180, 191, 193-195, 206, 215-216, 227, 271, 273, 288, 299, 334, 339, 346, 351, 354, 377, 397, 422, 430-431, 455, 457, 472-473, 477, 481-482, 494-495, 497-498, 534, 603, 608, 632, 634, 636-637, 640, 643

朝鮮人 009, 035-036, 038, 059, 148, 157-160, 175, 178, 180, 191-193, 195, 227, 273, 334, 346, 351, 354, 397, 422, 431, 472-473, 481-482, 495, 497-498, 534, 603, 632, 643

朝鮮京城帝大醫學部 027

朝鮮京城齒科專門學校 430

朝鮮郵船會社 079

朝鮮總督府 142, 157

植田謙吉 228

椎名悅三郎 227

渡航證明 071, 074, 080, 634

渡華旅券 007, 065, 070-071, 079, 084, 634

渡邊末夫 439

渡邊昭 439

渡邊諒 499

渡邊錠太郎 196, 199

游角 092

游阿春 553

游阿喜 553

游海清 160, 548, 589-590, 596-597, 628

游高石 130, 429, 448, 457, 523, 558

游紹陳 431, 433, 457

游景熙 089

游溪連 377

游禎德 160, 596-597

游錦順 092

湯玉麟 269

湯守仁（湯川一丸） 272, 277, 493, 582-583, 587, 596-598, 627-628, 645

湯治万藏 609

湯熙勇 039

無醫村 007, 556, 614-617, 628, 633, 639

猶太人 014-016, 037, 632

程大學 575

程國瑞 228, 267, 277

華北政務委員會 025, 046, 075, 237, 261, 633

華北線 079-080, 083, 102, 634

華嵩地 457

菱刈隆 196, 199, 382

費頓百德 408

辜振甫 228, 325

辜顯榮 225, 228, 325

開拓團 035-037, 082, 383, 448, 461, 471, 482, 495-496, 514, 543

開業醫 046, 074, 127, 380, 386, 425, 561, 638-639

閔畿植 610

雅爾達密約 466

集體自決（玉碎） 461, 469, 478, 481-482

須磨彌吉郎 075

馮玉祥 206-207

黃千王 139

黃千里 179-180, 187, 194, 200-201, 205, 218, 243, 259, 275-276, 279, 363, 478, 483, 515, 517, 552-553

黃子正 046, 062, 088, 093, 210, 241, 348, 355, 361, 378-379, 412-415, 423, 451, 457, 473,

493, 519, 638
黃子成　473
黃子英　075
黃子修　090, 093
黃山水　160, 260, 274-275, 288, 332, 404, 474,
　　　527, 548, 581, 588-592, 597, 610, 628, 642
黃仁宗　451, 621
黃仁超（廣田仁治）　320
黃元鑫　142, 456, 561
黃天賜　088
黃文生　410-411, 452-453
黃文煌　265, 277
黃氏惜　102
黃氏望治　341
黃火在　092
黃世惠　566
黃丙丁　115, 379
黃弘毅　595
黃永盛　117, 130, 451, 456, 479, 515, 621
黃玉霞　410-411, 453
黃再的　128, 451
黃再傳　410-411, 418, 453
黃竹堂（黃朝君）　042-044, 061, 093
黃呈財　335, 470, 523
黃酉時　112, 121, 456
黃旺成　040, 075, 519, 575
黃昌名　121, 125, 456
黃東尚　430, 458, 639
黃欣　358, 363
黃炎生　096, 579
黃炎盛（黃旭東）　389, 457
黃金清　599
黃信卿　006, 272, 277, 583, 587, 596
黃南埔　267

黃春木　083, 254, 260, 276, 546-547, 627, 644
黃春成　043, 200
黃春香　089
黃春蘭　599
黃洪瓊音　210, 241, 348, 355, 412, 423, 473, 498,
　　　501, 519
黃炳南　451
黃炳恩　457
黃秋澄　440
黃紀男　600, 602
黃英哲　009, 298
黃時福　152
黃海南　335, 470, 642
黃烈火　325, 339
黃烟篆　412, 451
黃素華　083, 383, 448, 514, 529
黃啟章　143, 456, 622
黃啟瑞　552, 569
黃婉華　363, 529
黃深智　117, 119, 126, 131, 422, 451, 456, 606
黃清日　333
黃清舜　009, 040, 103, 329, 340, 342, 344, 346,
　　　348, 350, 474-475, 488, 512, 518, 631
黃清塗　179-180, 187, 194, 206, 220, 259, 275,
　　　278, 363, 365, 471, 531, 554, 600
黃連界　090
黃朝琴　578
黃楚柳　599-600
黃菖華　325
黃進福　160, 548, 590, 592, 596-597
黃雅幫　112, 422, 451, 457
黃順記　073, 082, 093, 119, 121-122, 125, 128,
　　　130-132, 354, 356, 359, 421-422, 451-452,
　　　454, 456, 477, 506, 515, 570, 606, 626, 638

黃新錢 151
黃溪泉 325
黃溫恭 345, 458, 496, 588, 599, 628, 645
黃煇 573
黃獅 066, 072, 088
黃瑞徵 147
黃萬 334
黃榮泰 314, 317-318, 484-485, 613, 641
黃演桂 141, 430, 451, 458, 625
黃演敏 121, 123, 125, 451, 456
黃演淮 092-093, 123, 243, 252, 259, 276, 487, 546, 627, 644
黃禎祥 260, 274-277, 417, 457, 558
黃福慶 034
黃德國 087
黃樹奎 062, 412, 415-416, 451, 457, 638
黃瀛江 091
黃瀛澤 091, 179-180, 187, 194, 238, 259, 275, 278
黃耀光 093
黃鶯 380
黃鑽遂 588-589
黑板駿策 327
黑熱病 394
黑龍江陸軍醫院 409
鄭秀美 144

## 十三劃

塚瀨進 031, 461
奧運 098, 299
幹部候補生學校 239
愛國青年會 507, 567, 582, 588-590, 592-593, 595-596, 610, 628, 631, 645
愛國青年會案 588-589, 592, 628, 631, 645

慈愛醫院 425, 524, 560, 638
敬告旅居東北的臺灣同胞書 507
新生醫院 401, 481
新京女子師道大學 109
新京工業大學 109-110, 145, 147-150, 162, 203, 240, 250, 252, 254, 276, 286, 318, 326, 344, 346-347, 351, 355, 358, 545-546, 551, 565, 573, 577, 612, 644
新京工鑛技術學院（新京工科大學） 083, 085, 147, 260, 310
新京市立第一病院（新京市立醫院） 136, 148, 414, 502, 559
新京法政大學 093, 109-110, 123, 154-155, 162, 201, 203, 250, 252, 259, 276, 546, 568, 596, 636-637, 644
新京師道大學 109
新京畜產獸醫大學 109-110
新京敷島高等女學校 111
新京錦ケ丘高等女學校 111
新京醫科大學（新京醫學校、長春醫科大學） 042, 081, 085, 109-110, 113, 133-139, 141, 144, 147, 161-162, 250, 260, 276, 310, 335, 365, 383, 385, 417, 423, 425, 434, 449, 452, 455-456, 505, 519, 521, 544, 546, 558-559, 610, 637, 639-640, 646
新京醫科大學圭泉會 042, 085, 139, 610
新京纖維公社 321-322, 641
楊五珍 093
楊元統 128-129, 616
楊占恭 143, 456
楊正昭 007, 042, 424, 445, 487, 542-543, 617
楊正義 543
楊有務 117, 120, 456, 558
楊伯釗 313

楊克奇　088
楊克義　128
楊希榮　451-452, 454, 623
楊希聯　451-452, 623
楊坤明　269
楊明亮　588-589
楊東坡　439
楊松　224
楊金涵　007, 121, 125, 130, 243, 259, 276-277, 424-425, 436, 445, 456, 487, 542, 559, 606, 616-617, 639
楊奎松　467
楊宦奇　141, 451-452, 456
楊英風　232
楊茂盛　248, 276
楊茂德　248, 276
楊家瑜　550
楊振河　152
楊培　471
楊基振　193, 297 299, 358, 565, 576, 612, 641, 646
楊堃登　098
楊崑松　117, 445, 456, 616
楊從貞　045, 097, 401
楊從善　045
楊陵祥　621
楊斌彥　593, 595
楊朝華　086, 232, 329-331
楊湘玲　077, 503, 509
楊毓奇　121, 125, 130, 425-426, 451-452, 456, 638
楊義夫　237, 275, 504
楊綽庵　465-466, 477, 521, 550
楊肇嘉　075, 077, 237, 297, 341, 503, 509, 517,

521, 531, 550, 566
楊德昭　121, 417, 456
楊澄海（楊海澄）　093, 423, 425, 438, 445, 447, 454, 457, 559, 638-639
楊魯多　447
楊燧人　227, 229, 297, 318, 344, 412, 457, 475-476, 501, 514, 627, 638
楊藍水　297
楊藍銀　317-318, 484-485, 613
楊藍磐　228, 516-517
楊藏德　121, 130, 277, 431, 452, 456, 624, 639
楊藏鋡　121, 402, 452, 456, 624
楊藏興　093, 112, 121, 130, 243, 276, 452, 454, 456, 624
楊藏嶽　246-247, 276, 482, 487, 508, 530, 575, 610, 624
楊鵬搏　229, 412
楊鐘靈　117, 456
楊蘭洲　062, 198-199, 206, 223-224, 227, 229, 232, 234, 258-259, 274-276, 318, 475-476, 484, 492, 509, 520, 549-551, 554, 604, 612, 640, 644, 646
毓嵒　414-415
毓嶂　414-415
毓嶦　414-415
準特殊會社　008, 295-296, 301, 321, 324, 342, 366, 641
溥傑　414
溥儀　040, 046, 053, 057, 059-060, 072, 074, 102, 156, 165, 169, 196, 199, 206-208, 211-212, 225, 227, 268, 270-271, 355, 378, 412, 414-415, 430, 444, 451, 464-465, 473, 493, 495, 519, 634, 638-640, 643
溫水法　089

溫成龍 088
溫炎煋 600
稗田憲太郎 130-131
萬嘉熙 414
萬寶山事件 057
葉灯富 151
葉步嶽 139, 449, 456, 544
葉城松案 596
葉炳哲 440
葉炳煌 087, 260, 263, 275, 277, 289, 609
葉英生 392, 395, 453, 638
葉彩屏 418, 523-524
葉敏盛 112, 117, 119, 456, 559
葉敏棟 231, 457, 499-500, 559
葉清標 248
葉盛吉 152, 602
葉萬發 334, 359, 514, 573, 576
葉榮松 095
葉鳴岡 081, 083, 136-140, 335, 343, 434, 449, 456, 521-522, 544
葉蔡治 392, 395, 638
葉學 094
葉蘊玉 045, 449
董文琦 466, 484
董延葭 136, 456, 559
董雨生 596
董炳煌 160, 597, 616
董清財 171, 257, 260, 276
詹氏阿扁 100
詹並茂 449
詹金枝 449
詹春秧 074, 257-258, 327, 508, 529
詹湧泉 439
詹煌輝 096

詹德明 419, 423, 425, 449, 458, 638
農業移民 035-036, 061
農業義勇團 028, 098
鄒魯 052, 213
鈴木清次 314
鈴木謙則 062, 302
鉅鹿赫太郎 228
雷丸 133, 400
鼠疫 141, 384-385, 443
劉勝雄 151
鞍山天生醫院 141, 423

**十四劃**

「臺灣人處理辦法」五項 505
國立大學哈爾濱學院 109-110
國務院總務廳 169, 203, 205, 275, 298, 469-470, 478, 640
塾教育 159, 162
廖文毅 600, 602
廖氏阿卻 089
廖史豪 600, 602
廖永堂 121, 452, 456
廖有賊 093
廖行貴 240-241, 259, 275, 281, 339, 518, 548, 582, 587, 627-628, 645
廖阿杉 089
廖泉生 041, 121, 123, 130-132, 419, 421, 452, 456, 489, 500, 514, 624, 626-627, 638
廖炳輝 087
廖重光 092, 100
廖涼棟 117, 129, 456
廖欽福 096, 237
廖瑞發 590, 596
廖慶雲 092

廖錦河 139, 456

榮定安 071

滿支向臺灣茶輸出組合 332

滿洲大陸科學院有機化學研究室 085

滿洲中央銀行 062, 087, 100, 234-235, 301-304, 310, 327, 502-504, 565-566, 571, 627, 641

滿洲日日新聞社 322

滿洲自動車學校 096, 322

滿洲房產株式會社 212, 326

滿洲林業公司 041

滿洲建大案 008, 588-589, 597, 628, 645

滿洲建國第二軍 043, 267

滿洲映畫學會 301

滿洲炭礦株式會社 301, 310, 321, 641

滿洲重工業開發株式會社（滿洲重工業開發會社、滿工） 295-296, 301, 313, 321, 323, 504, 605, 641

滿洲飛行機製造株式會社工業青年學校 112

滿洲特殊鑛會社 320

滿洲航空株式會社 112, 301, 641

滿洲國及中華民國渡航證明規則 071

滿洲國史編纂刊行會 029

滿洲國軍 028, 057, 226-227, 266-267, 269, 274, 326, 463, 469

滿洲國醫師考試 134, 142, 454

滿洲國鏡泊湖水力電氣建設所 320

滿洲經驗 006, 008-010, 013, 037, 040-042, 045, 047, 082, 171, 342, 346, 377, 388, 437, 462, 534, 539-540, 542, 546-548, 550, 568, 573, 576-577, 579, 587-589, 597, 600, 603, 605, 609, 614, 624, 628, 631-633, 635, 643-647

滿洲電信電話株式會社（滿洲電信電話公司、電電、滿洲電電） 136, 301, 304, 306, 308-310, 358, 366, 500, 502, 507, 520, 574-575, 612, 641

滿洲電信電話醫院 285, 513

滿洲電氣化學工業株式會社（滿洲電氣化學會社） 232, 318-320, 472, 499, 559, 564

滿洲電氣會社 205

滿洲電業株式會社 314-315, 318, 417, 482, 484, 565, 574-575, 641

滿洲語檢定考試 148

滿洲興業銀行 301, 311, 566, 641

滿洲醫科大學專門部 091, 112, 119-121, 136, 144, 205, 243, 283, 383, 389, 402, 417-419, 421-422, 425-426, 430, 434, 436, 443-444, 447-448, 451-454, 456, 515, 521, 524, 552, 555, 557, 560

滿鐵 006, 055-056, 061-063, 069, 079-080, 100, 109, 112-114, 116, 120, 125, 130-131, 133, 168, 170, 193, 234, 295-300, 303-304, 310, 312-313, 321, 340, 353, 358, 364, 366, 378-379, 382-384, 386, 391-392, 395, 397, 406, 409, 411, 416, 426, 429, 431, 433, 435-436, 440, 453, 455, 469, 477, 558, 560, 562, 565, 567, 570, 576, 612, 619, 638-639, 641, 646

滿鐵大連本社 297, 300, 567

滿鐵總裁賞 125, 426, 435

漢口臺灣同鄉會 025

熊式輝 465-466, 484, 506

熊澤東 423, 453, 458, 637

熙洽 056, 169, 199, 207, 212, 640

甄審 540, 627, 631

福田凌 440

福州博愛會醫院 021, 379

綠洲山莊 600

綠島 600-601, 603
綠島新生訓導處 600
維城國民高等學校 257, 326
臧士毅 064
臺中地區工委會張伯哲等叛亂案 600
臺北中學校 222
臺北帝國大學 085-086, 107, 232, 234, 243, 246, 252, 256, 285, 325, 422, 453, 457, 513, 543, 560, 635
臺北美國銀行爆炸案 602
臺北監獄案 591
臺北醫專特設科 412
臺南美國新聞處爆炸案 602
臺灣口述歷史學會 045
臺灣民主自治同盟 286, 455, 618, 622
臺灣民報社 095
臺灣共和國 600, 602
臺灣同鄉會 009, 025, 039, 041, 046, 084-085, 252, 269, 286, 334, 359, 361, 366, 404, 434, 473, 505-509, 513-515, 517-520, 527, 531-532, 534, 542, 546, 548, 577-578, 595, 614, 625, 635, 643-644, 646-647
臺灣保安司令部 040
臺灣省三十六年縣長考試 570
臺灣省工委會 599
臺灣省考試變通辦法 540
臺灣省行政長官公署 041, 506, 527
臺灣省長官公署教育處 006
臺灣省旅平同鄉會 519, 578
臺灣省旅青同鄉會 578
臺灣省醫師公會 026, 041
臺灣科學技術學會 507
臺灣軍夫 027-028
臺灣重建協會上海分會 025, 517, 531

臺灣愛國青年會 507, 595-596
臺灣歐美同學會 098
臺灣總督府 007-008, 013, 020-023, 027-028, 039, 041, 045, 062, 065-066, 069-071, 074, 076-079, 082, 084, 091, 094, 097-098, 115, 117, 131, 155, 157, 191, 248, 261, 264-265, 268, 287, 297, 325, 332-333, 339, 363, 377, 379-380, 382, 387, 390-391, 395, 402, 407, 409, 412, 417, 426, 433-434, 445, 447, 449-451, 453-455, 457, 521, 570, 631, 635, 637-638, 642
臺灣總督府臺北醫學專門學校（臺灣總督府醫學校） 077, 091, 094, 117, 131, 261, 377, 379-380, 390-391, 395, 402, 407, 409, 412, 417, 426, 445, 447, 449-451, 453-455, 457, 521, 570, 637-638
臺灣鮮滿線 079, 634
臺灣籍民 019-024, 065, 213, 230, 378-379
語學檢定考試 189
趙一山 237
趙孟原（小松） 443
趙蔭茂 414
趙鴻謙 179, 237, 275, 359-360, 471
輔仁會 041, 085, 128, 606
輔助型離散（auxiliary diaspora） 008, 014, 016-017, 019, 632, 645
銓衡 141, 148, 154, 174, 182-183, 216, 220, 233, 259-261, 285
領事裁判權 055, 074
鳳山軍械庫 583
齊世英 645

## 十五劃

劉子傑 091

劉文彬 472, 501
劉文雄 160, 597, 616
劉氏雪 072
劉永達 238
劉石滿 092
劉光業 121, 123, 456, 626
劉名圖 044
劉杏林 160, 597, 616
劉佩忱 267, 277
劉宗妙 095, 332
劉尚 093
劉明 590
劉明哲 087
劉沼光 602
劉泗洲 117, 456
劉金龍 090
劉阿春 092
劉阿純 127, 390, 448, 452
劉阿燕 087
劉建止 007, 073, 083, 111, 121, 126-127, 389, 430, 447, 452, 456, 521-522, 559, 616, 626
劉建亭（劉建停） 111, 121, 123, 126-127, 447, 452, 456
劉恆興 034
劉英州 160, 590, 597, 610
劉家榮 326, 587
劉晉鈺 573
劉啟盛 087, 304, 566, 641
劉添丁 094
劉清風 098
劉發甲 087, 226
劉雲青 096
劉新同 472, 501
劉椿輝 323, 568, 642

劉毓玉（劉毓善） 350, 366, 473, 501
劉萬 093, 117, 352, 417-418, 456, 523-524, 531, 560, 638
劉漢 402, 457
劉漢湖 602
劉福基 087
劉銘傳 052
劉寬仁 578
劉德玉 573
劉德藩 263, 277
劉燕瑟（劉理） 323
劉燕鑒 323
劉翰東 467
劉錫五 098
劉鎮華 213
增田幸太郎 437-438
審判 025, 038, 166, 200, 243, 260, 284, 471, 532-534, 540, 586, 588-589, 591, 602-603, 631
慶厚 327
撫順高等女學校 111
撫順滿鐵醫院 131
撫順戰犯管理所 059, 102, 378, 414-415, 493
歐陽餘慶 194, 200, 203, 275, 280, 470, 579
潘作宏 580, 582
潘其男 273
潘國慶 314, 574, 616
潘溪水 093
潘圖左 309
潤麒 414
蔡氏越 088
蔡火營 089
蔡江 097
蔡江泉 089
蔡西坤 177-178, 190, 260, 265, 274-275, 277,

索引 709

285, 356, 363, 478, 501, 509, 529, 565, 644
蔡克成 596
蔡君通 088
蔡孝乾 596, 598
蔡奇泉 226
蔡奇麟 225
蔡宗傑 288, 548
蔡法平 061-062, 196, 198-199, 211, 224, 227, 257-259, 274, 276, 622, 640
蔡金池 092
蔡金泉 304, 566, 641
蔡阿信 093, 394
蔡建成 090
蔡啟怡 227
蔡啟運 199, 257, 260, 274-277, 286, 622
蔡啟獻 121, 456, 560
蔡培火 075, 506, 621
蔡培楚 092
蔡傑川（蔡森榮） 160, 235, 260, 275, 277, 288, 474, 509, 527, 590, 597, 616
蔡惠如 070
蔡紫薇 099, 101
蔡雅祺 035
蔡愛禮 524
蔡萬 093
蔡裕 341
蔡榮宗 088
蔡維鈞 160, 597
蔡綾娟 394
蔡銘勳 456, 561
蔡德龍 093
蔡慧玉 028, 036, 633
蔡潔生 112
蔡興旺 578

蔡謀泉 575
蔡讚泉 309
蔣介石（蔣主席、蔣委員長） 056, 112, 449, 491, 513, 578, 599, 602, 606, 628, 645
蔣渭川 577
蔣經國 009, 465
蔣經國基金會 009
蔣鼎文 623
適格考試 170, 181-183, 220, 233, 285, 289-290, 564, 640
鄧野 467
鄧潤德 094
鄭土木 273
鄭文峰 596
鄭孝胥 035, 040, 054, 060, 108, 169, 199, 207-209, 211, 224
鄭邦吉 072, 093, 378, 387
鄭信章 121, 123, 456
鄭秋慶 340, 475
鄭財昌 258
鄭國輝 121, 126, 456, 560
鄭清奇 309, 575
鄭登山 143, 456
鄭新奇 310
鄭瑞麟 297, 321, 363, 470, 567, 612, 641
鄭萬發 090
鄭肇基 212, 364, 415
鄭蓁蓁 212
鄭謹 092
鄭寶來 589
鄭麗玲 028
鞍山滿鐵醫院 130
駒井德三 170, 295

## 十六劃

戰犯 025, 040, 059, 102, 378, 414-415, 469, 493, 532-534, 539-540, 614, 631-632, 646
戰犯罪 025
戰爭罪犯審判條例 533-534
樸資茅斯條約 065, 069, 603
橋本虎之助 415
橋本寅三郎 487
橋本鶴代（柯秀鳳） 300
盧氏屏 088
盧氏慈愛 458
盧牙科診所 411, 418, 452, 486
盧有智 457, 560
盧昆山 040, 141, 143, 354, 363, 392, 404, 411, 419, 423, 425, 452, 456, 479, 484, 486, 524, 560, 619, 631, 638
盧淑賢 315, 410-411, 425, 452-453, 619
盧清池 410-411, 418, 452, 458, 484
盧溝橋事件（七七事變） 027, 080-081, 155, 303, 312, 314
盧燦圭 599
興業銀行 212, 301, 311, 326, 566, 627, 641
蕭冬 494
蕭秀淮 087, 224, 304, 566, 641
蕭明發 599
蕭恩鄉 096
蕭燈煌 096
蕭錫齡 570
諾門罕事件 216, 217
賴永祥 273
賴武明 240, 275, 478, 515, 551, 554, 584-585, 604, 628
賴英書 160, 272, 493, 567, 581, 590, 597
賴崇壁 584
賴崑森 200, 203, 275
賴崑錫 090
賴眼前 155, 200, 203, 266, 275
賴登漢 160, 595, 597, 610, 616
賴翔雲 160, 597
賴雅徵 419, 457, 560
賴興煬 494
賴寶琛 160, 473, 544, 567-568, 597
辦理臺灣省考試注意事項 540, 627
遼西 051-052, 102, 633
遼東 051-052, 055, 069, 102, 271, 322, 342, 394, 633
遼寧省立第十二國民高等學校 327
遼寧省檔案館 007, 125, 194, 283
錢宗起 506
錦生醫院 009, 100, 403-407, 416, 423, 454, 478, 521, 527, 608, 638, 646
錦昌醫院 099, 111, 230, 351, 426-429, 448, 454, 513, 523, 557-558, 638, 646
鮎川義介 296, 605
鴨綠江 178, 227, 269-270, 477, 634
龍金龍 097

## 十七劃

戴川 090
戴氏杏 100
戴戊己 092
戴百花 445, 447
戴炎輝 543
戴振翩 447
戴神庇 072, 112, 115-116, 130-131, 416, 445, 447, 456
戴國煇 020
戴添石 447

戴添成 445, 447
戴添曲（戴天青） 445, 447
戴棟 445, 447
戴雅典 445, 447
戴雅頌 445, 447
戴媽功 115, 445, 447
戴錦世 116, 445, 447
戴錦潤 115, 445, 447
戴錦龍 445, 447
戴耀閣 072, 112, 116, 416, 445, 447, 456
薛人仰 570
薛氏絲綢 100
謝久子 083, 111, 121, 126-127, 258, 260, 274, 277, 355, 366, 389, 430, 447-448, 454, 456, 521-522, 625-626, 646
謝介石 008, 024, 040, 042, 060-062, 071-072, 084, 091, 102, 196, 206-213, 222, 225-226, 234, 237, 258-259, 267, 273-275, 326, 331, 342, 355, 357, 364, 412, 415, 475, 512, 533, 577, 634, 638, 640, 642, 646
謝文火 127, 389, 447-448, 625
謝文昌 101, 448, 542
謝文垣 072, 448
謝文炫 072, 112, 117, 119, 126-127, 389, 429, 447-448, 456, 625
謝文煥 127, 355, 389, 447-448, 521, 625
謝文壇 112, 152, 448
謝文燦 072, 112, 116, 119, 126, 389, 416, 429, 447, 456, 625
謝氏桂娘 072
謝丙榮 096
謝有福 439
謝汝銓 060, 387
謝汝銘 324

謝江洋 091
謝伯東 325
謝呂西 267, 269, 277
謝育淳 456, 561
謝昌 237
謝東光 236, 259, 275
謝東閔 566, 569, 571
謝知母 121, 123, 130, 456
謝青娥（林青娥） 128, 448, 636
謝青蓮 072, 389, 430, 447-448, 450, 454
謝俊秀 341
謝指南 260, 277, 458
謝春木 041, 061, 075-076, 092, 378, 397-398, 634
謝春池 072, 093, 387, 448, 625
謝秋汀 099, 101, 335, 388, 448, 508, 514, 542, 642
謝秋涫 008, 072, 093, 099, 111, 116, 119, 127, 261, 335, 355, 380, 387-389, 416, 429-430, 447-448, 450, 452, 454, 457, 521, 555, 625, 638, 646
謝秋濤 009, 072, 091, 099, 123, 127-128, 130, 152, 254, 258-259, 261, 273-274, 276-277, 335, 387-391, 395, 428, 440-442, 447-448, 452, 454, 457, 557, 638-640
謝秋臨 496, 588, 599-601, 628, 645
謝唐山 072, 111, 378, 387, 444, 457
謝振熹 148, 254-255
謝國城 566
謝淑慎 600
謝雪紅 587, 600, 618
謝頂 130, 457, 514
謝喆生 211-212, 225, 415
謝報 062, 189, 201, 264-265, 343, 478-479, 482, 486, 496, 508, 571-572, 627

謝華輝　096, 236

謝傳泰　066

謝義　304, 566, 571, 641

謝道隆　093, 099, 116, 119, 387, 448

謝賴登　098

謝龍闓（謝美洲）　077, 267, 269, 277

謝聰敏　602

鍾氏玉香　099

鍾平妹　045, 081

鍾石若　098

鍾柏卿　616

鍾淑敏　019-023, 377

鍾理和　045, 074, 081, 096, 328

鍾逸人　596

鍾謙順（中村謙三）　238, 272, 275, 277, 492, 588, 596, 600, 602-603, 628, 645

## 十八劃

瀋陽臺灣省同鄉會　578

簡仁南　009, 040, 091, 102, 117, 141, 315, 383, 409-411, 418, 425, 437, 439, 452, 454-455, 457, 479, 484, 486, 502, 514, 524, 560, 618-619, 638, 646

簡文宣　593, 595

簡永彬　095

簡吉　598

簡汝楨　142, 456

簡卓堅　551

簡美智　411, 452

翻譯　009-010, 191, 257, 268, 327-328, 483, 504, 512, 569, 575, 579, 595, 646

藍鼎元　051

醫師世家　009, 046, 444-445, 447-448, 454, 639

醫師法　144, 379, 381, 384, 454, 511, 637

雙重國籍　060, 273

顏再添　579-580

顏再策　006, 160, 548, 579-580, 587, 597, 616, 628, 631, 644

顏朝邦　475

顏雲年　47

顏振聲　445

顏朝臨　089

魏丁安　090

魏木源　123, 125, 456

魏有財　095

魏海樹　340

## 十九劃

懲治漢奸條例　520, 532-533, 540, 631, 644

櫟社　071, 230, 389

羅仁權　092

羅春桂　457

羅振玉　199

羅振邦　332

羅振鑑　516, 554

羅振麟　236, 275

羅海盛　419, 453

羅國賓　092

羅萬俥　075

羅福嶽　400-401, 438-439, 445, 447, 454, 457, 525, 560

羅燦楹　142, 456, 561

藥種商　093, 334

藥劑師　046, 109-110, 114, 129, 144, 162, 321, 381, 383-384, 386, 405-406, 451, 454, 482, 636

關東州　039, 045, 055, 062, 065, 069, 072, 074,

088, 091, 102, 109, 155, 157, 265, 271, 295, 304, 332, 378-380, 382, 384, 387, 392, 454, 603, 634, 636-638

關東州長官 382

關東州總督府 055

關東軍 006, 028, 046, 055-057, 059, 169, 196, 199, 207, 209, 216, 228, 239, 250, 266-267, 269, 271-274, 295, 320, 382, 414-415, 462-465, 481-482, 487, 493, 495, 497, 581-583, 587, 596-597, 628, 642-643, 645

關東軍司令官 055, 196, 199, 209, 228, 266, 271, 382

關東都督府 055, 271, 382, 603

關特演 271, 462, 642

## 二十劃

嚴盛滿 323

蘇大川 160, 590, 597, 610, 616

蘇友鵬 603

蘇氏美玉 440

蘇世昌 128

蘇永隆 116, 379, 456

蘇金塗 333

蘇洪松 072

蘇茂寅 239, 275

蘇清泉 151

蘇連益 329

蘇貴興（大山金吉） 238-239

蘇逸甫 313

蘇夢蘭 142, 456, 561

蘇潭 043

蘇錦豐 458

蘇聯 009, 028, 037-038, 040, 046, 056, 059, 080, 098, 114, 158, 167, 209, 211, 216, 238, 242,

244, 271-273, 316, 327, 348, 350, 354, 356, 378, 414-415, 431, 462-467, 469-473, 475, 477-495, 497, 499-502, 504-505, 508-509, 513-514, 519, 521, 525, 530-531, 534, 543, 553, 569, 573, 577, 582, 605, 622, 627, 632, 642-643, 647

蘇鴻洞 323

蘇寶章 458

蘇耀輝 117, 456

鐘有成 439-440

鐘宗堯 087

鐘長秀 088

鐘欽秀 088

鐘登松 088

## 二十一劃

櫻內公望 226

蘭大弼 426

護士 009, 028, 046, 088, 090, 096, 116, 144, 388, 396-397, 405-406, 417, 423, 478, 481, 514, 529, 539, 619, 623, 638-639, 646

護照 007, 039, 064, 071

顧維鈞 208

鶴岡炭礦 147, 248, 599

## 二十二劃

龔連城 475

國家圖書館出版品預行編目(CIP)資料

離散與回歸：在滿洲的臺灣人(1905-1948)/ 許雪姬作. -- 初版. -- 新北市：左岸文化出版：遠足文化事業股份有限公司發行, 2023.1
　冊；　公分
ISBN 978-626-96246-4-5(上冊：平裝). --
ISBN 978-626-96246-5-2(下冊：平裝). --
ISBN 978-626-96246-6-9(全套：平裝)

1.CST: 滿州國 2.CST: 民國史

628.47　　　　　　　　　　　　　　　　　　　　　　　111010469

左岸文化　　　　　　　讀者回函（下冊）

## 離散與回歸：在滿洲的臺灣人（1905-1948）（下冊）

作者・許雪姬｜責任編輯・龍傑娣｜協力編輯・黃嘉儀｜封面設計・謝吉松｜內頁設計・林宜賢｜出版・左岸文化 第二編輯部｜社長・郭重興｜總編輯・龍傑娣｜發行人・曾大福｜發行・遠足文化事業股份有限公司｜電話・02-22181417｜傳真・02-22188057｜客服專線・0800-221-029｜E-Mail・service@bookrep.com.tw｜官方網站・http://www.bookrep.com.tw｜法律顧問・華洋國際專利商標事務所・蘇文生律師｜印刷・凱林彩印股份有限公司｜排版・菩薩蠻數位文化有限公司｜初版・2023 年 1 月｜定價・630 元｜ISBN・978-626-96246-5-2｜版權所有・翻印必究｜本書如有缺頁、破損、裝訂錯誤，請寄回更換｜特別聲明：有關本書中的言論內容，不代表本公司／出版集團的立場及意見，由作者自行承擔文責。若本著作照片有涉及著作權等問題，請來信或在官網留言告知，出版社將盡快聯繫處理。